講義
物権・担保物権法

第4版

安永正昭

有斐閣

第 3 版 はしがき

　本書第 2 版の刊行は，2014 年 11 月であり，それから 4 年あまり経過した。この間に，本書の扱う問題についても影響がある重要な民法の改正があり，版を改めることとした。

　その第 1 は，2017（平成 29）年 5 月に成立し，6 月に公布された民法（債権関係）の改正（法律第 44 号）およびその関連法の改正（同第 45 号）である（2020 年 4 月 1 日施行）。本書は物権・担保物権の領域をカバーするものであるが，たとえば，債権譲渡の禁止または制限の条文が改正され（466 条，466 条の 5 など），また，有価証券の諸規定の整理（520 条の 2 以下）がなされたことにより，権利質，および債権の譲渡担保などの説明を一部改める必要が生じた。

　第 2 は，2018（平成 30）年 7 月に成立し，公布された民法（相続関係）の改正（法律第 72 号）である（2019 年 7 月 1 日施行〔原則〕）。その中で，共同相続における権利の承継の対抗要件に関する規定が新設され，これにより不動産物権変動の対抗問題の一部について，その説明を改める必要が生じた。

　その他，いくつかの新しい判例が出され，これらを叙述の中で紹介，補充した。

　今回の改訂にあたっては，S シリーズ『民法 I ――総則』に続き，書籍編集部の小野美由紀さんにお世話になった。とても丁寧に原稿を読んでいただき，改正条文のチェックをはじめ，種々の点で適切なアドバイスをいただいたことにつき，御礼を申し上げる。

　なお，私は 3 年前から大阪で弁護士登録をしている。所属する摂津総合法律事務所では，原稿の執筆のほかいろいろな仕事をするにあたり自由でとても快適な環境をいただいている。記して感謝を申し上げる。

2019 年 3 月

神戸大学名誉教授　弁護士　安　永　正　昭

第2版 はしがき

　本書の初版は，2009年3月に出版され，その間，一定数の読者を得ることができ，著者としてはうれしい限りである。

　改訂の作業に当たって心がけたことは主として次の3点である。第1は，この5年ほどの間の新しい判例，議論の展開をフォローすることである。第2は，この10年間法科大学院（神戸大学，近畿大学，同志社大学）で講義をおこなった経験をもとに，法科大学院教育の観点からは不十分と感じられた点を必要な限りにおいて補充，加筆することである。第3は，叙述が舌足らずであった点を補正し，さらに分かり易い解説，叙述となるように努めたことである。

　なお，第2版においても，判例を重視し，本文に組み込んで取り上げるという基本に変わりはない（別冊ジュリスト民法判例百選掲載の判例は，初版同様，項目番号で引用した〔項目番号は2015年早々出版予定の新しい版を先取りした〕）。

　改訂に当たって，安永祐司（京都大学大学院法学研究科博士後期課程）に，全般にわたって，法科大学院の教育を受けた者の立場からの指摘をしてもらい，大変有益であった。

　改訂版の編集作業にあたっては，ご縁であるが，初版のもととなった法学教室連載当時の担当者であった青山ふみえさん（現在，書籍編集第一部），また，本書初版の出版を担当いただいた高橋均氏（現在，取締役書籍編集第一部部長）に再びお世話になった。記して，感謝の意を表したい。

2014年10月

　　　　　　　　　　　　　　　　　　　　　　　　同志社大学　安　永　正　昭

初版 はしがき

　本書は,『月刊法学教室』に,2006 年 4 月から 2008 年 3 月まで 24 回にわたって「入門講義・物権・担保物権法」として連載した稿をもとに,1 冊の教科書としてまとめたものである。もともと入門講義として執筆したので,関係の諸制度について基礎的なところから分かり易く具体的に書いたつもりである。もっとも,それに加えて,内容,レベル的にやや詳しく立ち入って述べているところも少なくなく,カバーしている知識としては,法科大学院の未修者コースの学習にも適したものとなっていると考えている。

　教科書という趣旨であるところから全体としてスタンダードな解釈論の知識習得を主眼とし,これまでの判例の到達点,および学説が一般的に説くところに依拠して叙述をしている。したがって,諸学説の細かな分布にはあまりこだわらず,他面で,自説を展開することも基本的にはしていない。そこで,先人達の極めて多くの業績に依っているにもかかわらず,学説の引用は必要最小限のものに限っている。

　また,多くの講義担当者が限られた時間配分の中で配慮するように,諸制度の取上げ方についてはメリハリをつけ,重要と思われる部分については少し多めの頁数をあてた。加えて,取り上げる順序についても,民法典の編成順ではなく,理解し易いように少し順番を変えているところがある（占有権や法定担保物権を後に置くなど）。

　本書をまとめるにあたって,法学教室の連載と趣を変えた点がある。それは本書の特色といえる。第 1 は,本文中に,重要と思われる関連判例の判旨の中心的部分を組み込んでいることである。判例を学習することで,初学者は,民法上のルールが,社会で実際に生起するいかなる事実関係にとって意味があるのかを知ることができ,また,民法に書かれた条文文言の具体的な意味内容を具体的事実に即して理解することができる。このことはとりわけ担保物権法の領域において当てはまる。著者としては,特に意を用いてこの部分を構成したつもりであって,読者の方々には,決してこの部分を読み飛ばさないで,逆に,判旨の文言を熟読して頂きたいと考えている。なお,もちろん,本書の引用のみでは十分に理解できない場合もあろうかと思われるが,さらに立ち入って学びたい読者は,『別冊ジュリスト民法判例百選Ⅰ・Ⅱ〔第 6 版〕』（有斐閣, 2009）をその項目番号で引用しているので,それ

を参照されたい。第2は，本文中で＊を付し色で網掛けした記述を設けていることである。これは，本文中に＊を付したことがらについて，若干の敷衍をしたものであって，読めば理解が深まるが，読み飛ばしても本文の叙述の流れを理解する上では支障がないものである。第3は，図をいくつかの箇所にいれたことである。図を参照すると人物関係等の理解にとって便宜であると思われる場合について付すこととした。

＊　　　　　＊　　　　　＊

本書ができあがるにあたっては，数多くの方々のご指導，お世話を頂いている。

恩師（故）林良平先生（京都大学名誉教授）には，研究者への道を勧めて頂き，阪神・淡路大震災のあった1995年の6月に不帰の客となられる直前まで，研究会などいろいろな場において常に間近でご指導を頂いた。

また，本書は，私が1971年以来38年間の長きにわたって研究の場とし，教室で学生・院生と共に過ごした神戸大学のキャンパスを定年で去ろうとするまさにその日に出版される。赴任して最初に担当した授業科目が「物権法」（担保物権法を含む）であり，当時，有斐閣の『注釈民法』などを読みながら講義ノートを作成したことが想い出される。この機会に，その間に指導を頂き，また研究上の刺激を与え続けて頂いた神戸大学の民法関係の諸先生（石田喜久夫，西原道雄，高木多喜男），同僚の教授諸兄姉（磯村保，山田誠一，窪田充見，手嶋豊，山本顯治，浦野由紀子）に心から感謝を申し上げたい。また，一時期同僚であり，その後も書籍等を通じて貴重な教示，刺激を頂いている道垣内弘人東京大学教授にもお礼を申し上げたい（法学教室の本連載は同氏の企画のお陰である）。

本書の基礎である法学教室での24回の連載にあたっては，当時雑誌編集部の青山ふみえ氏（現六法編集部），次いで鈴木淳也氏（現書籍編集第1部）に大変お世話になった。連載を継続できたのはお二人の的確なサポートのお陰であり，また，設定頁数を超えがちなわがままを再三黙認して頂いた。また，一書として出版するにあたっては，古くからのおつきあいである高橋均氏（雑誌編集部長）に直接ご担当頂き，原稿の綿密な点検・校正，経験に基づいた適切なアドバイスをたくさん頂戴した。まことに有り難く，1冊の本を共同で作り上げたという気持ちである。担当して頂いた3人の編集の方にあらためて感謝の意を表したい。

2009年3月

神戸大学　安　永　正　昭

目　次

第1編　物権法　　　　　　　　　　　　　　　　　　　　1

第1章◆序　説 …………………………………………………3
Ⅰ 物権・物権法とは　3
　1 物権法は財産法の一部 (3) ／ 2 物権法が規律する生活関係 (物権の種類) (3) ／ 3 物権法の内容 (5)
Ⅱ 「物権」の意義, 性質　6
　1 物権の意義 (6) ／ 2 物権の性質 (債権との対比) (6) ／ 3 物権法定主義 (7)
Ⅲ 物権の客体　9
　1 序　説 (9) ／ 2 物 (9) ／ 3 支配可能性 (11) ／ 4 特定性 (12) ／ 5 独立性 (12)

第2章◆物権の一般的効力 ……………………………………14
Ⅰ 優先的効力　14
　1 物権相互間の優先 (14) ／ 2 債権に対する優先 (14)
Ⅱ 物権的請求権　15
　1 序　説 (15) ／ 2 物権的請求権の成立要件 (19) ／ 3 物権的請求権の内容 (費用の負担) (23)

第3章◆物権変動 ………………………………………………27
Ⅰ 序　説　27
　1 物権変動の原因, 態様 (27) ／ 2 物権変動とその公示 (29)
Ⅱ 意思表示による物権変動　33
　1 民法176条の趣旨 (意思主義) (33) ／ 2 意思表示は物権行為か債権行為か (33) ／ 3 物権変動 (所有権移転) の時期 (35)

第4章◆不動産物権変動における公示 ……………………40

Ⅰ 不動産登記制度の概要　40

1　序　説（40）／　2　登記簿（40）／　3　登記手続（41）

Ⅱ 不動産物権変動の対抗問題　45

1　対抗の意義（45）／　2　登記を必要とする物権変動（原因）（48）／　3　民法177条の「第三者」の範囲（69）

Ⅲ 不動産登記に関する問題　82

1　序　説（82）／　2　登記請求権（82）／　3　登記の有効要件（86）／　4　仮登記（90）

Ⅳ 無権利者からの不動産物権取得者の保護　92

1　序　説（92）／　2　民法94条2項類推適用法理（93）

第5章◆動産物権変動における公示 ……………………105

Ⅰ 動産物権変動における公示の原則　105

1　序　説（105）／　2　引渡しによる対抗（106）／　3　動産譲渡登記ファイルへの登記による対抗（109）

Ⅱ 動産の即時取得　112

1　序　説（112）／　2　即時取得の要件（113）／　3　即時取得の効果（122）／　4　盗品・遺失物の場合（123）

第6章◆明認方法による公示 ……………………………130

Ⅰ 問題の所在　130

Ⅱ 明認方法による対抗　131

1　明認方法の具備（131）／　2　明認方法により公示される物，物権，物権変動（131）／　3　明認方法による対抗が問題となる関係（131）

第7章◆物権の消滅 ………………………………………133

Ⅰ 序　説　133

Ⅱ 混同による消滅とその例外　134

1　混同による消滅（134）／　2　混同の例外（134）

第8章◆所有権 ………………………………………………136

Ⅰ 序　説　136

Ⅱ 所有権の内容とその制限　137

1　所有権の内容（137）／ 2　所有権に対する制限（137）／ 3　土地所有権の範囲（139）

Ⅲ 所有者不明土地対策関連法制（概観）　140

1　問題の所在と立法による対策（140）／ 2　所有者不明土地の発生を予防する規律（142）／ 3　所有者不明土地の利用の円滑化を図る（148）

Ⅳ 相隣関係法　150

1　序　説（150）／ 2　隣地の使用（151）／ 3　公道に至るための他の土地の通行権（154）／ 4　継続的給付を受けるための設備の設置等（159）／ 5　その他の規定（162）

Ⅴ 所有権特有の取得原因　167

1　序　説（167）／ 2　無主物の帰属等（168）／ 3　添　付（169）

Ⅵ 共　有　181

1　序　説（181）／ 2　持分権（183）／ 3　共有物の変更，管理（189）／ 4　共有物の分割（198）／ 5　所在等不明共有者の持分の取得および持分の譲渡（206）

Ⅶ 土地・建物管理命令　210

1　序　説（210）／ 2　所有者不明土地管理命令および所有者不明建物管理命令（211）／ 3　管理不全土地管理命令および管理不全建物管理命令（216）

Ⅷ 区分所有法　219

1　序　説（219）／ 2　建物についての権利関係（専有部分と共用部分）（219）／ 3　建物の敷地に関する権利関係（敷地利用権の共有）（221）／ 4　管理の仕組み（222）／ 5　建替え等（223）

第9章◆用益物権 ……………………………………………226

Ⅰ 序　説　226

1　他人所有の土地を使用収益する用益物権（226）／ 2　用益物権と土地の賃借権（227）

Ⅱ 地 上 権　228

1　地上権とは（228）／ 2　地上権の成立（228）／ 3　地上権の内容（229）／ 4　地上権の消滅（231）

Ⅲ 永小作権　232

x　目　次

　　1　永小作権とは（232）／　2　永小作権の成立（232）／　3　永小作権の内容（232）／　4　永小作権の消滅（233）

　Ⅳ　地 役 権　233

　　1　地役権とは（233）／　2　地役権の成立（234）／　3　地役権の内容（236）／　4　地役権の消滅（237）

　Ⅴ　入 会 権　237

　　1　意　義（237）／　2　成立と対抗要件（238）／　3　入会権の内容（239）／　4　入会権の主張等（239）／　5　入会権の処分（241）

第10章◆占 有 権 …………………………………………………………243

　Ⅰ　序　説　243

　　1　占有制度の意義（243）／　2　叙述の順序（245）

　Ⅱ　占有権の取得・消滅　245

　　1　占有の成立（245）／　2　成立する占有の態様・性質（250）／　3　占有の承継取得（256）／　4　占有権の消滅（259）

　Ⅲ　占有権の効力（占有の効果）　259

　　1　占有権の効力（占有の効果）概観（259）／　2　権利適法の推定（260）／　3　回復者（本権者）との関係で占有者に与えられた法的地位（262）／　4　占有の訴え（占有保護請求権）（265）／　5　動物の占有による動物に対する権利の取得（271）

　Ⅳ　準 占 有　271

第2編　担保物権法　273

第11章◆担保物権法総説 …………………………………………………275

　Ⅰ　序　説　275

　　1　担保物権の意義（275）／　2　物的担保と人的保証（277）

　Ⅱ　各種の担保物権とその分類　278

　　1　序　説（278）／　2　典型担保（制限物権型担保）（278）／　3　非典型担保（280）／　4　目的物件の側からみて利用できる担保物権の種類（283）

    Ⅲ 担保物権の効力　284
      1 優先弁済的効力（284）／ 2 留置的効力（284）／ 3 収益的効力（284）
    Ⅳ 担保物権の通有的性質　285
      1 付従性（285）／ 2 随伴性（285）／ 3 不可分性（285）／ 4 物上代位性（286）

第12章◆抵当権 ……………………………………………287
    Ⅰ 序説　287
      1 抵当権の意義と性質（287）／ 2 どのような経済取引において利用されるか（289）
    Ⅱ 抵当権の設定と公示　292
      1 抵当権設定の合意（抵当権設定契約）（292）／ 2 目的物（295）／ 3 被担保債権（297）／ 4 対抗要件（299）
    Ⅲ 抵当権の効力　302
      1 序説（302）／ 2 抵当権の効力の及ぶ目的物の範囲（303）／ 3 抵当権の効力の及ぶ目的物の範囲——付加一体物（304）／ 4 抵当権の効力の及ぶ目的物の範囲——果実（311）／ 5 抵当権の効力の及ぶ目的物の範囲——分離物（313）／ 6 抵当権の効力の及ぶ目的物の範囲——物上代位（316）／ 7 抵当権で担保される債権（被担保債権）の範囲（332）
    Ⅳ 抵当権と抵当不動産の所有・利用等　335
      1 序説（335）／ 2 抵当権の侵害に対する救済手段（339）／ 3 抵当権に対抗できない利用権の保護（349）／ 4 法定地上権（356）／ 5 代価弁済，および抵当権消滅請求（373）
    Ⅴ 抵当権の処分　378
      1 序説（378）／ 2 転抵当（378）／ 3 抵当権の譲渡・放棄および抵当権の順位の譲渡・放棄（382）／ 4 抵当権の順位の変更（384）
    Ⅵ 抵当権の消滅　385
      1 物権に共通，担保物権に共通の消滅事由による消滅（385）／ 2 抵当権特有の消滅事由（386）
    Ⅶ 優先弁済権の発動およびその手続　389
      1 序説（389）／ 2 担保不動産競売（391）／ 3 担保不動産収益執行（394）
    Ⅷ 共同抵当　396

1　共同抵当の意義（396）／　2　後順位抵当権者相互の平等を図る方法（399）／　3　共同抵当と物上保証人（401）

Ⅸ　根抵当　404

1　序　説（404）／　2　根抵当権の意義（406）／　3　根抵当権の設定（407）／　4　元本確定前の被担保債権に関する変更等（411）／　5　根抵当権の元本の確定（415）／　6　共同根抵当（419）

第13章◆質　権 …………………………………………………………421

Ⅰ　序　説　421

1　質権の意義（421）／　2　質権の特色（421）／　3　質権は実際どれほど利用されているか（422）／　4　担保物権としての通有性（423）／　5　叙述の順序（423）

Ⅱ　動　産　質　423

1　動産質権の設定と対抗の問題（423）／　2　動産質権の効力（426）／　3　動産質における実行前の効力（428）／　4　動産質における優先弁済権の実現（432）

Ⅲ　権　利　質　433

1　序　説（433）／　2　債権質権の設定（434）／　3　債権質権の効力（438）／　4　債権質における実行前の法律関係（438）／　5　債権質における優先弁済的効力の実現（440）

第14章◆譲渡担保 …………………………………………………………442

Ⅰ　譲渡担保　442

1　序　説（442）／　2　譲渡担保の設定と対抗（446）／　3　譲渡担保権の効力（450）／　4　譲渡担保における内部関係（452）／　5　譲渡担保における対第三者関係（453）／　6　譲渡担保権の実行（457）

Ⅱ　流動する集合動産・集合債権の譲渡担保　465

1　（流動）集合動産譲渡担保（465）／　2　（流動）集合債権譲渡担保（475）

第15章◆所有権留保 ………………………………………………………483

Ⅰ　序　説　483

1　所有権留保とは（483）／　2　所有権留保の担保としての有用性（483）／　3　所有権留保の法律構成（484）／　4　信販会社等による所有権留保の形態

（485）
　Ⅱ　所有権留保の成立・公示　486
　　1　合　意（486）／ 2　公　示（488）
　Ⅲ　所有権留保当事者の法的地位　489
　　1　買主の占有・利用および処分（489）／ 2　留保売主による目的物の処分等（490）
　Ⅳ　所有権留保の実行　490
　Ⅴ　いわゆる「流通過程における所有権留保」　491

第16章◆仮登記担保 ……………………………………493

　Ⅰ　序　説　493
　　1　意　義（493）／ 2　仮登記担保の利用の実情（493）／ 3　法律構成（494）
　Ⅱ　仮登記担保の設定・公示　495
　　1　仮登記担保契約（495）／ 2　公　示（495）
　Ⅲ　仮登記担保の実行　496
　　1　序　説（496）／ 2　私的実行（496）／ 3　競売手続における仮登記担保権の実現（502）／ 4　仮登記担保と不動産利用の関係（504）

第17章◆留　置　権 ……………………………………505

　Ⅰ　序　説　505
　　1　留置権とは（505）／ 2　留置権の担保としての有用性（507）
　Ⅱ　留置権の成立　509
　　1　序　説（509）／ 2　被担保債権（509）／ 3　担保の目的物（510）／ 4　被担保債権と物との牽連関係（511）／ 5　占　有（518）
　Ⅲ　留置権の効力　520
　　1　序　説（520）／ 2　目的物の留置に関わる権利義務関係（520）／ 3　目的物について競売がなされた場合等（523）
　Ⅳ　留置権の消滅　524

第18章◆先取特権 ……526

I 序　説　526
　1　先取特権とは（526）／　2　先取特権を認める理由（527）

II 各種の先取特権　528
　1　一般の先取特権（528）／　2　動産の先取特権（531）／　3　不動産の先取特権（536）

III 先取特権の効力　539
　1　序　説（539）／　2　優先弁済権の実現手続（540）／　3　他の担保物権との間での優先劣後，先取特権間での順位（541）／　4　物上代位（541）

事項索引（547）／　**判例索引**（560）

… 凡　　例

[文　献]
・単行本，雑誌論文を引用する場合は原則として正式な書名・誌名を掲げ，単行本については発行元と刊行年を，雑誌論文については刊行年を括弧内に示した。
・判例批評・判例解説を引用する場合には，個々の論文名は掲げず，単に「判批」「判解」と表した。

[判　例]
・「大判（決）」「最判（決）」「高判（決）」「地判（決）」はそれぞれ「大審院判決（決定）」「最高裁判所判決（決定）」「高等裁判所判決（決定）」「地方裁判所判決（決定）」を表す。「大連判」「最大判」はそれぞれ「大審院連合部判決」「最高裁判所大法廷判決」を表す。
・本書で紹介する裁判例の出典および評釈については下記の略称を用いた。

　　民　　録　　大審院民事判決録
　　民　　集　　大審院，最高裁判所民事判例集
　　家　　月　　家庭裁判月報
　　新　　聞　　法律新聞
　　判　　時　　判例時報
　　金　　法　　金融法務事情
　【百選Ⅰ】　潮見佳男＝道垣内弘人編『民法判例百選Ⅰ総則・物権〔第8版〕』（有斐閣，2018）
　　　　　　　なお，星野英一＝平井宜雄＝能見善久編の同書旧版（有斐閣，2005）については，百選Ⅰ〔第5版新法対応補正版〕と表した。
　【百選Ⅱ】　窪田充見＝森田宏樹編『民法判例百選Ⅱ債権〔第8版〕』（有斐閣，2018）
　【百選Ⅲ】　水野紀子＝大村敦志編『民法判例百選Ⅲ親族・相続〔第2版〕』（有斐閣，2018）
　【不動産取引百選】　安永正昭＝鎌田薫＝山野目章夫編『不動産取引判例百選〔第3版〕』（有斐閣，2008）

・既（後）出判例を引用する場合は，前（後）掲表示して出典を再度掲げない。ただし掲載頁が離れて判然としない場合は，再度出典を掲げるか，または本書掲載頁を括弧で補う（例，前掲最判平成元年10月27日（260頁））。
・判決（決定）文を引用する際は，以下の点を除き，原則として「　」内に原典のまま表記した。
　　① 数字の表記は，量を表す場合や順に数え上げる場合などは，原典が漢数字であっても算用数字に改めた。
　　② 漢字の旧字体は新字体に改めた。

③促音・拗音を表す平仮名は原文にかかわらず小書きにした。
　④原文中の「　」は『　』にした。
　⑤筆者による注記は〔　〕で示した。

[法令名略語]
・原則として正式名称を掲げたが，括弧内で引用する場合には，『六法全書』(有斐閣)巻末の「法令名略語」によった。

第1編 物権法

第1章 序　説

Ⅰ　物権・物権法とは

1　物権法は財産法の一部

　民法は，財産法と親族・相続法で構成される。民法の財産法は，財産をめぐって人と人の間に生ずる諸関係を規律する一般的ルールを体系化したものである。この体系は，所有権を中心とする財産の支配・帰属の関係と，契約を中心とする財産の移動の関係とに整序されている。前者が物権法，後者が債権法である。

2　物権法が規律する生活関係（物権の種類）

(1)　序

　物権の客体は日常用語でいう「財産」一般ではなく，動産，不動産という「物」（有体物）である。この「物」に対し権利主体（人，法人）が直接に関わる関係を物権法が規律する。物への関わり方の違いから，これを4つにグループ分けできる。すなわち，所有，用益，担保，占有である。おおまかな内容は以下のようなものである。

(2)　所　有

　物に対する全面的支配の関係である。所有者は自由にその所有物の使用，収益および処分をする権利を有する（民206条）。この所有の関係（所有権）を通して，人は住まいを得，衣食の消費生活を行い，会社等の事業者は，工場やオフィスを持ち，また，原材料，製品を所有して生産活動や営業活動を行うことができるのである。したがって，所有は財産法における最も基本的な関係といえる。

(3)　用　益

　他人所有の土地を使用，収益する関係である。具体的には，地上権（建物を

建てるなどの目的），永小作権（耕作，牧畜の目的），地役権（自己の土地の便益のため他人の土地を利用する目的）等による（民265条，270条，280条）。土地所有者との合意でこれら用益の関係が設定されるが，所有権の一部である利用権の譲渡を受けたとみることができる性質のものである。なお，土地の利用は，ほかに，土地所有者と賃貸借契約を結ぶ方法（債権関係）によってもできるが，用益物権とは内容面で相違がある（ただし，建物を所有する目的での土地の借地の関係においては借地借家法の規律により違いがほとんどなくなっている）。

(4) 担 保

金銭の貸借などで金銭債権が生じた場合，その回収をあらかじめ確実にしておくため，債権者は債務者に，物的担保，または／および人的保証を求める。保証は債権者と保証人との契約つまり債権関係である。これに対し前者は物権関係であり，その典型例は不動産を目的とする抵当権である。抵当権とは，債権者（たとえば1000万円の金銭の貸主）が，債務者または第三者所有の不動産につき，その者との合意により取得する担保物権であって，債務者に債務不履行があった場合，この抵当権なる権利を行使して，「他の債権者に先立って自己の債権の弁済」（優先弁済）を受けることができる（民369条）というものである。抵当権の行使は，主として裁判所の不動産競売の手続によって行われるが，競売で不動産を買い受けた者から裁判所に支払われた競売代金の中から，抵当権者＝債権者は優先的に弁済を受ける。このように，抵当権は，いざというときに抵当の目的不動産を競売にかけ債権を回収できるという，物に対する直接の支配権（物権）なのである。物の交換価値を直接把握している状態と整理される。物的担保としては，民法上，抵当権のほかに，留置権，先取特権，質権がある（民295条，303条，342条）。そのほかに，譲渡担保，仮登記担保などを挙げることができる。

(5) 占 有

物に対する事実的支配の関係を占有という。所有権，地上権，抵当権など（本権と呼ぶ）はその権利者が目的物を物的に支配することを根拠づける権利であるが，それと比較すると，占有は単に目的物を事実的に支配しているにすぎない状態をいい，権利と呼ぶにふさわしいものではない。しかし，民法は，物に対する事実的支配を基礎に占有者が「占有権」を取得するものとし（民180

条），その占有権には各種の効力があると構成している。その効力の内容は，事実的支配を一応正当なものとして占有者に一定の保護を与えるというものである。たとえば，占有物について行使する権利は適法に有するものと推定する（民188条），占有に対する侵奪妨害があれば占有者はそれを排除できる（民197条以下），あるいは占有者は占有物を時効取得できる（民162条），などである。

3 物権法の内容

　人が物に直接関わるこれらの関係に対して，物権法はどのようなルールを置いて，どのような整序を図ろうとしているのか，また，どのような整序を図るべきであろうか。物権編に限定しないでこの点につき俯瞰してみると以下のようになる（物権法は財産法の一部であり自己完結的ではないし，また，条文に書かれていない重要なルールもある）。

　〔1〕物権の主体，客体に関する規律　　これらは総則に規定されている（人，法人，物）。

　〔2〕どのような種類の物権があるのか，また，各種物権の個別具体的な内容（効力）に関する規律　　これは民法175条，および物権編第2章から第10章に規定されている。

　〔3〕物権の取得，喪失等（物権変動），およびその主張に関する規律　　共通の一般的ルールは，物権編第1章「総則」の176条から179条に置かれている。ほかに，民法総則の取得時効（消滅時効も），第5編の相続もこれに関するルールといえる。物権編では，さらに各種の物権に特有の取得原因等の規定が置かれている（所有権取得原因としての付合，加工等〔民239条～248条〕，地役権，抵当権の時効取得・消滅時効など〔民283条，291条，396条，397条〕。ほかに，留置権，先取特権の法定取得原因等に関する規定がある〔民295条，301条，302条，306条，311条，325条〕）。

　物権変動において特に重要なルールは，物権を第三者に公示することに関するものである。物権は排他的支配権であり強力な権利であるので，誰にそのような権利が帰属するかは第三者に影響するところが大きい。しかし，その権利関係は現実の支配状態を見ただけでは正確には分からない。そこで，その所在を何らかのかたちで公示することが必要である。日本では，不動産については

国の管理する登記制度が用意され，登記簿によりその権利関係が公示されている。そして，民法は，物権関係が変動した機会をとらえて登記簿に記録するように求めている（公示をしないと物権変動を第三者に対抗できない）。物権変動の対抗要件である（民 177 条，178 条。なお，民 899 条の 2 も参照）。これにより当該物件につき取引関係に入ろうとする第三者の安全を図ろうとしている（公示がないところに物権変動はないと信頼してよい）。物権の問題を考察するにあたっては，公示，対抗問題は常に意識する必要がある。

〔4〕物権の一般的な効力に関する規律　　明確な条文はないが，物権の優先性，物権的請求権が学説で論じられ，判例がそれを承認する。

Ⅱ 「物権」の意義，性質

1　物権の意義

あらためて，物権の定義をすれば，物権とは特定の物を直接に支配して，その物の有する利益を排他的に享受することができる権利であるといえる。

2　物権の性質（債権との対比）

債権は契約から発生するのが典型例であるが，それは，契約の相手方に対し，金銭の支払，物の引渡し，サービスの提供等を請求することができる権利である。物権は，これと対比してみて，次の〔1〕〔2〕〔3〕のような基本的性質を指摘することができる。ただし，物権にはいろいろな種類のものがあって，一方で，この基本的な性質がそのまま当てはまる典型的な物権（所有権）もあれば，これらが当てはまらないものもある。また，他方で，債権ではあっても不動産賃借権のように物に対する直接支配権的な権利もある点に注意を要する。

〔1〕直接支配性　　物権は物に対する権利である。物権者は，物を直接支配できる。所有権ではまさに物を直接全面的に支配し，地上権では土地の用益的価値を直接支配して，それらの利益を享受できるし，抵当権では，抵当権者が物の交換価値を直接支配している。これらに対し，債権は対人的な請求権である。

〔2〕排他性　　同一物上に同一内容の物権が重ねて成立することはない。こ

れに対して，債権は，事実上両立できない内容の債権であっても，重ねて成立することができる。この場合，履行が選択されなかった債務については債務不履行となるだけのことである。

〔3〕**絶対性**　物権は，誰に対してでも主張することができる絶対的権利である。債権が第一義的には債務者を相手方として主張できる相対的権利であることと対比できる。

3　物権法定主義
(1)　意　義
物権は民法その他の法律に定めるもののほか創設できない（民175条），とされる。これは，当事者の合意によって，法定の物権以外の種類の物権を創設することができないというだけではなく，法定の物権について法定の内容以外の内容をもたせることもできないという意味である。

物権法定主義を採用する理由としては，第1に，所有権を旧来の各種の封建的拘束から解放し所有権の自由を確立するため，所有権に対する制約を限られた少数の制限物権に限定するということである。第2に，物権は排他性のある強力な権利であり，多様な種類，内容の物権を認めると第三者の利益を侵害するおそれがあり，また，登記等の公示技術の面からも複雑な権利内容を公示することは困難だからである。

(2)　慣習上の物権の扱いと民法175条の解釈
(ア)　**問題の所在**　以上の理由で採用された物権法定主義ではあるが，このルールを厳格に適用すると，〔1〕民法制定前からの慣行上の物権的権利（農業用水利権，温泉の湯口権など），〔2〕社会の進展に伴い生ずる新しい型の物権的権利（譲渡担保など）のいずれもが認められないことになり窮屈である。

たとえば，工場の機械（動産）を担保にして金融機関から運転資金を得ようとする場合，民法が用意する担保手段は質権のみである。質権は，その成立のためには機械を質権者に引き渡すことが必要とされているので（民342条，352条），債務者が工場で機械を稼働させつつ借入金を返済するというわけにはいかず，このような場合には結局質権は担保手段として使えない。機械の占有を移さずそれを目的物として担保を設定するためには，民法に規定のない形式

（譲渡担保＝担保目的での譲渡）を考案せざるを得ない。これが物権法定主義に反し認められないとなると、およそ社会のニーズに反することになる。

　そこで、社会の必要性があり、かつ物権法定主義の立法趣旨に反しない場合、すなわち、それを認めても所有権に対し過度の負担とはならず、またそれを公示する手段があって第三者を害さないという場合に限り、民法175条の適用を緩める解釈を採ってもよいのではないか＊。

＊民法175条との関係で慣習上の物権の承認をどのようにして導けばよいかは難問である。有力な考えは、公序良俗に反しない慣習には「法律と同一の効力」が認められているので（法適用3条）、ある権利を物権と認める慣習があれば、それは法律で認められていることと同じである（民法175条の「その他の法律」で定めた物権ということになる）と説明する。しかしながら、民法施行法35条が、上記(ア)〔1〕民法施行前にすでに発生していた慣習上の物権について、民法施行後は法律の定めがない以上その効力は認められないと強く否定しているので、この規律との関係では、慣習法上の物権を上のような解釈によって承認することは難しいであろう。そこで、慣習法上の物権を承認するには、あくまで民法175条の立法趣旨を強調して、その趣旨に反しないものであれば認められる余地があると説明するほかなさそうである[1]。

　(イ)　**判例**　判例をみると、「上土権」（江戸期以降、他人所有の荒地を開墾した者が表土についてもつ耕作権）なるものは否定したが（大判大正6・2・10民録23輯138頁）、流水利用権（水利権）、「湯口権」（大判昭和15・9・18民集19巻1611頁【百選Ⅰ49】）については承認した。

■大判昭和15年9月18日民集19巻1611頁──────

　事実の概要　債務者Aは債権者Yに対しA所有の甲土地内の湯口から湧出する温泉の使用権（湯口権）に質権を設定していた。Aが債務を履行しないのでYがこの湯口権を差し押さえ（強制執行し）たところ、差押え前にAから甲土地とともに湯口権を譲り受けたとするXが執行異議を申し立てた。原審では、湯口権を一種の物権的権利とした上、その譲渡につき第三者対抗要件は不要とし、Xは湯口権の譲受けをY（湯口権差押え）に対抗できるとした。Yが上告。原判決破毀差戻し。

　判旨　長野県松本地方には、湯口権につき、「温泉湧出地（原泉地）ヨリ引湯使用スル一種ノ物権的権利ニ属シ通常原泉地ノ所有権ト独立シテ処分セラルル地方慣習法」があると認め、その上で、排他的支配権を認める以上その種の権利の性質からし

---

1)　舟橋諄一＝徳本鎭編『新版注釈民法(6)〔補訂版〕』（有斐閣、2009）218頁以下［徳本］参照。

て権利変動につき民法177条を類推し公示（明認方法等）が必要であり，それが具備されていなければ第三者（差押債権者Y）に対抗できないとした（Xは湯口権譲受けにつき対抗要件を具備したか調べよ）。

III 物権の客体

1 序説

　以下，主として民法総則第4章「物」（権利の客体）の85条，86条の解釈に関わる問題であるが，物権の客体たるための要件について述べておく。所有権など物権の客体は「物」であるが，物権が成立するためには，その物は，さらに，「支配可能性」があり，かつ，「特定」の「独立」した物でなくてはならない。

2 物

(1) 有体物

　物権の客体は，「物」，すなわち有体物（手で触ることのできるもの）である（民85条）。ただし，例外的に，物以外のものを客体とする場合がある。先取特権につき「財産」（民303条），質権につき「財産権」（民362条），抵当権につき「地上権及び永小作権」（民369条2項）である。

　生きた人の身体（生体）はその性質上物権の対象たる物とはみない。しかし，分離した肉体の一部，あるいは，遺体，遺骨は物として所有権が成立するとされる。遺体，遺骨に対する所有権は，埋葬，祭祀，供養を営むための前提として認められるので，祭祀承継者（民897条）を所有者と考えるべきであろう。

(2) 動産・不動産

㋐ 不動産とは　　民法86条によれば，有体物は動産および不動産に分類されるが，不動産とは土地およびその定着物をいう（同条1項）。定着物のうち，建物は，民法86条からは明確ではないが，それ自体独立の不動産と解される（民388条，389条参照）。立木ニ関スル法律1条による「立木（りゅうぼく）」（樹木の集団であってその所有者が立木法により所有権保存登記を受けたもの）も同じ扱いである（立

木法2条)。それ以外の定着物(樹木,垣根,塀など)は,原則として,土地の一部と評価される。ただし,たとえば立木法の適用を受けない山林樹木が立木のまま売買され,それが地盤たる土地の所有者とは別の者の所有に帰した場合には,その樹木は,土地とは独立した物と認められる(ただし,明認方法が具備されることが必要である)。なお,独立の建物とは認定できない,しかし動産ではなく,土地に定着する地上構造物(鉄塔など)は,土地と所有者が分離する場合,土地の一部と扱うほかないのか,上の樹木と同様の扱いが可能かはっきりしない。通常はその構造物所有のため土地に利用権が設定されており,問題は生じない。

(イ) **不動産たる建物** (a) **問題の所在** 建築途上の建物は,どの程度になれば,いわば動産のかたまりから独立した不動産に昇格するのか。動産なのか不動産なのかによってその法的取扱いに大きな違いがあるから問題となる。すなわち,不動産としてその登記ができるかどうか(不登1条,2条1号),譲渡された場合その対抗要件具備の方法が所有権移転登記によるのか(民177条)引渡しなのか(民178条),第三者が建築途上の建前に建築を続行したことによる完成建物の所有権帰属の原則的決定ルールが不動産の付合なのか(民242条)加工なのか(民246条),担保権を設定する場合その種類が抵当権なのか(民369条)質権なのか(民342条以下),差押えの方式(民執43条か122条か)等においてである。

(b) **判例の基準** 判例によれば,当該建物の使用目的に適った構成部分を具備したかどうかが目安であり,それが木造居宅の場合,屋根瓦を葺き,荒壁を塗り終え土地に定着する状態であれば,まだ床および天井を張っていなくても,独立の不動産と認められる,とされる(大判昭和8・3・24民集12巻490頁,大判昭和10・10・1民集14巻1671頁【百選Ⅰ11】)。

(ウ) **動産** (ア)(イ)以外の有体物はすべて動産である(民86条2項)。なお,これまで無記名債権(商品券,コンサートのチケットなど券面に権利者の名前が記載されていない債権で,その所持人に債務を弁済しなくてはならないというもの)を,動産とみなし,動産に関する規律を適用してきた。しかし債権法の改正で,これを有価証券に分類し,無記名証券として記名式所持人払証券の諸規定(民520条の13〜520条の18)を準用する(民520条の20)との整理がなされた。

3　支配可能性

　有体物であっても人の支配可能性がなければ物権は成立しないことは当然である。

　これに関して，海面下（春秋分の年間最高満潮位時の水際線が基準とされる）の土地に私人の所有権が成立するかが問題とされる。自然現象による海没地などについては所有権が肯定されているが，一般に海については国の公法的支配管理に服しており，私人の所有権は成立しないとされる。しかし，干潮時には干潟となる土地であって，歴史的に干拓が許可され，地券が交付され登記もされるなどの経緯がある土地については，私人の所有権の成立を認めてよいとの考えもあり得る。この点につき，判例は，現行法は，海面下の土地について海水に覆われたままの状態で一定範囲を区画して私人の所有に帰属させる制度は採用していないとしつつ，過去の法制で海面下の土地につき私人の所有権の成立を認めたことがあれば，現在でも，その土地は所有権の客体たり得るとした（最判昭和61・12・16民集40巻7号1236頁）。

■最判昭和61年12月16日民集40巻7号1236頁

事実の概要　愛知県田原湾の「干潟」につき，Aらが江戸時代新田開発許可を得（開発は失敗），後に明治政府から地券の交付を得，登記がなされ，かつて租税も賦課された。現在Xらが所有名義人である。県が一帯の干潟の埋立てを計画し，Xらの土地について登記官が海没を理由に「滅失登記」をしたので，Xらは所有権の客体たる土地だとして処分の取消しを求めた。最高裁はXらの請求を棄却。

判旨　海は公共用物であってそのままの状態では所有権の客体たる土地に当たらない。しかし，「性質上当然に私法上の所有権の客体となりえないというものではなく，国が行政行為などによって一定範囲を区画し，他の海面から区別してこれに対する排他的支配を可能にした上で，その公用を廃止して私人の所有に帰属させることが不可能であるということはでき」ないが，現行法は，そのような制度を採用していない。しかしながら，「過去において，国が海の一定範囲を区画してこれを私人の所有に帰属させたことがあったとしたならば……その所有権客体性が当然に消滅するものではなく，当該区画部分は今日でも所有権の客体たる土地としての性格を保持しているものと解すべきである」という（ただし，本件では，開発は失敗しており，地券が交付されてはいるが，それは土地の所有権を与えるものではなく，せいぜい開発権を証明するものでしかない）。

4 特定性

　所有権などの物権が対象物に対して成立するためには，「この物」というかたちでの特定がなされている必要がある。したがって，目的物につき「×○ビール 1 ダース」という売買契約が有効に成立し，買主が売主に対して約束の種類・数量のビールの引渡しを請求できることになったとしても，倉庫にあるどのビールが引渡しの対象かが不特定なので，いまだビールに対する買主の所有権は成立しない（種類債権の特定については民法 401 条 2 項参照）。

5 独立性

　物は一定の基準でもって 1 個，2 個と数えられる。所有権等物権は，1 個の物に対して 1 つの物権が対応する関係にある（一物一権主義）。

　では何を基準として 1 個と数えるのか，特に不動産について問題となる。土地については人為的に区画され 1 筆の土地として登記されているものが 1 個である。ちなみに，1 筆の土地と隣接する土地との境界線のことを筆界と呼ぶ（不登 123 条 1 号）。筆界は公法上の境界であり，土地所有者間で変えることはできない。建物については，原則として 1 棟の建物が 1 個であるが，マンションなどの場合には 1 棟の建物の中にある，構造上区分された部分であって独立して住居，店舗，事務所または倉庫その他建物としての用途に供することができるもの（専有部分＝区分建物）ごとに 1 個の所有権が成立する（建物区分 1 条，2 条 3 号，不登 2 条 22 号）。

　一物一権主義は，分析すると，〔1〕物の一部や構成部分については原則として物権は成立しない，〔2〕複数の物（集合物）に対し 1 個の物権は成立しない，〔3〕逆に，1 個の物の上には同一内容をもつ物権は 1 個しか成立しない（＝排他性），という意味である。

　ただし，〔1〕につき，土地はあくまで人為的に区画割りされているにすぎないから，1 筆の土地の一部の譲渡・時効取得（所有権の成立）が認められる。この場合，筆界と当事者間で定めた所有権界とが食い違うことになるので，公示の観点からは，実体に合わせて登記簿上でも所有権界に合わせて分筆の手続をしなくてはならない。〔2〕につき，一物一権主義は，物権の所在を対外的に公示するのにはそういう扱いをするのが便宜であるというのがその理由であるか

ら，集合物であってもそれに対し1つの物権の成立を認める必要があり，かつ，それを公示する方法があるのであれば，その原則にこだわることはない。そこで，たとえば，企業を構成する多数の財産の集合体を全体として1つの担保物権の客体とすることが特別法で認められている（工場抵当法，鉄道抵当法など）。また，判例は，集合動産につき1個の譲渡担保権が成立するという（最判昭和54・2・15民集33巻1号51頁など）。

第2章　物権の一般的効力

　どの物権にも共通して認められる一般的効力として，優先的効力，侵害に対する物権的請求権が挙げられる。

I　優先的効力

1　物権相互間の優先

　同一物上の互いに相容れない内容をもつ物権相互間では，その効力は時間的に先に成立した方が優先する。もっとも，物権の変動は公示をしなければ，その物権を第三者に主張できないとのルール（公示の原則）があるので（民177条，178条），それが適用される範囲では（ほとんどの場合がそうである），上記の原則は妥当せず，公示を先に具備した方が優先する，と修正される。たとえば，A所有の不動産がまずBに，次いでCに二重に譲渡されたが，Cが先に所有権移転登記を得たという場合，Cの所有権取得がBに優先する。

　なお，先取特権のように法律によって直接，物権相互の優劣関係が定められている場合がある（民329条以下参照）。

2　債権に対する優先

　同一の特定物に対し物権と債権とが競合する場合は，物権が優先する（「売買は賃貸借を破る」）。たとえばAからパソコン（動産）を賃借しているBは，Aからそのパソコンを譲り受けたCにその返還を求められれば，これに従わなくてはならない。もっとも，たとえばある不動産につき売買予約により将来所有権を取得することのできる地位を有する者であって，この地位（所有権移転請求権）が仮登記により保全されると，それが本登記されるまでの間に生じた物権に対しては優先する（不登105条，106条）。また，不動産賃借権は対抗要件を具備することによって物権と同様の優先的効力を取得することが認められている（民605条，借地借家10条，31条）。

II 物権的請求権

1 序説
(1) 意義
　たとえば，A所有の甲土地上に，利用権限のないBが無断で建築資材，建設機械を置いているとか，あるいは建物を建築している等の場合，Aは自己所有地を自由に使用，収益すること（民206条）ができず，所有権を違法に侵害されていることになる。この場合，Aには，当然ながら，所有権の円満な支配状態を回復することが認められなくてはならない。その回復の方法として，Aが自分で妨害物をどけてしまうこと（自力救済）は法治国家においては許されないから，Bに対し所有権に基づく請求権という形式で所有権の円満な支配状態の回復を図ることになる。

　地上権，抵当権などについても，その本来の権利内容の実現が違法に妨げられている場合には，同様のことが当てはまる。

　要するに，排他的支配権である物権が違法に侵害された場合，物権者はそれを排除することができ，これを「物権的請求権」と総称している。このような物権的請求権を認めるべきことは物権の性質からしてあまりにも当然であり，この点については異論がないところである。

(2) 条文上の根拠
　しかし，物権的請求権を直接根拠づける条文がじつは民法にはない。わずかに，その存在を前提とした規定が「占有の訴え」（民197条以下）中の民法202条1項にあるだけである。すなわち，同条には，「占有の訴えは本権の訴えを妨げず，また，本権の訴えは……」とあり，民法自体が占有の訴えと別に所有権などの本権に基づく訴え（物権的請求権）が存在することを予定している。

　そこで，その要件・効果等は，判例・学説により，所有権，地上権，抵当権など各物権の内容に即して検討・構築される。その際，外国法，占有の訴えの規定なども参照されている。以下では，所有権を念頭に物権的請求権の内容や，要件・効果等を説明し，必要な限りでその他の物権の場合に言及する。

(3) 3つの態様

所有権侵害という典型例で考えてみると、その侵害の態様に応じて、3つの請求権の態様が考えられる（占有の訴えにおける占有保持・保全・回収の3態様〔民198条～200条〕が参考になる）。

(ア) **物権的返還請求権**　所有者が所有物の占有を全面的に失い、第三者がそれを不法に占有している場合に行使する。要するに、他人の占有によって所有権が侵害されている場合の返還請求である。A・B間での売買契約が無効である場合におけるBからの悪意の転得者C、あるいは他人の動産の窃取者に対し行使する関係が適例である。返還請求とは、具体的には不動産ではそれを占有する者に対する明渡請求（建物が土地上に存在すれば「建物収去土地明渡請求」）となる。動産では引渡請求である。この場合、動産を引き渡すべき場所は、返還請求権発生時にその物が存した場所（盗まれた場所など）である（民484条1項参照）。

なお、これを強制執行する場合は、民事執行法168条以下による。明渡し、引渡しは、執行官が占有を侵害者から取り上げそれを所有者に移すという方法でなされる（民執168条、169条）。代替執行の方法によるもの（建物収去など）は、収去等に必要な費用の支払を裁判所が侵害者に命じることになる（申立てがあればあらかじめ債権者に支払うべき旨を命じることができる〔民執171条1項・4項〕）。また、いずれの場合についても、申立てにより、間接強制の方法によることもできる（民執173条）。

(イ) **物権的妨害排除請求権**　物に対する所有者の支配が部分的に妨害された場合である。返還請求と対比すると、他人の占有以外の方法によって所有権が侵害されている場合の妨害の排除である。冒頭の建築資材等の積置きによる妨害の例のほか、真実の権利関係と一致しない不実の登記（たとえば抵当権設定登記）の存在による所有権の妨害、さらには、隣人Bが権限なく継続的にAの所有地内に立ち入る形態の妨害例が考えられる。前二者は妨害の排除を求め、後者は妨害の停止を求めることになる。強制執行について、前者は代替執行または間接強制により（物権的登記請求の場合には登記申請の意思表示が擬制される〔民執177条1項〕）、後者は間接強制（民執172条）による。

(ウ) **物権的妨害予防請求権**　所有権に対する妨害のおそれが客観的に存在

する場合である。たとえば，隣地で地面を掘り下げる工事がなされ，自分の所有地が隣地に崩落する危険が生じている場合などがその例である。この場合には，妨害のおそれを生じさせている隣地所有者に対し，崩落を防ぐ措置を講じるよう求めることができる。この例では，強制執行は代替執行または間接強制によることになる。

(4) 所有権以外の物権等の場合

　物権の種類によりその侵害のあり方が異なり，したがってその保護の態様も一様ではない。地上権，永小作権では所有権の場合と同じであるが，留置権についてはその性質上（占有を失うと留置権は消滅する）返還請求権は認められず，債務者の総財産を対象とする一般の先取特権では物権的の請求権は問題とならない。また，動産質権では，質物の占有継続が第三者対抗要件とされる（民352条）関係で，第三者に対しては質権に基づく返還請求権は成立しない（民353条。質物の占有侵奪を理由とする占有回収の訴えによってのみ質物を回復することができる）。

　抵当権は，目的不動産を占有することを内容とする担保権ではないので（民369条），その性質上返還請求権は成立しない。しかし，物権的に把握している交換価値に対する侵害に対しては，目的不動産に対する物理的な侵害の場合はもちろん，占有という手段による侵害であっても（優先弁済請求権の行使が困難となるような状態〔最大判平成11・11・24民集53巻8号1899頁，最判平成17・3・10民集59巻2号356頁【百選Ⅰ89】〕），妨害排除請求権を行使することができる。抵当権に基づく物権的請求権の問題については，抵当権の章で詳しく検討する（⇨341頁・第12章Ⅳ2(4)）。

　他方，不動産賃借権は法的には債権であるが，事実上，目的物を直接支配しており，また，民法605条（または，借地借家10条，31条）により第三者対抗力，優先的効力を取得できるので，物権に類似しており，賃借人は対抗要件具備を前提に妨害排除請求権，返還請求権が認められる（最判昭和30・4・5民集9巻4号431頁）。なお，賃貸人である所有者が有する所有権に基づく各種請求権を代位行使（民423条）することも許される。債務者（所有者）の無資力を要件としない，いわゆる債権者代位権の転用の一事例である。

(5) 物権的請求権の法的性質

「請求権」という形態をとるが，物権に由来する権利なので，債権的請求権とは異なる物権的性質を有する。具体的には，物権的請求権のみ独立して譲渡することは許されない（物権とともにのみ移転）。また，物権的請求権のみ独立して消滅時効にかかることはない（なお，所有権は時効消滅しない）。しかし，そのほかにおいては，請求権として共通する面があるので，次のような債権法規が類推適用される。たとえば，履行の強制に関してであるとか（民414条），あるいは履行場所について（民484条）等である。

(6) 類似・関連する制度との対比

以下の制度と対比することで，物権的請求権の有する意義・機能をより明確にすることができる。

(ア) **占有の訴え**　これは，占有，すなわち物に対する事実上の支配の侵奪・妨害に対する救済の制度であるが（民197条以下），物権的請求権は，本権，すなわちあるべき帰属秩序の回復を目的とする。したがって，観点が異なるので両者は併存するが，その関係をどのように整序するか問題となる（⇨269頁・第10章Ⅲ4(3)参照）。

(イ) **不法行為法**　たとえば，ある者Aの所有地上に第三者B所有の建物が権原なく存在するという場合，Aは，Bに対して物権的請求権を行使（建物収去土地明渡請求）することによって，将来に向かって所有権の円満な土地支配状態を回復することになるが，これによって不法な占有をされていた期間，所有者が当該土地を利用できなかった等の過去の損害を賠償してもらえるわけではない。過去の損害の賠償をしてもらえるのは，不法行為法（民709条以下）によってである。

両者は，上記のように1つの事実関係に対して併せて適用されるが，達成しようとする目的が異なり，またその適用の要件・効果においても相違がある。重要な相違点は，前者の物権的請求権行使の要件としては現在の侵害者においてその侵害が違法と評価されることで足り過失は要求されず，他方，後者は不法行為者においてその侵害行為につき過失があることが要件となる。また，請求の相手方も，前者は現在の侵害者，後者は侵害行為を行った者であり，事案によっては双方が異なることもあり得る（上記で建物の所有権がBからCに譲渡

された場合，前者はCが，後者はBが相手方となる)。

(ウ) **債権的な引渡請求権との競合**　債権的な物の引渡請求と競合することがあり得る。たとえば，売買契約の解除に伴う原状回復（民545条1項)，または無効・取消しに伴う不当利得（民703条以下）としての給付物の返還との競合の可能性である。競合するかどうかにつき，まさに議論があるが，上の例で仮に売主に遡及的に所有権が復帰していると構成すると，売主は物権的返還請求権をも併せもつことになる。もっとも，最近の議論では，解除・取消しによる巻き戻しの関係における代金返還との同時履行の確保の必要性，民法188条以下の適用との関係の検討などを通して，これらの事例においては，物権的請求権はとりあえず後景に退き，債権的な処理に委ねることが妥当であると理解されている。

2 物権的請求権の成立要件

(1) 客観的に違法な侵害状態の存在

物権的請求権の成立要件としては，第1に，物権に対する客観的に違法な侵奪・妨害ないしそのおそれがあることである。侵害ないし侵害のおそれがあるかどうかは，侵害された物権の種類，侵害行為の態様に応じて，その円満な支配状態が妨げられているかどうかを個別的に判断して行われる。たとえば，第三者が権原なく他人の所有物を占有する場合は，所有権に対する全面的に違法な侵奪があり，所有権に基づく返還請求権を根拠づけることになる。

なお，訴訟手続的に見ると，不動産所有権に基づく明渡請求訴訟であれば，所有者（原告X）は，〔1〕Xが本件不動産を所有していること，〔2〕相手方（被告Y）が本件不動産を占有していることを，妨害排除訴訟であれば，〔1〕Xが本件不動産を所有していること，〔2〕Yが妨害を生じさせている事実を支配している（たとえば，本件土地上にその所有に係る建築資材を置いている）ことを，主張し，侵害が違法であるという点については，Yの側が抗弁として，占有が正権原に基づいている等と主張立証することになる。

物権的請求権の成立につき，侵害者の故意・過失という主観面は問題とならない。したがって，たとえば，大雨で甲地ののり面の石垣が隣の乙地に崩落した場合など，原因が自然力，不可抗力であっても，甲地所有者の所有物（石）

で乙地が違法に侵害されている状態にあると評価されれば，直ちに妨害排除請求権が根拠づけられることになる（ただし，判例には，傍論ではあるが，妨害が不可抗力に起因する場合については物権的請求権が成立しないと述べるものがある〔後掲大判昭和 12・11・19 など〕）。

(2) **請求権者とその相手方**

(ア) **序** 　以上のことから，物権的請求権の当事者は，現に客観的に違法な侵害状態を支配している者が相手方，侵害されている現在の物権権利者が請求権者となる。したがって，必ずしも侵害の原因を引き起こした者が請求の相手方となるわけではない。侵害を受けている目的物の所有者が変わればそれに伴って物権的請求権者が変わるし，侵害している物件の所有者が変わればそれに伴って物権的請求権の相手方も変わる。後者の点に関し，3 件の判例を紹介する。

(イ) **侵害物件の譲受人** 　上の原則を確認するものである（大判昭和 12・11・19 民集 16 巻 1881 頁【百選Ⅰ 50】）。A が自己所有の甲土地の地面を掘り下げたので，隣の X 所有の乙土地の地面との間に落差が生じ乙土地の一部が甲土地に崩れ落ちる危険が生じた。その後，甲土地の所有権が A から Y に譲渡された場合，X が行使する妨害予防請求権の相手方は A か Y かという事案である。判例は，「現ニ此ノ危険ヲ生セシメツツアル者」，すなわち，現状で侵害の危険を発生させている甲土地の現在の所有者 Y が，「此ノ侵害ヲ除去シ又ハ侵害ノ危険ヲ防止スヘキ義務ヲ負担スル」とした。理由は，妨害予防の請求権の相手方が，その侵害の危険を自らの行為によって生じさせたかどうか，侵害の危険の発生につき故意または過失があるかどうかは問題とならないからであるという。もっとも，この場合，妨害除去の費用は請求の相手方（Y）の負担とされるので（⇨23 頁・3(1)(ア)），Y にはその費用相当額の損害が発生し，それについてはその賠償の問題が Y と原因者 A との間で生じうる（民 564 条，709 条）。

(ウ) **無権原で土地を占有する建物の登記名義人** 　A の所有地上に B が無権原で B 登記名義の建物を所有しているとして，A は B を相手方としてその建物の収去土地明渡しを請求をしたところ，B は，すでにその建物の所有権を C に譲渡した（所有権移転登記は未経由）と抗弁した場合，A は，実質 C に所有権移転があったかどうかを探求して，実際にそうであった場合には改めて C

を相手方として建物収去土地明渡請求をしなくてはならないか，という問題がある。

　原則からすると，Aは，建物の実質的所有者を探求しその者を土地の侵害者として建物収去土地明渡請求の相手方としなくてはならず（最判昭和35・6・17民集14巻8号1396頁），所有名義がBに残っていることは重要ではない，ということになろう。

　しかし，建物の譲渡はあったが所有権移転登記が未経由であるという場合，譲受人がすでに実質的な所有者になっているのか，そうではなく依然として譲渡人が所有者なのか外部からは判然としないことも少なくないであろうから，土地所有者保護の観点から上のような原則を貫くことが妥当かどうかは問題となるところである。また，建物の譲渡をしながらそのまま登記名義人のままでいる者には相応の責任（代替執行による建物の収去費用）を負担させてもよいとの見方もあり得る（あとで，譲受人に対し負担した収去費用を請求することができる）。判例は，一方で原則を確認しながらも，例外的に譲渡人が自らの意思で登記名義を保有する場合には，譲渡人は建物収去土地明渡しの義務を免れることはできないという（最判平成6・2・8民集48巻2号373頁【百選Ⅰ51】）[1]。

■最判平成6年2月8日民集48巻2号373頁

事実の概要　本件建物の所有権は，相続によりBが取得し，その後Cに譲渡されたが，所有権移転登記は，被相続人からBに対してなされているだけで，BからCに対してはなされていない。他方，本件建物の敷地はAが競売により取得している。AがBを相手に建物収去土地明渡しを訴求。最高裁はAの請求を認容。

判旨　「土地所有権に基づく物上請求権を行使して建物収去・土地明渡しを請求するには，現実に建物を所有することによってその土地を占拠し，土地所有権を侵害している者を相手方とすべきである〔最判昭和35・6・17民集14巻8号1396頁〕」。「もっとも，他人の土地上の建物の所有権を取得した者が自らの意思に基づいて所有権

---

[1]　鎌田薫「判批」ジュリスト1068号（平成6年度重要判例解説）68頁以下参照。ちなみに，上記最高裁昭和35年判決の事案も同様に建物譲渡人名義の保存登記が存在したものであるが，その登記は建物譲渡人の意思に基づくものではなかったという事案であった（未登記の建物が譲渡され，その後土地所有者の建物処分禁止の仮処分申請に基づいて譲渡人名義に嘱託登記された）。平成6年判決が，「自らの意思に基づいて……登記を経由し……引き続き右登記名義を保有する限りは」と述べているのは，昭和35年判決の事案はその意味から登記名義を基準にできない例外的事案であったことを示しているのである。

取得の登記を経由した場合には，たとい建物を他に譲渡したとしても，引き続き右登記名義を保有する限り，土地所有者に対し，右譲渡による建物所有権の喪失を主張して建物収去・土地明渡しの義務を免れることはできないものと解するのが相当である」。そして，判旨は，その形式的根拠を，建物所有に関し土地所有者があたかも民法 177 条の「第三者」として建物の所有名義人を相手に建物所有権の喪失を否定してその帰属を争う点で「対抗関係にも似た関係」ということができるからとする（建物所有権の喪失を登記してない B は「第三者」A に対抗できない）。また，実質的な理由として，〔1〕あくまで建物の「実質的所有者」をというなら，その探求は困難，〔2〕また，相手方は，たやすく建物の所有権の移転を主張して明渡しの義務を免れることが可能になるという不合理がある。〔3〕他方，建物所有者は所有権移転登記を行うことはさほど困難なことではないのに，登記を自己名義にしておきながら自らの所有権の喪失を主張し，その建物の収去義務を否定することは，信義にもとり，公平の見地に照らして許されないものといわなければならない，と。

(エ)　**所有権留保権者**　信販会社 Y の立替払いを利用して自動車を購入した者 A が，立替金残金未払いのままその自動車を月極駐車場に放置し行方不明となった場合，その駐車場の所有者 X は，駐車契約を解除して，自動車が駐車場の所有権を侵害していることを理由に，その妨害排除請求を，（本来相手方とすべき A がつかまらないので）Y を相手方として行うことができるか。Y は自動車の所有権を留保しているがそれは担保目的であり，担保権者としてはこの自動車を占有，使用する権原はなく，X の駐車場所有権を違法に侵害している者とはいえない。もっとも，ここでは，A の残債務の弁済期は到来して債務不履行に陥っており，Y は，残債務を回収するため担保権たる留保所有権を行使して A から自動車を引き上げることが可能である。このような事案につき，最高裁判所は，残債務弁済期の前後で区切って，その経過後は，Y は自動車の撤去義務を負うと判断した（最判平成 21・3・10 民集 63 巻 3 号 385 頁【百選Ⅰ101】）[2]。なお，この判例の趣旨は，所有権移転型の担保である譲渡担保権者お

---

[2] この事案では，あわせて，Y の駐車場使用料相当損害金の賠償も請求されているが，これについては，「残債務弁済期の経過後であっても，留保所有権者は，原則として，当該動産が第三者の土地所有権の行使を妨害している事実を知らなければ不法行為責任を問われることはなく，上記妨害の事実を告げられるなどしてこれを知ったときに不法行為責任を負うと解するのが相当である」と述べている。

よびリース契約におけるリース業者についても妥当するであろう。

■最判平成21年3月10日民集63巻3号385頁
　判旨　「残債務弁済期が経過した後は、留保所有権が担保権の性質を有するからといって上記撤去義務や不法行為責任を免れることはないと解するのが相当である。なぜなら、上記のような留保所有権者が有する留保所有権は、原則として、残債務弁済期が到来するまでは、当該動産の交換価値を把握するにとどまるが、残債務弁済期の経過後は、当該動産を占有し、処分することができる権能を有するものと解されるからである。」。

3　物権的請求権の内容（費用の負担）

(1) 問題の所在

(ア) **行為請求権**　物権的請求権の内容としては、侵害者に対し侵害除去のための一定の行為を請求するものと理解するのが、判例・多数説である。すなわち、具体的には、侵害者に対し、動産の引渡し、建物収去・土地明渡し、妨害物の撤去、妨害行為の停止、あるいは妨害予防の工事などの行為を求めることができる。これによると、侵害の除去についての費用は、侵害者が負担することになる。

(イ) **いわゆる双方的侵害の場合**（【図表2-1】）　これに対し、第三者が侵害状態を惹起した例（A所有の建物を賃借していたBが、C所有の機械を設置した後それを放置して行方不明となった〔[事例1]とする]）、または不可抗力または自然力により侵害が生じた例（大雨、大地震でD所有地

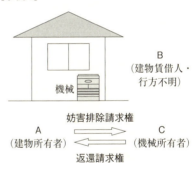

【図表2-1】

[事例1]

[事例2]

ののり面の石垣がE所有の隣地に崩落〔[事例2]とする〕）を挙げて，上の考えには問題があるとの指摘がなされた。指摘された問題点は，第1に，侵害者C，Dが有責でない場合にもその費用でもって除去せよと請求することは酷ではないか，第2に，上の2つの事例では，それぞれ双方に対する所有権侵害があり，AとEの妨害排除請求権とCとDの返還請求権とが対立的に成立すると考えられるので，その場合，費用負担は相手方の請求に応じて先に履行した側が負うこととなり公平を欠く結果となる，と。

(2) 忍容請求権説など

この例外的問題をめぐって，かつて学説上議論があった。その解決のため，およそ物権的請求権の内容は単なる忍容請求，すなわち，請求権者自らが回復行為をすることを相手方は忍容せよと請求する権利にすぎないと理解するものがあった。これによると，まず請求権者が自分の費用で回復行為をした後，侵害を惹起した責任者に対しその費用相当額を損害賠償として請求することになる。とすると，[事例2]で有責な者がいないとすれば，Eが結局費用負担者となる（[事例1]でも責任者Bは事実上つかまえられない）。しかし，それでよいのか。また，通常の建物収去土地明渡しなどを想定すると，この説ではまどろっこしい上に，別立ての賠償請求訴訟をしなくてはならない（そこで，帰責性のある侵害者に対する場合には行為請求権としての物権的請求権が，そうでない場合には忍容請求権としてのそれが生ずるとする考えもあった）。

(3) 近時の見解

物権的請求権の内容としては行為請求権と理解するのが妥当である。例外的事例の説明のため沿革を無視した忍容請求とするのは本末転倒である。なお，忍容請求権は物権の追及的効力または信義則を根拠に当然に認められるものである。

まず第1に，前記第2の指摘であるいわゆる「双方的侵害」という事態が生じると考えるべきかについては，否定すべきであろう。法的評価としては，[事例1][事例2]において，侵害は1個である。すなわち，Cの機械でAの建物所有権が妨害され，Dの石でEの土地所有権が妨害されている，ということになる。AおよびEは，機械，石の占有（＝「自己のためにする意思をもって物を所持」〔民180条〕）をいまだ取得していない（C，Dの所有権を侵奪していな

い）と評価することができるからである。したがって，AおよびEのみが妨害排除請求権を取得する[3]。

　なお，これとは別に，この事例の下では，Cは自己の所有する機械の引取り，Dは自己所有の石の引取りにつき，それぞれAおよびEに対してこれを忍容するよう所有権の本来的効力として求めることができ，信義則上，A, Eは建物，土地への立入りを拒めない（この引取忍容請求権を物権的請求権の第4態様とする考えもある）。なお，このC, Dの請求をA, Eが拒絶した場合には，忍容請求権について履行の強制を求めることになると考えるのか，あるいはA, EがC所有の機械，D所有の石を自分の不動産内部に取り込んでいる（占有取得）と評価できるので，逆転して，物権的返還請求権が成立することになると考えるのか，という問題が生ずる。後者が妥当と考えるが，いずれと構成しても，義務の履行地は，この場合，請求権発生時にその物が存在した場所，すなわちA, Eの不動産上である（民484条参照）ので，費用負担は，C, Dとなり，差異は生じない。

　第2に，回復費用は行為義務を負うC, Dが負担することになるが，その点については，そもそも物権的請求権とは，侵害状態を作ったことについての責任ではなく，自己の所有物で侵害状態を継続している違法についての責任の問題であるから（なお，民717条参照），致し方ないというほかはない。なお，[事例1]では法的にはBに賠償義務があるのでCは事後的に損害賠償請求できる。[事例2]のような自然災害による隣地崩落の事例における回復・予防工事費用の負担はどうか。原則的にはDの負担である。しかし，下級審の裁判例（東京高判昭和51・4・28判時820号67頁）で，上側の土地の取得の経緯，崩落地がもともと急な傾斜地で崩れやすい土地であり，崩落の予防工事は相隣する上下両地にとって利益となることを考慮すると，相隣関係法の理念（境界標の設置

3）　判例にも，建物賃借人（B）が賃借した他人（C）所有の機械（砕石機）を賃借建物内に備え付け建物賃貸借終了後にその機械をそのまま放置した事案で，建物の所有者（A）は，その機械の所有者Cに対しても，その機械の撤去を求めることができることを認め，その理由を「蓋シ其ノ撤去ヲ為ササルコトニ因リテ所有者ハ家屋賃貸人ノ所有者トシテ有スル権利ヲ侵害シタルモノ為ルヲ以テナリ」とするものがある（大判昭和5・10・31民集9巻1009頁）。また，前掲最判平成21・3・10（⇨22頁・**2**(2)(エ)）は，この大判昭和5・10・31の考えを前提としたものである。

費用に関する民 223 条など〔共同の費用〕）等を援用して，工事費用を土地所有者双方が共同（通常は平分）で負担するのが妥当であるとするものがある。この判決のように双方のこれまでの事情を総合的に考慮して，費用の分担を命ずることはあり得るであろう[4]。

---

4) 広中俊雄『物権法〔第2版〕』（青林書院新社，1982）229 頁以下，奥田昌道「講演・物権的請求権について」法学教室 198 号（1997）7 頁以下参照。

◆第 3 章　物権変動

　以下では，「物権」の「変動」に関する民法のルールを取り上げる。物権変動とは初学者には耳慣れぬ言葉だが，具体的には所有権，地上権，抵当権など（物権）の，取得および喪失など（変動）のことである。扱うのは，第 1 に，その物権変動をもたらす諸「原因」（特に，民法 176 条の意思表示）についての議論，第 2 に，物権変動があったことを外部から認識できる物権変動の「公示」（対抗問題）に関する議論である（民 177 条〜179 条）。
　まず，物権変動問題全体の概観，および，第 1 の民法 176 条の解釈についての議論を取り上げる。

I　序　説

1　物権変動の原因，態様

(1)　序

　物権変動の原因，態様は様々である。たとえば，所有権の取得を例にとると，前所有者から売買等により譲り受けて承継取得したということが多いであろうが，ほかに，建物を建築して原始的に取得した，親からの相続により承継取得した等もあり得る。ここでは，これら物権変動の原因，態様を整理しておく（以下の議論では，占有権は除いておく）。

(2)　物権変動の原因

　物権変動という法的効果を生じさせる原因としては，意思表示（法律行為）と，それ以外のもの（相続，時効，事実行為など）がある。

　〔1〕意思表示（法律行為）　各種の物権に共通の変動原因として物権総則で規定されているものは「当事者の意思表示」，すなわち法律行為である（民 176 条）。たとえば，所有者 A と新たに権利を取得しようとする B との間での，所有権を譲渡する合意（売買契約に基づく），抵当権あるいは地上権を設定する合意などがこれに当たる。また，単独行為である遺言や放棄*もこれに該当する。

このように，意思表示は物権変動原因の中で最も重要なものである。

　　＊物権の放棄は原則として自由になし得る。しかし，家具，家電製品などの動産所有権の放棄について考えると，一般に，その収集の対価等が必要とされている。不動産所有権の放棄についても放棄の自由が当てはまるかについては議論がある。放棄をすれば，無主の不動産となり，当該不動産は国庫に帰属することになるが（民239条2項），放棄されるような不動産は概して利用価値に乏しく，またその不動産については管理の費用がかかるなど（場合によっては，多額の修理費が必要であることも考えられる），国庫にとって負担となることが想定される。そのような考慮からすると，不動産所有権の放棄は自由に行うことができるのではなく，一定の制約を伴うと解すべきであろう。

〔2〕相続　　ある人の死亡により相続が開始し，その人の遺した相続財産に対する権利はすべて相続人に包括的に移転する（民882条，896条）。したがって，たとえば相続財産中の動産・不動産に対する所有権などが相続により相続人に移転することになる。

〔3〕取得時効等　　他人の物を自分の所有物だと思って占有を続け，それが一定期間継続すると時効により所有権を取得する（民162条）。所有権以外の物権についても時効取得があり得る（民163条，283条）。逆に，権利を行使しないでいると，消滅時効により，所有権以外の物権が消滅することがあり得る（民166条2項）。

〔4〕混同　　混同は物権の消滅原因である（民179条）。

〔5〕所有権の取得事由　　無主物の占有，遺失物の拾得，埋蔵物の発見，および添付（付合，混和，加工）という取得事由（事実行為）により所有権が取得される（民239条～248条）。果実の収取（事実行為）によっても所有権が取得される（民89条1項）。なお，添付は，反面，所有権の喪失，変更を伴う（民247条参照）。

〔6〕その他　　法の規定に従って留置権，先取特権が発生する（民295条，306条，311条，325条）。また，土地収用法による収用処分，「相続等により取得した土地所有権の国庫への帰属に関する法律」（令和3年法25号）により法務大臣の承認を得て所有権が国庫に移転すること，刑法上にある没収，物の物理的な滅失なども物権変動原因である。

(3)　物権変動の態様

次に，物権変動の態様につき，民法は，「物権の設定及び移転」（民176条），

「不動産に関する物権の得喪及び変更」（民177条），「動産に関する物権の譲渡」（民178条），「物権は，消滅する」（民179条）などという表現を使っている。これを分類整理すると以下のようになる。

　物権変動の態様として，物権の権利主体からみて，物権の取得・変更・喪失がある（物権からみると，物権の発生・変更・消滅ということになる）。物権の取得は，承継取得と原始取得（時効取得，動産の即時取得などがその例である）とに分類できる。承継取得は，さらに，包括的承継（相続，会社の合併などの場合）と個別的承継（所有権の譲渡などの場合），および，移転的承継（所有権の移転など）と設定的承継（地上権，抵当権の設定など）とに分類できる。

　なお，承継取得では，前所有者の下で目的物に付いていた抵当権などの負担はそのまま承継されるが，原始取得の場合には，それまでの負担は消滅するかたちで所有権を取得する。

2　物権変動とその公示
(1)　物権の公示の必要性

　たとえば，Aが，所有者だと称するBから甲土地の所有権を譲り受けたところ，後で本当の所有者はCであることが分かった場合，Aは甲土地の所有権を取得することはできない。また，Dが，何ら負担のない土地ということで乙土地の所有権を譲り受けたところ，乙土地にはEのため抵当権が設定されていた場合，DはEの抵当権という負担付きの乙土地の所有権を取得することになる。物権（所有権，抵当権）が物（土地）を排他的に支配する権利であることからするとこのような結論になる。

　そこで土地を取得しようとするAやDが不測の損害を被らないためには，その取得に先立って，目的物件の権利関係につき調査確認をしておく必要がある。しかし，所有権や抵当権は観念的な存在で目的物の支配と結合しているわけではないので，目的物を見てもその存在は明確とはならない。そこで，取引の安全のため，物権の所在を何らかの「形式」で世間一般に公示しておく制度（公示制度）が必要不可欠である。

　民法の予定する公示方法，および判例で承認されている慣習法上の公示方法は，以下のようなものである。すなわち，不動産（土地・建物）では登記であ

り（民177条。登記手続法として不動産登記法が置かれている。ほかに，特別法たる立木法に基づく登記がある），動産では原則として占有（民178条。その他特別法に基づく登記，登録）であり，また，立木等に対する所有権および慣習法上の物的権利については一般に「明認方法」が認められている。

(2) 物権変動と「公示の原則」

(ア) 公示の原則　　以上からすると，取引の安全のため，ある物件についてのすべての権利関係の現状を，変動があるたびに正確かつ迅速に公示することが必要不可欠となる。この公示という目的達成のためにどのような仕組みをとるか。

不動産を例にすると，不動産登記の制度があり不動産に関する権利関係はすべて登記できることになっているが（不登3条），登記は当事者の自発的な申請に基づくものとされ（不登16条），登記の申請を強制するというやり方は採用されていない。そもそも，わが民法では，物権が変動する機会をとらえて，不動産の物権変動につき，「登記をしなければ」（動産では，「引渡しがなければ」），「第三者に対抗することができない」という仕組みを採用している（民177条，178条。なお，民899条の2参照）。そこで，取引当事者としては，物に対する所有権等を取得したのに，登記等をしないと所有権を第三者に主張できないというのでは不利益であるので，結局，登記をすることになる。民法は，権利の保全・不利益回避のため物権変動を公示することを私人に期待し，促すという仕組みで，公示の目的を達成しようとしている[1]。

(イ) 対抗要件主義と成立要件主義　　ところで，物権変動につき公示を要求することを「公示の原則」と呼ぶが，わが民法のように公示をしないと第三者に対抗できないとする方法を，「対抗要件主義」と呼ぶ。比較法的にみると，公示の原則には2つの方法があり，第1は成立要件主義，第2は対抗要件主義

---

1) そのような仕組みからすると，相続による所有権移転の場合のように対抗すべき「第三者」（民177条）が出てこない場合には，相続人は登記をしないでもその権利取得を脅かされることはないので，登記への動機づけが弱い（登記は宣言的な意味があるのみ）。もっとも，相続人が新たにその不動産を処分しようという場合には，登記が前名義人（被相続人）のままであると事実上買手が現れ難いため，結局は相続による所有権移転登記をすることになる。そういうかたちで登記への動機づけが働く場合もある。

である。前者はドイツ法が採用するもので，公示をすることが物権変動の効力要件とされており，公示を伴わないとそもそも物権変動そのものが不成立とされる。後者は，フランス法が採用するもので，物権変動は公示がなくとも有効に成立するが，しかし，公示をしないとそれを第三者に対抗できないとするものである。日本法は，この点ではフランス法の対抗要件主義を採用している。

　(ウ)　**公示の原則と取引安全**　　ところで，公示の原則によりどう取引安全が図られるのか，不動産所有権の譲渡を例に具体的に説明すると以下のようになる。すなわち，AからBに所有権の譲渡がありAからBへ所有権移転登記がなされていると，仮にAが所有者を装ってCに二重に譲渡しようとしても，Cが登記簿を見ればBが所有者であることが明らかであるので，この取引はなされずCが損害を被ることはない。他方，上の例でAからBへの譲渡はあったが所有権移転登記がなされていない場合には，登記簿上Aが所有者のままであるのでA・C間で第2の所有権譲渡があり得るが，この場合，AからCへの所有権移転登記が先になされると，所有権移転登記をしていないBは第三者Cに対して所有権の譲受けを対抗できず，Cは第三者Bに対して所有権の譲受けを対抗できるので（民177条），Cが結局優先し，登記を基礎として取引をしたCは不測の損害を被ることはない。Cとしては登記されていない取引（A・B間の所有権譲渡）は存在しないと画一的に扱ってもよいということで，Cの取引の安全が守られるという仕組みである。

　(3)　**公示の原則と「公信の原則」**

　(ア)　**公示の原則の限界**　　公示の原則が取引安全のため果たす機能には限界がある。公示の原則は，物権変動がある場合に登記をしないと第三者に対抗できないというルールである。これを第三者側からみると，公示のないところには物権変動はないと画一的に扱ってよいという意味となる。しかし，逆に，公示があるところには，それに対応する物権変動があるということまで積極的に保証するものではない。

　したがって，たとえば，AからBに甲不動産の所有権が移転した旨の登記はあるが，それに対応する所有権の移転は全くなかった，あるいは無効であったという場合，その登記を信じて，Bを所有者として甲不動産の所有権を譲り受けた者Cの保護は，公示の原則のカバーするところではない。Bは無権利

者であるので，Cは原則として所有権を取得できないというのが結論である。登記を信頼して取引したCに，その信頼どおりの保護を与え（所有権を取得させる），取引の安全を図ろうというのであれば，公示の原則とは別のルールが必要となる。

　(イ)　**公信の原則**　　このようなルールを「公信の原則」と呼ぶ。不動産取引において公信の原則を採用することができる前提としては，登記の制度が確立し，不動産の権利関係の大部分が登記され，しかも，現実の権利関係と登記簿上の公示とが一致する確度が高いものであるという必要がある。わが国ではこれまで登記の真正さを確保する努力が不断に続けられてきており，このような前提は整っていると評価できよう。しかし，わが民法では，不動産物権変動においては公信の原則は採用されていない（「登記に公信力がない」とも表現される）。

　もっとも，後述（⇨93頁・第4章Ⅳ❷）のように，判例上，民法94条2項を類推適用して，虚偽の登記につき真の権利者が事前または事後に承認を与えたという事情が認められる場合には，その登記を真正であると信じて取引をした第三者に対して，真の権利者は登記が虚偽であることを主張できないとする法理が確立しており，実質的にみれば公信の原則はそのような内容のものとして採用されているといってよい。

　他方，動産の取引においては，無権利者からの取得につき公信の原則，すなわち，動産占有への信頼を保護する動産の善意取得の制度（民192条以下＝動産の「即時取得」〔⇨112頁・第5章Ⅲ〕）が採用されている。占有が動産所有権の公示手段であること（占有があれば通常そこに所有権がある）がもちろん基礎となっているが，大量の動産（商品）取引を安全かつ迅速に処理するための基礎的なツールとして即時取得が不可欠な制度であるという認識が，時代を問わず強いことが，制度採用の背景にある。要するに，大量・迅速な動産取引においては，買主に，商品を占有する売主が本当に所有者かどうかをどこまでも調査させることは取引を阻害する要因となるので，過失なく所有者と信じた買主を保護する制度が必要ということである。

Ⅱ 意思表示による物権変動

1 民法176条の趣旨（意思主義）

　民法176条は，「物権の設定及び移転」，つまり物権変動は，「当事者の意思表示のみによって，その効力を生ずる」とする。ここでいう意思表示とは，物権変動の効果，つまり所有権の移転，抵当権の設定などという効果に向けられた意思表示（＝法律行為）を意味する。

　そして，この条文は，直接的には意思表示による物権変動の効力は「意思表示のみによって」生ずる，つまり意思表示以外に何らの形式（登記，引渡しなど）を必要としないということを規定している。わが民法では，登記等の形式は物権変動の成立要件ではなく，対抗要件と位置づけられているのである（民177条，178条）＊。

> ＊形式主義と意思主義　比較立法的にみると，法律行為による物権変動につき形式主義と意思主義とがある。すなわち，ドイツ法は，債権契約とその履行行為たる物権行為とを峻別した上，物権変動の効果は物権行為から生ずるとし（債権契約からは債権・債務が発生），その物権行為は物権的合意に加え公示方法（不動産登記または動産の引渡し）を伴う必要があるとする（形式主義。公示は成立要件という位置づけである〔成立要件主義〕）。また，債権行為の有効・無効は物権行為の有効・無効には影響しないとする制度（無因性）を採用している（なお，今日，債権行為を無効とする瑕疵が同時に物権行為も無効とするとの解釈＝無因の作用を極小化する解釈が有力である）。他方，フランス法は，物権と債権という区別をしない法制度である。売買契約があれば，その（債権）契約の効果としてただちに所有権が移転するとしており（意思主義），登記等の公示手段は単に対抗要件にすぎない（対抗要件主義）とされている。わが民法176条は意思表示のみを要求し形式を不要とするので，その意味からは，意思主義を採用していることになる。

2 意思表示は物権行為か債権行為か[2]

(1) 問題の所在

　ところで，民法176条は意思表示により物権変動の効果が発生するというが，

---

[2] この問題につき，鎌田薫『民法ノート物権法①〔第3版〕』（日本評論社，2007）3～21頁参照。

この意思表示は，フランス法のような売買契約という債権的なものか，それとも，ドイツ法のような債権契約とは峻別された物権的な合意（ただし，ドイツと異なり形式は不要であるから合意自体が物権行為となる）である必要があるのか，議論がある。地上権や抵当権設定の合意は直接地上権や抵当権を発生させることに向けられた物権的な合意であるといってよいが[3]，売買等によって所有権が移転する場合には，売買契約等と別個に所有権を移転するとの物権的な合意がなされていると考えなくてはならないかという問題である。

単純には，売買契約により発生する権利は債権であり，具体的には目的物を引き渡せ，代金を支払えというものであるから，所有権移転の効果は発生せず，そのためには別に所有権移転に向けられた意思表示が必要になるはずである。これが，民法が物権編と債権編とに分けて条文を配列する体系をとったことからくる論理的な帰結である，と思われる。しかし，なされている議論はそのように単純なものではない。以下では，所有権移転の場合を中心に少し立ち入った検討をしてみよう。

(2) 物権行為独自性否定説・独自性肯定説

(ア) **物権行為独自性否定説（判例・多数説）**　わが国の判例，および現在の学説の多数は，当事者間で所有権移転に関する物権的な合意がなされる場合にはその存在を否定するものではないが，特にそのような合意がない場合には，むしろ，債権契約たる売買契約により所有権移転の効果が発生すると考えている（契約の直接の効果は債権発生であるが，意思は究極的には所有権移転にも向けられている，と考えるのである）。そして，所有権移転の効果については，それにつき障害となる事由がない限り，売買契約と同時に生ずるという。以上は，物権変動の意思主義・対抗要件主義はフランス法を継受しているという認識からの帰結である。

(イ) **物権行為独自性肯定説**　この説は，民法がドイツ法と同様に物権・債権を峻別する体系であることを重視して，物権変動のためには，売買契約とは

---

[3] なお，たとえば，金銭の消費貸借契約に伴い，債務者が債権者に対し物的担保（または，人的保証）を供する義務を負担する債権契約（無名契約）はこれと別に存在することがあり得る（民 137 条 3 号）。

別に，特にそれに向けられた意思表示（物権行為）が必要であるとする。そして，その意思表示は，ドイツ法と異なり公示が成立要件ではないので公示方法と結合する必要はないが，通常は，登記または引渡し，あるいは代金支払などの外部から認識できる行為があった際に，その意思表示がなされているものと解釈できるという。そして，その物権行為がなされた時点で，所有権移転という効果が発生するという。なお，十分に論じられてはいないが物権行為の無因性の承認については一般に消極的で，物権行為の有効性は売買契約が有効であることを前提とするとの有因的構成が採られている。以上は，民法が物権・債権を峻別する体系を採ることとの整合性を意識した立場である＊。

> ＊論争点　これらの見解はその論拠として，わが国の法制がフランス法を継受していること（独自性否定説），あるいはドイツ法的な物権・債権峻別体系を採用したこと（独自性肯定説）を挙げるほか，第1に，民法の諸制度についてより整合的な説明をすることができるか，第2に，わが国における取引実務に親和的かどうかを指摘して論争してきた。
> 　たとえば，独自性否定説は，取引の実際では，売買契約を締結をする際，債権契約と別個に代金支払時，登記移転時等に所有権移転の合意（物権行為）などは行っていないし，そのような行為が必要であるとの意識もないことを指摘する。他方，売買契約と同時に所有権が移転するという独自性否定説を批判して，独自性肯定説は，〔1〕それは一般の常識に反し，所有権は，普通，代金支払，登記移転等の時点で移転すると考えられている，〔2〕売主は，買主が代金を支払わない限り所有権を渡さない，という同時履行の抗弁を主張できないことになる，また，〔3〕仮に代金債務が時効消滅しても買主は所有権に基づいていつまでも売買目的物の引渡しを主張できるという不都合が生ずる，などと述べる。これに対し，独自性否定説は，代金支払につき同時履行の関係に立つのは，登記，引渡しであると考えれば問題はないなどと反論する。その他，他人物売買を有効とする規定（民561条）の位置づけ，売買契約が無効，取消しである場合の不当利得返還の内容をどのようなものと理解するか，などいろいろな点に議論が及んでいる。
> 　論争には決め手がなく，所有権移転時期の説明は独自性肯定説の方が妥当であると受け止められたが，後に，独自性否定説から所有権移転時期についての新たな解釈論が示され，議論の焦点はその点に移っている（次項3参照）。

3　物権変動（所有権移転）の時期

(1)　学説の議論

売買契約に基づく所有権移転のプロセスの中で，どの時点で所有権というタイトルが売主から買主に移転したと考えるべきかという問題である。

(ア)　**物権行為の独自性否定説および独自性肯定説**　意思表示により物権変動の効力が生ずるから（民176条），その意思表示の時点で所有権移転の効果が発生することになる。そこで，すでに述べたように，独自性肯定説は，物権行為があるとされる登記，引渡しまたは代金支払の時点でということであり，独自性否定説は，原則として売買契約の時点で，ただし，移転につき障害があればその障害がなくなった時点で，また，所有権移転時期についての特約があればその時点で移転することになる（不動産取引を例に挙げれば，一般に，移転登記，代金支払の時点で所有権が移転するとの特約がある）。以上の帰結から，特約のない場合については，独自性肯定説の方が取引実態に適合的であると，評されたわけである。

(イ)　**有償性説**　その後，独自性否定説の立場から，売買契約が有償の契約であることを考慮すると，当事者は，明示の特約がなくとも対価が支払われた時点をもって所有権が移転すると考えていると認められるので，その合理的意思の解釈として，対価支払の時点をもって，原則，所有権が移転するというべきである，との見解が述べられ[4]，今日ではむしろそのような理解が一般化しているといってよい。なお，代金支払に先だって移転登記がなされた場合については，売主が同時履行の抗弁権をこれによって放棄した（買主に信用を授与した）とみることができ，その時点で所有権は移転するとして，上の見解をさらに発展させるものもある。以上のような考えに立てば，独自性肯定説，独自性否定説のいずれであっても所有権移転時期という点では結論に大きな差異はない。もっとも，対価支払が全額の支払を意味するのか，相当部分で足ると考えるのかについては，なお検討を要する。

(ウ)　**どう考えるか**　私は，まず，この問題はわが民法の物権・債権峻別体系に整合的に考えるべきで，物権行為を観念することが必要と考える。その上で，物権的合意は独立してなされるか（抵当権設定など），そうでない場合には，債権契約と表裏一体的に必ずなされていると観念することができ（売買契約，贈与契約は，財産権〔所有権〕を移転することを約束するのであるから，所有権移転についての合意が必ず同時に存在する），その効力発生時点（所有権移転時期）は，そ

---

4)　川島武宜『民法Ⅰ』（有斐閣，1960）153頁。

の物権行為の明示的ないし黙示的特約（所有権を移転させる期限ないし条件に関する合理的意思）の解釈問題となる（有償性説と同趣旨），と考える[5]。ドイツ法と異なり，物権行為に条件，期限を付けることが許されないというわけではないからである。登記，引渡し等の時点で所有権移転の意思表示があるとする独自性肯定説は技巧的であり，また，債権契約とは異なる時点で独自の物権行為が存在するというのであれば，物権行為の債権契約からの無因性（売買は無効だが，所有権は有効に移転しているとの結論）を否定することが難しくなるという難点がある。

(エ) **なし崩し的移転説** 売買契約の最初には売主に所有権があり，履行が全部終わった時に買主に所有権がある，そのプロセスの中で所有権は売主から買主になし崩し的に移転するのであって，移転の時期を一点で画する必要はないとする見解（鈴木説）がある[6]。これは，その期間中に生ずる種々の法律問題は，所有権がどちらにあるかによって解決すべきではなく，民法中の他の各種の規律によって処理できるとするものである。すなわち，移転の当事者間で生じた争いについては，契約の定めおよび契約法理によって処理ができ（目的物の滅失等についての危険の移転〔民567条〕，果実収取権〔民575条〕，同時履行関係は代金支払と登記または引渡しとの間で成立する〔民533条〕など），買主と売主の債権者等の第三者との争いは対抗要件の具備の有無で決着がつき，第三者に対する妨害排除請求，損害賠償請求についてもそれぞれの請求についての要件の問題として考えればよく，いずれについても所有権の所在は問題にならない，というのである。

なし崩し的移転説の大きな功績は，売買のプロセスの中で所有権が移転したかどうかを基準に解決を図るべき問題が実際に出てくるかどうかを個々の法律関係に即して具体的に明らかにした点であろう。もっとも，この分析に対しては異論もあり，第1は，所有権が移転しているかどうかを基準に解決を図らなくてはならない問題がなお存在すること（工作物責任〔民717条1項但書〕）を指摘する内在的な批判，第2は，売買プロセスにおいて所有権がどちらにあるか

---

[5] 林良平『物権法』（有斐閣，1951〔再版〕）48頁以下を参考にした考え方である。
[6] 鈴木禄弥『物権法講義〔5訂版〕』（創文社，2007）121頁以下。

明確である必要はないとする実益主義的な考え方そのものに対する外在的な批判である。個別の法律関係については鈴木説による分析のとおりであるとしても，所有権という観念的タイトルは，やはり特定の時点を画して移転するものと考えるべきであるし，また，移転すると考えても問題はない（所有権が解決の基準とならないというだけである）。

(2) 判例の整理（物権行為独自性否定説）

最後に，所有権移転時期についての判例の考えを紹介し，具体的な検討をしておく。結論として，判例は独自性否定説に立っている。

(ア) **特定物売買など**　判例は，「特約」が存在せず，また，目的物の物権変動が生じるにつき障害がない場合には，目的物の所有権は債権契約時点で買主に移転するという（大判大正 2・10・25 民録 19 輯 857 頁，最判昭和 33・6・20 民集 12 巻 10 号 1585 頁【百選Ⅰ52】）。贈与契約においても同様であり，また，特定物遺贈でも所有権はその遺言が効力を生じた時に直接に受遺者に移転するという（大判大正 5・11・8 民録 22 輯 2078 頁）。

■最判昭和 33 年 6 月 20 日民集 12 巻 10 号 1585 頁

事実の概要　土地甲およびその地上建物乙および丙の買主 X が売買代金 163 万円余りのうちすでに 120 万円を売主 Y に支払い，残代金を提供しているにもかかわらず，Y が義務を履行しないので，X が甲，乙についての所有権移転登記，乙丙の引渡し，および丙の所有権確認（丙は全くの未登記建物であった）を求めたものである（残代金の提供までなされているので，学説のいずれの立場にたっても，X に所有権があることに異論はないであろう事案）。1, 2 審は X の請求認容。Y は上告し，原審判決が，残代金の支払と丙建物明渡し等が同時履行の関係にある（つまり，所有権は Y にある）としながら，丙建物の所有権を X のものと確認したことには矛盾がある，と主張。Y の上告を棄却。

判旨　「特定物を目的とする売買においては，特にその所有権の移転が将来なされるべき約旨に出たものでないかぎり，買主に対し直ちに所有権移転の効力を生ずるものと解するを相当とする」と述べ，上告理由に対しては，「原審は，所論〔丙〕の建物については，Y の引渡義務と X の代金支払義務とは同時履行の関係にある旨を判示しているだけであって，右建物の所有権自体の移転が，代金の支払または登記と同時になさるべき約旨であったような事実を認めていない」として，Y の主張を退けている。

(イ) **物権変動を生じるにつき障害がある場合**　この場合には，その障害が消滅した時に所有権移転の効果が生じる，とされる。不特定物の売買について

は,「原則として目的物が特定した時」に所有権は当然に移転する（最判昭和35・6・24民集14巻8号1528頁）。他人物売買では,それが特定物であれば,売主が当該他人から所有権を取得した時に買主に対し所有権が移転する（最判昭和40・11・19民集19巻8号2003頁）。なお,将来取得すべき他人所有の不動産に抵当権を設定する場合,その抵当権は,設定者たる債務者が当該不動産の所有権を取得した時にその効力が生じる（大決大正4・10・23民録21輯1755頁）。

(ウ)「特約」等がある場合　　代金の完済,所有権移転登記の手続完了までは所有権を買主に移転しないなどの特約がある場合には,特約で定めた事項の完了があってはじめて所有権移転の効果が生じる,とされる（最判昭和38・5・31民集17巻4号588頁）。

最判昭和35年3月22日（民集14巻4号501頁）は次のような事案で,特約の存在を認めた例である。すなわち,Xは,倉庫業者Yに寄託してある特定物商品（ハンカチーフ2000ダース）を買主Aに売却し,Aに対し荷渡先をB（転買人）・名宛人をYとする荷渡依頼書（弁済受領資格を証明）を交付したが,この売買契約には,代金が一定日時までに持参されないときは契約が当然失効する旨の解除条件（特約）が付されていた。Aは約束の日時までにXに代金を支払わなかった。Yは,Xから荷渡依頼の撤回,引渡禁止の通知を受けていたにもかかわらず,荷渡依頼書を持参する転買人Bにこの商品を引き渡してしまった。そこで,XはYに対し,所有権侵害を理由に損害賠償を求めた。判決は,解除条件が成就した以上,「右売買の目的物たる本件ハンカチーフの所有権は右契約により当然Aに移転することはなかった」（特約があったので,所有権は一度もA,Bに移転したことはない）として,Xの請求を認めた。

以上のように,判例は,所有権移転時期に関する特約の有効性を認めているので,特約の存否により結論が左右される。そこで,かかる特約の認定が緩やかになされるか,厳格になされるかによって,所有権の帰属についての結論が異なってくることになる。

第4章 不動産物権変動における公示

I 不動産登記制度の概要

1 序説

　民法177条は，物権変動の登記を「不動産登記法……の定めるところに従い」行うこととしているので，まず不動産物権を公示する道具である不動産登記制度を概観しておく。

　その不動産登記法（旧法）は民法典の施行に伴い，明治32年に制定されたが，現代社会に適合するよう平成16年に全面改正された（法123号）。それ以前は，不動産の登記簿はまさに帳簿であり，ある不動産について権利関係の変動があれば，当事者は登記所に対して書面で登記の申請をし，それを受けて登記官がこの帳簿にそれを書き込み（登記し），権利関係の変動を公示していた。しかし，登記簿のコンピュータ化（電磁的記録化）が進んだことを背景に，不動産登記法は，IT化社会の到来に合わせて登記の申請をいわゆるオンラインで行うことを可能とする内容のものに大きく衣替えした。

2 登記簿

　登記に関する事務は登記所（法務局，地方法務局，それらの支局，出張所の不動産登記担当部署）がつかさどり，不動産登記官がその事務を担当する（不登6条，9条）。

　登記所には登記簿（コンピュータの磁気ディスクをもって調製するもの）が置かれ，その中に「1筆の土地又は1個の建物ごと」に登記記録が（電磁的記録のかたちで）作成されている（物的編成主義〔不登2条9号・5号〕）。不動産ごとに作られる登記記録は2つの部分に区分され，表示に関する登記が記録される「表題部」と，権利に関する登記が記録される「権利部」とで構成される（不登12条，2条7号・8号・3号・4号）。表題部には当該土地の所在，地番，地目，地積，または建物の種類・構造・床面積などの物理的現状（土地・建物の個性）が登記

される（不登27条以下）。後者の権利部は甲区，乙区に区分され，甲区には所有権に関する登記の登記事項を，乙区には所有権以外の権利に関する登記の登記事項を記録する（不登59条以下，不登則4条4項）。参考の意味で土地の登記記録の登記事項証明書を掲げておく（【図表4-1】）。

なお，不動産取引の安全と円滑に資するという登記制度に課せられた固有の役割から，登記簿には広く不動産の権利関係を登記することができ（不登3条），登記をしなければ対抗し得ない物権変動（民177条）に限られているわけではない。

3 登記手続

登記記録には，売買，相続等による所有権移転，抵当権の設定，不動産の差押えなど種々の登記が正確に記録されなくてはならないが，どのような手続で行われるのか。

(1) 申請方法

登記は，当事者の申請に基づいて行われるのが基本である（不登16条。ほかに，官公署の嘱託によるものがある〔差押えの登記など〕。なお，例外的に職権ですることができる旨の規定が置かれている〔表示に関する登記（不登28条），所有権の登記名義人の死亡に関する符号（不登76条の4），氏名の変更の登記（不登76条の6）など〕）。登記の申請は，誰が，いかなる不動産についての，どのような内容の登記をしてほしいかという情報（「申請情報」）を，登記所に提供して行うが，その申請の方法としては，電子情報処理組織を使用するか（オンライン申請），または書面を提出するか（窓口または郵送での申請）の2種がある（不登18条）。なお，登記申請については専門家である司法書士に委任して登記所への申請を代理してもらうことが一般的である（不登17条参照）。

(2) 登記の真実性の担保

(ア) 共同申請主義　権利に関する登記の場合，登記権利者（たとえば売買の買主）および登記義務者（売買の売主）の共同申請が原則となる（不登60条）。共同申請主義が採られるのは，登記の真実性を確保するためである。すなわち，所有権譲渡人や抵当権設定者などの登記義務者（権利に関する登記をすることにより，登記上，直接に不利益を受ける登記名義人〔不登2条13号〕）が登記申請に関

42　第4章　不動産物権変動における公示

【図表4-1】登記事項証明書（土地）

表題部（土地の表示）			調製	平成6年6月9日		不動産番号	2617000042123
地図番号	余白		筆界特定	余白			
所　在	京都市中京区御所町			余白			
①地番	②地目	③地積　m²			原因及びその日付〔登記の日付〕		
383番2	宅地	300:00			383番から分筆 〔昭和43年3月7日〕		
余白	余白	余白			昭和63年法務省令第37号附則第2条第2項の規定により移記 〔平成6年6月9日〕		

権利部（甲区）（所有権に関する事項）			
順位番号	登記の目的	受付年月日・受付番号	権利者その他の事項
1	所有権移転	昭和43年9月2日 第6610号	原因　昭和43年8月31日売買 所有者　京都市中京区御所町2-3 　　　　甲　野　太　郎 順位2番の登記を移記
	余白	余白	昭和63年法務省令第37号附則第2条第2項の規定により移記 〔平成6年6月9日〕
2	所有権移転	平成12年10月29日 第24322号	原因　平成12年1月24日相続 共有者　京都市中京区御所町2-3 　　　　甲　野　次　郎 神戸市西区原野町2丁目38 　　　　乙　野　花　子
3	所有権移転請求権仮登記	平成17年3月3日 第2626号	原因　平成17年3月3日売買予約 権利者　大阪市南区土手町2丁目3-3 　　　　イロハ商事株式会社
	余白	余白	余白

権利部（乙区）（所有権以外の権利に関する事項）			
順位番号	登記の目的	受付年月日・受付番号	権利者その他の事項
1	抵当権設定	昭和55年3月18日 第1234号	原因　昭和55年3月18日金銭消費貸借同日設定 債権額　金1600万円 利息　年7・8％（年365日日割計算） 損害金　年14・5％（年365日日割計算） 債務者　京都市中京区御所町2-4 　　　　株式会社甲野織物 抵当権者　大阪市中央区新富町3丁目2-1 　　　　株式会社ABC商事 順位1番の登記を移記 共同担保　目録（も）第335号 昭和55年3月20日交付 第288号
付記1号	1番抵当権移転	平成6年8月15日 第1237号	抵当権者　大阪市中央区北町2丁目1-3 　　　　株式会社BMB物産
	余白	余白	昭和63年法務省令第37号附則第2条第2項の規定により移記 〔平成6年6月9日〕
2	1番抵当権抹消	平成11年3月1日 第1122号	原因　平成11年2月21日弁済
3	地役権設定	平成14年4月21日 第2345号	原因　平成14年4月10日設定 目的　通行 範囲　東側12平方メートル 要役地　京都市中京区御所町92-3 地役権図面第18号

これは登記記録に記録されている事項の全部を証明した書面である。
　　平成26年9月1日
　　京都法務局　　　　　　　　登記官　　　　　法　務　司　郎　〔職印〕
　※下線のあるものは抹消事項であることを示す。　　整理番号　D23992（1/1）　　1/1

わることで，申請されている登記が真実の実体的権利関係に基づくものであることが担保されるからである。

共同申請主義を採用する結果，相手方（通常は登記義務者）が申請に協力しないときは登記が実現できない。そこで，実体法上，その者に対し登記申請に協力せよとの請求権（登記請求権。⇨82頁・Ⅲ2参照）が認められ，最終的には，登記手続をすべきことを命ずる給付の確定判決を得て（民執177条1項），それに基づき単独で申請することができる（不登63条1項）*。

> ＊不動産登記法の中に，共同申請の例外としていくつか単独申請を許す規定が置かれている。判決による登記はその典型例であるが，ほかに，登記義務者が所在不明等の場合にも例外が置かれている。すなわち，所有権に対する負担として登記されている権利（地上権，賃借権，抵当権，買戻しの特約など）が実体上すでに消滅しているにもかかわらず，登記義務者（またはその承継人）の「所在が知れない」ため，所有権者（登記権利者）が，共同申請によってそれらの登記の抹消をすることができない場合である。不動産登記法70条は，この場合につき，公示催告，除権決定を経た上で単独での抹消登記申請を認めている。しかし，この方法は手続が煩瑣であるなどの理由であまり利用されていない実態があり（結果，これら負担の登記が残る），当該土地の利用，処分につき大きな障害となっている。そこで，いわゆる所有者不明土地対策の一環としてなされた令和3年不動産登記法改正において，これらの負担の登記の抹消手続を利用しやすくする改正がなされた。第1は，新設の不動産登記法70条2項で，地上権，賃借権，買戻しの特約などの登記について，①登記された権利の存続期間または買戻しの期間が満了し（権利消滅），②相当の調査が行われたがなお共同申請すべき者（登記義務者）の所在が判明しないときは，「所在が知れない」ものとみなして（公示催告をしないで），除権決定による単独での抹消登記申請ができることとした。第2は，新設の不動産登記法70条の2で，解散した法人が抵当権等の担保権者として登記されているが，相当の調査によってもその清算人の所在が判明しないためその登記の抹消を共同申請できないでいるとき，被担保債権の弁済期から30年経過，かつ，法人解散から30年経過した（権利は消滅している）ときは，所有権者（登記権利者）が単独で抹消登記申請ができる，とした。

(イ) **本人確認** (a) **印鑑証明書の添付等** 登記義務者本人が申請していることの確認が重要であるが，まずは，登記申請書面に対する記名押印と印鑑証明書の添付で（または，オンライン申請においては申請情報に電子署名をし電子証明書を併せて送信することで）なされる。

(b) **登記識別情報の提供** 権利に関する登記の共同申請の場合は，登記義務者に対し，本人確認のため，「登記識別情報」の提供が求められる（不登

22条)＊。

＊登記識別情報とは，登記申請のオンライン化になじまない書面である「登記済証」（俗に「権利証」ともいう）を廃止し，新たに導入されたものである。登記をすることで新たに登記名義人となる申請者に対し登記完了のときに登記官から通知される識別情報（アルファベットとアラビア数字その他の符号 12 文字の組合せ）であり（たとえば A から B への所有権移転につきその登記が完了した場合，B に対してこの登記識別情報が交付される），この B が次に C に対して当該不動産の所有権を譲渡しその移転登記をする場合，これを提供する者 B が当該登記の登記名義人（つまり，所有者）であること，すなわち，登記義務者本人であることを確認できるという仕組みである。

なお，登記識別情報を紛失するなどして提供することができないときは，司法書士など資格者代理人による本人確認情報の提供など別の方法により代替することができる（不登23条4項）。

(ウ) **登記原因証明情報の提供**　さらに，権利に関する登記においては，登記申請の内容の真実性，正確性を担保する意味から，申請情報と併せて，登記原因となる事実または法律行為の存在を証明する具体的な情報（「登記原因証明情報」）の提供が義務づけられている（不登61条）。

(3) **登記の実行**

このような登記の申請を受けて登記官により「受付」がなされ，その際，申請には「受付番号」が付され，その順番に従って登記がなされる（不登19条，20条）。同一の不動産について登記した権利の順位は，登記の前後によるから（不登4条1項，不登則2条），受付番号には大きな意味がある。

なお，申請は一定の場合受け付けられない扱い（却下）となるが，その審査は実体関係に踏み込まないで，申請情報の内容が登記記録と整合的であるかどうかの審査にとどまる（不登25条。いわゆる「形式的審査主義」）。

(4) **登記事項の証明等**

取引目的などで，ある不動産の権利関係を調査する必要がある場合，登記簿が最も頼りとなる資料である。登記制度はまさにそのような需要に応えるための制度であり，公開されており，誰でも登記官に対し登記事項証明書（登記記録に記録されている事項の全部または一部を証明した書面）の交付を求めることができる（不登119条以下）。また，誰でも登記官に対し自分の所有不動産記録証明書（自らが所有権の登記名義人として記録されている不動産に関する証明書）の交付

を，また，相続人（およびその他の一般承継人）は被相続人（被承継人）に関するそれの交付を請求することができる（不登119条の2）。これは所有者不明土地問題の対策として，相続等による所有権の移転登記の申請義務を相続人に課した新しい制度（不登76条の2，76条の3）の実効性を確保するための制度の一環である。

II 不動産物権変動の対抗問題

1 対抗の意義
(1) 民法177条の趣旨

民法177条は，「不動産に関する物権の得喪及び変更は，……その登記をしなければ，第三者に対抗することができない」という（なお，民法899条の2第1項は「相続による権利の承継は」，法定の「相続分を超える部分については，登記……を備えなければ，第三者に対抗することができない」という）。実体的な不動産物権変動は登記と関わりなく発生するが（法律行為による場合は意思表示のみで〔民176条〕），取引の安全を確保する趣旨で，登記をしておかないとその物権変動を第三者に対抗することができない，としたのである（対抗要件主義）。

「登記をしなければ……対抗することができない」という文言の意味についてまず検討しておく。これを，典型的事例である所有権の二重譲渡，あるいは所有権の譲渡と抵当権設定が競合する事例で説明すると，以下のようになる。

甲不動産の所有者AがBにその所有権を譲渡したが，その旨の所有権移転登記をしないでいる間に，Aがさらに Cに甲不動産の所有権を二重に譲渡し，Cもまたその所有権移転登記をしていない場合，BとCとは相互に本条の「第三者」に当たるので，お互いに所有権移転（物権変動）を「対抗することができない」ことになる。なお，「対抗することができない」とは，物権変動を自ら（たとえばB）主張するには自己に登記が必要であるという意味であり，第三者Cの側から，B未登記ではあってもAからBへの物権変動があったことを認めた場合には，Bはその第三者Cに対しては対抗できる。さて，双方が未登記の状態でCが先にAから所有権移転登記を受けると，CはBに対し譲渡を対抗することができ，反対に，Bは対抗できないままであるので，B・C

間での所有権移転をめぐる争いはCが優先することになる。別の事例で，Bが所有者Aから抵当権の設定を受けたがその設定登記をしていない間に，CがAから甲不動産所有権の譲渡を受けた場合も同様である。Cが先に所有権移転登記をするとBの抵当権はCに対抗できず（抵当権は無効となりその登記もできない），他方，Bが先に抵当権設定登記をすると，Cは，Bの抵当権の対抗を受け，後にAから所有権移転登記を受けても抵当権の負担付きの所有権を取得したことになる（後に抵当権実行としての競売がなされAから買受人Dへの所有権移転登記がなされると，CはDに所有権を対抗できず，所有権を失う）。

　以上が登記による対抗の意味であって，要するに，二重譲渡の関係が生ずると，第三者相互間では登記を先にした者が他方に対し自分の物権変動の優先を主張できるということである。

　⑵　二重譲渡は可能か

　㋐　問題の所在　　民法177条についての以上の理解は，甲不動産に対するAの所有権がBとCとに二重に譲渡できBとCはいずれも所有者になるが（判例によれば，A・BとA・Cの売買契約の成立と同時に各々所有者となる），しかし，お互いにそれを対抗できない状態が生じ，先に所有権登記をした者が優先するということを前提としている。ここで素朴な疑問として，民法176条によると，AはBに所有権を譲渡すれば所有権移転登記をしていなくても所有権を失い無権利者となり，AはもはやCに有効に所有権を譲渡することはできなくなるのではないのか，ということである。

　㋑　いろいろな説明の努力　　この点については，一物一権主義（1つの物に同一内容の物権は1つしか成立しない）との関係もあり，論理的説明には困難がある。これまでの説明の試みを3つほど紹介してみよう。

　〔1〕不完全物権変動説　　AからBへの所有権移転はその旨の登記がなされない限り完全な効力を生じないし，Aも完全な無権利者とならずCに所有権を譲渡でき，Cが所有権移転登記を経由することによりCの所有権には排他的な効力が生じCは完全な所有者となる。

　〔2〕公信力説　　しかし，このような説明に納得しないで，目的物の所有権は意思表示のみによりBに移転し（民176条），反面Aは無権利者となるとしつつ，民法177条は，Aに残る登記が有する公信力により，無権利者Aから

善意・無過失で譲り受け登記を経由した者Cを保護する（所有権を原始取得させる）規定であると解釈するものがある（公信力説）。Bが所有権移転登記をすることができたにもかかわらずそれを怠った点に，Bを劣後させる根拠としてのBの帰責性をみる。

〔3〕民法177条の存在から説明　　他方で，このような問題設定，説明は必要ではないとするものがある[1]。民法177条の存在それ自体が二重譲渡を許していると考える立場である。つまり，民法176条しかないならば意思表示によりBに確定的に所有権が移転するが，それでは取引の安全を確保できないので登記をもって対抗要件とする民法177条があり，そこには，Bが所有権移転を登記しておかないと，その後にAから所有権を取得し登記を経た者C（第三者）が現れれば，それに負けると規定しているのであるから，この民法177条こそが第2の譲渡を法的に意味あるものとしている，というわけである。

以上の諸説のうち，公信力説に対しては以下のようなもっともな諸疑問が呈示されている。すなわち，第1に，民法177条は，歴史的な沿革，およびその文理からして，取引安全のため登記を怠った者には権利主張をさせないという趣旨で規定されたものであり，登記が存在すればそれに見合う権利があると信じた者の保護を図った規定ではない，第2に，わが国ではそもそも登記に公信力を認めてはいなかったはずである，また，第3に，動産の場合，即時取得の制度（民192条）が別にあるのに，動産物権変動に関する民法178条を民法177条とパラレルに公信力説で解釈できるか，などである。

そこで，以下では，二重譲渡が存在するという伝統的な理解に従って，民法177条の解釈を進めていきたい。

そうすると，次に本条文において解釈上問題となるのは，「登記をしなければ……対抗することができない」関係（対抗関係，対抗問題）は，どのような場合に生ずるのかということである。これは，〔1〕いかなる「原因」で生じた物権変動につき，対抗の趣旨で登記が必要とされるのか，〔2〕いかなる「第三者」に対して，登記がないと物権変動を主張できないのか，という2つの側面から明らかにされる必要がある。

---

1)　星野英一『民法概論Ⅱ（物権・担保物権）』（良書普及会，1976）39頁。

2 登記を必要とする物権変動（原因）

(1) 序

(ア) 物権変動原因　「不動産」に関する「物権」の「得喪及び変更」について登記が要求されている。この側面での解釈上の中心問題は，「得喪及び変更」の原因である。いかなる原因による物権変動につき登記が対抗要件とされるべきかである。

物権変動原因は，一般には，法律行為（意思表示），相続，取得時効，原始取得（建物建築）等であるが，本条の解釈では，さらに法律行為の取消し，解除の場合が特別に取り上げられ，原状回復の法律関係も第三者との間で登記による対抗の問題となるかが論じられる。

(イ) 判例の基本的態度　判例は，登記が要求される変動原因について制限をおいておらず，いわゆる無制限説に立っている。リーディングケース（大連判明治41・12・15民録14輯1301頁【百選Ⅰ54】）は，隠居による家督相続により不動産所有権が移転した事案で，民法177条の適用を肯定し，相続人も登記をしておかないと相続による物権変動を対抗できないとした。判決文言中に，「其原因ノ如何ヲ問ハス総テ……其登記ヲ為スニ非サレハ」とあり，無制限説に立つものと理解された[2]。その後，時効取得についても登記を要求する判例が出され（大連判大正14・7・8民集4巻412頁），無制限説が踏襲され，その後の今日に至る判例の流れが形成された。

■大連判明治41年12月15日民録14輯1301頁
事実の概要　隠居による家督相続（被相続人が隠居して家督相続人に家督を譲る形式の生前相続である）により甲不動産の所有権を取得した者がその所有権移転登記未了の間に，隠居した被相続人が当該不動産を第三者に贈与し所有権移転登記を了したという事案である。相続人は民法177条で登記が必要なのは民法176条による変動の場合に限られると主張した。判旨はこれを否定し無制限説を採った。その理由のうち第2の，登記をして自らその権利を保全することができたのにそれをしなかったという点が重要かと思われる。

---

2) なお，後述するが，判例は，上記と同一日付の判決で（大連判明治41・12・15民録14輯1276頁），民法177条の「第三者」の範囲につき制限説を採用しており（「登記欠缺ヲ主張スル正当ノ利益ヲ有スル者」に限定し，無権利者などは排除），変動原因無制限判決と組み合わせて，民法177条の登記による対抗が問題となる関係についての判断枠組みを示している。

判旨　「隠居ニ因ル不動産ノ取得モ亦民法第177条ノ適用ヲ受ケ其登記ヲ為スニ非サレハ第三者ニ対抗スルヲ得サルモノト〔原審が〕判定シタルハ結局其当ヲ得タルモノ」である。その理由は，〔1〕177条は第三者保護の規定であり，その第三者の側からみると，物権変動があったことを主張するのに，意思表示によるものである場合には登記を要し，家督相続によるものである場合には登記が不要であるというような区別があることには理由がなく，いずれについても同様に登記が要求されるべきである，〔2〕家督相続であっても，相続人は，登記をして，自らその権利を自衛し第三者をも害しない手続をとることができた。

　(ウ)　**判例の俯瞰**　後述の検討を先取りして俯瞰すると，判例は，物権変動の側からは，次の〔1〕〜〔7〕の原因のうち〔5〕〔7〕を除くものについて登記による対抗を問題としている。すなわち，〔1〕意思表示による物権変動，〔2〕法律行為の取消しの場面で，取消者と取消し後の第三者とは対抗関係（取消し前の第三者は無権利者からの譲受人〔民96条3項〕），〔3〕契約解除の場面で，解除者と解除後の第三者とは対抗関係（解除前の第三者は民法545条1項但書の「第三者」），〔4〕時効取得者と時効完成後の第三者とは対抗関係（時効完成前の第三者は進行する時効の当事者），〔5〕遺産分割前の共同相続人は登記なくしてその持分を対抗できる（その持分の譲受人は無権利者），〔6〕遺産分割により法定の相続分を超える権利を取得した相続人はその部分につき第三者とは対抗関係，〔7〕相続放棄により放棄者は無権利者となり，相続放棄の結果は登記なくして対抗し得る。

　これをどう整理するか。判例は変動原因無制限説に立った上で，登記が必要な物権変動かどうかは，変動原因が何であるかによってではなく，権利主張の相手方が第三者に立ち得ない者（無権利者，当事者）であるかどうかによって決めていると整理することができる（その者に対する関係では登記が不要）。では，いかなる者が無権利者，当事者に該当するのかという第三者についての議論こそが重要であり，変動原因からのアプローチは必ずしも重要ではないのか。思うに，その相手方が無権利者・当事者となるかどうかは，やはり個別の変動原因に即して検討する必要があり，以下では，そういう意味で，変動原因ごとの分析を行うこととする。

　(エ)　**学説**　登記を必要とする物権変動原因が意思表示の場合に限られるわ

けではないという結論については反対する者はいない。しかし，いかなる原因による物権変動につき登記を要するかの基準設定につき様々な議論がある。一方で，無制限説に立ちながら，対抗問題の生ずる余地のない場合（建物新築，共同相続）には登記が不要と論じたり，他方で，対抗問題の生ずる（食うか食われるかの関係にある）場合にのみ登記が必要であると論じたりする。結局，いかなる場合を「対抗問題」「対抗関係」とみるかが問題であり，個別的な考察が必要である。

(2) **意思表示に基づく物権変動**

(ア) **典型例** 売買・贈与に伴う所有権移転や抵当権・地上権の設定など意思表示による物権変動（民176条）が民法177条の登記を要するものの典型例である。地役権の設定も同様で，承役地の登記簿にその旨の登記がなされる必要がある[3]。

(イ) **特定遺贈** (a) **相続人以外の者への特定遺贈** 特定遺贈（遺言〔単独行為〕に基づく特定の財産の譲与〔民964条〕）によって，遺言者から相続人以外の受遺者へ特定不動産の所有権が移転したとき，その移転登記は，受遺者を登記権利者，相続人を登記義務者として共同申請で行われる。

では，この登記をしないと，受遺者は所有権取得を第三者に対抗できないか。たとえば，相続人以外の受遺者がその旨の所有権移転登記をしないでいる間に，相続人が当該不動産（またはその持分）を別の第三者に売却譲渡し（あるいは，相続人の債権者が当該不動産またはその持分を差し押さえて），その旨の登記を経由してしまった場合，受遺者は遺贈による所有権取得をその第三者（あるいは，差押債権者）に対抗することができないのか，である（相続介在二重譲渡のかたちとなる。⇨57頁・(5)(ア)＊参照）。死因贈与（死亡を不確定期限とする贈与）の受贈者と異なり，受遺者は自分が遺言により特定遺贈を受けているという事実（遺言）を知らず，遺贈者の死亡後すぐには特定物に対する権利取得を把握できない場合もあり，その場合には所有権移転登記を要求することは無理を強いると

---

3) 参考までに，法定の権利である「公道に至るための他の土地の通行権」（民210条以下）は，いわゆる袋地と囲繞地という相隣関係に基づいて法により発生する権利であるので，登記とは無縁である（そもそも登記できる権利とされていない〔不登3条参照〕）。また，賃借権は債権であるが登記ができ，その場合には第三者対抗力が与えられるが，登記ができる根拠規定は民法605条であり（所有者＝賃貸人の同意が必要と解されている）177条ではない。

いう側面もある（特に，遺言執行者が選任〔民 1010 条〕される前に相続人の債権者が差し押さえたとき）。

しかし，判例は，原則どおり受遺者に登記を要求し，「遺贈は遺言によって受遺者に財産権を与える遺言者の意思表示にほかならず，遺言者の死亡を不確定期限とするものではあるが，意思表示によって物権変動の効果を生ずる点においては贈与と異なるところはない」としている（最判昭和 39・3・6 民集 18 巻 3 号 437 頁【百選Ⅲ 74】）。判例の結論が妥当である。

(b) **受遺者が共同相続人の 1 人である場合**　受遺者が共同相続人の 1 人である場合においても同様の問題が生ずる。特定の不動産の受遺者である相続人 A が所有権移転登記未了の間であれば，他の相続人 B が法定相続分に従った共同相続の登記を経由した上で当該不動産に対する B の持分を譲渡し（あるいは，相続人 B の債権者が代位して共同相続の登記をした上で B の持分を差し押さえて），その旨の登記を経由することがあり得る。この場合，A は法定相続分に従った持分については登記なくして対抗できるが（⇨58 頁・(5)(イ)(b)参照），それを超える部分の遺贈については B からの譲受人 C（あるいは，B の差押債権者 D）に対抗することができない。登記を経由しないと対抗できないとの結論は，受遺者が相続人以外の者である場合と同様であり，これは民法 177 条の適用により導かれる＊。

＊ 民法 899 条の 2（平成 30 年新設）は，「相続による権利の承継」において法定相続分を超える部分については登記をもって対抗要件とする旨規定するが，これが相続人に対する特定遺贈にも適用されるかについては明確ではない（適用されても民法 177 条の解釈によるのと結論は同じ）。解説（潮見佳男編著『民法（相続関係）改正法の概要』〔金融財政事情研究会，2019〕3 頁［石田剛］）によると，立法の経緯（相続分の指定や遺産分割方法の指定という包括承継の場合にも登記を対抗要件とするのが目的）からして，特定承継である特定遺贈を含めないものとされているようである。

なお，受遺者が相続人である特定遺贈についての所有権移転登記については，令和 3 年の不動産登記法の改正（法 24 号）で，他の共同相続人との間での共同申請ではなく，登記権利者である受遺者が単独で申請することができるとされた（不登 63 条 3 項）。これにより，移転登記申請が大幅にやりやすくなった。単独で申請ができる特定財産承継遺言と同じく，遺言による（遺言書がある）

所有権移転であるなど，双方で機能的に異ならないというのが単独申請でも可とする根拠である（⇨143頁・第8章Ⅲ2(1)(イ)(a)＊参照）。

(c) **遺言執行者がいる場合**　遺言の執行につき遺言執行者がある場合には，相続人は，相続財産の処分その他遺言の執行を妨げるべき行為をすることができない（民1013条1項）。これに違反して相続人がなした行為は無効とされる（同条2項本文）。そこで，たとえば，相続人が遺贈の目的不動産を第三者に譲渡した場合，譲受人は原則として無権利者であり，民法177条の第三者に該当しないので，受遺者は，目的不動産の所有権取得をこの者に対し登記なくして対抗できる（最判昭和62・4・23民集41巻3号474頁【百選Ⅲ90】）。もっとも，民法1013条2項但書（平成30年新設。「ただし，これをもって善意の第三者に対抗することができない」）により，譲受人が譲受けの時点で遺言執行者の存在を知らなかったときは（善意であればよいとされる趣旨は，遺言執行者がいるかいないかについて調査をする必要はないということである），受遺者は，譲渡の無効を対抗できない。善意の譲受人の出現を防ぐためには，受遺者としては，遺贈された目的不動産について所有権移転登記を経由しておく必要がある。

さらに，民法1013条3項（平成30年新設）は，「前2項の規定は，相続人の債権者（相続債権者を含む。）が相続財産についてその権利を行使することを妨げない」としている。そこで，たとえば，相続人の債権者が，遺贈の目的不動産について，相続人に代位して共同相続登記をし当該相続人の持分を差し押さえ，その旨の登記を経由すると，受遺者は，遺言執行者がいること（差押えの無効）を主張できず，遺贈を対抗することはできない。受遺者はこれを防ぐためには遺贈を受けた旨の登記を経由しておく必要がある。受遺者と相続人の債権者（相続債権者を含む）との優劣は，遺言執行者がいない場合と同様に，対抗問題と位置づけられることになる。

(3) **取消し**

(ア) **問題の所在**　A・B間で売買契約に基づき甲不動産の所有権が譲渡されその旨の登記もなされている。しかし，Aが，その制限行為能力（民5条2項，9条，13条4項，17条4項）またはAの錯誤（民95条1項），Bの詐欺・強迫（民96条1項・2項）を理由にそれを取り消し，A・B間の所有権移転登記の抹消，甲不動産の返還を求めたところ，Bが，取消しの前，または取消しの後

Ⅱ　不動産物権変動の対抗問題 **2**　53

【図表 4-2】

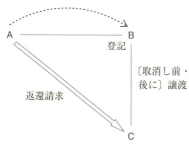

に，甲不動産を第三者Cに譲渡し（あるいはCに対し抵当権設定をし），その旨の登記を経由していた。この場合，AがCに対し取消しの効果を主張するためには，民法177条による登記を必要とするか（【図表 4-2】）。

取消しの効果は，「行為は，初めから無効であったものとみなす」とされているので（民121条），それを貫徹すると以下のようになる。すなわち，Bは甲不動産の所有権を一度も取得したことはなく，よって第三者Cは無権利者からの取得であるので，原則としてAは登記を問題とすることなくCに対して甲不動産の返還を求めることができる。ただし，取消しによる遡及的無効から第三者を保護する規定（民95条4項，96条3項）があるので，その限りにおいて，つまり，Cが詐欺取消し前に甲不動産を善意・無過失で取得した第三者である限りにおいて保護される，と[4]。いずれにしろ，取消しによる行為の遡及的無効からすると，この場合は民法177条の対抗問題とはならないということになる。

　(イ)　**判例**　　しかし，判例（大判昭和 17・9・30 民集 21 巻 911 頁【百選Ⅰ55】）は，取消し後の第三者Cとの関係では，Aに登記を要求している。この判決は，民法96条3項は取消しの遡及的無効から取消し前に利害関係を有するに至った善意の第三者（平成29年の債権法改正後は，第三者には善意・無過失が要求されることとなった）を保護する規定で，取消し後の第三者には適用がないとした上で，「取消ニ依リ土地所有権ハAニ復帰シ初ヨリBニ移転セサリシモノト為ルモ此ノ物権変動ハ民法第177条ニ依リ登記ヲ為スニ非サレハ之ヲ以テ第三者ニ対抗スルコトヲ得サルヲ本則ト為ス」として，取消し後の第三者（本件Cは善

---

[4]　制限行為能力を理由とする取消し，強迫取消しの場合については，第三者を保護する規定は存在しない。なお，民法96条3項の第三者は，その保護を受けるにあたって登記を経由していること（保護要件としての登記）は必要でないと解されている（最判昭和 49・9・26 民集 28 巻 6 号 1213 頁【百選Ⅰ23】）。

意）の保護を図った。これを整理すると，取消しによりBからAへあたかも所有権が復帰するとみて，BからCへの物権変動との対抗関係ととらえるのであろう。なお，付け加えれば，取消しをする前であればAに登記の抹消を期待することはできないが，Aが取消しをしてしまえば，その登記をすることができるという事情を指摘することができる。

　(ウ)　**学説**　　しかし，この判例に対しては批判があり，第1に，取消しの前後で取消しによる遡及的無効を認めたり（前），認めなかったり（後）して一貫しない，第2に，対抗問題と構成すると取消しがなされたことにつき悪意の第三者でも（背信的悪意者は除かれるとしても）保護されるという不合理がある，とされる。

　今日の学説の有力な考えは，これを取消しによる遡及的無効（貫徹）の問題として処理し，対抗問題とは構成しない[5]。第三者の保護については，取消し前の第三者は民法95条4項および96条3項（詐欺取消しの場合のみ）で，取消し後の第三者は民法94条2項類推適用法理によるとする。なお，公平性の観点から，取消し時を基準とするのではなく，それより以前に取消しができる状態になった時から，民法94条2項を類推適用できるとする見解もある。しかし，民法94条2項を類推適用するときは，無権利者Bの仮装登記の存在に対する権利者Aの事前事後の承認（帰責性）が必要であり（最判昭和45・9・22民集24巻10号1424頁【百選Ⅰ21】。⇨96頁・Ⅳ2(2)(エ)参照），それは，少なくともAが取消しをなしたことによりはじめて満たされると解すべきではないか。

　なお，学説には，取消しの効果についての考え方として，「取消しによる復帰的物権変動」を正面から認め，取消しの前後を問わず，対抗問題とする考えもある。ただし，取消しの可能性が生ずる前については，Aには抹消登記をすることを期待できないので，この考えでは，この場合はAに民法177条適用の基礎が欠落するとの抗弁を出すことを認め，登記なくして所有権の復帰を対抗できると構成している[6]。

　(エ)　**無効の場合**　　たとえば，AからBへの不動産所有権の譲渡が無効で

5）　四宮和夫『民法総則〔第4版〕』（弘文堂，1986）187頁など。
6）　広中俊雄『物権法（上）』（青林書院新社，1979）128頁以下。

ある場合，無効を主張する者Ａと，Ｂからの譲受人などの第三者Ｃとの関係であるが，Ｂが無権利者であるので，ＡとＣとは対抗関係には立たないというべきである。第三者Ｃの保護が問題となるが，それは，無効を規定する条文中に直接に第三者保護の規定があればそれにより（民93条2項，94条2項），それがない場合については，民法94条2項類推適用の可否（とりわけＡの帰責性の有無）が検討されることになろう（たとえば，民法90条による無効を主張するＡには帰責性は認められない）。

(4) **法定解除**

(ア) **問題の所在**　契約の解除がなされると，各当事者は原状回復義務を負う（民545条1項）。そこで，解除の場合も取消しの場合と同様の問題が生ずる。すなわち，Ａ・Ｂ間で有効に不動産売買がなされ所有権移転登記が経由された後，売主Ａがそれを解除し，所有権移転登記の抹消，目的不動産の返還を求めたところ，買主Ｂが，解除前にまたは解除後に第三者Ｃに対し当該不動産を譲渡，または抵当権設定などをしていたという場合，民法177条が適用されて，Ａは所有権移転登記の抹消登記をしていないと，第三者Ｃに対し所有権の復帰を対抗できないか，という問題である。

(イ) **判例**　判例は，解除の効果に関していわゆる「直接効果説」（はじめから契約の効力がなかったことになると構成する）に立ちつつ（最判昭和34・9・22民集13巻11号1451頁），上記の取消しの場合と同様に，Ａと解除後の第三者Ｃとは対抗関係に立つとみる。すなわち，「不動産を目的とする売買契約に基き買主のため所有権移転登記があった後，右売買契約が解除せられ，不動産の所有権が売主に復帰した場合でも，売主は，その所有権取得の登記を了しなければ，右契約解除後において買主から不動産を取得した第三者に対し，所有権の復帰を以って対抗し得ない」，と（大判昭和14・7・7民集18巻748頁，最判昭和35・11・29民集14巻13号2869頁【百選Ⅰ56】）。

なお，Ａと解除前の第三者Ｃとの関係については，民法545条1項但書による第三者保護の問題となり，第三者Ｃは解除原因についての善意・悪意を問わず保護される。ただし，第三者が保護を受けるためには，判例（大判大正10・5・17民録27輯929頁）によると，根拠は明確ではないが，その保護要件として第三者は取得した権利につき登記を経由している必要があるという（これ

は詐欺取消しから保護を受ける善意・無過失の第三者〔民96条3項〕におけると異なる）。

　(ウ)　**間接効果説（学説）**　判例に対し，学説では，解除の効果の理解につきいわゆる「間接効果説」が有力である。それによると，解除によりA・B間で原状回復義務が生じ（民545条1項は「各当事者は，その相手方を原状に復させる義務を負う」と述べる），この原状回復義務の履行により契約関係が解消され，所有権がそれに伴ってBからAに復帰的に移転する。したがって，この場合，BからAへの解除による復帰的物権変動と，BからCへの物権変動が対抗関係に立つということになる。解除の前後を問わず，対抗関係に立つ。

　判例（直接効果説）と間接効果説による構成とではいくつかの点で結論に相違が出てくるが，実践的にみるとその相違はわずかである。すなわち，第1に，AとCのいずれか登記を有している者が勝つという点では同じであり，わずかに，第2に，Bに登記が残っている場合に，間接効果説では（A・Cは対抗関係にあり，登記を有していない以上両者とも他方に対して自らの物権を主張できないので）訴えた側が敗訴となるが，判例では解除前に限ってはAが勝つ（Cに保護要件＝登記が欠けるゆえ），という点で相違がある。

　(5)　**共同相続による権利の承継**

　(ア)　**問題の所在**　人の死亡（という事実）により相続が開始し，その時から，被相続人の財産に属した一切の権利義務は相続人に承継される（民882条, 896条）。承継は，被相続人の遺言があればそれに従い，なければ，法定相続のルールに従うことになる。相続人が複数いる場合，相続財産（全体）は共同相続人の共有に属し（民898条），それに含まれる各不動産も個別に共同相続人の共有となると解される（民898条2項，909条但書）。相続財産についての最終的帰属は遺産分割によって定まり，それは相続開始の時に遡ってその効力を生ずる（民909条）。

　この相続に伴う権利の移転が不動産について生じた場合，それに対応する権利移転の登記がなされる。遺言がある場合はそれに従って，法定相続の場合には遺産分割の結果に従って，被相続人から権利を取得した各相続人に対して，直接の権利移転登記がなされる（登記の申請は，被相続人は死亡しているので，遺言書または遺産分割協議書を提出して，相続人が単独で申請する）。

　ただし，相続開始から遺産分割までの間において，必要に応じて，共同相続

人の法定相続分に応じた持分による共有登記をなすことができる。たとえば，相続人A・B・Cが被相続人を各1/3の法定相続分で相続している場合，相続財産中の甲不動産につき，持分各1/3で共有している旨の登記をすることができる（共同相続登記）。これは遺産分割をするまでの暫定的な相続状態の登記であり，引き続きなされる遺産分割の結果をあらためて登記するので二度手間となり，実際には特別な理由がない限りこの登記はパスされることが多い。この登記は相続人が（登記義務者である被相続人が死亡しているから）単独で申請することになるが（不登63条2項），共有物の保存行為に該当するので，各共同相続人（各共有者）が各々1人で共同相続登記の申請をすることもできる（民252条5項）。ある相続人（たとえば，上の例のB）の債権者が，相続財産に属する不動産（持分）を差し押さえる場合，その相続人Bの共同相続登記申請の権限を代位行使し共同相続登記をした上でBの持分に対して差押登記をすることができるのはこの理由からである。

この共同相続登記がいったんなされている不動産につき後に遺産分割による所有権の取得があったときは，その結果に合致するよう，登記をすることになる（たとえば，上の例で，遺産分割の結果Aがこの甲不動産を取得することになった場合，A・B・C共有の登記からA単独所有の登記にしなくてはならない）。なお，その登記手続としては（持分の譲受人などが登場していない場合），所有権取得者（法定相続分を超えて持分を取得した相続人）とその他の共同相続人との持分権移転登記の共同申請による必要はなく，不動産登記法63条2項の実務運用として，登記の更正により行うことができ，登記権利者（法定相続分を超えて持分を取得した者）の単独申請によることができる（令和3年不動産登記法改正時の法制審議会での議論から）。

さて，この項目で検討すべきは，以上の経過の中で，相続による権利の取得者が，その権利取得の登記を，取得した権利の対抗要件という意味でなすべき場合があるか，という問題である*。

＊生前に被相続人からある不動産の譲渡を受けた者（A）と当該不動産の相続人とは，当事者であり対抗関係に立たない。相続人は被相続人の権利義務をすべて承継しているからである。また，相続人から当該不動産を譲り受けた者（B）がいる場合，AとBとは被相続人＝相続人からの相続介在二重譲受人として対抗関係にあり，相続による権利

移転を登記により対抗するという問題ではない。

(イ) **共同相続における権利の承継の対抗要件** (a) **民法の規律** これまでこの問題は，民法177条の解釈問題（相続と登記）として論じられてきた。しかし，民法899条の2（平成30年新設）は，「相続による権利の承継は，遺産の分割によるものかどうかにかかわらず，次条及び第901条の規定により算定した相続分〔法定相続分を意味する〕を超える部分については，登記，登録その他の対抗要件を備えなければ，第三者に対抗することができない」，とする。この規定は民法177条に対する特別規定であり，遺産分割と相続分の指定および特定財産承継遺言に対して適用される。

以下では，この条文の適用関係を，共同相続における権利の承継の類型を挙げて説明する。この条文により，従前の判例・学説による解釈が変更されたもの（特定財産承継遺言についての扱い）があるが，その理由も含めて検討する。

(b) **共同相続の場合（無権利の法理）** この場合については，これまでの解釈は変更されていない。民法899条の2を逆に読めば，相続により権利を取得した者は，法定相続分までは登記なくしてその権利取得を第三者に対抗できる，ということを含意する。それは，この共同相続の事例について，判例，学説により確立された見解に基づくものである。

相続分各1/2であるA，B2名の共同相続において，遺産分割前に，相続財産中の不動産甲につきBが（偽の遺産分割協議書を提出して）虚偽の単独相続の登記をなし，第三者Cに甲を全部譲渡し単独所有権移転の登記を経由した場合，Aは第三者Cに対して，甲不動産について相続により取得している1/2の持分を主張することはなお可能か。判例（最判昭和38・2・22民集17巻1号235頁【百選I59】）は，「第三取得者Cに対し，他の共同相続人Aは自己の持分を登記なくして対抗しうるものと解すべきである」とし，その理由を，「けだしBの登記はAの持分に関する限り無権利の登記であり，登記に公信力なき結果CもAの持分に関する限りその権利を取得するに由ないからである」と述べている。甲不動産についてBの持分1/2は有効にBからCに譲渡されるが，Aの持分1/2についてはBは無権利であり，その部分についてはCへの譲渡は無効である。そこで，Aは登記がなくとも1/2の持分権をCに対して主張

できるという構成（無権利の法理）が採られている（結局，AとCとが各1/2の持分で共有することになる）。

なお，上の例で，Aは，遺産分割前に共同相続登記（被相続人からA，Bへの各1/2の持分での所有権移転登記）をすることができないわけではなかった。しかし，上述のように，遺産分割前に，共同相続登記が一般的になされているわけではないので，権利移転の登記をすることができたのに登記をしなかった（対抗問題となる）との評価はしない，ということである。

第三者Cについては，民法94条2項類推適用によりその保護を図る（Aの持分1/2を取得する）余地があるが，その適用のためには，Aの帰責性（Bの虚偽の登記の存続につきAが事前または事後に明示または黙示に承認していたという事情）が必要である（⇨96頁・Ⅳ2⑵(エ)参照）。

(c) 「相続させる」趣旨の遺言（特定財産承継遺言）がある場合　　民法899条の2第1項は，「相続による権利の承継」につき一般的に適用されるので，この場合も，当該遺言により権利を取得した相続人は，法定相続分を超える部分については，登記による対抗要件を備えなければ，第三者に対抗することができない。具体例で説明すると，A，Bが共同相続人であり，被相続人が相続人Aに対して特定不動産甲につき「相続させる」趣旨の遺言をしているときに，Aがその旨の登記をしないでいる間にBが甲につき共同相続登記（A，B各1/2の持分登記）をしBの1/2の持分をCに譲渡した（あるいは，Bの債権者DがBに代位して共同相続登記を経由し，Bの1/2の持分を差し押さえた）場合，Aは甲について法定相続分を超える部分（1/2の持分）についてはC（ないしD）に所有権取得を対抗できない，ということである。Aは，遺言（書）に基づいて，単独申請により，甲についての被相続人からAへの所有権全部移転の登記を実現できたのであり，それをC，Dの登場する前にしておくべきだったのである（なお，遺言執行者がいる場合，遺言執行者が単独でこの所有権移転登記を申請できる〔民1014条2項〕）。

この遺言につき遺言執行者がいる場合の遺言執行に関する規律（民1013条）の適用は，遺贈の項で述べたところと同じである（⇨52頁・⑵(イ)(c)）。

ところで，「相続させる」趣旨の遺言とは，特定の遺産を特定の相続人に「相続させる」趣旨の遺言である。判例によると，遺言者のそのような意思が

表明されている遺言は，遺贈と解すべきではなく，当該特定の遺産を当該相続人をして単独で相続させることを可能とするための遺産分割の方法（民908条1項）が定められた遺言と解され，遺産の一部の分割がなされたのと同様，何らの行為を要せずして，被相続人の死亡の時（遺言の効力の生じた時）に直ちに当該遺産が当該相続人に相続により承継される，と解されている（最判平成3・4・19民集45巻4号477頁【百選Ⅲ87】）。つまり，この遺言による権利の移転は，法定相続分または指定相続分の相続の場合と本質において異なるところはないので，他の共同相続人は当該遺産については無権利であり，したがって，共同相続について述べた「無権利の法理」が妥当する場合である。このような分析から，これまでは，この遺言により権利を取得した相続人は，当該遺産が不動産である場合については，登記なくしてその権利を第三者に対抗することができることになる，と考えられてきた（最判平成14・6・10家月55巻1号77頁【百選Ⅲ75】）＊。

> ＊ その前提として，相続分の指定による不動産の権利の取得については，登記なくしてその権利を第三者に対抗することができる，とされてきた（最判平成5・7・19家月46巻5号23頁参照）。遺産分割方法の指定についても同様である。

なぜ，民法899条の2第1項は，これまでの解釈を変更し，法定相続分を超える部分については，登記による対抗問題としたのか。第1の理由は，第三者（個別取引の安全）の保護である。上の事例でのC，Dは遺言の有無，その内容を知らず法定相続を前提に行動するのが普通であり，遺産分割あるいは遺贈による権利取得者に対しては，取得した（差し押さえた）持分を対抗できるが，相続させる旨の遺言であれば対抗できないとするのは，C，Dの利益を害する。第2は，登記を対抗要件としない場合，なされている登記（共同相続登記）と実体的な権利との不一致が生ずることになるが，これは不動産登記制度に対する信頼を害するおそれがある。第3に，遺贈の場合との比較で，相続させる旨の遺言（遺産分割方法の指定）による権利変動の場合にも，法定相続分を超える部分については，遺言という意思表示がなければこれを取得することができなかったことを考慮すると，遺贈の場合（民177条が適用される）と同様，その部分については対抗要件を備えなければ，第三者には対抗することができないとすることが妥当との判断である。

【図表 4-3】

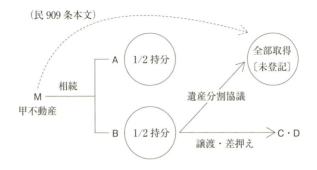

(d) **遺産分割** (i) 民法 899 条の 2 第 1 項の適用　同項の「相続による権利の承継は，遺産の分割によるものかどうかにかかわらず」という文言から，遺産分割によってある不動産につき法定相続分を超える権利の承継をした者は，その部分については登記による対抗要件具備が求められることになる。具体例を挙げると，たとえば，A，B 2 人の共同相続人が，遺産分割協議により相続財産中の甲不動産を A が単独所有することと決めたが，その結果を A が登記しないでいたところ，B が，遺産分割前を装って勝手に相続による A・B 共有の登記をし，登記上公示された自己の 1/2 の持分を，第三者 C に譲渡しその旨の登記をした (A・C の共有登記となる) 場合，または，B の債権者 D が B に代位して相続共有の登記をした上 B の持分を差し押さえその旨の登記をした場合，A は，自己の法定相続分 1/2 は登記なくして権利主張ができるが，法定相続分を超えて権利を承継した部分については，C にも D にも対抗することができない。したがって，C に対して 1/2 の持分の返還を求めることができず，結局 A と C とが甲を各 1/2 の持分で共有することになり，また，差押債権者 D に対しては第三者異議を申し立てることができない (【図表 4-3】)。

(ii) **判例**　この結論は，判例が，民法 177 条の解釈として導いていた結論と同じである (最判昭和 46・1・26 民集 25 巻 1 号 90 頁【百選Ⅲ 72】)。判決の，実質的な理由は，要するに，遺産分割により法定相続分を超える権利を取得した者は，その超える部分については，他の共同相続人から遺産分割により新たに権利を取得したことになり，その部分の権利を取得した者 (あるいは差押債権

者）との関係では，二重譲渡対抗（民177条）の問題となるというものであった。

■最判昭和46年1月26日民集25巻1号90頁
事実の概要　複雑な事案であるが，簡略化すると，遺産分割調停により，相続財産中の甲不動産につき共同相続人Xは法定相続分を上回る持分を取得することになり，他方共同相続人Aは法定相続分を下回る持分を取得することになったが，その旨の相続登記がなされない間に，Aの債権者Yが，Aを代位して（遺産分割前であることを前提に）法定相続分に従った登記をした上Aの持分を差し押さえた。この場合，Xは遺産分割により取得した法定相続分を上回る持分部分につき，その登記を経ないでも差押債権者Yに対抗できるか（遺産分割の結果を主張できるか）が問題となったものである。

判旨　「遺産の分割は，相続開始の時にさかのぼってその効力を生ずるものではあるが，第三者に対する関係においては，相続人が相続によりいったん取得した権利につき分割時に新たな変更を生ずるのと実質上異ならないものであるから，不動産に対する相続人の共有持分の遺産分割による得喪変更については，民法177条の適用があり，分割により相続分と異なる権利を取得した相続人は，その旨の登記を経なければ，分割後に当該不動産につき権利を取得した第三者に対し，自己の権利の取得を対抗することができないものと解するのが相当である」。

　なお，以前，この判例に対しては反対説があった。それは，遺産分割には遡及効が認められていること（民909条本文）を重視する考え方であった。上の事例を使って説明すると，遺産分割によって取得した甲不動産全部をAは相続開始時から所有しており，逆にBは一度も権利者となったことはないので，無権利者Bからの譲受人等であるC，Dには，Aは登記なくして対抗し得る。C，Dの保護は，民法94条2項類推適用によることになる，というものである。しかし，この考え方は，民法899条の2第1項の明文をもって否定された。

　(e)　**相続放棄の場合**　相続放棄の場合においても，民法177条の登記による対抗が問題とされた。たとえばA，B，C3名の共同相続人がおり，Aが家庭裁判所で相続放棄の申述をした場合，Aは相続の「初めから相続人とならなかったものとみな」されるので（民939条），初めからB，Cのみが共同相続人であったことになるが，B，Cがその旨の登記を経ないでいる間に，Aの債権者DがAに代位してA，B，C3名共有の共同相続登記をした上，Aの持分を差し押さえたとき，B，Cはこれに対抗することができないか（B，Cは自分のもともと想定された持分1/3については登記なくしてDに対抗できるが，他の相

続人〔A〕が相続放棄した結果取得することになったそれを超える持分部分〔1/6〕については登記なくして対抗できないか），という問題である。

判例（最判昭和42・1・20民集21巻1号16頁【百選Ⅲ73】）は，相続放棄の効果は遡及し，Aは当初から無権利であり，B，Cは登記をしておかなくともDに対抗できるとしている。すなわち，「家庭裁判所に放棄の申述をすると……，相続人は相続開始時に遡ぼって相続開始がなかったと同じ地位におかれることとなり，この効力は絶対的で，何人に対しても，登記等なくしてその効力を生ずると解すべきで」，Dの代位による所有権の保存登記は実体にあわない無効のものというべく，差押登記も無効である，と述べている。

さて，民法899条の2第1項は，相続放棄の場合にも適用されることになるかである。否定されるべきである（改正の議論では相続放棄は念頭に置かれていない）。ある相続人の相続放棄により結果的に他の共同相続人が相続前の計算上の相続分より多い相続部分を有するに至ったことが，同条の法定相続分を超える権利の承継部分に該当するかであるが，そもそも相続放棄をした者は「初めから相続人とならなかったものとみな」され，法定相続分も相続放棄後の共同相続人に応じて計算されるので，同条の「超える部分」を想定することはできないことになり，適用はないというべきである。また，相続放棄をした者は，相続により何らの権利も取得しない（無権利者な）ので，その者からの権利取得はあり得ず「第三者」が想定できないため，登記対抗の問題は生じない。

(6) 取得時効

(ア) 問題の所在　　所有の意思をもって他人の物の占有を20年間（占有開始の時善意・無過失であれば10年間）継続した者はその物の所有権を時効取得する（民162条。その他の財産権について民163条）。この場合，時効による取得を第三者に対抗するためには登記が必要か。具体的に問題となる主要事例は次のようなものである。

［事例1］　A・B間で甲不動産の所有権の譲渡がありその引渡しを受けたBが占有を開始したが，所有権移転登記がされないままで，その後相当な期間が経過した後にA（ないしその相続人）からCに甲不動産が二重に譲渡され，その移転登記がなされた。BとCとが甲土地の所有権取得を争うことになり，Bが時効による取得を主張した。

〔事例2〕　AとBとが隣地の所有者同士であり，BがA所有の甲土地の一部を自分の所有する乙土地の一部と思い長い年月にわたり越境して自主占有してきたところ，Aが甲土地をCに譲渡しその旨の登記がなされた。CがBの越境に気がついてBの不法占有を理由にその部分の明渡しを求め，他方，Bが，占有する甲土地の一部の時効取得を主張した。

　(イ)　判例　判例は，AからCへの譲渡が取得時効完成の前か後かで分け，時効により所有権を取得したBと時効完成後に所有権を取得した第三者Cとの関係は民法177条の対抗問題となり，他方，時効完成前に所有権を取得した第三者C（すなわち，時効完成時の所有者C）とは当該不動産についての時効取得の当事者であり対抗関係には立たないとする。この判例の考えを構成するのは以下に整理する4つの基本原則である。

　第〔1〕原則　時効により不動産の所有権を取得した場合，取得者はその所有権移転登記をしておかなければ，その後に登場した第三者に対抗できない（大連判大正14・7・8民集4巻412頁）。これは二重譲渡があった場合に，後の譲受人が先んじて登記を受けた場合と同一であるからである，という。Bは時効による所有権の取得を登記しようと思えば登記することができた，という前提である。

　第〔2〕原則　時効による取得は，取得時効完成当時の所有者に対しては登記なくして対抗することができる。完成時の所有者が上記事例のA（その相続人）である場合（大判大正7・3・2民録24輯423頁）だけでなく，不動産の取得時効完成前に原所有者Aから所有権を譲り受けた者Cも（最判昭和46・11・5民集25巻8号1087頁【百選Ⅰ57】），時効取得者Bの時効完成時点では，Bにとっては，いわば時効による所有権取得の当事者の関係に立つといってよい（民法177条の「第三者」ではない）ので，Bは登記なくしてCに対し時効による所有権取得を対抗できる（なお，時効取得は法的には原始取得とされるが，時効完成の時点でみれば，一方で占有者が所有権を取得し，他方で所有者が所有権を失うので，これをあたかも承継取得の当事者とみてもよいという考えである）。なお，CとBとが所有権取得の当事者であるためには，CのAからの所有権取得が実体的にBの時効完成前であればよく，したがって，Cへの所有権移転登記がBの時効完成後であっても，Bは登記なくしてCに対抗できる（最判昭和42・7・21民集21

巻 6 号 1653 頁)。

■最判昭和 42 年 7 月 21 日民集 21 巻 6 号 1653 頁

判旨　「B〔被上告人〕は本件土地の占有により昭和 33 年 3 月 21 日に 20 年の取得時効完成したところ，C〔上告人〕は，本件土地の前主から昭和 33 年 2 月本件土地を買い受けてその所有者となり，同年 12 月 8 日所有権取得登記を経由したというのである。されば，B の取得時効完成当時の本件土地の所有者は C であり，したがって，C は本件土地所有権の得喪のいわば当事者の立場に立つのであるから，B はその時効取得を登記なくして C に対抗できる筋合であり，このことは C がその後所有権取得登記を経由することによって消長を来さないものというべきである。」

第〔3〕原則　以上の第〔1〕原則，第〔2〕原則の区分を維持するための不可欠の前提として，取得時効の起算点は B において「時効の基礎たる事実の開始した時」に固定しなくてはならない（大判昭和 14・7・19 民集 18 巻 856 頁，最判昭和 35・7・27 民集 14 巻 10 号 1871 頁）。取得時効を援用する者 B において任意にその起算点をずらすことができるのであれば，争いのある現在の時点で時効が完成したものとして，常に，相手方 C を時効完成前の当事者と位置づけ，登記を要しないものとすることができるからである。

■最判昭和 35 年 7 月 27 日民集 14 巻 10 号 1871 頁

事実の概要　境界争いの事案で，もと A が所有し現在 Y が譲り受けて所有する山林（乙）の一部につき，隣山林（甲）所有者 X が時効取得を主張したが，Y は，X の期間 20 年の取得時効完成後 A から譲り受けて所有権移転登記を経由した者であった。X は起算点をずらし，現在時点から逆算して 20 年間の占有による時効取得を主張した。

判旨　「時効が完成しても，その登記がなければ，その後に登記を経由した第三者に対しては時効による権利の取得を対抗しえない（民法 177 条）のに反し，第三者のなした登記後に時効が完成した場合においてはその第三者に対しては，登記を経由しなくとも時効取得をもってこれに対抗しうることとなると解すべきである。しからば，結局取得時効完成の時期を定めるにあたっては，取得時効の基礎たる事実が法律に定めた時効期間以上に継続した場合においても，必ず時効の基礎たる事実の開始した時を起算点として時効完成の時期を決定すべきものであって，取得時効を援用する者において任意にその起算点を選択し，時効完成の時期を或いは早め或いは遅らせることはできないものと解すべきである。」

第〔4〕原則　B が時効取得につき登記をしなかったので，時効完成後所有権

を取得しその登記を経由した第三者Cに対抗で敗れたときでも，BがCの登記後にさらに引き続き時効取得に必要な期間占有を継続した場合には，BはCに対し，登記なくして時効取得を主張することができる（最判昭和36・7・20民集15巻7号1903頁）。これは，第〔1〕原則によりいったん対抗で敗れても，時効の起算点に関する第〔3〕原則を修正しCの登記時を新たな起算点と認め，第〔2〕原則（当事者原則）を適用することで，長期にわたる占有者を保護したものと評価できる*。

■最判昭和36年7月20日民集15巻7号1903頁

事実の概要　Aの所有する本件山林を，Bが善意無過失で1915年5月29日まで10年間自主占有し時効取得したが未登記でいたところ，CがAから1926年8月26日贈与を受け登記が経由された。しかし，BはさらにこのCの登記の日より1936年8月26日まで10年間引き続き善意無過失で自主占有を継続した。

判旨　「時効による権利の取得の有無を考察するにあたっては，単に当事者間のみならず，第三者に対する関係も同時に考慮しなければならぬのであって，この関係においては，結局当該不動産についていかなる時期に何人によって登記がなされたかが問題となるのである。されば，時効が完成しても，その登記がなければ，その後に登記を経由した第三者に対しては時効による権利の取得を対抗しえないのに反し，第三者のなした登記後に時効が完成した場合においては，その第三者に対しては，登記を経由しなくとも時効取得をもってこれに対抗しうる。」

＊上記第〔4〕原則は，不動産の取得の登記をした第2譲受人と上記登記後に当該不動産の所有権を時効取得に要する期間さらに占有を継続した者との間における対抗関係（民177条）に関わるものであった。このルールが，抵当権者（競売の買受人）と土地賃借権の時効取得者の対抗関係にも妥当するかが扱われた判例がある（最判平成23・1・21判時2105号9頁【百選I 48】はこれを否定した）。事案をごく簡略化すると，以下の通りである。YはAから甲土地を賃借し同地上に建物を所有するも対抗要件は具備していない（民605条，借地借家10条）。30年ほど経過後，BがA所有の甲土地に抵当権を取得し抵当権設定登記を経由。その後，抵当権が実行されXが甲土地の所有権を取得し所有権移転登記がなされた。XがYに対して建物収去土地明渡を求めたのに対して，Yが前述の最判昭和36年7月20日を援用し，YはBの抵当権設定登記時点から賃借権の時効取得（民163条）に必要とされる期間，甲土地をさらに継続的に用益して賃借権を時効により取得したので，この賃借権をもってX（いわば取得時効の当事者）に対抗できる，と。判旨は，最判昭和36年との事案の相違を指摘し，Yの主張を認めなかった。「抵当権の目的不動産につき賃借権を有する者は，当該抵当権の設定登記に先立って対抗要件を具備しなければ，当該抵当権を消滅させる競売や公売により目的不動産を買い受

> けた者に対し，賃借権を対抗することができないのが原則である。このことは，抵当権の設定登記後にその目的不動産について賃借権を時効により取得した者があったとしても，異なるところはないというべきである」，と。この判断には，賃借権は対抗要件を具備してはじめて物権的地位を取得できるとの議論が影響しているとされる。

(ウ) **学説**　(a) **「登記重視説」対「占有重視説」**　以上の判例の考えに対する批判として，これまで，登記重視の立場からのもの（登記を経た物権変動が優先されるべきである）と，占有重視の立場からのもの（取得時効は一定期間の占有の継続のみを基礎とする制度で，登記は問題とされていない）とが対立していた。前者は，第〔2〕原則を批判し，時効完成前に第三者Cによる所有権移転登記がなされた場合は，取得時効の進行はそれによりいったん意味を失い，そこからまた新たに取得時効が起算されるべきであると主張する。この考えでは，第三者の所有権移転登記があたかも時効更新事由のような働きをする*。

後者は，第〔1〕原則に対し，占有のみを基礎とする時効取得制度においては登記による対抗はおよそ問題とすべきでないと批判し，さらに，第〔3〕原則を排除して，紛争のある現時点から逆算して時効取得に十分な期間の占有の継続があることを証明できれば，その期間の占有に基づく時効取得を認め，第〔2〕原則により現在の登記経由者をすべて当事者とすることができる（登記なくして対抗できる）と主張する。

> * なお，[事例1]では，Cが所有権移転登記をするまではBは「自分の物」を占有しており「他人の物」という要件（民162条）を満たしていないので，Cの登記経由をもって取得時効の起算点とすべきではないかという疑問が生ずる。判例は，正面から「民法162条所定の占有者には，権利なくして占有をした者のほか，所有権に基づいて占有をした者をも包含するものと解するのを相当とする」。「けだし，……所有権に基づいて不動産を永く占有する者であっても，……所有権の取得を第三者に対抗することができない等の場合において，取得時効による権利取得を主張できると解することが制度本来の趣旨に合致する」という（最判昭和42・7・21民集21巻6号1643頁【百選Ⅰ45】）。したがって，起算点については，Bが占有を取得した時から起算すべきものであるとする。その理由を，別の判例は，「その所有権は，売主から第2の買主に直接移転するのであり，売主から一旦第1の買主に移転し，第1の買主から第2の買主に移転するものではなく，第1の買主は当初から全く所有権を取得しなかったことになるのである。したがって，第1の買主がその買受後不動産の占有を取得し，その時から民法162条に定める時効期

間を経過したときは，同法条により当該不動産を時効によって取得しうるものと解するのが相当である」という（最判昭和46・11・5民集25巻8号1087頁【百選 I 57】）。

(b) **類型的考察説**　この2つの見解の対立はお互いに決め手を欠き膠着状態にあったところ，新たに次のような類型的考察が示された[7]。これは，従来のものがどちらかというと原理原則からの演繹的議論であったのと比べると，時効と登記が問題となる紛争類型を析出し，各類型における利害関係を分析した上，対抗問題の構造からみて各類型にふさわしい解決を提案するものであり，支持を得ている。

紛争類型として挙げる主要なものは，問題の所在（(ア)）で挙げた［事例1］（二重譲渡有効未登記型），［事例2］（境界紛争型）である。

［事例1］では，B，Cはもともと二重譲受人相互の関係にあり，Bは対抗関係で登記を了したCに劣後する関係であったところ，たまたまBの占有継続により時効が完成したことで，BがCを当事者とする（この場合おそらく10年の短期の）時効取得を主張でき逆転勝利するということは，民法177条の趣旨を没却するもので妥当ではない（とりわけ，Cの取得がBの時効完成直前であればなおさらそういえる）。この類型では，民法177条に則りいったん対抗力を取得したCの登記を重視して，Bが，Cの登記時点からさらに時効取得に必要な期間の占有を継続した場合にのみ時効取得の主張を許すべきである，と。

［事例2］では，境界を越えて他人の土地の占有を続けているBには，その点についての認識がないことが少なくなく，その場合は，取得時効の進行も，その完成も知らず，したがって，それによる所有権取得を登記することはおよそ期待できない。このようにこの類型ではBに対して登記ができるのにそれを怠っていたと責めることができないから，時効完成後の第三者Cに対してであってもBは登記なくして時効取得を主張することができると考えるべきではないか，と。

民法177条の登記が要求される前提として，少なくとも，権利者に対し当該

---

7) 星野英一「時効に関する覚書」同『民法論集4』（有斐閣，1978）所収，山田卓生「取得時効と登記」加藤一郎＝米倉明編『民法の争点 I』（有斐閣，1985）106頁など参照。

物権変動を登記することがその種の物権変動にあっては一般的に期待できたところ，それにもかかわらず登記を怠っていた，と評価できる事情が存在することを求め，それを1つの基準として対抗関係かどうかを決めていく見解は基本的に妥当であり，その意味で類型的考察は積極的に評価できる。

3 民法177条の「第三者」の範囲
(1) 問題の所在

不動産物権変動につき，「その登記をしなければ，第三者に対抗することができない」（民177条）という場合の「第三者」に該当する者，該当しない者は，具体的には誰を指すのか，また，それを区分する基準は何か。

(ｱ) **当事者は除外** まず，「第三者」とは当事者（および，その包括承継人）以外の者を指す用語であるので，当事者は除外される。所有者Aから不動産所有権の譲渡を受けた者Bにとって，Aは当事者であり，所有権の譲受けを主張するために登記は必要でない（BがA所有不動産の時効取得者である場合も同様に当事者関係である）。

また，この事例で，Aの相続人等の包括承継人CとBとは当事者の関係にある。CはAの地位を全面的に承継するからである。さらに，Bから当該不動産の所有権を譲り受けた者（あるいは，抵当権設定を受けた者）Dにとっても，Aは前主のそのまた前主で一列に並ぶ立場の者であり当事者の関係にあり，Dは登記なくして所有権，抵当権をAに対し主張することができる。

(ｲ) **判例の基準（制限説）** では，これら当事者の関係に立つ者以外のものはすべて，本条の「第三者」に該当するといえるのであろうか。

立法者は，物権関係の画一的処理の観点から，第三者の範囲を限定しなかった。しかし，不法行為者に対して所有権を主張（損害賠償請求）する場合にも登記を必要とするというのでは妥当性を欠く。そこで，判例は，早くから，本条の「第三者」を一定の範囲の者に制限している（大連判明治41・12・15民録14輯1276頁）。ある建物を譲り受けその所有権移転登記を経由していないXが，それを争うYを相手に所有権確認を求めた事案で，第三者とは不動産物権変動の「登記欠缺ヲ主張スル正当ノ利益ヲ有スル者」をいうとの基準を示した。その理由を，民法177条が登記によって権利関係を公示して，第三者に取引上

不慮の損害を被らせないようにする制度であるところに求める。そもそも物権の得喪につき利害関係のない者は第三者から除かれるし、また、上掲の制度趣旨からして、保護を享受するに値しない者も除外されるべきだ、ということである。

そして、この判決は、第三者に該当する者の具体的例示として、同一の不動産に関する所有権・抵当権などの物権取得者、または賃借権取得者、同一の不動産の差押債権者、配当加入債権者を挙げ、該当しない者としては、正当の権原によらないで権利を主張する者、不法行為者を挙げる。

(ウ) 学説　　学説は第三者の範囲を制限するという点では異論はない。その基準として、それぞれの民法177条の理解に沿って、たとえば、広く「有効な取引関係に立てる第三者」であるかどうか、あるいは、「同一不動産上の両立し得ない物権または物権に準ずる権利相互間の優先的効力を争う関係」つまり対抗関係に立つ者が第三者である（対抗関係説）、などという基準を提案している。前者の基準によると判例と具体的結論はほぼ同じとなり、後者の基準よりは民法177条にいう第三者の範囲を広くとらえることになる（後述の不動産賃借人に賃料を請求する関係における不動産賃貸人も第三者に入る、など）。以下、具体的に検討する。

(2) **具体的な検討**

(ア) **第三者に該当しない者**　　(a) **実質的無権利者、およびその譲受人**　　最判昭和25年12月19日（民集4巻12号660頁【百選I 62】）は、賃貸家屋の所有者Aからその所有権を譲り受けたXが、その家屋の賃借人Yとの間で賃貸借契約を合意解除したが、Yは、Xの所有権移転登記未了を理由に立ち退かないという事案で、Yは不法占有者（無権利者）であり第三者に該当せず、Xは登記なくして所有権に基づく明渡請求ができるとした。

(b) **不法行為者**　　所有者はその所有する物件に対する不法行為者に対して損害賠償の請求をするにつき登記を必要としない。

(c) **不動産登記法5条に該当する者**　　不動産登記法5条は明文で以下の者を「登記がないことを主張することができない」第三者であるとする。すなわち、第1は、「詐欺又は強迫によって登記の申請を妨げた第三者」(1項)、第2は、「他人のために登記を申請する義務を負う第三者」(2項) である。後者

には法定代理人などが該当する。実質的にみて，これらの者は登記欠缺を主張することが信義に反するので第三者には当たらないとされる。後でみる，背信的悪意者排除論展開の起点となる条文である。以下に挙げる第三者に該当する者であっても，本条に該当する場合には第三者から排除されることになる。

(イ) **第三者に該当する者** (a) **物権取得者** 同一不動産につき所有権，地上権，抵当権などの物権を取得した者が第三者に該当する者の典型である。

(b) **不動産賃借権者（利用権そのものを争う場合）** 前記大審院連合部明治41年判決は，第三者に該当する者の例示として不動産賃借権取得者を挙げ，学説でも同様である。所有者Aからの不動産譲受人Bが，Aから当該不動産を賃借している者Cの賃借権を否定し明渡しを求める（利用権そのものを争う）場合には，所有権移転登記をしておく必要がある，というのである。BもCも双方未登記であれば，本来は「売買は賃貸借を破る」ので，Bが優先しそうである。しかし，不動産賃借権は登記等により第三者対抗要件を具備することができ（民605条，借地借家10条，31条），Bが未登記のままで所有権を主張しても，Cが先に賃借権の対抗要件を備えると，Bは結局Cの賃借権を否定できなくなるという意味で，賃借権者を第三者とするのであろう。

(c) **不動産賃借権者（賃料を請求する場合）** (i) **問題の所在** 上記と区別される問題として，賃貸不動産の譲受人Bは，対抗要件を具備している不動産賃借人Cに対し，その利用権の存在は争うことができないところ，Bがその賃借権の存在を前提とした上で賃料の請求をする場合に，Bは，前主Aから所有権移転登記を経由している必要があるかというものがある。Bとしては，Cが賃借人であることを認めており，一見登記は要らないことになりそうである。しかし，Cとしては，賃料の支払先につき，AなのかBなのかがはっきりしないので，それは困る（誤ると二重払いの危険）という問題がある。判例（最判昭和49・3・19民集28巻2号325頁【百選Ⅱ59】）は，この場合におけるCをも民法177条の第三者とみて，Bが賃料請求をするについても登記が必要であるという（【図表4-4】）。平成29年改正民法で明文化された（民605条の2第3項）。

(ii) 判例

■最判昭和 49 年 3 月 19 日民集 28 巻 2 号 325 頁

事実の概要　被告 C は A から本件土地を賃借しており C 名義の建物を所有している（対抗要件具備〔借地借家 10 条〕）。原告 B は A からこの賃貸土地を譲り受けていたがその所有権移転登記は長い期間未了であった。B は，C に長期未払いだとして賃料の支払を催告し C がこれに応じなかったので，賃貸借契約を解除し C に建物収去を求めた。B はそもそも賃貸人として C に対し賃料請求をすることができる立場であったのか。

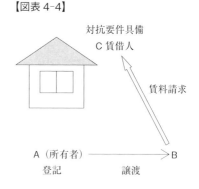

【図表 4-4】

判旨　「本件宅地の賃借人としてその賃借地上に登記ある建物を所有する C は本件宅地の所有権の得喪につき利害関係を有する第三者であるから，民法 177 条の規定上，B としては C に対し本件宅地の所有権の移転につきその登記を経由しなければこれを C に対抗することができず，したがってまた，賃貸人たる地位を主張することができないものと解するのが，相当である」「登記を経由……以前には，B は右賃貸人として C に対し賃料不払を理由として賃貸借契約を解除し，C の有する賃借権を消滅させる権利を有しないことになる。」

(iii) 学説の理解　しかし，ここでの B と C とは利用権をめぐって両立し得ない関係に立つわけではないので，対抗関係説によれば，民法 177 条の登記が必要な場合とはみないことになる。それでは，賃借人の二重払いの危険を取り除くためには，ほかにどのような方法が考えられるか。ここでは賃料債権の請求権者はだれかが問題なので，あり得るのは B に賃貸借契約上の地位を譲渡した旨の譲渡人 A から C への債権譲渡通知（民 467 条）であろう。しかし，その方法では不十分である。つまり，仮に土地が A から D に二重に譲渡され，先に D が所有権移転登記を具備すると，遡って B が所有者・賃貸人ではなかった扱いになるので，C の B に対する賃料支払を保護する根拠を探すという面倒な問題が残る（また，不払いを理由としてなされた解除の効力はどうなるかという問題がある）。いずれにしろ，この場合，賃貸不動産譲渡に伴う法律関係が事後的に覆らないよう処理する必要があり，そうすると，やはり，所有権移転登

記を基準とするほかないように思われる。ただ，登記の意味づけとしては，対抗関係説では，対抗のための登記ではなく，登記のもつ権利資格証明的機能が利用された場面と説明することになる。

　(d)　**差押債権者**　たとえば，所有者Ａからの土地甲の譲受人Ｂが所有権移転登記を経由しない間に，Ａの一般債権者Ｃが，債務名義に基づいて甲土地を差し押さえた場合（その旨登記される），ＢはＣに対し（したがって，不動産競売における買受人に対し），この土地の所有権取得を対抗できない。なお，差押債権者と同視される配当加入申出債権者も同様に第三者である。なお，差押えをしていない一般債権者は，不動産についてなんら特定の関係をもたないので，第三者には該当しない。

(3)　**背信的悪意者排除法理**

㋐　**問題の所在**　Ａ所有不動産を二重に譲り受けたＢとＣの対抗関係においては，先に登記を経由した者（たとえばＣ）が優先する。しかし，登記を得たＣがＢへの第１の譲渡を知りつつ（悪意で）譲り受けていた場合，さらには，単に知っていただけではなくＢへの譲渡を阻害するなどの目的で二重に譲り受けた，などの事情がある場合にも，その結論のままでよいのか，という問題がある。

　判例は，信義則（民１条２項）を援用して，第２譲受人Ｃがいわゆる背信的悪意者に当たると評価される場合には，Ｃは登記を経由していても第１譲受人Ｂの登記欠缺を主張する正当の利益を有しない者として，民法177条の第三者に該当しないとする（その結果，Ｂは登記なくしてＣに所有権の取得を対抗できる）。学説においてもこれに賛成する者が多数である。

㋑　**背信的悪意者排除法理が採用されるに至った考え方の変遷**　立法者は，第三者の善意・悪意は問わないという考えであった。登記により物権関係を画一的に規律するという基本的考えがそもそもその背景にあり，また，仮に悪意者を排除できるとするならば，登記のない第１譲受人から登記を経由した者に対しその悪意を理由とする訴訟が多発するのではないかとの懸念を抱いていたこともある。第三者の善意・悪意は問わないというこの結論はその後も支持されてきたが，その背景として，第１譲渡の事情を知る者が二重に譲り受けても，それは，資本主義経済社会における自由競争として許される行為であるとの思

想があった。

　しかし，その後，この自由競争の原理により許される範囲には一定の限度があるとの考えが有力に主張されるようになった。すなわち，〔1〕すでに他に譲渡され所有権が移転している不動産につき，そのことを知りつつ，所有権移転登記が未了であるということで，これをより高額で買い取るなどして登記を経由することは，たしかに自由競争として許されているといってよい。したがって，このような場合は，悪意者であっても第三者ということができる。他方の第1譲受人に対しては，所有権移転登記をして自らの権利を保全することができたにもかかわらずそれを怠っていたということを指摘することができる。〔2〕しかしながら，第2の譲受人が第1譲渡を阻害する目的をもっているなど信義則に反するような態様で所有権を取得しようとする場合は，もはや自由競争の範囲を超えるものとして登記による優先を主張することが許されないというべきである。〔3〕不動産登記法5条が，「詐欺又は強迫によって登記の申請を妨げた第三者」，および「他人のために登記を申請する義務を負う第三者」は，「その登記がないことを主張することができない」とするのは，そのような考えを表現したものとみることができる。

　(ウ)　判例の展開　　判例は，まず，「第三者が登記の欠缺を主張するにつき正当な利益を有しない場合とは，当該第三者に，不動産登記法4条，5条〔現行の不登5条1項・2項に該当〕により登記の欠缺を主張することの許されない事由がある場合，その他これに類するような，登記の欠缺を主張することが信義に反すると認められる事由がある場合」（最判昭和31・4・24民集10巻4号417頁）として不動産登記法の規定をてことしていた。後に，「実体上物権変動があった事実を知りながら当該不動産について利害関係を持つに至った者において，右物権変動についての登記の欠缺を主張することが信義に反するものと認められる事情がある場合には，かかる背信的悪意者は登記の欠缺を主張するについて正当な利益を有しないものであって，民法177条にいう『第三者』にあたらないものと解すべき」として，背信的悪意者排除法理が確立された（最判昭和44・1・16民集23巻1号18頁。すでに同趣旨を，最判昭和43・8・2民集22巻8号1571頁が述べている）。

　判例を参考に，「背信的悪意者」に該当する者を類型的に呈示してみると，

以下のようになる。

〔1〕譲渡人と第2の譲受人が法人とその代表者であるなど実質上同一人の関係にあるとか，配偶者・親子・兄弟などの密接な関係にある場合。

〔2〕第2の譲受人が第1の譲渡などの物権変動に際しその仲介人，和解の立会人などとして関与し，第1の物権変動につき登記がなされていないと主張することが信義に反するような事情，すなわち，不登法5条2項の「他人のために登記を申請する義務を負う第三者」に類する事情がみられる場合（最判昭和43・11・15民集22巻12号2671頁，前掲最判昭和44・1・16）。

〔3〕矛盾的行為，すなわち，ある者が第1譲受人を所有者であるとの前提である行為をなしておきながら，自らが第2の譲渡を受けたという場合（前掲最判昭和31・4・24〔この事件の再上告審は最判昭和35・3・31民集14巻4号663頁〕は，国YがAからの譲受人X〔未登記〕を所有者と認めて財産税を徴収しておきながら，登記名義人Aの所有物として滞納処分による差押え・公売処分をしたので，XがYに対し公売処分の無効確認を訴えた事案）。

〔4〕反倫理的事情が背景にある場合，すなわち，第2の譲受人が，第1の譲受人の登記の未了を奇貨として，自分が不動産を取得し登記をすることで意趣ばらしをする目的であるとか（最判昭和36・4・27民集15巻4号901頁）[8]，第1譲渡があり，譲受人が占有管理していることを知りながらその登記が経由されていないのを奇貨として，第1譲受人に対し高値で権利証を売りつけようとして第2譲渡を受け登記を経た場合（前掲最判昭和43・8・2）など。

〔5〕第2譲受人が，第1の譲渡についての登記完成を不当な手段によって妨げるなど，不動産登記法5条1項（詐欺・強迫により登記申請を妨げた第三者）に類する事情がある場合（最判昭和44・4・25民集23巻4号904頁）。

(エ) その後の判例と背信的悪意者排除法理　　背信的悪意とは，悪意（第1

---

[8] この判決は，背信的悪意者構成ではなく，第2譲渡がそもそも反社会的であり公序良俗に反し民法90条により無効であると判断したものである。事案は，BがAから山林を買い受けて代金を完済し引渡しを受けて20数年経過したが登記未了であったという状態で，この間の事情を熟知していたCが，他の紛争の復讐の目的で，Aの相続人にその意図を打ち明けて，同山林の売却を依頼し，ごく低廉な価格でこれを譲り受け所有権移転登記を経由し，さらにDのため抵当権を設定し登記も経由したというものである。

の実体的物権変動があった事実を知ること）に加えて背信性（登記の欠缺を主張することが信義に反すること）が求められるのであるが、その後の判例には、その背信的悪意という思考枠組みにゆらぎがみられるものがある。

(a) **未登記通行地役権者と承役地の譲受人等** (i) **承役地の譲受人** 甲土地（要役地）の所有者がその便益（たとえば通行）のために乙土地（承役地）の所有者から地役権の設定を受けた場合、地役権者は地役権設定登記をしなければ、乙土地の譲受人等第三者にはこれを対抗できない（民177条）。乙土地についての未登記の通行地役権者と承役地（乙土地）の所有権を譲り受け登記を了した者とが対抗関係で争っている事例で、承役地の譲受人が通行地役権が設定されている事実は知らなかったとしても、通路として使用されていることが客観的に明らかであり譲受人もそのことを認識していたかまたは認識することが可能であったときは（地役権を容易に推認、調査できるので）、「地役権設定登記の欠缺を主張するについて正当な利益を有する第三者に当たらない」とした判例がある（最判平成10・2・13民集52巻1号65頁【百選I 63】）。

■最判平成10年2月13日民集52巻1号65頁──────

事実の概要 Aは自己所有地を左右3区画ずつ6区画の分譲地とし、真ん中に通路部分を留保した。XはAから左の1区画を譲り受けその旨の登記をし、また通路を承役地とする黙示の地役権の設定を受け（未登記）、以後通路を継続的に使用している。BはAから他の3区画および通路部分全部を譲り受けその所有権移転登記を経由した。YはBからBの所有地全部を譲り受けその旨の登記がなされた。YがXの通行権を否定したので、AからXへの通路部分の地役権設定（未登記）と、Yへの所有権移転（既登記）との対抗問題が生じた。

判旨 「譲渡の時に、〔1〕右承役地が要役地の所有者によって継続的に通路として使用されていることがその位置、形状、構造等の物理的状況から客観的に明らかであり、かつ、〔2〕譲受人がそのことを認識していたか又は認識することが可能であったときは、譲受人は、通行地役権が設定されていることを知らなかったとしても、特段の事情がない限り、地役権設定登記の欠缺を主張するについて正当な利益を有する第三者に当たらないと解するのが相当である」。その理由は、上記〔1〕〔2〕であれば、「譲受人は、要役地の所有者が承役地について通行地役権その他の何らかの通行権を有していることを容易に推認することができ、また、要役地の所有者に照会するなどして通行権の有無、内容を容易に調査することができる。したがって、右の譲受人は、通行地役権が設定されていることを知らないで承役地を譲り受けた場合であっても、何らかの通

行権の負担のあるものとしてこれを譲り受けたものというべきであって，右の譲受人が地役権者に対して地役権設定登記の欠缺を主張することは，通常は信義に反するものというべきである」，と。

　この判決で注目すべきは，〔1〕背信的悪意者排除法理を使わないでも，信義則を直接適用して登記の欠缺を主張するについて正当な利益を有する第三者に当たらないと判断できる場合があることを認めたこと，〔2〕は，通路としての客観的な利用の事実に対する認識があれば原則として背信性ありと判断していること，である。この判決の考えが，広く，第1の権利変動（借地権，さらには所有権移転〔未登記〕）に基づき目的不動産の客観的な利用が開始している事例において適用され，第2譲受人の第三者非該当の判断につき先例となり得るのであろうか。次の(b)に挙げる最高裁判決は，この考えの一般化を簡単には許さないようであり，一応，上記判決は通路としての使用が明白な通行地役権に限って適用されるものと読むべきであろう。

　(ii)　**承役地の買受人（抵当権者）**　　未登記の通行地役権者が，抵当権に基づく担保不動産競売による承役地の買受人に対して通行地役権を主張した事案がある。判決では，「地役権設定登記の欠缺を主張するについて正当な利益を有する第三者に当たらない」かどうかを判断するにあたっては，買受時点での買受人を基準に上記最判平成10年で掲げられた事情の存否を判断するのではなく，最先順位の抵当権の設定時点における抵当権者を基準に判断することになるとされた（最判平成25・2・26民集67巻2号297頁）。ここでは，通行地役権者と対抗関係に立つのは抵当権者であって，第三者である抵当権者が地役権設定登記の欠缺を主張するについて正当な利益を有さないとされれば，地役権者はこの抵当権者に対し登記なくして地役権を主張することができ，したがって，競売により承役地が売却され買受人の所有に帰したとしても，通行地役権は消滅しないという扱いとなるのである。

　(b)　**土地の時効取得者と当該土地の譲受人**　　他人が時効取得（未登記）している土地の譲受人を背信的悪意者と判断するには，厳密には，権利変動たる時効完成の事実の認識（悪意）プラス背信性が求められるべきところ，最判平成18年1月17日（民集60巻1号27頁【百選Ⅰ60】）は，その他人が「多年にわ

たり当該不動産を占有している事実」の認識プラス背信性で足りるとした。

■最判平成 18 年 1 月 17 日民集 60 巻 1 号 27 頁

事実の概要 Y は，自己所有の丙土地に隣接する甲土地（M 所有）の一部（「乙部分」と呼ぶ）を自己所有地に属するものと思い公道に至るための通路として長年占有・利用しコンクリート舗装もし，取得時効が完成した状態であった（未登記）。その後，X が M から事業用地として甲土地を譲り受けその旨の登記を経由し，乙部分の所有権確認，コンクリート舗装の撤去を求めて訴えを提起した（【図表 4-5】）。Y は所有権の時効取得を抗弁したが，X が時効完成後の譲受人であり未登記では対抗できないため，X は背信的悪意者に当たると主張した。原審は，背信的悪意者基準によらず，前掲最判平成 10・2・13 に依拠し，①Y が当該係争地を専用進入路としてコンクリート舗装した状態で利用していること，および②Y は公道からの進入路をほかに確保することが著しく困難であること，を知っていたと認定した上，X が調査をすれば本件通路部分（乙部分）を Y が時効取得していることを容易に知り得たとして，X は Y の登記欠缺を主張する正当な利益を有しないものと判断した。X 上告。

【図表 4-5】

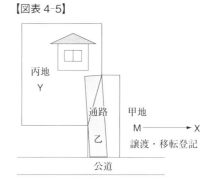

判旨 X が，譲り受けた時点で「Y が多年にわたり当該不動産を占有している事実を認識しており，Y の登記の欠缺を主張することが信義に反するものと認められる事情が存在するときは，X は背信的悪意者に当たるというべきである。取得時効の成否については，その要件の充足の有無が容易に認識・判断することができないものであることにかんがみると，X において，Y が取得時効の成立要件を充足していることをすべて具体的に認識していなくても，背信的悪意者と認められる場合があるというべきであるが，その場合であっても，少なくとも，X が Y による多年にわたる占有継続の事実を認識している必要があると解すべきであるからである」。原審は，X が Y による多年にわたる占有継続の事実を認識していたことを確定していない（破棄・差戻し）。

本判決を位置づけるとすれば，時効取得のように物権変動（時効完成）の事実を外部から判断しがたい事案について，前掲最判平成 10 年 2 月 13 日の考え方（占有利用の事実の認識を重視）には依拠しないで，あくまで背信的悪意者排除法理を維持しつつ，ただ，悪意（認識）の対象を「時効取得の成立要件を具備している事実」ではなく，時効取得を基礎づける「多年にわたり当該不動産

を占有している事実」にまで緩めることで，背信的悪意の成立の余地を拡大緩和したものといえよう（もっとも，加えて背信性の要素が必要)[9]。ただ，厳密には，背信性の判断においては，多年占有の事実の認識から時効取得成否（権利変動）の調査を期待することになり，この点をとらえれば，平成10年判決と類似した判断構造といえる。

(オ)　**学説**　以上，判例の展開を概観したが，学説においても，背信的悪意者排除説が多数とみてよいであろう。もっとも，多様な議論が展開されており，概して，その判断基準において，排除すべき第三者の範囲を広くとらえるものが多い。たとえば，未登記第1譲受人が引渡しを受け現に利用している土地の所有権につき，それと知りつつ，あるいは現地調査を怠るなど重大な過失により知らないで，それを譲り受けた者は背信的悪意者であるとするものがある[10]。これは，単に第2の譲受人の主観的側面のみを問題にするのでなく，問題となる当事者双方の利益状況を客観的総合的に比較し（ここでは居住を保護するとの衡量がある)，その結果を「背信的悪意」という判断枠組みに結びつけるとの立場であるといえよう。前掲最判平成10年2月13日の考え方はこれに近いといえるのではないか。ここでは，単なる悪意者を排除するとの考えとの差異は小さい。

また，背信的悪意者排除論が前提とする不動産二重売買が自由競争として一般に許されているという基本理念そのものに対して疑問を呈し，第1譲渡につき悪意である場合には第2譲渡は違法であり，登記欠缺を主張できる第三者とは認めないと考える学説もある。

他方，いわゆる公信力説においては，民法177条につき，第1譲渡により無権利となった譲渡人の登記の外形に信頼した第2譲受人の保護という構成であるので，第2譲受人は保護されるための要件として善意・無過失ないし，善意・無重過失である必要があり，そうでない者は保護されない（第三者から排除される）という結論となる。背信的悪意者排除論と比べると，第三者におい

---

9)　多年占有の事実は境界紛争型においては比較的明らかであろうから，この類型の事案については，結果的に時効取得優先の結論に近づくのではないか（⇨67頁・**2**(6)(ウ)参照)。
10)　広中・前掲本章注6) 103頁以下。

て第1譲渡につき過失ないし重過失があるだけで（広範に）第1譲渡に劣後するとの結論となる。

(カ) **背信的悪意者からの転得者** (a) **問題の所在** 不動産所有権がAからBおよびCに二重譲渡され，登記を経由したCが背信的悪意者であり，そのCがDに対して当該所有権を転譲渡した場合，Bはこの転得者Dといかなる法律関係に立つかという問題である。この転得者の地位については，排除すべき背信的悪意者の法的地位をどのように構成するかによって，その結論が異なってくる。大まかに分類すると，2つの構成があり得，第1は，A・C間の譲渡それ自体を無効とするもの，第2は，B・C間の相対的関係においてのみCが劣後するとするものである。第2のものが判例・通説である。

(b) **第2譲渡無効構成** 法律構成としては，A・C間の第2譲渡が反社会的であり公序良俗に反し無効であるとするもの（前掲最判昭和36・4・27〔75頁〕）などが考えられる。この構成では，Dは無権利者からの譲受人となり権利を取得できず，原則としてBの権利主張に負ける結果となる。ただし，DがCの無権利につき善意であれば，民法94条2項類推適用による保護の可能性は残る。もっとも，その場合C名義の仮装登記に対するBの帰責性が前提であり，それを認定できるかについては，これらの事例の多くにおいては消極であり，結局，Dは善意であっても保護されず，その結論の妥当性が問題となる。

なお，公信力説では，Cが無権利者Aから所有権を取得するための主観的要件（善意・無過失，または，善意・無重過失など）を満たしていない場合，そのCからさらに所有権の転譲渡を受けたDと，Bとはいかなる関係に立つかが問題となるが，Cは無権利者であるから，登記の公信力により譲受人Dが保護されるかどうかという関係となる。

(c) **相対的構成** 第2は相対的構成であり，背信的悪意者排除法理が一般に採用するものである。AからCへの第二譲渡は有効であるが，ただCは，背信的悪意であるがゆえにBの登記欠缺を主張することができず，Bとの相対的関係では民法177条の第三者に当たらないので，Bに劣後すると構成するものである。この構成では，CはBとの相対的関係で物権を主張できないだけで無権利者ではなく，Dに対し有効に物権の移転をすることができる。そこ

で，BとDとの間であらためて，Dが，Bに対する関係で背信的悪意者でないかどうかが吟味され，背信的悪意ではないとされればDはBに対抗することができることになる，と（相対的構成と呼ぶ）。判例も，そのような趣旨を述べる（最判平成8・10・29民集50巻9号2506頁【百選Ⅰ61】）（【図表4-6】）。

■最判平成8年10月29日民集50巻9号2506頁

判旨　「所有者AからBが不動産を買い受け，その登記が未了の間に，Cが当該不動産をAから二重に買い受け，更にCから転得者Dが買い受けて登記を完了した場合に，たといCが背信的悪意者に当たるとしても，Dは，Bに対する関係でD自身が背信的悪意者と評価されるのでない限り，当該不動産の所有権取得をもってBに対抗することができるものと解するのが相当である。」[11]「けだし，（一）……Bは，Cが登記を経由した権利をBに対抗することができないことの反面として，登記なくして所有権取得をCに対抗することができるというにとどまり，A・C間の売買自体の無効を来すものではなく，したがって，Dは無権利者から当該不動産を買い受けたことにはならないのであって，また，（二）背信的悪意者が……『第三者』から排除される所以は，……第1譲受人に対してその登記の欠缺を主張することがその取得の経緯等に照らし信義則に反して許されないということにあるのであって，登記を経由した者がこの法理によって『第三者』から排除されるかどうかは，その者と第1譲受人との間で相対的に判断されるべき事柄であるからである。」

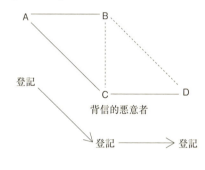

【図表4-6】

(d)　**第2譲受人が背信的悪意ではない場合**　なお，逆に，Cが背信的悪意者ではない場合（BはCに対抗できない），あらためて，上記と同様相対的にB・D間においてDが背信的悪意者かどうかを吟味することができるか，という問題がある。これについては，実質的公平の観点からそのような相対的構成が提案されたことがあったが，今日では，ほとんど支持がない。このような相

---

11)　判旨は「登記を完了した場合」と述べるが，DはBに対してCの登記を援用できるので，Dが保護されるためには登記を完了している必要はない。

対的構成によると、いったん確定的に権利を取得したCが、後に、不利益な扱いを受ける可能性をぬぐいきれないからである。①Bに劣後するDから売主Cに対する担保責任の追及の可能性（否定されるとの見解が多数であろうが）、②Cが後に第1譲渡を知った場合転転譲渡をするためには転得者が背信的悪意とならないように事実を隠蔽する必要がある（Cの不動産の処分が制約されることになる）等である[12]。B・Cの対抗関係がCの勝利というかたちでいったん決着した以上、Cの物権取得（Bの無権利）が確定し、Dは権利者からの取得として確定的に物権を取得すると考えるべきである（絶対的構成）。ただし、この場合、Dが事情を知らないCをワラ人形として介在させたような場合は、DによるCの権利の援用は信義則に違反し、Dは権利取得をBに主張することができないというべきであろう。BはDから不動産の引渡しを受けることができるが、その後のCとDとの法律関係などについては検討すべき問題が残る。

III 不動産登記に関する問題

1 序 説

不動産登記制度のごく概要についてはすでに紹介した（⇨40頁・I参照）。ここでは、実体法の観点から少し立ち入って検討すべき3つの問題を紹介する。第1に、登記の実現は、登記手続上、登記所に対する登記関係当事者の共同申請によるが、その当事者間の実体的な法律関係（登記請求権）、第2に、現在の権利関係を公示している登記についてその有効性が認められない場合があるか（登記の有効要件）という問題、第3は、ある不動産について物権を将来取得することができるという法的地位を登記により保全することができるかという問題である（仮登記）。

2 登記請求権
(1) 登記請求権とはなにか

権利に関する登記の実現のためには、登記手続上、原則として登記権利者と

---

12) 辻正美「転得者の地位」加藤＝米倉編・前掲本章注7) 46頁参照。

登記義務者が協力して登記所に対し共同申請することが必要とされる（不登60条）。不動産所有権がAからBに譲渡された場合を例に挙げると，譲受人Bが登記権利者であり，譲渡人Aが登記義務者である。所有権譲渡人などの登記義務者（「権利に関する登記をすることにより，登記上，直接に不利益を受ける登記名義人」〔不登2条13号〕）を登記申請に関与させることで登記の真正を確保するためである。そこで，実体法的には，一方は他方に対して登記所に対する登記申請に協力を求める請求権（登記〔申請協力〕請求権）があると考えることになる。相手方が登記申請に協力してくれない場合には，登記請求権者は登記請求権を行使することで，登記を実現することになる。具体的には，登記請求権者が，登記申請協力義務者の登記申請行為を目的とする債務につき裁判所で給付判決を得ることで登記申請の意思表示がなされたものとし（民執177条1項），この判決に基づき登記請求権者が単独で登記所に登記申請をすることになる（不登63条1項）。

大部分の場合は，この登記請求権者は登記手続上の登記権利者であり，登記申請協力義務者は登記義務者である。ただし，登記権利者が登記の実現に協力しない場合には，登記義務者からの登記引取請求が認められるが（たとえば，譲渡人が固定資産税の賦課という不利益などの回避のため譲受人に所有権移転登記を求めるなど），そのときは登記義務者が登記請求権者となる。

(2) 登記請求権の発生する諸場合

登記請求権を発生させる基礎となる実体的法律関係にはどのようなものがあるか。一応，次の3つの類型に整理できる。

(ア) 物権変動当事者間で物権変動に伴い登記請求権が発生する場合　所有権の移転，抵当権の設定・消滅等々の場合である（民177条）。譲受人から譲渡人に対し，また，抵当権取得者から抵当権設定者（所有者）に対し（消滅の場合はその逆），登記請求権が発生する。この場合，登記請求権は取得した物権に基づく物権的請求権であるが，売買契約による所有権移転等では債権的請求権の性質をも有している。

(イ) 真実の物権の状態と登記とが食い違い，それが上記(ア)の関係によらない場合　BからAへの所有権移転があったのにBからCへの所有権移転登記がなされているとか，CがBから不動産所有権の譲渡を受け登記を了したが

じつは前々主AからBへの売買が無効であり，Cが真正の所有者Aからの返還請求に屈すべき立場の場合などである。真正の所有者Aから無権利者Cに対して物権的請求権としての性質を有する登記請求権が発生する。本来，所有権移転登記の抹消登記（加えて，前者の例ではBからAへの所有権移転登記）の方法となるが，実務上，「真正な登記名義の回復」という登記原因でのCからAへの所有権移転登記が許されている。

　(ウ)　登記をする旨の当事者の合意により登記請求権が発生する場合　　中間省略登記の合意と，不動産賃借権の設定登記の場合（民605条）とがこれに該当し，これは債権的請求権と位置づけられる（なお，次の(3)で述べるように，中間省略登記の合意の有効性については議論がある）。後者の登記については，民法177条の登記の場合と異なり，賃借人と設定者との間でその旨の登記をするという合意があってはじめて，登記を請求できるものと解釈されている。

(3)　中間省略登記請求権について

　(ア)　問題の所在　　A，B，Cと所有権が順次移転した場合，所有権移転登記は，本来は，A・B間，B・C間と2度行うべきであるが，AからCへ直接所有権移転登記（すなわち中間省略登記）をする旨のA・B・C 3者間の合意があれば，これを適法として認めることができるか。すなわち，中間省略登記の合意が有効であれば，登記申請協力義務者とされたAが登記申請に協力しない場合，登記合意による登記請求権を行使して，AからCへの所有権移転登記の実現を図ることができるか[13]。

　(イ)　判例　　A・Cの中間省略登記の合意があり，中間者Bがこれに同意を与えている場合には，この合意は有効であるとし，中間省略登記請求権を認めている（最判昭和40・9・21民集19巻6号1560頁［百選Ⅰ53］。「実体的な権利変動の過程と異なる移転登記を請求する権利は，当然には発生しない……。ただし，中間省略登記をするについて登記名義人および中間者の同意ある場合は別である」〔ただし，同意について主張立証がない例〕）。物権変動過程をも如実に登記簿に記録するこ

---

13)　合意がなければ，あるいは合意が有効とされなければ，CはBのAに対する登記請求権を代位行使し（債権者代位権の転用），あわせてCのBに対する登記請求権を行使してCへの所有権移転登記の実現を図ることとなる。

とが取引安全を図るべき登記制度の理想ではあるが，中間者Bの同意により，Bの利益への配慮がもはや必要でないというのであれば，合意による登記請求権を認めるというのである。

(ウ) **学説**　一方で，より積極的に，登記においては現在の権利関係が公示されることで十分であり，Bに登記保持の具体的利益（Cの残代金支払に対する同時履行の抗弁権の確保）が残っていない限りBの同意を要せずこのA・C間での登記合意は認められるとするものがある。他方で，反対に，実際の変動過程に合致しない登記は望ましいものではなく，また登録免許税を1回分潜脱することが分かっているのに裁判所が手を貸すことは許されないとして，中間省略登記の合意そのものを認めない考えを述べるものもある。

(エ) **現行不動産登記法の考え方**　登記申請にあたって登記原因証明情報を提供することを求め（不登61条），これまでのような例外（申請書副本で代える）を認めない。存在しないA・C間の所有権移転があったとの登記原因証明情報を作成することは許されないから，今後は，いわゆる中間省略登記は激減しよう。登記法は本来の変動過程に沿った2度の登記を求める方向に変化したと理解することもできよう[14]。そうすると，合意による中間省略登記を正面から認める考えのままでよいのかについては，判例も含めて再検討が必要となるのではないか。

近年の判例で（最判平成22・12・16民集64巻8号2050頁），不動産の所有権が，元の所有者Xから中間者Aに（贈与），次いでAから現在の所有者Yに（相続），順次全部移転したにもかかわらず，登記名義の一部がなお元の所有者Xの下に残っている（3/10の持分登記）場合において，YはXに対し，真正な登記名義の回復を原因とするXからYへの所有権移転登記手続を請求することができるかが問題となった事案につき，これを否定した。その理由を，このような

---

14) なお，A・B，B・Cと2度の売買契約が積み重なったとの法形式ではなく，たとえば，A・B間の売買契約上の地位をBからCに譲渡して所有権がAから直接Cに移転する法形式，あるいは，A・B間の売買契約の付款として，「売主Aが第三者Cに対して当該財産権を移転することを約する」との法形式〔第三者のためにする契約〕を使って所有権をAから直接Cに移転させる法形式がとられた場合等は，中間省略登記の問題は生じない（松田敦子「平成19年1月12日法務省民2第52号民事第2課長通知・解説」登記研究708号〔2007〕141頁参照）。

「登記手続を請求することは，物権変動の過程を忠実に登記記録に反映させようとする不動産登記法の原則に照らし，許されないものというべきである」という。中間省略登記請求の許否が直接取り上げられたものではないが，不動産登記法の原則（物権変動の過程を忠実に登記記録に反映させようとするとの原則）を挙げて登記請求を否定する理由としたところからみると，最高裁判所は，これにより真正名義回復登記請求の限界を示したのみならず，中間省略登記請求全般に対する否定的態度を表明した，と理解することができよう。

3 登記の有効要件

(1) 序

物権変動につき登記がなされれば第三者に対抗できるが，その登記が何らかの理由で無効とされ，対抗力が否定されることがあるか。問題となるのは，第1に，実体的権利変動に何らかの点で合致していない場合，第2に，登記手続の面での瑕疵がある場合，である。なお，ほかに，登記記録が何らかの理由で登記簿から消滅した場合，登記の対抗力は消滅するか存続するかという問題もある。

(2) 実体的有効要件

(ア) 問題の所在　登記記録が，現在の権利関係を公示しているが，権利変動の原因あるいは権利変動過程において実際と異なっている場合，その登記に対抗力が認められるか。これは，現在の権利関係を公示していることを重視してこれらの登記に対抗力ありとするのか，登記が真実の実体関係と異なる点がある等の理由で対抗力を認めないとするのかという問題である。特に議論されているのは，中間省略登記と無効登記の流用の効力である。

(イ) 中間省略登記　(a) 問題の所在　中間省略登記とは，前述のように，実体上 A，B，C と不動産所有権が順次移転したが，登記上は中間者 B が省略され A から C に直接所有権が移転した旨の登記がなされているものをいう（少なくとも A と C の中間省略登記の合意が必要である）。このような登記は，登録免許税や諸費用を節約する（2度負担するものを1度で済ませる）などという動機で行われてきた。そして，登記手続的にこれが可能であるのは，以前の制度では登記原因証書の提出が厳格には要求されず（登記申請書の副本で代替できた），ま

た，実質的な審査まではせず形式的審査主義であることから，申請の書面上整合性が保たれている限りこれを受け付けて登記がなされるからである[15]。

問題は，実際の物権変動過程と異なる登記の効力をどうみるかである。これについては，2つの面から検討がされなくてはならない。第1は，第三者が中間省略登記の無効を主張し，その対抗力を否定することができるかということである。第2は，中間省略登記につき中間者が同意していない場合，その利益保護の趣旨で，中間者に中間省略登記の抹消を認めるべきか，ということである。

(b) **対第三者対抗力**　ここで第三者とは，A，B，Cと所有権が移転しA・C間で中間省略登記がなされた事例でいえば，Aからの（二重）譲受人DやBからの（二重）譲受人Eなどである。これらの者が，AからCへの中間省略登記の無効を主張してその対抗力を否定することができるかである。物権変動の過程を如実に登記に反映させることが取引安全を図るべき登記制度の理想ではあるが，中間省略登記にあっては現在の実体的権利関係が公示されており，民法177条の趣旨（登記がないところに物権変動があったとの主張を許さない）からは，その登記に第三者対抗力があるとCに主張させても特に問題はないのではないか。現在の判例および学説はこのように考えていると思われる。

最判昭和44年5月2日（民集23巻6号951頁）は，A所有土地をBを経て譲り受け中間省略で所有権移転登記を経由していたCが，同土地をAから賃借しその土地上に建物を所有しているDを相手に建物収去土地明渡しを求めたところ（Cの登記時にはDは対抗要件を具備していなかった），Dが抗弁として，A・C間の中間省略登記はBの同意なくなされたもので無効であり対抗力を有していないと争った事案で，「中間取得者であるBの同意なしにされたものであるとしても，右登記が現在の実体的権利関係に合致することは……明らかであるから，このような場合には，右Bが右中間省略登記の抹消登記を求める正当な利益を有するときにかぎり，同人において右登記の抹消を求めることができるにとどまり，中間取得者にあたらないDが右中間省略登記の無効を主

---

15) もっとも，前述のように，現行不動産登記法では登記申請にあたって「登記原因証明情報」の提供が例外なく義務づけられたことにより（不登61条），今後は，このような登記は激減するものと推測される。

張してこの登記の抹消を求めることができないと解するのが相当である」、と述べ、中間省略登記の第三者対抗力を認めている（中間者の同意がない場合であっても認めている）。

(c) **中間者Bの抹消請求**　中間者Bが同意を与えていない場合、BはA・C間の中間省略登記の抹消を請求できるであろうか。これから中間省略登記をなそうとする場合はBの同意を要するが、現に存在する中間省略登記につきBの同意がないからといってその抹消を認めるかどうかの判断は自ずと異なる（認めると影響が大きい）。判例（最判昭和35・4・21民集14巻6号946頁）は、「自己名義を登記に登載することを要するがごとき利益」がなく「本件登記の抹消を訴求するについての法律上の利益を認めがた〔い〕」中間者Bの抹消請求を否定した（上記最高裁昭和44年判決の判旨も参照）。登記保持についてのBの具体的な法律上の利益（Cの残代金不払いに対し登記をたてに同時履行の抗弁権で対抗する利益）が現に侵されていない限り、同意を与えていないからといって、Bに中間省略登記の抹消請求は認められない、という。これに従えば、Bの同意がなくかつBに登記保持についての具体的利益がある場合には、中間省略登記の抹消請求が認められ[16]、抹消されれば第三者に対抗することができなくなるという事態が生ずる。

この判例を学説の多数は支持している。しかし、学説の一部では、Bによる抹消は一切認められないとする全面的有効説がある。Bの利益は、Cの代金不払いに基づく契約解除により守ればよいのであり、解除をしないでCとの関係を保ちつつ登記抹消だけを認める必要はないということである。思うに、それぞれ要件に当てはまる場合、Bには解除をするか登記抹消を請求するかの選択権を与えればよいのであって、このことをあえて否定する必要はないのではないか。

(ウ) **無効登記の流用**　無効登記の流用という問題については抵当権登記の流用が許されるかが最も議論されている。たとえば、GがSに500万円の債権を有しその担保としてS所有の甲土地につき抵当権の設定を受けその登記を

---

16) 登記請求権としては特殊で、所有者でないBの、同時履行の抗弁権を行使する利益に基づく（債権的）請求権と位置づけるか。

経由していたところ，Sから500万円が弁済され付従性によりいったんその抵当権が消滅した。無効となったその抵当権登記の抹消をしないでいる間に，Gが再度Sに対し500万円の債権を有することとなり，これにつき甲土地につき再び抵当権の設定を受け，旧登記の対抗力を援用した。旧の抵当権の設定後消滅前，消滅後登記流用まで，または登記流用後などに登場する第三者（「後順位」抵当権者，第三取得者など）との関係で，旧登記がなお対抗力を有するかという問題である。抵当権設定登記には被担保債権事項も記録されるので，現在の抵当権と旧登記とが食い違っていることは明らかであり，上記の第三者に対して対抗力があるとするのは適当ではないと考えられる。いずれにしろ，この問題は，前提とする知識の関係で抵当権の章で取り扱うこととしたい（⇨301頁・第12章Ⅱ4(2)参照）。

(3) 手続的有効要件

登記が現在の実体的な権利関係とは合致するが，登記申請行為において手続的な瑕疵がある場合，その登記の効力が剝奪されることがあるか。たとえば，A・B間で不動産の譲渡がなされ，登記については登記権利者（譲受人B）が登記義務者（譲渡人A）の不知の間に偽造文書によりAからBへの所有権移転登記を実現してしまった場合はどうか。あるいは，A所有不動産が無権代理人Mにより無断でBに譲渡され（あるいは，抵当権が設定され），A（代理人M）とBと共同で登記申請行為がなされたという事案で，実体法上はMの無権代理行為につき本人Aに対し表見代理が成立する場合，あるいは，所有者AによりMの無権代理行為につき追認がなされ譲渡（抵当権の設定）が結果的に有効となった場合，登記申請におけるMによる無権代理行為という手続上の瑕疵が登記を無効とするものかどうか，という問題である。これらにおいては，登記義務者（A）の「登記申請意思」に瑕疵がある点が問題となっている。

登記申請意思を欠く点を重視して無効とするか，実体的権利関係に合致している点を重視して有効とみるかという衡量の問題である。判例は，抵当権設定者とされた者が無権代理を理由に登記の抹消を求めた事案で，直ちに無効とはしないで，「偽造文書による登記申請が受理されて登記を経由した場合に，〔1〕その登記の記載が実体的法律関係に符合し，かつ，〔2〕登記義務者においてその登記を拒みうる特段の事情がなく，〔3〕登記権利者において当該登記申請が

適法であると信ずるにつき正当の事由があるときは，登記義務者は右登記の無効を主張することができないものと解するのが相当である」という（最判昭和41・11・18民集20巻9号1827頁【不動産取引百選58】〔実体たる抵当権設定行為につき表見代理が成立するとされた事案〕。なお，最判昭和42・10・27民集21巻8号2136頁【不動産取引百選59】は，実体たる抵当権設定行為が追認により有効となった事案で，当然ながら，上記理由の〔3〕は挙げられていない）。

　これに従うと，たとえば，不動産が譲渡され，譲受人が文書を偽造して自己に所有権移転登記を経由し，その後，当該不動産が二重譲渡されたという事例では，登記義務者（譲渡人）に登記を拒み得る特段の事情があるか否かが問題となり，譲受人が代金未払で登記義務者に同時履行の抗弁権がある場合には特段の事情があり，譲渡人に抹消が認められることになるであろうが，そうではない場合には特段の事情は認められにくいであろう。なお，この事案で，第2譲受人が対抗力を否定できるか。この点について，判例は明らかではないが，第2譲渡の時点で登記の記載は実体関係に合致しているので，第三者対抗力は認められると考えるべきであろう（ただし，上の最判昭和42年の事案のように追認により実体関係〔抵当権設定〕が有効となったような事案で，仮に追認前に利害関係を有する第三者が現れ対抗力を取得するに至った場合は〔同一土地に賃借権を取得し建物の保存登記で対抗力を具備する者などを想定できる〕，抵当権設定登記の対抗力を実体関係の追認前まで遡らせることはできないので，かかる第三者〔賃借人〕には対抗できないと考えるべきであろう）。

4　仮登記
(1)　意　義

　民法177条の「登記」という場合，ここまでは，完全に所有権が移転したその結果を登記するということを前提に論述してきた。しかし，たとえば，甲不動産の所有権は現在まだAにあるが，将来一定の停止条件が成就するとAからBに移転するなどという法律関係がある場合，登記によりBのこの地位を保全しておくことはできないのだろうか（民129条）。このような法律関係は，たとえば，A・B間で不動産売買の予約がなされBに予約完結権が与えられた場合とか，BがAにお金を貸し，そのお金の返済ができないならばAが甲不

動産の所有権を引き渡すことでBに借金を返済するという合意がある場合（仮登記担保契約に関する法律1条参照）などに生ずる。このような権利を保全する方法がなければ、仮にAがCに所有権を移転して登記をしてしまえばBの権利は消滅してしまうので、Bが予約完結権を取得した、あるいはせっかく甲不動産を担保に取った意味はなくなってしまう。

不動産登記法は、仮登記という制度を設けて、このような権利の保全ができるようにした。すなわち、不動産物権変動に関する「請求権（始期付き又は停止条件付きのものその他将来確定することが見込まれるものを含む。）を保全しようとするとき」には、仮登記をすることができる、と（不登105条2号。請求権保全の仮登記）。

(2) **仮登記の順位保全効**

仮登記により請求権がどのように保全されるのか。上記の例で予約完結権を行使したあるいは条件が成就したBが所有権を取得したとき、Bは「仮登記に基づいて本登記」をすれば、「当該本登記の順位は、当該仮登記の順位による」というかたちで保全される（不登106条。順位保全効）。すなわち、「同一の不動産について登記した権利の順位は……登記の前後による」から（不登4条1項）、仮登記の順位で本登記の順位が決まるということであれば、結局仮登記の順位が決定的であるということになる。具体的には、上記の例で、Aが所有権を取得した際のAへの所有権移転登記が登記簿（権利部）の甲区の順位2番であり、Bがそれに続いて順位3番で甲区に所有権移転請求権保全の仮登記をし、それに引き続き、AがCに所有権を移転し登記をし、それは順位4番となり、その後にBがAから所有権を取得して、仮登記に基づき所有権移転の本登記をすると、その本登記の順位も保全された3番となるので、順位4番であるCよりBの権利が優先する[17]（⇨42頁【図表4-1】登記事項証明書（土地）参照）。

以上、仮登記がなされていれば、その権利は、後にそれに基づく本登記がな

---

[17] Cは、不動産登記法109条1項にいう利害関係を有する第三者に該当し、Bは、そのCの承諾を得て本登記申請をすることになる。そして、Bの申請に基づき本登記がなされると、そのとき職権で、第三者Cの所有権移転登記は抹消される（不登109条2項）。

されることで,中間処分に対して対抗関係で優先することになる。その意味で仮登記の制度は,民法177条の登記対抗の問題において,じつは非常に重要な役割を担っていることが指摘されるべきである。

Ⅳ 無権利者からの不動産物権取得者の保護

1 序　説
(1) 問題の所在

ある者（C）が,登記簿の所有名義がBであることを確認の上,甲不動産の所有者はBであるとして,この土地の所有権を譲り受けまたは抵当権の設定を受け,その旨の登記を経由した。ところが,後になって,Aが,甲土地の所有者はBではなくAであると主張して,Cの権利取得を否定した。A・B間でなされた甲不動産の売買契約が無効または取り消されている,あるいは,全く権利がないにもかかわらずBが無断でAからBへの所有権移転登記をしていた等の経緯が明らかになった。この場合,Cは,Aの主張に負けるのか,または,甲不動産の所有権等を取得する余地はないのか。原則は,権利をもたない者はない権利を譲渡することはできない,である。したがって,あたりまえであるこの原則を貫けば,Cは所有権,あるいは抵当権を取得しない。

しかし,Cは,不動産に関する物権関係を公示する登記の記載から,Bを所有者と信じて取引をしていると考えられ,そのCが権利を取得せず,また,何らの保護を受けられないままでよいのであろうか。もしそうであるとするならば,不動産取引において,権利を取得しようとする者は,登記簿の記載に基づいて取引をすることだけでは安全でないので,後にその権利取得を否定されることのないよう,登記簿以外の手段をも使ってさらに調査をしなければ安心できないことになる（登記記録上の前々登記名義人に確認するなど）。登記が制度的に完備されていても,このようなことでは取引安全の保護という登記本来の役割が十分に果たされているとはいえない。

(2) 登記の公信力を認めない法制

いわゆる登記の公信力の制度はこのような要請を満たすものである*。しかし,わが国においては立法当初から今日に至るまで登記に公信力を認めない。

登記制度が取引の安全のために果たしているのは，登記簿に記載されていない不動産物権変動は存在しないとの消極的信頼の保護のみであって（民177条），記載されている不動産物権変動があるとの積極的信頼は保護されていないのである。

なお，動産物権変動においては，動産取引の安全を守るため，その公示（占有）あるところ所有権があるとの信頼に基づいて物権を取得した者を保護する制度（動産の即時取得制度）が設けられている（民192条以下）。

> ＊登記の公信力の制度とは，たとえば，ドイツ民法典892条の規定を参考に説明すると以下のようなものである。「不動産登記簿の内容は，不動産に対する権利（または，その権利に対する権利）を法律行為により取得した者のために，真正なものとみなす。ただし，その真正さに対する異議の登記がなされている場合，または，真正でないことにつき取得者が悪意である場合にはこの限りではない」。この結果，①所有者と登記された者から善意で所有権を譲り受けあるいは抵当権の設定を受けた場合，たとえ登記が真正でなくとも，それらの権利を取得でき，②抵当権の登記が記載されていない場合，所有権の譲受人は抵当権の負担のない所有権を取得できる（②は日本では対抗問題である）。後述するわが国の民法94条2項類推適用法理との対比で重要な相違点を指摘すると，これらの真正でない登記がなされた由来は何であれ異議の登記がない限り（真の所有者に帰責性が認められなくても），登記の公信力の制度では善意の取得者の保護には影響がないということである。

2　民法94条2項類推適用法理

(1)　無権利者からの不動産取得者の保護

もっとも，民法において，前主Bと前々主Aとの法律関係いかんによっては無権利のBからの転得者Cの物権取得が保護されることがある。たとえば，A・B間に詐欺取消しの関係があり，AがCに対して取消しによる無効の遡及効を主張する場合には，民法96条3項が適用されてCが保護され，またA・B間で通謀虚偽表示があり，Aがその無効を第三者であるCに主張する場合には，民法94条2項が適用されてCが保護される。

いずれも，A・B間の意思表示は取消しにより無効，または単に無効とされるが，あたかも有効なる意思表示の外形を作った者A（欺罔され錯誤状態で意思表示をした者，あるいは通謀して虚偽の意思表示をした者）と，取消事由の存在を知らない，あるいはその無効を知らないで前主Bと契約をした転得者Cとの利

益を比較衡量した上で，善意の転得者Cを保護する規定であり，これらは，A・B間の有効な法律行為（契約）の外形に対するCの信頼を保護するものである（登記そのものに対する信頼に保護を与えようとする制度ではない）。もっとも，不動産取引においては，A・B間の不動産売買契約の外形はAからBへの所有権移転登記というかたちで公示されており，転得者Cはこの所有権移転登記（B所有）を信じて取引をしているのである。そこで，これらは法律行為制度の枠組みでの転得者保護ではあるが，実質上は，登記を信頼したことへの保護にほぼ等しいかたちとなっている。

(2) **判例による民法94条2項類推適用法理の展開**

(ア) **序論**　判例は，以上のようなことを手がかりに，民法94条2項等が適用できる事例にとどまらず，より積極的に「民法94条2項類推適用法理」，さらには「民法94条2項と民法110条の法意による登記への信頼を保護する法理」を生成し，展開させている。これは，無権利者の介在する不動産取引で登記への積極的信頼を，真の権利者の帰責性を前提としつつ，保護する法理であるといってよい。民法94条2項の適用ではなくなぜ類推適用なのか，適用の場合とどのような点に違いがあるのかなどが問題となるが，判例を紹介しながら検討する。

(イ) **リーディングケース**（最判昭和29・8・20民集8巻8号1505頁）

この判決で，はじめて最高裁判所は，民法94条2項類推適用により，無権利者ではあるが仮装の登記名義人から善意で不動産を譲り受けた者を保護した（【図表4-7】）。

■最判昭和29年8月20日民集8巻8号1505頁 ─────────

事実の概要　AはMから甲不動産を譲り受け所有者となったが，所有権移転登記を本来MからAへなすべきところ，事情があって，Aの了解の下MからBへなした。その後，Bは無権利であるにもかかわらず所有者と自称してそれをCに譲渡し，その際，CはM・B間の所有権移転登記があることから現在Bが所有者だと信じた。所有者AからCに対して不動産の返還請

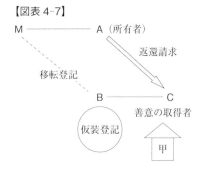

【図表4-7】

Ⅳ　無権利者からの不動産物権取得者の保護 **2**　　95

求がなされた。Aは仮装の登記の作出にその意思に基づき関与しているのであれば、そのようなAに対して、善意で不動産を取得したCを保護できないか、という事案である。

判旨　民法94条2項を類推適用してCを保護した。「ところで、右の場合、本件家屋を買受人でない上告人B名義に所有権移転登記したことが、被上告人〔A〕の意思にもとづくものならば、実質においては、Aが訴外Mから一旦所有権移転登記を受けた後、所有権移転の意思がないに拘らず、Bと通謀して虚偽仮装の所有権移転登記をした場合と何等えらぶところがないわけであるから、民法94条2項を類推し、AはBが実体上所有権を取得しなかったことを以て善意の第三者に対抗し得ないものと解するのを相当とする」「されば、原審が、B名義に所有権移転登記を受けるにつき、……Aがこれに承認を与えたかどうか及び上告人Cの善意悪意につき何等事実を確定することなく、たやすくCに対するAの本訴請求を認容したのは、審理をつくさない違法がある」、と。

　この事案で民法94条2項を適用できない理由は、A・B間で通謀虚偽表示がなく、また、その外形（A・B間の所有権移転登記）があるわけでもないからである。

　他方、類推適用が許されるのは、通謀虚偽表示に類した事情が存在すると評価されるからである。すなわち、民法94条2項本来の趣旨は、通謀して虚偽の意思表示をした者がその意思表示が虚偽であることを指摘して、それを知らずにBと取引した第三者に対し、その意思表示の無効（＝譲渡人Bの無権利）を主張することは信義に反するということである。他方、本件では、（通謀して）虚偽仮装の「登記」を作り出した当人が、それが虚偽仮装であったことを指摘して、それを知らない第三者Cに対して、登記の無効（＝譲渡人Bの無権利）を主張しているので、類似した事実関係にあり、Aの主張は信義則に反すると評価でき、したがって、民法94条2項を類推適用することができる、というのである。要約すると、3つの要素、すなわち、Bにおける外観、それに対するCの信頼、およびAの帰責性において共通し、Aが善意のCに対し真の権利状態を主張することが信義則に反するので、類推適用ができるということである。

　(ウ)　**判例による拡大**　　いくつかの判例で、さらに次のような事実関係の事案に対しても類推適用が認められ、類推適用される範囲が次第に拡大された。

　〔1〕建物を新築したAが直接B名義で仮装の保存登記をした事例で類推適

用が認められた（最判昭和41・3・18民集20巻3号451頁）。所有権の移転登記ではないのでA・B間で法律行為があったとの外形すらなく，前掲最判昭和29年8月20日と比べていっそう現在の登記名義人への信頼が直接問題とされるかたちとなっている。

〔2〕また，所有者Aが，Bの知らない間にBへの所有権移転登記を勝手に経由した事例について（仮装の登記名義人とされたBが事後にこれを利用して当該不動産をCに譲渡），類推適用が認められた（最判昭和45・7・24民集24巻7号1116頁）。仮装の登記の作出について名義人との通謀の事実は必要ではないとされ，仮装登記に対する真の所有者の関与が重要な要素であることがさらに明確にされた。

(エ) **限界事例**　　第三者保護にあたって，民法94条2項類推適用という以上，虚偽表示に類する事情がなくてはならず，それは結局仮装の登記に対する真の所有者の関与（いわゆる帰責性）ということになる。これは，登記に公信力が認められていないことからくる必然的な制約でもある。この点が特に問題とされた判例がある。

最判昭和45年9月22日（民集24巻10号1424頁【百選I 21】）は，仮装名義人が勝手に自己に対する所有権移転登記をした後になって真の所有者がはじめてそれに気づいたが登記をそのままにしていた事例につき，「不実の登記のされていることを知りながら，これを存続せしめることを明示または黙示に承認していたとき」と評価することができる事情があれば，善意の第三者はなお保護されるという。

■最判昭和45年9月22日民集24巻10号1424頁

事実の概要　　B男が，内縁関係にあったA女の所有する不動産について，書類を偽造等して無断でBに所有権移転登記をし，後に，Aがこの不実登記を知り抹消登記をしようとしたが果たせずそのままにしていたところ，Bが，所有者と称して第三者Cに譲渡したという事案である。ただ，この事案では，Aは，不実の登記を知りつつ放置していたにとどまらず，その間に，自らが金融機関から金銭を借入れするに際してB所有名義のまま同土地につき根抵当権を設定しその登記を経由したという事実がある（登記上は，Aの金銭借入れにつきBを物上保証人とするかたちとなっている）。

判旨　　「不実の所有権移転登記の経由が所有者の不知の間に他人の専断によってされた場合でも，所有者が右不実の登記のされていることを知りながら，これを存

続せしめることを明示または黙示に承認していたときは，右94条2項を類推適用し，所有者は，……その後当該不動産について法律上利害関係を有するに至った善意の第三者に対して，登記名義人が所有権を取得していないことをもって対抗することをえないものと解するのが相当である。けだし，不実の登記が真実の所有者の承認のもとに存続せしめられている以上，右承認が登記経由の事前に与えられたか事後に与えられたかによって，登記による所有権帰属の外形に信頼した第三者の保護に差等を設けるべき理由はないからである」という。そして，本件では，Aが不実の所有権移転登記がされたことを直後に知りながら，経費の都合から抹消登記手続を見送り，その後抹消しないまま年月を経過していたこと（登記からCへの譲渡まで4年間程度経過），および，Aが金融機関からの金銭借入れに際して，不実の登記名義（B名義）のまま根抵当権を設定した事情からすると，「所有者たるAの承認のもとに存続せしめられていた」とした。

本判決で重要な点は，不実の登記の存続について真の所有者が事前または事後に「明示または黙示に承認」したといえる事実があってはじめて類推適用が許されるということである。では，いかなる事実があれば，明示または黙示に承認したと評価することができるのかであるが，本件では，Aが不実登記を知りつつ放置をしたことで直ちに承認したとの評価はされていないことは明らかである。Aが不実の登記名義（B名義）のまま抵当権を設定した事情が重視されているといってよい*18)。

＊これとの関係で検討を要するのは，不動産がAからBへ譲渡された場合の取消者Aと取消後の第三者Cとの関係（判例では対抗問題として処理される）を，取消しの遡及効を貫徹して無権利者Bからの取得と位置づけた上，取消し後の第三者を民法94条2項の類推適用により保護しようという見解における，取消者Aの帰責性である。取消しによってBにある登記は不実の登記であることが確定する関係にあるが，それにつきAの承認があったといえるかである。仮にこの不実登記は他人Bにより作出されたと評価するとしても，その後Aが取り消した以上，Aは不実の登記に対し単に知りつつ放置した以上の関係にあり，「承認」と評価し得る事情があったといってよいのではないか（⇨54頁・Ⅱ2(3)(ウ)参照）。

(3) 民法110条併用法理

(ア) **はじめに**　さらに判例では，民法94条2項および民法110条の法意に照らして，不実の登記を信頼した第三者の保護を図っているものがある（以下，「民法110条併用法理」と呼ぶ〔学説では「意思外形非対応型」と呼ばれることもある〕）。その主要な事例を単純化してみると，Aの作出した小なる登記（仮装

であることもある）を，Bがそれを基礎に勝手に拡大して不実の登記をした上，その登記を真正なものと信頼した第三者Cと取引をしたというものである（最近の判例でこれらと異なる事案に対しても併用法理を適用した事例があるが，区別して後述する。⇨(ｳ)）。前掲の民法94条2項類推適用法理の事案と決定的に異なるのは，第三者Cが信頼した外観（登記）について真の権利者は直接には関与していないという点である。したがって，不実の登記の存続に対する明示または黙示の承認があったということができないので，その法理の適用により第三者を保護することはできない。

　さて，上記のようなBにより外観が拡大された場合に取得者Cを保護してよいのか，保護できる根拠として，なぜ，民法110条の法意の併用なのか，第三者保護の要件はどうなるのか等の問題があり，これらの問題は相互に関連している。

　民法110条は一定の代理権を与えられた者がその権限外の行為をした場合，相手方が，代理人にその行為に対応する代理権が存在すると信じてもよい正当な理由（代理権不存在についての「善意・無過失」）があれば，無権代理ではあるが，相手方保護のため，本人は代理行為の効果の帰属を拒めないとするものである。Aが作出した登記の外形がAが信頼を与えた者Bにより勝手に拡大されそれを基礎に取引がされた場合と比較すると，Bが与えられた権限外の行為をするについてAがそれに先立ってその基礎となる権限・外形等をBに与えているという点で類似しており，判例は，民法110条の相手方保護の要件が満

---

18)　最判昭和48年6月28日（民集27巻6号724頁）は，A所有の未登記建物につき，区役所により，固定資産課税台帳上Aの夫Bの名義で登録され，そのことによりBに固定資産税が課税されるようになり，所有者Aはそれを知りながらB名義で税を支払ってきた事案で，Aの「承認」があるとして，Bの所有建物として当該不動産を差し押さえたBの債権者CにAは対抗できないとした。Aは，B名義で納税をしているのでたしかに「放置」にとどまってはいない。しかし，第1にそもそも，未登記の建物（権利に関する登記のみでなく，表示に関する登記もない）につき固定資産課税台帳上の登録名義があれば，それをもって，他人を欺く権利の外形が存在するといえるかという問題がある（登記の公信力の制度は「登記」に関する制度である）。第2にこれと密接に関連するが，課税通知に従ってB名義でそのまま納税行為をしたことが，当該不動産の権利の帰属につき他人を欺く外形があることを意識しその存続につき「承認」を与えたと評価してよいかである。いずれの点についても，否定すべきではないかと考える。

たされる場合には，その法意に照らして取得者を保護することが許されると考えたのであろう[19]。したがって，Cには登記の不実であることにつき「善意・無過失」が要求される。真の権利者Aは，小なる登記については承認しているが，大なる不実の登記の作出については直接「承認」を与えていないので（いわば，帰責性において不十分），Cに善意に加えて無過失要件を加重することで，Aとの利益考量上のバランスがとれたかたちとなる。

(イ) **主要な事例** (a) **2つの類型** これに属する具体的な裁判例として，これまで，以下の2つの類型のものがあった。1つはAがある不動産につき所有権移転請求権保全の仮登記をしたところ，Bが勝手にこれを本登記にしてCに譲渡した事例，もう1つはAがある不動産につきいったんMに仮装の所有権移転登記をしたところ，MがAに無断でさらにBに仮装の所有権移転登記をし，BがこれをCに譲渡した事例である。いずれの事例も第三者Cの信頼の対象である登記（外観）につき権利者Aの直接の承認はない。

(b) **仮登記が本登記にされた事例**

■最判昭和43年10月17日民集22巻10号2188頁
事実の概要　AとBが仮装して売買の予約をしAからBへの所有権移転請求権保全の仮登記をしたが，後にBが勝手に売買を原因としてこれを本登記にした上，Cに譲渡し登記を了したという事案である。Cはその取得を保護されるか。

判旨　「思うに，不動産について売買の予約がされていないのにかかわらず，相通じて，その予約を仮装して所有権移転請求権保全の仮登記手続をした場合，外観上の仮登記権利者がこのような仮登記があるのを奇貨として，ほしいままに売買を原因とする所有権移転の本登記手続をしたとしても，この外観上の仮登記義務者は，その本登記の無効をもって善意無過失の第三者に対抗できないと解すべきである。けだし，このような場合，仮登記の外観を仮装した者がその外観に基づいてされた本登記を信頼した善意無過失の第三者に対して，責に任ずべきことは，民法94条2項，同法110条の法意に照らし，外観尊重および取引保護の要請というべきだからである。」

---

19) なお，念のため，ここでは，民法110条だけの適用ないし類推適用により第三者を保護することはできない。BにおいてAを本人とする代理形式で不動産を処分するわけではなく，自らを所有者として処分するからである（むしろ民法94条2項類推適用が主である）。

(c) **仮装の所有権移転登記が重ねてなされた事例**

■最判昭和45年6月2日民集24巻6号465頁

判旨　「甲が，融資を受けるため，乙と通謀して，甲所有の不動産について甲乙間に売買がされていないのにかかわらず，売買を仮装して甲から乙に所有権移転登記手続をした場合，その登記権利者である乙がさらに丙に対し融資のあっせん方を依頼して右不動産の登記手続に必要な登記済証，委任状，印鑑証明書等を預け，これらの書類により丙が乙から丙への所有権移転登記を経由したときは，甲は，丙の所有権取得登記の無効をもって善意無過失の第三者に対抗できない……それは民法94条2項，同法110条の法意に照らし，外観尊重および取引保護の要請に応ずるゆえんだからである」という。

(ウ)　**不実の登記の存続につき「承認」が全くない事例**　最判平成18年2月23日（民集60巻2号546頁【百選Ⅰ22】）は，これまでの適用例とは異なる事案に対し民法110条併用法理により第三者保護を図った。事案は，無権利者（A）により勝手に不実の登記（A名義）がなされ，Aにより不動産が第三者に譲渡されたが，真の所有者（X）はそもそも不実の登記（A名義）の存在を知らずその登記の存続について何らの承認をしていないというものである。不実の登記の外観についての権利者の帰責性がないので，民法94条2項の類推適用は認められないものである。また，前述のような権利者が小なる外観を与えたのに対して，その外観が無断で拡大されたという事例でもなく従前の意味での民法110条併用法理の適用もない。しかし，本判決は，不実の登記がなされるための書類等を権利者が不注意にも無権利者（A）に渡して不実の登記がなされる手がかりを与えたという点をとらえて，この110条併用法理の適用（「民法94条2項，110条の類推適用）を認めた[20]。

---

20)　「承認」がないとして併用法理の適用を否定したものがある（最判平成15・6・13判時1831号99頁）。不動産の売主Aが，その代金支払前に，買主Bに地目変更等に必要であると騙されて，登記済証・白紙委任状・印鑑登録証明書を交付したところ，勝手にBへの所有権移転登記がされ，善意・無過失の第三者Cに譲渡され所有権移転登記がされた事案で，Aは，これまで不動産取引の経験のない者であり，Bからの言葉巧みな申入れを信じて，登記済証等を交付したものであって，Aには，本件土地建物につき虚偽の権利の帰属を示すような外観を作出する意図は全くなかったこと，Aが本件第1登記を承認していたものでないことはもちろん，同登記の存在を知りながらこれを放置していたものでもない，とした。

IV 無権利者からの不動産物権取得者の保護 2 101

■最判平成 18 年 2 月 23 日民集 60 巻 2 号 546 頁

事実の概要 X は A の世話で取得した本件甲不動産（土地・地上建物）の賃貸に係る事務を A に任せていた（また，後に，乙土地の所有者から X への所有権移転手続も委任）。A は，本件甲土地につき X から A への所有権移転登記を勝手に経た上，A 名義で Y に譲渡し Y への所有権移転登記をした。X から Y に対し返還を請求。A への所有権移転登記をすることができた理由は以下のとおり。X は①登記済証を A に言われるまま A に預けていた（預ける理由はないのに）。②印鑑登録証明書，および，③実印を，乙土地所有権移転登記に必要と言われて手交。④本件不動産の登記申請書に実印を押印。（①②④を使って，X から A への所有権移転登記申請）。原審は民法 110 条の類権適用により，その所有権取得を認めた。X が上告。最高裁は上告を棄却した。

判旨 「前記確定事実によれば，X は，A に対し，本件不動産の賃貸に係る事務及び乙土地についての所有権移転登記等の手続を任せていたのであるが，そのために必要であるとは考えられない本件不動産の登記済証を合理的な理由もないのに A に預けて数か月間にわたってこれを放置し，A から乙土地の登記手続に必要と言われて 2 回にわたって印鑑登録証明書 4 通を A に交付し，本件不動産を売却する意思がないのに A の言うままに本件売買契約書に署名押印するなど，A によって本件不動産がほしいままに処分されかねない状況を生じさせていたにもかかわらず，これを顧みることなく，さらに，本件登記がされた平成 12 年 2 月 1 日には，A の言うままに実印を渡し，A が X の面前でこれを本件不動産の登記申請書に押捺したのに，その内容を確認したり使途を問いただしたりすることもなく漫然とこれを見ていたというのである。」「そうすると，A が本件不動産の登記済証，X の印鑑登録証明書及び X を申請者とする登記申請書を用いて本件登記手続をすることができたのは，上記のような X の余りにも不注意な行為によるものであり，A によって虚偽の外観（不実の登記）が作出されたことについての X の帰責性の程度は，自ら外観の作出に積極的に関与した場合やこれを知りながらあえて放置した場合と同視し得るほど重いものというべきである。そして，前記確定事実によれば，Y は，A が所有者であるとの外観を信じ，また，そのように信ずることについて過失がなかったというのであるから，民法 94 条 2 項，110 条の類推適用により，X は，A が本件不動産の所有権を取得していないことを Y に対し主張することができないものと解するのが相当である。X の請求を棄却すべきものとした原審の判断は，結論において正当であり，論旨は理由がない。」

　本件は，これまでの民法 110 条併用型事案（小なる外観が存在）とは異なり，直接不実の登記に対する所有者の帰責性が問題となっているので，むしろ，本来の民法 94 条 2 項類推適用型に当たる事案といってよい[21]。ただ，X は不実の登記の存続に「承認」を与えてはいないので（そもそも登記の存在を知らない），

民法94条2項類推適用の要件が満たされないと思われる。しかし，その点につき，判旨は，Xの「余りにも不注意な行為」をもって，「虚偽の外観（不実の登記）が作出されたことについてのXの帰責性の程度は，自ら外観の作出に積極的に関与した場合やこれを知りながらあえて放置した場合と同視し得るほど重いものというべきである」と述べている。不実の登記の作出に積極的に関与した場合と同視し得るほど重いというならば，民法94条2項の類推適用を認める趣旨なのかというとそうでもなく，民法110条を併せて類推適用するという[22]。意味がいまひとつ不明であるが，Xには不実の登記の存続に対する「承認」がなく，虚偽の外観（不実の登記）の作出につき単に（あまりにも）不注意な行為があったにすぎない事案につき，その帰責性の弱さを埋めてバランスをとる意味で，第三者の保護要件として正当理由（善意に加えて無過失）を要求する民法110条を併せて用いた（類推適用した）のではないか。もっとも，原点に立ち返って考えると，外観作出につきあまりにも不注意であったとの指摘ではあるがあくまで義務違反でありそれをもって民法94条2項の通謀虚偽表示に類する事情（不実の登記の存続についての承認＝意識的関与）と同じレベルの帰責性ありとみてよいかについては，私は否定的である。

(4) 総　括

民法94条2項の類推適用等を基礎として判例が築き上げた登記への信頼保護法理は，要件，効果について以下のような内容のものと整理ができる。

民法94条2項類推適用の場合，実体法上の要件は，〔1〕無権利者Bに（不実の）登記が存在，〔2〕取得者Cにおいてそれを真実であると信頼（善意），〔3〕真の権利者Aにおいて不実の登記の存続につき承認を与えていること，

---

[21] 磯村保「判批」ジュリスト1332号（平成18年度重要判例解説）66頁参照。
[22] なお，念のために述べておくが，この事案につきXはAに一定の事務処理を委任していたので，これを基本代理権とする民法110条の適用を認めてYを保護することはできないかが問題となる（本件最判の原審は民法110条を類推適用してYを保護した）。しかし，甲不動産の譲渡につきX代理人Aという代理形式が用いられたのであればともかく，Aは虚偽の登記をもって自らを所有者と称して甲土地を譲渡している。Yは，Aをその登記の記載から所有者と信頼したのであり，Xから甲土地譲渡の代理権を与えられた者と信頼したわけではない（また，真実の権利者かどうかと代理権があるかどうかとでは調査の方法が大きく異なる）。表見代理の適用・類推適用はあり得ず，保護するとすれば，無権利者を権利者と信じて取引した者を保護する民法94条2項類推適用法理によることになる。

である。〔1〕については，先述のように（⇨98頁・注18）），未登記の建物につき，固定資産課税台帳上の登録名義でもよいとするものがあるが疑問である。〔2〕につき，これは民法94条2項についての解釈論と同じく，無過失をも要件とすべきであるとする見解もあるが，真の所有者側の態様とも対比して，また，少なくとも登記を基礎とする不動産取引においては，無重過失であれば保護されると解すべきであろう。なお，この点についての証明責任は，取得者側にあるとするのが判例・通説である。登記の記載を証明すれば，善意（無重過失）は事実上推定されるというべきであろう。〔3〕については，通謀虚偽表示に類する事情の存在，したがって，判例のいうように，真の権利者Aの不実の登記の存続に対する「承認」が必要となる。これはCが証明することになる。不実の登記を知りつつ放置していることのみで承認ありと評価できるかであるが，通常は，前掲最判昭和45年9月22日（96頁）の事案のような，それに加わる何らかの事情が指摘される必要がある。

民法110条併用型の場合では，実体的要件は，〔1〕は上記と同様，〔2〕は「正当な理由」すなわち善意・無過失が必要であり，〔3〕については，Aが当該不実登記については承認を与えていない（Aが証明）としても，そのもととなる小なる登記の作出については承認を与えていること（前掲最判平成18年2月23日は，小なる外観が問題とならない事案につき，不実登記の出現につきAの「余りにも不注意な行為」があることで足りるとする）が必要である（それはCが証明する）。

なお，上記の双方の場合において，取得者C保護の要件として，第1に，Cの取得した権利についての登記が経由されていることが求められるかという論点もあり得る。民法192条では引渡しが占有改定による場合は善意の取得は保護されない。これと同様の議論をするかということである。一般には，否定されている。また，第2に，保護されるCは物権取得者に限るか差押債権者でも保護を受けることができるかという問題がある。これについては，判例は，差押債権者も保護の対象となるという（前掲最判昭和48・6・28〔98頁〕参照）。取引についてその安全を保護するということを強調すると，当該不動産からの債権回収の期待を有するにすぎない差押債権者は保護の対象から除外するという立場もあり得よう。

最後に，効果であるが，上記法条の類推適用等の結果，真の権利者Aが取

得者Cに対し，登記が不実であることを対抗できないということであり，結局，Cは権利を原始取得した扱いとなる。

第5章 動産物権変動における公示

I 動産物権変動における公示の原則

1 序説
(1) 問題の所在

「動産」とは、「有体物」であって、「不動産」以外の「物」である（民85条、86条2項）。そこで、自動車、電気製品、机、本、食品など日常生活の必需品類、航空機、建設機械、生産のための機械器具等々ありとあらゆるものが動産に包含される。

動産についても、Aの所有物がBとCとに二重に譲渡されることがあり得る。この場合、B、Cいずれの譲受人がその所有権取得において優先するかという問題が生ずる。動産物権変動における対抗問題である。

(2) 引渡し

この問題につき、民法178条は、「動産に関する物権の譲渡は、その動産の引渡しがなければ、第三者に対抗することができない」として、単純に「引渡し」をもって、動産物権変動（「譲渡」に限定されている）の対抗要件としている。すべての動産の権利関係を登記等に記録することは事実上不可能でありおよそ考えられないからである。そこで、上記の例では、BまたはCのうち、先にAからの引渡しがあった方が対抗関係で優先する。

(3) 動産譲渡登記

法人が動産を譲渡した場合に限られるが、特別法で、「当該動産の譲渡につき動産譲渡登記ファイルに譲渡の登記がされたときは、当該動産について、民法第178条の引渡しがあったものとみなす」として（動産債権譲渡特3条1項）、「登記」が対抗要件となり得ることが認められている。この制度は、動産譲渡一般について用意したというよりは、主として法人が所有動産を譲渡担保に供する場合において譲渡担保権者が第三者対抗力をより確実に獲得するために使

われることが予定されている。

(4) 特例（登記，登録）

なお，動産であって，例外的に，以上の2つの公示方法と異なる公示方法によるものがある。それは，自動車，航空機，船舶などの重要な動産につき，特別法による「登記」「登録」をもって公示方法とするものである（車両5条，航空3条の3，商687条〔登記をし，かつ，船舶国籍証書に記載〕）。たとえば，自動車（軽自動車等を除く）は，「自動車登録ファイルに登録を受けたものでなければ，これを運行の用に供してはならない」とされ（車両4条），その上で，「登録を受けた自動車の所有権の得喪は，登録を受けなければ，第三者に対抗することができない」（車両5条）とされている。また，建設機械抵当法に従って建設機械に抵当権を設定するためにはまず建設機械につき所有権保存登記をする必要があり（その上で抵当権設定登記をする），既登記物件については譲渡につき登記を対抗要件としている。

2 引渡しによる対抗

(1) 引渡しの具体的方法

(ｱ) 現実の引渡し　動産譲渡において，引渡しとは，譲渡人から譲受人に動産の占有を移転することである。それにより所有権の移転を外部に対し公示するのであるから，原則としては，動産の所持が現実に移転することが必要である（現実の引渡し〔民182条1項〕）。

しかし，それを厳格に求めると，引渡しにより第三者対抗力を獲得しようとする譲受人に実際上の不便が生じる。そこで，以下の場合（簡易の引渡し，占有改定，指図による占有移転）にも民法178条の「引渡し」があったとされる＊。

＊動産が現実には移転していなくとも，引渡し，すなわち占有の移転があったとするためには，「代理占有」の観念が前提となる。すなわち，自分で物を所持していなくとも，他人（占有代理人）の所持を通して本人が占有（＝代理占有）を取得できるということである（民181条）。たとえば，AからBに譲渡があり占有改定がなされたときは，BはAを占有代理人として代理占有（間接占有）を取得するから，AからBに対して占有移転すなわち引渡しがなされたということができるのである（⇨248頁・第10章 II 1 (3)）。

(イ) それ以外の引渡しの方法　(a)「簡易の引渡し」(民182条2項)
　動産の賃借人Bが，賃貸人たる所有者Aから賃借目的物を譲り受ける場合などで用いられる。この場合譲受人Bが現に動産を所持しているが，A・B当事者で，占有権を譲渡するとの意思表示をすることで，Aの代理占有が消滅し，AからBへ占有が移転する（引渡しがある）。この方法により，BがAに1度返却した上で改めてAからBへ現実の引渡しをする手間を省ける。

　(b)「占有改定」(民183条)　動産の譲渡担保の場合など，譲渡人が譲渡目的物の占有をそのまま継続する場合に用いられる。譲渡人Aが譲渡した動産を以後は譲受人Bの占有代理人として占有するとの意思を表示したときは，譲受人Bは代理占有（間接占有）を取得し，占有が移転した（引き渡した）ことになる*。ここでも，現実の引渡しを2度する手間を省くことができる。なお，上記の意思の表示は必ずしも明示的になされる必要はなく，たとえば，動産の譲渡担保が設定された事案で，判例は，「売渡担保契約がなされ債務者が引き続き担保物件を占有している場合には，債務者は占有の改定により爾後債権者のために占有するものであり，従って債権者はこれによって占有権を取得するものであると解すべき」であるという（最判昭和30・6・2民集9巻7号855頁【百選Ⅰ64】）。

　＊信用状を発行したG（銀行〔求償債権を取得〕）が債務者S（輸入業者）からS所有の動産（輸入商品）につき譲渡担保権の設定を受け，占有改定による引渡しの合意をしたが，Sは1度も当該動産の直接占有をせず，貨物取扱業者Aに輸入した商品の受領，保管等の取扱いを委託し（Sは間接占有のみ取得），そのまま他へ転売したという事案で，G・S間での占有改定による引渡しが認められるか（Gは譲渡担保権につき対抗要件を具備したか）が問題とされた。最決平成29年5月10日（民集71巻5号789頁）は，民法183条の解釈として，間接占有者（S）であっても占有改定による引渡しをなし得るとの一般的な判断を避け，輸入取引の実情を指摘しつつ本事案の事実関係においては占有改定による引渡しが認められるとした（詳しくは，⇒449頁・第14章■2(2)(ウ)参照）。

　(c)「指図による占有移転」(民184条)　Aが他人Lに寄託している動産を寄託した状態のままで第三者Bに譲渡する場合に用いられる。この場合，Aは占有代理人Lによって代理占有をしているが，本人Aがその占有代理人Lに対して以後第三者Bのためにその物を占有することを命じ，その第三者Bがこれを承諾したときは，その第三者Bは占有権を取得し，AからBに占有

が移転した（引き渡した）ことになる。

(ウ) **引渡しの公示方法としての不完全さ**　上記の(a)から(c)では現実に動産の移動がない場合であっても引渡しを認めている。これらにおいては，例示のAからBへの所有権譲渡は外部に対して明確とはならない。したがって，引渡しという公示方法，とりわけ占有改定による場合は，所有権譲渡の事実を公示するものとしては不十分といわざるを得ない。

すでに譲受人Bが譲渡につき占有改定により対抗要件を具備した後であっても，譲渡人Aから当該動産が事実上第三者Cに二重に譲渡されることがあり得るが，ここでは，Cは対抗関係では常に劣後する。「公示がないところには物権変動はないと信じてよい」というかたちで取引の安全（Cのような第三者の保護）に奉仕すべき公示の原則の本来的な機能がここではほぼ破綻している。

これではAを所有者であると信じたCが救われない。ただ，民法192条は動産取引につき公信の原則を採用しており，譲渡人の占有からその者を所有者と信じて取引した者を保護している。Cはこの制度により保護される可能性があるわけで，したがって，取引の安全面から指摘される公示方法の不十分さは，公信の原則により事実上補われることとなっている。

(2) **物権変動原因**

対抗要件としての引渡しを必要とする動産の物権変動原因は「物権の譲渡」に限られる。ここで，「物権」とは具体的には所有権である。動産質権設定は，（現実の）引渡しがその効力発生要件であり（民344条），留置権の取得も占有が前提である（民295条）。また，先取特権の取得については占有は問題とならない。

また，「譲渡」であるから意思表示による所有権移転に限られ（取消し，解除も含む），相続，時効取得は関係がない。

(3) **第三者の範囲**

(ア) **序**　基本的には，第三者の範囲は不動産物権変動の場合と同じく限定される。第三者としては，所有権取得者，質権取得者など物権の取得者，差押債権者などが典型例であり，他方，当事者はもちろん無権利者，不法行為者，および一般債権者は第三者に当たらない。

(イ) **「賃借人」，「受寄者」について**　賃借人Mが賃借動産（たとえば，建

設機械など）を占有している場合，所有者 A からの譲受人 B は，引渡し，すなわち，ここでは指図による占有移転（A が M に対して以後 B のために占有すべき旨を命ずる）を経なければ M に対抗できないかが議論されている。賃借人ではなく受寄者 L であった場合も同様である。判例は，前者では肯定，後者では否定している。

不動産賃貸借の場合（登記により第三者対抗力を得ることができる〔民 605 条〕）と異なり，動産の賃借人（受寄者も同様）は当該動産の譲受人に劣後する（「売買は賃貸借を破る」）。もっとも，M，L には動産の返還先（契約が引き受けられた場合には新たな相手方）である新所有者（B）を確認する利益があり，その保護という観点からは，譲渡人 A から M，L に対し，所有権が移転した旨の何らかの通知が必要である。それは，まさに A・B 間での指図による占有移転に該当する行為であり（また，A・B 間で契約関係を承継した旨の債権譲渡通知類似の通知にも該当し得る〔なお，寄託契約は受寄者の同意がないと契約関係は承継されない〕），その通知の意義づけを資格証明的要件というか，対抗要件というかは，対抗問題をどのように理解するかに関わる。

3　動産譲渡登記ファイルへの登記による対抗
(1)　制度趣旨

動産譲渡登記制度は「動産及び債権の譲渡の対抗要件に関する民法の特例等に関する法律」（平成 16 年法 148 号。以下，動産債権譲渡特例法という）により新設され，平成 17 年 10 月から施行，導入された[1]。法人が動産を譲渡した場合に，動産譲渡登記ファイルへの登記による対抗要件具備が認められた。この制度新設のねらいは，法人企業に対して，その保有する動産を活用した資金調達を行いやすくさせようというものである[2]。たとえば動産を担保とする融資を例に挙げると動産の譲渡担保（担保目的物の譲渡）を利用することになるが，この場合譲渡担保権者が対抗要件を具備する方法としては占有改定によるほかなく，債権者としては譲渡担保権を第三者（後発の譲渡担保権者など）に対し確実

---

1)　以下については，植垣勝裕＝小川秀樹編著『一問一答動産・債権譲渡特例法〔3 訂版増補〕』（商事法務，2007）を参照した。

に優先できるのかという点で不安の残るものである。また，第三者により当該目的物を即時取得（民192条）される危険もある。他方，逆に，後発の譲渡担保権者にとっては，不十分にしか公示されていない先行の譲渡担保権の存在を知らないまま劣後させられる危険もあった。そこで，登記というより確実な公示方法を用意し，これらの問題点を可能な限り払拭し，動産担保融資，動産を活用した資金調達の円滑化を図ろうとしているわけである。

(2) **動産譲渡登記による対抗力**

(ア) **登記のできる場合**　どのような場合に動産譲渡登記ファイルに登記ができるのかであるが，それは法人が動産を譲渡した場合に限られる（動産債権譲渡特3条1項）。〔1〕「法人」に限られるのは，動産を活用した資金調達の円滑化が狙いだからであり，個人にはあまり関係がない。〔2〕「譲渡」（譲渡担保権設定を含む）に限られている[3]。なお，譲渡の取消し，解除の場合には抹消登記ができる（動産債権譲渡特10条1項）。質権設定には適用されないのは，質権については登記するまでもなく民法の規定に従った目的物の現実の占有による公示（民344条，352条，354条）で十分と考えられたからである。〔3〕「当該動産につき倉荷証券，船荷証券又は複合運送証券が作成されているものを除く」とされるのは，これらについては，証券を引き渡したときは動産が引き渡されたのと同一の効力を有するとされ（商607条，763条，769条2項），また，当該動産に関する処分は証券をもってしなければならないとされており（商605条，761条，769条2項），特別な扱いが予定されているからである。〔4〕なお，自動車などもともと特別法で登記・登録を公示方法とする動産であって既登記・既登録のものについては，引渡しが公示方法とならないのと同様に，動産債権譲

---

2) 資金調達の方法としては，〔1〕動産を譲渡担保に供して融資を得る方法と，〔2〕資産（動産）を保有する企業（オリジネーター）がその保有する動産の価値でもって資金の調達を図るため，証券化目的で動産を占有改定により証券発行体に譲渡しその譲渡代金を受領する方法とが想定されている（証券発行体は譲受動産を背景に証券を発行して投資家から資金を調達し，オリジネーターに対し支払う代金にあてる）。いずれの譲渡も，占有改定による引渡しがなされる。

3) 立法のねらいである譲渡担保（担保のための譲渡）に限定しないで，譲渡一般に適用されることとしている。区別が難しい場合があるし，区別することが登記の有効性の問題を引き起こし（単なる譲渡の場合は無効な登記となるなど）適当ではないからである。

渡特例法による登記はできない。

　(イ)　**対抗力**　動産譲渡登記がされたときは，「民法第178条の引渡しがあったものとみなす」とされるので（動産債権譲渡特3条1項），この登記があれば，引渡しがなされたのと同様の法律効果が与えられる。したがって，前掲（⇨105頁・1(1)）のようなBとCへの二重譲渡のケースで，Bには引渡しがあり，Cには登記がなされたという場合には，引渡しと登記との時間的先後によりその優劣が決まることになる[4]。引渡しと登記とは，平等な扱いであり，登記がなされた方の譲渡を優先するというものではない。この点注意を要する。なお，登記によって対抗すべき第三者の範囲については，引渡しと同じである。

　(3)　動産譲渡登記の手続

　動産譲渡登記に関する事務は登記所[5]がつかさどり（動産債権譲渡特5条），登記官が担当する（動産債権譲渡特6条）。動産譲渡登記ファイルは磁気ディスクをもって調製され，実質的に法人である譲渡人単位で編成される（人的編成主義）。

　登記は，譲渡人と譲受人の共同申請に基づいて行われる。動産譲渡登記ファイルに記録される事項は，譲渡人の商号または名称および本店等，譲受人の氏名および住所等，動産譲渡登記の登記原因（売買，譲渡担保など）およびその日付，譲渡に係る動産を特定するために必要な事項，動産譲渡登記の存続期間（10年を超えることができないのが原則），登記の年月日等である（動産債権譲渡特7条）。とりわけ流動する集合動産譲渡担保の場合は，動産を特定する方法が重要な問題であるが，これについては譲渡担保の章で説明する（⇨470頁・第14章Ⅱ1(2)(イ)）。

---

4)　物的編成主義ではないので，同一動産につき，譲渡登記が二重になされることもあり得るが，その場合も譲渡間の優劣は登記の時間的先後による。

5)　法務大臣の指定する法務局，地方法務局等とされるが東京法務局（民事行政部動産登録課）のみが指定され，全国の事務を1か所で所管している。

II 動産の即時取得

1 序　説
(1) 公信の原則の採用

Cが前主Bから動産所有権の譲渡を受けたが，前主以外の者Aが所有者であることが明確となった場合，Cの法的地位はどうなるか。民法192条は，このような問題について，「取引行為によって，平穏に，かつ，公然と動産の占有を始めた者は，善意であり，かつ，過失がないときは，即時にその動産について行使する権利を取得する」と規定する。これは，前主が所有者ではない場合であっても，所定の要件を具備すれば，「即時にその動産について行使する権利を取得する」，すなわち，所有権（あるいは譲渡担保権，または質権）を取得できるとしたものであるとされる。

条文は，これを動産占有を始めた効果として書いてあるが，確立した解釈によると，前主の動産占有を信じて取引した効果と理解されている。すなわち，動産所有権の公示方法である占有があるところ所有権があると信じて取引をした者の保護を規定しているのであり，動産物権変動において公信の原則を採用したものであると理解されている。これを動産の即時取得（または善意取得*）と呼んでいる。民法192条は民法典物権編第2章「占有権」第2節「占有権の効力」中の規定であるが，物権変動に関連する問題としてここで取り上げる。

＊民法192条は，民法典の立法の際に，旧民法典（フランス法系）以来の制度理解に沿って，動産の「即時の取得時効」と位置づけられた。それは，平成16年の民法の現代語化改正前の規定の文言が，不動産の10年の「短期の取得時効」の規定文言（民162条2項）とパラレルな表現となっていたことからも明らかであった（「動産ノ占有ヲ始メタル者カ善意ニシテ且過失ナキトキハ即時ニ……権利ヲ取得ス」，不動産では「10年間……占有シタル者カ其占有ノ始善意ニシテ且過失ナカリシトキハ其不動産ノ所有権ヲ取得ス」）。したがって，「即時（時効）取得」と呼称するにつき一定の根拠がなくはなかった。しかし，民法の現代語化により，従来異論のなかった条文解釈に従って，一方で，民法162条2項が動産にも適用されることを明らかにし（「不動産」を「物」に改正），他方で，民法192条の文言に「取引行為によって」を付け加え，即時時効という沿革的経緯を払拭した。そこで，「即時取得」というのはもはや適当ではなく「善意取得」と呼ぶのが妥

当である（もっとも，民法192条の見出し〔「即時取得」〕が民法現代語化に伴って法令の一部を構成するものとされたので，本書でも，「即時取得」と呼ぶこととする）。

(2) 制度採用の趣旨

無権利者（所有者でない者）が物を譲渡した場合，譲受人は所有権を取得することはないのが原則であるが，なぜ，動産については例外を認めたのか。それはいうまでもなく，動産取引の安全を保護するためである。動産の取引は個人の生活，あるいは企業における事業の展開の中で日常茶飯の出来事であるが，そのような取引において，前主が真の所有者であるかどうかをいちいち調査することは，大変手間がかかるし困難でもあり，そのような調査を要求すると円滑かつ迅速な商品の流通が阻害され，取引社会にとって大きなマイナスとなる。ここでは，むしろ動産を占有し所有者であるとの外観を呈している前主を所有者であると信じて取引した者の所有権等の取得を保護することこそ重要であるとするのである（善意・無過失は推定される。⇨117頁・**2**(5)(イ)）。

(3) 盗品・遺失物の例外

もっとも，譲受人の所有権等の取得により，他方で，真の権利者が所有権を失う（あるいは質権の負担を負う）ことになる。そこで，動産取引の安全とはいっても，真の所有者において所有権を失っても仕方がないとみられるような事情（帰責性）がない場合まで，その犠牲においてなお善意の取得者を保護すべきかは1つの問題である。取引の安全保護がより強調される手形取引などの場合，善意者保護が貫徹されるが（手16条2項など），一般法たる民法では，このような善意・無過失の譲受人等と真の所有者の利害を調整する趣旨で，取得した動産が「盗品又は遺失物であるとき」は被害者等に2年間に限って回復請求権を認める例外を規定した（民193条。それによって真の所有者を保護する）。

2 即時取得の要件
(1) 概　観

動産の即時取得を無権利者からの動産取引の安全を保護する制度と位置づける以上，実体法上，以下の要件が必要である（要件として条文文言において明示されるもの〔「　」部分〕と，明示されてはいないもの〔『　』部分〕とがある）。〔1〕

目的物が「動産」であること，〔2〕「取引行為によって」，〔3〕前主が『所有者でない』者であり，動産を『占有している』こと，〔4〕前主が所有者でないことにつき占有者が「善意であり，かつ，過失がない」こと，〔5〕「平穏に，かつ，公然と動産の占有を始めた」こと，である。以上の要件が具備されれば，効果としては，「即時にその動産について行使する権利を取得する」。

なお，要件事実の観点からは，訴訟において，Xから所有権に基づく動産引渡が請求され（〔1〕X所有，〔2〕Y占有，を主張立証），Yが，X所有権喪失の抗弁としてYが即時取得した旨を主張をする場合には，〔1〕取引行為によって，〔2〕その動産の占有を始めたこと，を主張立証すれば足る。平穏，公然，善意，無過失は後述のごとく推定されている（これに対し，XとしてはYの悪意，有過失を主張立証する）。

(2) 目的物が「動産」であること

(ア) 動産　　目的物が動産であることが要件であり，不動産については本条の適用はない*。「動産」は条文文言で明らかであるが，これを説明すれば，動産は占有をもってその所有権の公示方法とするので，占有あるところ所有権ありと信頼してもよいと本条は規定していると読むわけである。そのような理解からすると，さらに，以下(イ)のように本条の動産を限定的に解すべきことになる。

*　問題となるのは，A所有の山林につき，Bが伐採目的で立木のみを譲り受け，Bが伐採し材木（動産）としたところ，山林の譲受人CがBに対し材木の所有権を主張したなどという場合である。〔1〕ここでは，まず，Bが先に明認方法を施しておれば，Bが対抗関係で優先し，Cが登記（または明認方法）を先にしておれば，Cが優先する。対抗問題である（⇒132頁・第6章 II 3(2)参照）。〔2〕Cが優先する場合，Bは立木（不動産の一部）または材木（動産）につき民法192条の適用を主張できるかがここでの問題である。〔3〕立木（不動産の一部）の即時取得は，上の事例で，Cへの所有権移転登記後（あるいは明認方法実施後），Bが山林の占有者Aを所有者と信じて立木を取得したとして，民法192条が適用されるかという問題設定となる。これは，立木は不動産の一部でありその公示方法は占有ではないという点から当然否定されるべきであろう。なお，上の事例で，仮にCが譲受人ではなく真の所有者であり，Bは無権利であるAの虚偽の登記（または明認方法）を信じて立木を取得したという場合は，民法94条2項の類推適用等の問題となる。〔4〕材木（動産）の即時取得は，上の事例で，Bが自分を所有者であると信じて（対抗問題で自分に優先する者Cがいるなどとは知らないで）伐採（動産化）

したことをとらえて，民法192条が適用されるかという問題設定となる。動産所有権の取得（原始取得）が，取引行為ではなく，事実行為によっているから適用されない。判例も否定する（大判昭和7・5・18民集11巻1963頁[6]）。⇨116頁・(3)参照）。

(イ) **登記・登録を公示方法とする動産**　(a) **自動車，船舶，航空機など**
登記・登録が原則的公示方法とされるこれらの動産については，不動産の場合と同様，登記・登録があるところに所有権があると信ずべきであって（登記・登録の公信力の問題），それらの物を占有しているからといって占有者を所有者と信じてよいわけではない。したがって，このような動産で登記・登録がなされている物については，民法192条の適用はないというべきである。念のために付け加えると，同条を適用した上，登記・登録を調査しないことが取得者の過失であるとして即時取得を否定すると考えるのではない。

判例も，既登録の自動車につき，「道路運送車両法による登録を受けている自動車については，登録が所有権の得喪並びに抵当権の得喪及び変更の公示方法とされているのであるから……民法192条の適用はないものと解するのが相当であ〔る〕」と述べる（最判昭和62・4・24判時1243号24頁）。なお，未登録自動車，登録抹消自動車については，占有を公示方法とする動産として本条の適用を肯定する（最判昭和45・12・4民集24巻13号1987頁）。

(b) **担保権を公示するための場合**　問題は，抵当権などの担保設定の可能性を創出するため登記が用意されている動産，または不動産抵当権の効力を及ぼす関係で不動産登記の傘に包まれている動産についてである。まず後者は，その動産自体を登記で公示しているわけではなく依然として占有によって公示されているので，民法192条の適用を除外する理由はない。工場抵当法では，工場供用物件（動産）に対し工場抵当権の効力が及ぶことは登記により公示さ

---

6) 事案は，A所有の立木をXが取得後伐採し材木の占有権を取得し搬出したところ，A所有の当該山林を仮差押えしているAの債権者Yがこの搬出材木を差し押さえたので，これに対してXが材木に対する所有権（即時取得）を主張し異議を述べた。「民法第192条ハ現ニ動産タルモノヲ占有シ又ハ権原上動産タルヘキ性質ヲ有スルモノヲ其ノ権原ニ基キ占有シタル場合ニ付適用スヘキ規定ニシテ本来不動産ノ一部ヲ組成スルモノヲ事実上ノ行為ニ因リ動産トナシテ占有シタル場合ニ適用スヘキモノニアラサルコト当院判例ノ示ス所ナリ」，としてXの異議を認めなかった。

れているが（工抵3条），これらの物について同法5条2項で民法192条以下の適用を認めるのはこのような理由からである。

前者は，農業用動産，建設機械のみならず，動産一般（動産債権譲渡特例法による既登記物件）について問題となる。動産に対する抵当権のみの公示にとどまる農業動産信用法は民法192条以下の適用を認める（同法13条2項）。建設機械についての登記の仕組みは前述（⇨106頁・Ⅰ1⑷）の通りであるが（物的編成主義），そもそも登記がされる例は多くはないし，個性特定のため記号を打刻した上で登記をするが打刻があれば既登記があるとも限らないので，一応，民法192条以下の適用を認めるべきであろう（ただし，既登記であることは善意・無過失の判断には影響する）。

動産債権譲渡特例法により譲渡の登記がされている動産についてはどうか。個別の譲渡ごとに登記される仕組みであるので，当該動産について登記があるかどうかは分からないので，民法192条以下の適用はある。もっとも，譲渡担保に供される可能性の高い法人所有の機械などの物件を譲り受ける場合には，この譲渡登記がなされている可能性を意識すべきであり，現に他者への譲渡につき登記がされている物件であったならば，通常，登記の存否を確認しなかったことが過失を根拠づけることになろう。

⑶ 「取引行為によって」

即時取得の制度は，動産取引の安全を保護する制度であるから，「取引行為によって」動産の占有を始めたことが必要である。取引行為とは，売買，贈与による所有権の譲渡，譲渡担保の設定，消費貸借の目的物の給付，代物弁済による所有権の移転などである。

相続，会社合併などの包括承継の際に，対象物の中に他人の動産が含まれている場合は，個別取引行為はないので，民法192条による所有権取得が問題となる余地はない。

⑷ 前主が『所有者でない者』であり，動産を『占有している』こと

実体法の観点から整理すると，前主が所有者であれば民法192条を適用する必要がない。無権利たる事情としては，前々主からの動産所有権取得行為が無効あるいは取り消されたとか，前々主から動産の賃貸ないし寄託を受けている場合，または，占有物が盗品・遺失物であるなどが考えられる。盗品・遺失物

の場合については民法193条以下の適用が問題となる。なお，動産引渡請求の訴訟においては，Xの所有権主張と，Yの即時取得によるX所有権喪失の抗弁の中で前主の無権利が明らかとなる。

　前主の占有という要件については，その占有から前主を所有者と信じたことが問題となっているので，これも当然の前提である＊。ここでいう占有は，前主を所有者のごとく見せるという意味での占有であり，それを基礎に占有の訴えを行使するという意味での占有ではない。占有の訴えの場合は間接占有も当然に内包するが，即時取得では間接占有は例外である。

> ＊A所有動産甲が，A・B間，ついでB・C間で売買され，引渡しについては，当事者間の合意でAから直接Cに対してなされたが，のちにA・B間の売買が無効であったという場合，Cは，Aからの返還請求に対して即時取得を主張できるか。Aが，CはBの占有を信頼しかつBから引渡しを受けたわけではないことを指摘して，民法192条の要件不充足を主張できるかという問題であるが，A は自らCに対して引渡しをなしBが権利者であるとの事情に根拠を与えているので，このような主張は許されないと考えられる。

⑸　**前主が所有者でないことにつき「善意であり，かつ，過失がない」こと**

㋐　**前主の無権利についての善意・無過失**　　条文の趣旨から，取得者が，前主の無権利につき「善意であり，かつ，過失がない」ことが要件である。

　法人が取得者である場合，善意・無過失は，代表者について判断する。代理人がいればその者の善意・無過失を問題とすべきである（最判昭和47・11・21民集26巻9号1657頁）。したがって，その代理人が悪意であれば，代表者が善意であっても，法人としては悪意というべきで，即時取得は否定される。

㋑　**証明責任**　　判例は，善意は民法186条1項により推定され，無過失は民法188条により推定されるとする（最判昭和41・6・9民集20巻5号1011頁）[7]。

7）　この判例は「およそ占有者が占有物の上に行使する権利はこれを適法に有するものと推定される以上（民法188条），譲受人たる占有取得者が右のように〔物の譲渡人である占有者が権利者たる外観を有しているため，その譲受人が譲渡人にこの外観に対応する権利があるものと〕信ずるについては過失のないものと推定され，占有取得者自身において過失のないことを立証することを要しないものと解すべきである」とし，「このように解することは，動産流通の保護に適合する所以である」るという。

このうち，善意の推定の根拠についてであるが，民法186条1項が推定するのは，現在の占有者が「善意で」占有していることについてであって（民法189条以下にとって意味がある），（前主の無権利についての）取得者の善意を直接に推定しているわけではない。取得者の善意の推定も，この判例のいう無過失の推定と同じく，前主の占有についての「所有の意思をもって……占有をする」という推定（民186条1項）と権利適法の推定（民188条）とを基礎とするというべきであろう。

　ところで，民法192条の制度は，動産の占有者は通常はその物の所有者であるとの社会的事実を前提としているといってよい。しかし，今日の社会では現実の占有と所有権の所在との分離が多方面で見られる。所有権留保付きの売買，企業活動における動産の譲渡担保，動産のリース契約等においてである。このような現実を前にすると，分割払いで購入されることが多い種類の商品とか，譲渡担保やリースの対象とされるような建設機械，工作機械などを事業者から取得する場合には，この無過失の推定は，そのような事情を指摘することで簡単に破られることになるといえよう。なお，動産債権譲渡特例法により譲渡担保の登記がされている動産についてはこのことがいっそう当てはまる（⇨116頁・(2)(イ)(b)参照）。

　(ウ)　**前主の制限行為能力取消し等の瑕疵についての善意・無過失について**
　条文文言からは，善意・無過失の対象が広すぎる。つまり，「動産の占有を始めた者」が，自分の開始した占有が本権（所有権・質権）に基づかないことについて善意・無過失であればよい，と読めるからである。そうすると，前主が無権利者であることについての善意・無過失の場合だけではなく，たとえば，動産譲渡の意思表示が，前主の制限行為能力を理由に取り消されるとか，錯誤により取り消されるとか，無権代理で無効である等の場合も，譲受人は，前主との取引におけるこのような事情についての善意・無過失を理由に，民法192条で保護を求めることができることになってしまう。しかし，このような場合は含まれない。本条の制度趣旨は，無権利の前主からの取得を保護するということであり，上のような行為の瑕疵を治癒するものではないからである。もっとも，この譲受人からさらに動産を転得した者については，譲受人が「無権利者」であるから，民法192条の適用があるのは当然である。

(6) 「平穏に，かつ，公然と動産の占有を始めた」こと

(ｱ) **平穏・公然**　取引行為により占有を始めたわけであるから，「平穏に，かつ，公然と……占有を始めた」といえよう。また，民法186条でこれは推定されている。「取引行為によって」という文言が条文に明文で規定されることとなった現在では意味が薄い要件である。

(ｲ) 「**動産の占有を始めた**」　引渡しにより動産の占有を開始することが必要である。ところで，この占有の開始は，いかなる引渡形態によるものであってもよいのか。占有改定による引渡し，指図による占有移転の場合に，民法192条の適用が認められるかどうかというかたちで問題とされている。また，動産債権譲渡特例法による動産譲渡登記ファイルへの譲渡登記をもって動産の占有を始めたと評価できるかも問題となる。

(ｳ) **占有改定**　(a) **判例（否定説）**　(i) **判例の結論**　判例は，占有改定による引渡しでは即時取得は認められないとする（最判昭和35・2・11民集14巻2号168頁【百選Ⅰ68】）。「一般外観上従来の占有状態に変更を生ずる」ことが必要だからであるというが，この判決はなぜそうなのかその理由を述べていない。

■最判昭和35年2月11日民集14巻2号168頁──────────
事実の概要　XがBから発電機甲を譲り受け占有改定により引渡しを受けたが，Bは所有者ではなく，甲を管理し，それを保管する倉庫の鍵を所持していた者であった。発電機甲の所有者はもともとAら（村落住民）であり，現在はそのAらから譲渡・現実の引渡しを受けたYが所有者である。Xが即時取得を主張した。

判旨　「無権利者から動産の譲渡を受けた場合において，譲受人が民法192条によりその所有権を取得しうるためには，一般外観上従来の占有状態に変更を生ずるがごとき占有を取得することを要し，かかる状態に一般外観上変更を来たさないいわゆる占有改定の方法による取得をもっては足らないものといわなければならない」という（大判大正5・5・16民録22輯961頁等を引用）。

(ⅱ) **判例（否定説）の根拠**　上記最判昭和35年で引用された大判大正5年は，否定の理由を以下のように述べている。即時取得は権利者を犠牲にして取得者を保護するのだから，一般外観上従来の占有状態に変化があって，もはや権利者の追及権を顧慮しなくてよいというのであれば仕方がないが，そうで

ない場合にまで占有を委託した権利者の利益を顧慮しなくてよいというわけではない，という。所有者・取得者双方の当事者の利害調整の道具の1つとして占有改定問題をとらえているといってよい。

(b) **学説**　学説は，否定説と肯定説とがある。

(i) **否定説**　否定説は，真の権利者Aと善意の取得者Cとの利害の調整の問題ととらえ，一面では，占有事実に変化がない限り権利者の信頼は裏切られていないから権利者に犠牲を強いることはできないこと，他面では，占有を現実に取得せず主観的に信頼しただけでは保護に値する信頼とはいえないことを挙げて即時取得を否定する。

(ii) **肯定説**　肯定説は，取引安全のため占有により前主を所有者と信じた者を保護するとの制度理解から，占有改定による引渡しでも前主を信じたことには変わりがないので，この場合も即時取得を認めるべきである，という。ただし，真の所有者が返還を受けた後でも，取得者が即時取得を主張できるとまでいうのは妥当ではないので，この点に限定を加えて，取得者が現実の引渡しを受けるまでは取得の効果が未確定であり，後に現実の引渡しを受ければ確定的に所有権を取得するという。したがって，取得者への現実の引渡しが真の所有者より先である場合に限り，即時取得が認められる。

(iii) **両説の相違**　否定説も，現実に引渡しがなされ，その時点で善意・無過失の要件が満たされておれば，即時取得を認めてよいという[8]。そこで，違いは，善意・無過失である時点が取得時か（肯定説），現実の引渡し時（否定説）か，および，占有を委託されている者のところに占有があるときに争えば，真の所有者が勝つか（否定説），いずれの側も相手方に勝つことはできない，つまり訴えた側が負けるか（肯定説）である。否定説に従っておきたい。

(c) **譲渡担保の二重設定**　現実にこれが問題となるのは，B所有の動産がAとCとに相次いで譲渡担保に供されいずれも占有改定による引渡しがなされた場合である。Aが先に引渡しを受けているので，対抗関係でCに優先

---

[8] ゲルマン古法に系譜をもつドイツ民法では，占有改定による引渡しの場合には，動産の即時取得は，あとでそれが現実に引き渡され，かつ，その引渡しの時点で善意であれば認められる（ドイツ民法933条）。

する。そこで，Cは即時取得によってのみ保護される（順位をつけて複数成立し得るとの考えでは〔⇨454頁・第14章Ⅰ5(2)(ア)(c)〕，Cは第1順位の譲渡担保権を即時取得する）。占有改定のままではCの保護の可能性はないが，Cが譲渡担保権を実行して現実に引渡しを受けた場合を想定すれば，その時点でもCが善意・無過失であれば，いずれの説に立ってもCは即時取得するが，そうでない場合には，肯定説に立たない限りCは保護されない。

なお，このような場面で，動産譲渡登記に一定の役割が期待されている。AはCの即時取得を排除する（有過失とする）ため譲渡の登記をしておくべきであろう。

(エ) **指図による占有移転**　判例は，事案の類型によって，即時取得を否定しまたは肯定している。最判昭和57年9月7日（民集36巻8号1527頁）は，肯定例である。

■最判昭和57年9月7日民集36巻8号1527頁

事実の概要　輸入業者Bが倉庫業者Cに寄託している動産（輸入豚肉）が，BからD，次いでDからEに譲渡されその引渡しの手段として以下の方法がとられた。すなわち，受寄者C宛てにこの豚肉をD次いでEに引き渡すことを依頼する旨を記載した荷渡指図書がそれぞれ発行され，その正本をCに，副本をD次いでEに交付し，右正本の交付を受けたCは，寄託者たる売主B，Dの意思を確認するなどして，その寄託者台帳上の寄託者名義をBからD，DからEへと変更した。ところがこの動産はBの所有にではなく結局船会社Aの所有に帰することとなり，Eの即時取得の成否が問題となった。

判旨　「Eが右寄託者台帳上の寄託者名義の変更によりD商店から本件豚肉につき占有代理人をC水産とする指図による占有移転を受けることによって民法192条にいう占有を取得したものであるとした原審の判断は，正当として是認することができる」とした。

この事案では，無権利者BはCに寄託した動産につき，Dに対し（DはEに対し）指図による占有移転をしており，占有改定の場合即時取得が否定される理由である「一般外観上変更を来たさない」が当てはまらないので，真の所有者を犠牲にして取得者を保護しても問題はないといえよう。

以上と異なり，真の所有者Aから動産の寄託を受けたBがCにこれを譲渡し，占有改定による引渡しがなされた後，CがDにこれを譲渡しBに対して指図をすることで引渡しがなされた場合，Dの即時取得は否定される。一般外

観上変更を来さない（Bが占有をしたままである）からである。

(オ) 動産譲渡登記　　たとえば，A所有の動産（建設機械甲）を賃借人B（建設業者）からCが譲り受け，その対抗要件として動産譲渡登記（動産債権譲渡特3条）をしたという場合，Cは「占有を始め」てはいないことを理由に即時取得は否定されるか，という問題である。まず，動産債権譲渡特例法3条では，動産譲渡登記がされたときは民法178条の「引渡し」があったものとみなしているので，民法192条の占有を始めたとも評価することができよう（そうでないとCが善意・無過失であった場合，「引渡し」とのバランスを欠く）。ただし，登記がなされた場合には占有がなおBにあるので，この引渡しの評価は，民法192条の適用において，占有改定と同視することになるのか，あるいは現実の引渡しがあったと評価できるのかである。ここでは「一般外観上従来の占有状態に変更を生じた」とは言えず，Aはなお占有を継続するBから当該動産の返還をさせることはあり得るので占有改定の場合と同視して否定すべきであろうか（ただし，後に現実の引渡しがあればその時点で即時取得の成否を判断する）。思うに，動産譲渡登記は公示方法として法で認められたものであり，譲受人としてはこれ以上のことをすることができないしする必要はないので，真の所有者との利害の調整としては，現実の引渡しがあったものと評価してもよいのではないか。

3　即時取得の効果

効果としては，「即時にその動産について行使する権利を取得する」。取得する権利は取引の種類により異なり，所有権あるいは譲渡担保権，または質権である（なお，民法319条は一部の動産先取特権につき民法192条以下を準用している）。商事留置権（商521条）は，民事留置権と異なり，その成立が「債務者の所有する物」に限られているので，債務者以外の者の所有物について商事留置権の即時取得が問題となる。判例（最判昭和62・4・24判時1243号24頁）は，「法律上当然に発生し，当事者間の取引により取得される権利ではないから」として，適用を否定している。

即時取得の結果，真の所有者は所有権を失う。占有を託した相手方が，返還義務を履行できないので，所有者は，その者に対して義務違反による損害賠償を請求することができる。次に述べる民法193条による回復ができなかった場

合，または民法194条の適用により代価弁償をした場合には，所有者は，窃取した者との間で損害賠償の問題，あるいは代価の支払を受けている譲渡人との間で不当利得返還の問題等が生ずる。

4 盗品・遺失物の場合
(1) 問題の所在

「前条の場合において」，すなわち，民法192条で即時取得が成立する場合において，「占有物が盗品又は遺失物であるときは，被害者又は遺失者は，盗難又は遺失の時から2年間，占有者に対してその物の回復を請求することができる」（民193条）。回復請求権は，被害者または遺失者が，動産を占有していたこと，盗難または遺失によりその占有を失ったことを主張立証することで行使できる特殊な請求権である。被害者または遺失者は，所有者であることもあるしまたは占有していた賃借人や受寄者であることもある。「2年間」は除斥期間と解されている[9]。被害者等の主張立証する盗難等の事実から2年間が経過したことは動産を占有している相手方（被告）が主張立証する。

この回復請求は，無償で請求できるのが原則であるが，「競売若しくは公の市場において，又はその物と同種の物を販売する商人から，善意で買い受けたときは」，「被害者又は遺失者は，占有者が支払った代価を弁償しなければ，その物を回復することができない」（民194条）とされる。

被害者または遺失主により無償で回復された場合，占有者は売主である前主に対して，担保責任を追及することができ（民562条以下），この場合，前主は，占有者に対して，目的動産の使用利益の返還を求めることができる（最判昭和51・2・13民集30巻1号1頁【百選Ⅱ45】参照）。

以上に関しては以下の諸点の検討が必要である。〔1〕「盗品又は遺失物」の

---

9) 2年内に裁判上の権利行使をする必要があるかについては，同じく除斥期間（1年）を定める目的物の種類または品質に関する担保責任追及の期間制限規定（民566条）の解釈に関する判例（最判平成4・10・20民集46巻7号1129頁）が参考になる。それは当該権利を保存するには，権利行使の意思を裁判外で明確に告げることで足り，裁判上の権利行使までは必要でないことを述べている。そこで，民法193条においても，回復請求権を保存するためには，裁判外で占有者に対し具体的に占有物が盗品・遺失物であることを指摘して返還を求め回復請求権を行使する意思を明確に告げることで足るというべきである。

解釈（例外扱いの理由），〔2〕回復請求権を行使できる場合（「前条の場合において」の解釈），〔3〕回復請求権者の範囲（「被害者又は遺失者」の解釈），〔4〕回復までの間の所有権の所在（関連して，「回復を請求」の法的性質），〔5〕民法194条の趣旨（代価弁済）。

(2) 「盗品又は遺失物」の解釈（例外扱いの理由）

盗品・遺失物の例外が置かれた理由は，一般に，真の権利者側の意思によらずに占有離脱した場合にまで即時取得を認めると，利益衡量として，真の所有者にあまりにも不利益を強いることになるからと理解されている。

ただし，正確には，盗品・遺失物を除くのは，制度の沿革的事情によっている[10]。

したがって，解釈としては，沿革，および条文に表現された利害調整の考え方を尊重しながら，より合理的な理由づけの下で，この規定を位置づけなくてはならない。即時取得制度が権利外観法理で説明される制度の1つであることは一般に承認されているが，その法理によれば，占有委託ではなく占有離脱の場合のように所有権の外観を作出することに権利者側が何らの意思的・意識的関与をしていない場合にまで即時取得を認める根拠はないということになろう。「盗品又は遺失物」の文言もそのような理解を前提に解釈しなくてはならない。

判例では，盗品・遺失物を厳格に解し，詐欺，横領，恐喝などによる占有移転は含まれないとする。原則はそれでよいが，これらの場合にも，意思が抑圧され権利者側の意思によらないとみられる場合には，「盗品又は遺失物」に当たると解することができよう*。

＊「盗品」は言葉としては窃盗，強盗により盗まれた物を意味する。刑事法的には，強盗（強取）とは，恐怖心を生じさせるに足りる害悪を告げられたこと（脅迫）で動産を交付した場合のうち，反抗を抑圧する程度に至ったときをいい，それに至らないときは恐喝となる，と区別される。しかし，本条の「盗品」に当たるかどうかの判断において強盗と恐喝の区別を厳密に当てはめる必要はなく，本条の趣旨に照らして，脅迫により

---

[10] 所有の観念が物の占有（ゲヴェーレ）と結びついていたゲルマン法の時代，意思に基づかないで動産の占有を失った場合（盗品・遺失物）には，失った者は，それを取得者に対して追及していくことができる訴権が与えられ，そうでない占有委託物の場合には追及する手段が与えられていなかった（移転してしまう）。この制度の枠組みが，あたかも写真の裏焼きのように，動産取引の安全を守る制度としての即時取得制度へと発展した。

> 意思が抑圧され権利者側の意思によらないで占有を移転させられたかどうかの判断をすればよい。強迫により締結させられた契約を取り消した（民96条1項）後，占有者に対し動産の返還を求める場合も同様であり，権利者側の意思によらないで占有を移転させられたとして本条の「盗品」に該当すると判断される事例もあり得ると考える。

(3) 回復請求権を行使できる場合

民法193条には「前条の場合において」とある。そのまま読めば，民法192条の要件を満たし占有者が即時取得する場合ではあるが，動産の盗品・遺失物という属性から，2年間は占有者に対して例外的に回復請求ができるという意味となる。

問題は，民法192条の要件を満たしていない場合である。たとえば，A所有動産を賃借するBがそれを何人かに盗まれ，その後，Cを経由してDが譲り受けた事例（以下，[基本事例]という）で考えると，Dに過失がある場合である（192条の善意・無過失要件を満たしていない）。この場合，民法193条の回復請求権はおよそ発生しないとする趣旨なのか。もし発生しないとすると，賃借人Bは占有者Dに対して動産の返還を求めるにつき本条によるより不利な立場に立つ。つまり，本条であれば2年内に「盗難又は遺失」を証明することで足りるところ，適用されないとなると，Bは占有回収の訴えによるほかはなく，「占有を奪われた」こと，および特定承継人に対してはその者が「侵奪の事実を知っていた」ことを証明して（民200条1項・2項），しかも1年以内に訴えを提起する必要がある（民201条3項）。Bには善意で取得したDが相手であっても本条の回復請求権が認められるのであるから，ましていわんや，そうでないDが相手の場合には，本条の回復請求権が認められると解すべきではないか。判例もこれを認めている（最判昭和59・4・20判時1122号113頁)[11]。もっとも，2年間を超えて認められるというわけではなく，この回復請求権はあくまでその2年間にかぎって認められるものと解すべきであろう。以上の結果，

---

11) 「民法193条によれば，動産に関する盗品の被害者は，同法192条所定の即時取得の要件を具えた占有者に対してその物の回復を請求することができるとしているから，同法193条は，盗品の被害者が右の要件を具えない占有者に対してその物の返還請求権を有することを当然の前提とした規定であるといわなければならない」という。

「前条の場合において」は「前条の場合であっても」と読むことになる。なお，念のため述べておくが，この D に過失がある事案（即時取得の要件が具備されていない場合）においては，上記被害者・遺失者に回復請求権が認められるほか，所有者 A は，過失ある D に対して所有権に基づく返還請求ができる。そして，これは2年内に行使しないと D が所有権を即時取得するという事情がない場合なので，2年間という行使期間の制約はかからない。

(4) 回復請求権者の範囲

「被害者又は遺失者」が回復請求権者である。所有者，賃借人，受寄者など直接被害にあった者，および遺失した者である。賃借人や受寄者などの占有者 B がこれに当たるという場合，所有者 A をも本条の被害者等と位置づけ回復の請求権者と解釈することができるか。これは否定されよう。間接占有を有する所有者を窃取・強取された者あるいは遺失者と位置づけることが困難であるからである。そうすると，A は，B の回復請求権行使に期待するほか，その請求権の代位行使の可能性を検討し，また，もちろん所有権に基づく返還請求権を行使して従前の権利状態の回復を図ることになる。なお，所有権に基づく返還請求権は，民法193条（および194条）を超えた内容でその行使ができるとすると，同条の本来的意味（即時取得をする場合ではあるが盗品・遺失物については2年間にかぎって返還に服させる）を失わせるので，同条の範囲（2年間）に限定されよう。ただし，民法192条の原則性を強調し譲渡の時に所有権は取得者 D に即移転していると構成すると（私は反対であるが），A の所有権に基づく返還請求権は成立しない。そうすると，元に戻って，実質的にみて，A を被害者と位置づけることも考慮する必要がある。なお，この被害者から質権者は除外される（民353条「占有回収の訴えによってのみ，その質物を回復することができる」参照）。

(5) 回復までの間の所有権の所在

前掲の［基本事例］で，D が即時取得の要件を具備している場合，D に所有権は移っているのか，そうではなく，A に所有権はあり，2年間回復請求を受けないで経過するとその時点で D が所有者となると考えるのか。前者であれば，回復請求権の性質は，B が「所有権等元の権利状態」の復帰を図る請求権であり，後者であれば，単に，B が自らの占有状態を回復する請求権にとどま

る。民法192条の原則性を強調する立場は前者を主張するが，占有離脱物では帰責性が満たされず本来即時取得しないことを強調すれば後者の考えとなる。後者を支持しておきたい。

　判例も，後者の考えである（大判大正10・7・8民録27輯1373頁）。前者の考えでは，前掲の［基本事例］で，賃借人等であり所有者ではなかったBが所有者Dから（Aの）所有権の回復をすることができるという奇異な結果をみることになるからという理由である。

(6)　**民法194条の趣旨（代価弁償）**

(ア)　**趣旨**　これは，民法193条に対する例外規定であって，盗品・遺失物の取得者が「競売若しくは公の市場において，又はその物と同種の物を販売する商人から，善意で買い受けたときは」，被害者または遺失者は，「占有者が支払った代価を弁償しなければ」，その物を回復することができない，とするものである。代価弁償を要求する理由は，公の市場，同種の物を販売する商人などから買い受けたときは，前主を所有者と（盗品・遺失物などではないと）信頼してもよい度合いが高く，取得者の保護の必要性が高いからである。なお，回復者は弁償した代価につき，窃取者など不法行為者に対し損害賠償請求をすることができるが，実際は捕まえられず支払を得られないことが大半であろう。

　なお，民法194条に当たる場合であっても，取得者が古物商ないし質屋である場合には，その営業の性質から，無償返還が義務づけられている（ただし，盗難または遺失の時から1年を経過した後においては，この限りでない〔質屋22条，古物20条〕）。

(イ)　**取得者は使用利益を返還すべきか？**　前掲の［基本事例］で取得者Dは，取得後実際に回復者B（またはA）に返還するまでの間自分の所有物と信じて取得した動産を使用している。しかし，回復者に動産を返還すべきであるということになれば，Dは少なくとも返還の訴えが提起され悪意の占有者とみなされるようになった以後の使用利益（使用利益は果実に当たる）は回復者に返還する必要はないのか（民190条，189条2項参照）。これは上で述べた回復までの間の所有権の所在についての解釈も関係して難しい問題である。

　最判平成12年6月27日（民集54巻5号1737頁【百選Ⅰ69】）は，民法194条が，占有者（同種の物を販売する商人から善意で買い受けるなど特に保護すべき状況

で動産を取得した）と回復者（盗難にあった被害者等）との利害を，返還は請求できるが代価弁償が必要というかたちで均衡を図った規定であることからして，代価弁償までは占有者に使用収益権がある（使用利益の返還請求を認めない）と考えることが，双方の保護の均衡を図るという条文の趣旨に合致した解決となるという[12]。つまり，使用利益を返せということになると，〔1〕回復者が代価弁済して返還を求める決意をした場合，占有者は使用利益を返還すべきことになり，逆に，〔2〕回復者が回復をあきらめると，占有者はそのまま使用利益を取得する結果となる，という不均衡が生ずる，と。

■最判平成 12 年 6 月 27 日民集 54 巻 5 号 1737 頁

事実の概要　X 所有の土木機械甲が盗まれた。Y は，これを数日後に，無店舗で中古土木機械の販売業等を営む A から善意・無過失で購入し，代金 300 万円を支払って引渡しを受けた。X は，盗難から 2 年内に Y に対して甲の返還を訴求し，〔1〕訴求から返還までの甲の使用利益相当額の支払を求め（Y は 1 審敗訴後控訴審継続中にこの使用利益相当額の増加を恐れて甲を X に返還），これに対して，Y は，（甲返還までは抗弁として，返還した後は）反訴として，〔2〕民法 194 条に基づく代価の弁償を求めた。原審は，上記使用利益の支払（総額 273 万円）も，代価弁償（300 万円と反訴の時からの遅延利息）も認容した。Y が上告。

判旨　「盗品又は遺失物（以下「盗品等」という。）の被害者又は遺失主（以下「被害者等」という。）が盗品等の占有者に対してその物の回復を求めたのに対し，占有者が民法 194 条に基づき支払った代価の弁償があるまで盗品等の引渡しを拒むことができる場合には，占有者は，右弁償の提供があるまで盗品等の使用収益を行う権限を有すると解するのが相当である」とし，その理由を，「けだし，民法 194 条は，盗品等を競売若しくは公の市場において又はその物と同種の物を販売する商人から買い受けた占有者が同法 192 条所定の要件を備えるときは，被害者等は占有者が支払った代価を弁償しなければその物を回復することができないとすることによって，占有者と被害者等との保護の均衡を図った規定であるところ，被害者等の回復請求に対し占有者が民法 194 条に基づき盗品等の引渡しを拒む場合には，被害者等は，代価を弁償して盗品等を回復するか，盗品等の回復をあきらめるかを選択することができるのに対し，占有者は，被害者等が盗品等の回復をあきらめた場合には盗品等の所有者として占有取得後

12）　なお，この判決は，使用収益権を所有権の所在を基準として判断してはいないので，民法 193 条に基づき善意・無過失の取得者に対し回復を求める場合における使用利益の返還については別に考える必要がある。この場合は，被害者等から動産の回復の訴えを提起された後は占有者は使用利益の返還を義務づけられることになろう。なお，その後は，占有者は前主に対し，支払った代金とその利息の返還を求める関係が生じる。

の使用利益を享受し得ると解されるのに，被害者等が代価の弁償を選択した場合には代価弁償以前の使用利益を喪失するというのでは，占有者の地位が不安定になること甚だしく，両者の保護の均衡を図った同条の趣旨に反する結果となるからである。また，弁償される代価には利息は含まれないと解されるところ，それとの均衡上占有者の使用収益を認めることが両者の公平に適うというべきである」，とした。

　判旨の理由づけは透明ではないが，実質的には，民法194条の適用を主張できる場合における占有者の特別の地位，つまり被害者等から代価の弁償があるまで盗品等の引渡しを拒むことができる地位（動産の占有を継続できる地位）を指摘して，それを全うさせるために「代価弁償の提供があるまで盗品等の使用収益を行う権限を有する」としたものとみるべきであろう（指摘すべきは，代価の返還を求める相手方が，一般事例では売主たる前主でありその者と同時履行関係にあるところ，民法194条では被害者等である点が特殊である）。

　なお，この判決は，占有者Yが，代価の弁償がなければ目的動産を引き渡さないと争いつつも，代価の弁償を受けることなく先にXに動産甲を返還した場合であっても（使用利益を払わなくてはならないとすれば返還が遅れるだけその支払額が増大する危険があるのでYは返還した），Yは，「なお民法194条に基づきXに対して代価の弁償を請求することができるものと解するのが相当である」と判断している。代価弁償請求は抗弁的にのみ行使すべき権利ではないから，妥当な判断である。この場合，代価弁償請求権は期限の定めのない債務であり，その履行の請求があった時から被害者等は遅滞に陥るので（民412条3項），本件ではYが甲をXに引き渡した時から遅延賠償請求ができるとした。

第6章　明認方法による公示

I　問題の所在

　わが国では，古くから，山林立木を，山林地盤とともにではなく，それのみ独立して立木のまま取引する慣行があった。主として買主がそれを伐採して木材とする目的の取引である。その場合，取得者は立木の権利関係を公示する意味で，木の皮を削ってあるいは立札を立てて取得者名を墨書するなどの手段を用いた。

　民法典はこのような取引について物権変動秩序の上で正当に位置づけることをしていない。民法上は，立木は土地の一部である（民86条1項）。したがって，土地の権利関係に吸収され，土地登記簿による公示に従うことになる。立木に対し取得する上記の権利を直接公示する手段は与えられていない。それを前提にすると，立木の伐採前に，第三者が山林地盤を取得し登記を経由すると，立木のみの取得者はこの第三者に劣後するという不当な結論にならざるを得なかった。

　しかし，立木はそれ自体経済的価値ある取引客体であり，立木取引もまた保護に値する。そこで，早くに「立木ニ関スル法律」（明治42年法22号）が制定され，登記による公示の道が開かれた。すなわち，「樹木ノ集団」で「所有権保存ノ登記ヲ受ケタルモノ」を「立木」とし（立木法1条），独立の「不動産ト看做」して（同法2条1項），土地所有権の処分に対抗できることとした（同法2条3項）。しかし，この登記はあまり利用されなかった。

　他方，判例は，古くから一貫して，墨書等による慣行的な権利関係の公示を「明認方法」と呼んで立木の権利取得の公示方法と位置づけ，二重の立木取得者や山林地盤取得者に対する関係で対抗力を承認した[1]。

II 明認方法による対抗

1 明認方法の具備
(1) 方　法
　立木の皮を削って現所有者名を墨書する，立木に極印を打ち込み標札（立札）を立てる，標杭を立てるなどの方法が明認方法である。また，判例は，薪炭の製造用に立木を買い受け，その山林内に小屋，炭竈などの製炭設備を作りこれに従事していた事実があれば，明認方法ありと認めている（大判大正4・12・8民録21輯2028頁）。

(2) 明認方法の存続
　権利取得の際にいったん明認方法が施されたとしても，第三者が権利を取得する時点でそれが消失している場合には，公示の機能を果たしていないので明認方法ありとして当該第三者に対抗することはできない（最判昭和36・5・4民集15巻5号1253頁【百選I 65】）。

2 明認方法により公示される物，物権，物権変動
　立木，未分離の果実などについての，所有権および，その譲渡を公示できる。立木の売買で売主が留保している所有権も公示できるとされる。所有権以外の，たとえば抵当権などの権利関係の公示方法としては明認方法は使えない。これは明認方法が登記簿のようにその権利内容を詳細に公示するには適さないからである。

3 明認方法による対抗が問題となる関係
(1) 立木のみの二重譲受人相互間
　立木の二重譲受人相互間は明認方法による対抗関係にあり，お互いに「第三

---

1) 稲立毛，果実も土地に生育した状態で，あるいは，樹木から未分離の状態のままで，譲渡されることがあり，判例は，同様に明認方法による対抗を承認している。また，湯口権なる慣習法上の物権（温泉専用権）を承認した判決（大判昭和15・9・18民集19巻1611頁。⇒8頁・第1章 II 3(2)(イ)）においても明認方法による対抗が承認されている。

者」となる。

(2) 立木の譲受人と地盤の譲受人との間

〔1〕山林所有者Aから立木所有権のみを取得した者Bと，当該立木の地盤の所有権を立木とともに取得した者Cとの優劣は，Bの明認方法と，Cへの所有権移転登記の先後による。明認方法と登記とが競合する場合の，明認方法の対抗力が認められているわけである。これは，Cが地上権登記，または，抵当権設定登記を得た制限物権者であっても同様である。〔2〕上の例で，地盤を取得したCが（土地の登記はAのままで）立木のみにつきCに帰属する旨の明認方法を施した場合も，上記(1)の場合と同様，BとCとの優劣は明認方法の先後による対抗の問題となると考えるべきであろう。

(3) 立木の所有権留保売買

山林の所有者Aが立木所有権を留保して地盤のみの所有権をBに移転し所有権移転登記をし，その後，Bが立木を含めて地盤を第三者Cに譲渡し所有権移転登記を経由した場合，AがCに対して立木所有権の留保を主張するためには，そのための明認方法を経由している必要があると考えるべきか。判例（最判昭和34・8・7民集13巻10号1223頁）は，「留保もまた物権変動の一場合と解すべきであるから……明認方法を施さない限り，立木所有権の留保をもってその地盤である土地の権利を取得した第三者に対抗し得ない」という。これを批判する見解として，そもそも立木の所有権は移転しておらずAにあり，したがって，Bは立木に関して無権利であるからCは立木を取得することができない（または立木の即時取得の問題となる）とするものもある。しかし，立木は本来土地地盤の一部であり，明認方法が施されてはじめて地盤からの独立性が認められるわけであるから，地盤所有権が移転し登記がなされる場合には，立木所有権の留保を主張するためには明認方法がなされている必要があるというべきであろう。

第7章 物権の消滅

I 序　説

　物権の消滅は，物権変動の一態様である。物権消滅の一般的な原因としては，目的物の消滅，消滅時効（民166条2項），放棄（民268条1項，275条），混同（民179条）などがある。

　放棄（の意思表示）により所有権も消滅（所有者が所有権を喪失）するのかに関しては規定がない。動産については，放棄の意思をもって占有を離脱させることで放棄が可能と考えられる（民239条1項）。不動産については，仮に放棄が可能とすれば所有者は所有権を喪失し無主の不動産となり，国庫に帰属する（民239条2項）。相続により仕方なく土地の所有者となったがその土地への関心がないという事例を中心に，土地所有権の放棄については議論がなされてきた。しかし，放棄を可能とすると，権利関係が錯綜した土地や，崖地など物理的に管理困難な土地などでは，所有者が負担すべき管理のコストを国（国民）に転嫁することになり，妥当な結論とは考えられない。この問題については，令和3年に「相続等により取得した土地所有権の国庫への帰属に関する法律」（法25号）が成立し，放棄の可否の議論は別にして，問題の解決が図られた（⇨146頁・第8章III2(2)参照）。

　ほかに，担保物権は，被担保債権が消滅すれば付従性により消滅する。

　消滅についても物権変動の原則に従って対抗のための登記が必要であるが，どのような場合に登記が必要かは個別的に考える必要がある。たとえば，抵当権の放棄の意思表示（による負担のない所有権の回復）も抵当権の抹消登記をしなければ所有者はそれを第三者に対抗することができない[1]。

II 混同による消滅とその例外

1 混同による消滅

　民法179条は混同による物権の消滅を以下のように規定している。「同一物について所有権及び他の物権が同一人に帰属したときは，当該他の物権は，消滅する」(1項)，「所有権以外の物権及びこれを目的とする他の権利が同一人に帰属したときは，当該他の権利は，消滅する」(2項)。たとえば，抵当権者，地上権者が，譲渡，相続等によりその目的不動産の所有権を取得する場合は，制限物権は消滅する（民179条1項）。抵当権者が抵当権の目的たる地上権を取得した場合も抵当権は消滅する（民179条2項）。

　土地の賃借人が賃貸人から当該土地の所有権を譲り受けた場合，賃借権は消滅するが，これは債権なので，「債権及び債務が同一人に帰属したときは，その債権は，消滅する」(民520条) による。

　なお，占有権は，性質上，混同による消滅はしない（民179条3項）。

2 混同の例外

　混同による消滅については例外がある。消滅させることにより関係する権利者の利益が害される場合には消滅しない扱いとするのである。すなわち，「その物又は当該他の物権が第三者の権利の目的であるときは，この限りでない」，と（民179条1項但書。2項後段で準用される）。たとえば，第1順位の抵当権者がその目的不動産の所有権を取得した場合に，「その物」が第2順位の抵当権の「目的であるとき」(第2順位の抵当権者が順位上昇に利益を得，その分，所有権を取得した第1抵当権者が損失を被るからである)，あるいは，地上権者が対象不動産の所有権を取得したが，当該地上権が第三者の抵当権の目的であるときなどである。

---

1) 大決大正10年3月4日（民録27輯404頁）。抵当権の放棄の（抹消）登記がなされなかったので，抵当権設定者は，その消滅（抵当権の負担のない所有権）を，第三者（当該抵当権を譲り受けその旨の〔付記〕登記を経た者）に対抗できない，とされたもの。

議論になるのは，Aが所有する土地甲をBが賃借して地上建物乙を所有し対抗要件を具備している状態で，Aの債権者Cが甲土地に抵当権を取得したが，その後，BがA所有の甲土地の所有権を相続等により取得したという場合，土地の賃借権は混同により消滅するか，である。債権の混同の問題であるので民法520条但書によるが，「その債権が第三者の権利の目的であるとき」にのみ例外が認められるだけなので，本事例では賃借権は混同消滅してしまう。しかし，それでは，Cの抵当権が実行された場合，Bの利益が害される。つまり，Bには本来抵当権に優先する賃借権があったのに，その利用権を失い（さらに，法定地上権は成立しないので），Bの建物は土地の買受人に対抗できないことになる。そこで，土地の賃借権は対抗要件を具備することで物権的な扱いがなされていることを理由に，民法179条1項但書の類推適用を認め，甲土地が抵当権者Cの抵当権の目的であるので，Bの賃借権は混同消滅をしないと解すべきであろう。

第8章 所有権

I 序 説

　所有権は私法秩序の中で最も基本的な権利の1つであり重要な役割を果たすものである。

　わが国の法体系では，所有権は，物つまり動産，不動産という有体物を対象として成立する。一般用語では，預貯金，株式，あるいは著作権，特許権等についても「財産を持っている」と表現するが，それらは法的には債権関係等，あるいは特別法上の物権類似の知的財産権であり，民法上の所有権が成立しているわけではない＊。

> ＊金銭に対する所有権について　金銭は動産であるが，物としての個性が重視されず，価値を表象し財貨の交換の媒体として使用される特殊なものである。そこで，金銭の所有権はその占有を取得した者に帰属するととらえられてきた。判例（最判昭和39・1・24判時365号26頁【百選 I 77】）も，金銭をBに騙し取られたAが，騙取者Bの債権者Cによる当該金銭の差押えに対して，自分が所有者であるとして第三者異議の訴えを提起したのに対してこれを認めず，その理由を「金銭は，特別の場合を除いては，物としての個性を有せず，単なる価値そのものと考えるべきであり，価値は金銭の所在に随伴するものであるから，金銭の所有権者は，特段の事情のないかぎり，その占有者と一致すると解すべきであり，また金銭を現実に支配して占有する者は，それをいかなる理由によって取得したか，またその占有を正当づける権利を有するか否かに拘わりなく，価値の帰属者即ち金銭の所有者とみるべきものである」と述べている（同趣旨，最判平成15・2・21民集57巻2号95頁【百選 II 73】）。ただ，占有と所有とが一致するとの考えによると，金銭を騙取された者は騙取者に対して，仮にその金銭がなお特定されている状態であるとしても物権的返還請求権を行使してその返還を求めることはできず，単なる一般債権たる不当利得返還請求により返還を求めることができるにすぎず，あるいは上の例のように第三者異議が認められず，騙取者の債権者が利益を受けるという不当な結果となるとして，今日，批判にさらされている（物権的価値返還請求権を認めるべきであるなどとの主張が展開されている）。

　所有権について検討を要する問題は，まず，所有者は所有物に対していった

いどのようなことをすることができるのか（権利内容），それにつき制限・制約はないのか，である。次いで，譲渡のほか所有権を取得する原因としてどのようなものがあるか，および，複数者が1つの物を所有するいわゆる共有の法律関係が問題になる。以下，順次検討する。

II 所有権の内容とその制限

1 所有権の内容

「所有者は，法令の制限内において，自由にその所有物の使用，収益及び処分をする権利を有する」（民206条）。所有者は，法令の制限内で，自分の自由な意思で使用，収益をしてよい，その使用目的も問われない，他人にその物を賃貸するなどして収益を上げることも許される。また，自己ないし第三者が負担する債務の担保としてその物に担保権を設定する，あるいは，所有権そのものを他人に譲渡する，あるいは放棄するなどの処分をすることができる。要するに，所有者は，所有物（動産，不動産）に対して全面的な支配権を有し，物のもつ使用価値，交換価値を全面的に把握していることになる。

このような所有権に基づく支配が他人により違法に侵害される場合所有者は保護され，その手段として侵害者に対して所有権に基づく各種の物権的請求権を，あるいは損害賠償請求権（民709条）を行使することができる。

2 所有権に対する制限

(1) 序

所有権は所有物に対する全面的支配権とされているが，条文にも明らかなように，それは「法令の制限内において」である。制限としては土地所有権に関するものが大部分である。所有権に対する制限を置く法令中の規定としては，相隣関係法など民法中の規定（民209条以下）もあるが，都市計画法，建築基準法等公法中の多数の規定を挙げることができる。また，民法1条の信義則，権利濫用禁止規定を基礎とした所有権の制限も判例によりなされている。

(2) 民法による制限

相隣関係法については後述する（⇨150頁・IV）。

権利濫用禁止規定を適用して所有権が制限された裁判例は多数ある。所有権に基づく使用収益行為それ自体が権利濫用とされ，その差止め，損害賠償義務が問題とされた事例[1]，所有権に基づく明渡請求等が権利濫用とされその請求が許されないとされた事例[2]，越境建築物に対する妨害排除請求が権利濫用とされその請求が許されないとされた事例[3]などを指摘できる。

(3) 行政法規による制限

たとえば，Aがある土地の所有権を取得しその土地の上に建物を建築することを計画している。この場合，土地所有者が所有する土地を使用・収益するのは自由であるから，Aが建物を建築できるのはあたりまえである。しかし，さらに，その土地の境界まで目一杯使い，用途，高さ，形状など自由に建築することが許されるかというと，もちろんそうとはいえない。土地の利用に関しては，各種の観点から利用関係を整序する目的で，いろいろな行政法規により多様な制限がなされているからである。

その上地が都市計画法上市街化を抑制すべき市街化調整区域内にある農地だとすると，農業用あるいは農業を営む者の住居用の建物以外の建物の建築はできない（都計43条）。また，市街化区域においては用途地域ごとの制限があり，たとえば，低層住宅の良好な住環境を守るための第一種低層住居専用地域内の土地だとすると，店舗とか病院といった種類の建物は建てられない（建基48条）。用途にとどまらず，秩序だった街並みの形成のために，さらに，建物の容積率，建ぺい率，外壁の後退距離，接道義務，高さ制限，日影規制等々が，建築基準法で細かく規制されている。以上のように，都市計画法，建築基準法では健全な秩序ある街づくりを行う目的で，土地利用の制限，建物の建築制限が課せられている。

---

[1] 自己の所有地上に杭，ブロック塀，鉄条柵などを設置する行為が，隣人等特定の者の通行等を事実上妨害する結果，権利濫用と判断され，その妨害物件の排除請求を認めた下級審裁判例（広島高判昭和33・8・9判時164号20頁），建物建築で隣家の日照・通風を阻害するという近隣妨害のケースについて権利濫用として違法性を認定し損害賠償を認めた判決（最判昭和47・6・27民集26巻5号1067頁）などがある。

[2] 有名な宇奈月温泉事件判決（大判昭和10・10・5民集14巻1965頁【百選Ⅰ1】），板付基地事件判決（最判昭和40・3・9民集19巻2号233頁）など。

[3] 東京地決昭和58・11・11判時1104号85頁など。

このほかにも，土地所有権自体を公共事業のため強制的に収用することができる土地収用法，土地の利用・建築制限を課す都市再開発法，土地区画整理法，農地法，土地改良法，森林法，古都における歴史的風土の保存に関する特別措置法等，多様な法律による制限が存在する。

ある土地につき法律上どのような利用の制限，制約が課せられているかを知るには，登記簿は役に立たない（このような事項は記載されていない）。宅地建物取引業者が取引に関与する場合に，彼らから重要事項として土地利用制限に関し説明を受けることがあるほかは（宅建業35条），取引しようとする者自身が直接地方の行政機関等で調査することになる。

3　土地所有権の範囲
(1)　「土地の上下」

土地に対する所有権はその地表面に対してのみ及んでいるというものではなく，その上空，地中にまで及んでいる。では，いったいどの範囲にまで及ぶのか。民法207条は，「土地の所有権は，法令の制限内において，その土地の上下に及ぶ」とする。その上下の範囲内と判断されれば，電鉄会社が地下鉄または高架の鉄道の工事をする，あるいは，電力会社が高圧電線を通すなどの場合には，その土地の所有者に対する関係で土地を利用する権利，たとえば空中・地下の地上権（民269条の2）を設定してもらわなくてはならない。もっとも，上下といっても，どこまでも所有権が及ぶわけではなく，土地所有者が通常常識的に利用する可能性のある範囲にとどまると考えるべきであろう（飛行機の飛ぶ高さまでは支配できない）。

法令の制限としては，まず，「大深度地下の公共的使用に関する特別措置法」（平成12年法87号）を挙げることができる。これは，東京などの大都市圏で，一定の公共の利益となる事業（道路，鉄道の敷設，電気・ガス・水道などのライフラインの整備など）のために，大深度地下（原則，地表から40m以深の地下空間）を使用する場合，事業者は，一定の手続を経て国土交通大臣から使用の認可を得てその事業のために無償で大深度地下を使用することができる，とするものである。この場合，土地所有者の権利は制限され，具体的な損失があったときにその損失の補償を請求できるにとどまる（大深度地下25条，37条）。

ほかに、地中に含まれる「鉱物」（鉱業3条）は、国および国から鉱業権を付与された者のみが掘採できる（鉱業2条、5条、7条、11条、12条）とされるので、土地所有者の所有権は地中の鉱物に対しては及ばないこととなる。

(2) 地下水・温泉の掘削利用とその制限

土地の所有者は、原則として自由に、その土地を掘削して地下水・温泉を利用し得る。しかし、一定の制限がある。第1に、慣習による制限、第2に、権利濫用禁止規定による制限である。まず、慣習による制限は温泉について特に問題となる。一定地域の温泉について、一定の集団（共同体）が旧来の慣習上独占的な利用権を有している場合、それに抵触する土地所有者による温泉の掘削利用は物権的に排除される。次に、権利濫用禁止規定による制限として、社会観念上許容される範囲を逸脱して地下水、温泉を汲み上げ、近隣の既存の利用に支障を来す場合には、その差止め、または損害賠償の支払が義務づけられることがあり得る[4]。

III 所有者不明土地対策関連法制（概観）

1 問題の所在と立法による対策

(1) 所有者不明土地とは

近時、わが国において、所有者が不明である土地が増加しているという問題がクローズアップされている。この所有者不明の定義であるが、不動産登記簿の記録からは、所有者が直ちには判明しない土地、および、所有者が判明してもその所在が不明で連絡がつかない土地、とされる*。その割合は、国の調査では国土の22％にのぼり、放置できない大問題であるとされる。不動産の物理的現況、その権利関係は、不動産登記簿を見れば分かるというのが不動産登記制度の建前であるが、肝心の所有者、その所在に関する記載が、多数の不動産登記簿において、実際の状況と食い違っているという問題である。

---

4) 地下水の利用に関し、養鱒業者がその事業のため自己の所有地内で新規に井戸を掘り多量の地下水を汲み上げたところ、これに隣接し、以前から地下水を庭園の池の水として利用し、料理屋を営んでいる者の井戸が涸渇してしまったという事案に対して、これを所有権の濫用として不法行為が成立するとしたものがある（大判昭和13・6・28法律新聞4301号12頁）。

> ＊不動産登記簿の記録から所有者およびその所在を直接明らかにできることがゴールであり，そうでないものはすべて所有者不明とされている。したがって，登記名義人の住民票，戸籍などを調査すれば，その所在，死亡，相続人（所有者）の有無，その氏名等が判明するものもこの定義では不明とされる（登記簿の記録は公開されているが，住民基本台帳，戸籍は，原則非公開であり，一般の取引における土地所有者の調査にとっては，登記簿の記録が重要である）。なお，後で見る，所有者不明土地の利用円滑化の方策として，令和3年民法改正により新設された，所有者不明土地・建物管理制度（民264条の2～264条の8），共有物の変更，管理（民251条2項，252条2項，252条の2第2項），所在等不明共有者の持分の取得・譲渡制度（民262条の2，262条の3）における所有者不明概念は（他に，民233条3項2号），これと異なり，登記簿に加えて，さらに住民票，戸籍により必要な（追跡）調査を尽くしても所有者の氏名または名称やその所在が不明という意味である（⇨191頁・Ⅵ3⑵⑺ⓑ参照。狭義の所有者不明土地であり国土の0.4％程度とされる）。

(2) 発生原因・背景

　所有者不明土地発生の原因は，相続登記の未了（65.5％），住所変更登記の未了（33.6％），その他（売買・交換等による所有権移転登記の未了）である。これら登記未了の背景としては，そもそも相続登記，住所変更登記などの申請は義務ではない。また，土地は，人々の社会生活，経済生活を支える基本的な財であるが，人々の暮らしに変化が生じ（少子高齢化，人口の都会への集中），一部で，土地を所有するという意識が希薄化，土地を利用したいというニーズが低下し，ときには重荷になる場面が生じている。そこで，たとえば，地方に住む不動産の所有名義人が死亡し相続が発生しているにもかかわらず，都市部に定住している相続人らは相続を放棄したり，または遺産分割も相続登記もしないで遺産共有状態のまま放置している。さらに，その共同相続人も死亡し数次の相続が発生する中で，登記がなされないままの（ときに共有者が多数にのぼる状態の）土地が増えてきている，ということである。

(3) 問題点とその対策

　所有者不明土地が抱える問題点としては，①実際の土地所有者の探索に，費用，時間がかかる，②土地が管理されず放置されることが多い，および，③共有者が多数であったり，その一部が不明の場合には，土地の管理や利用に関する合意を形成しにくいということが挙げられる。その結果，土地の利・活用に

障害となったり（公共事業が円滑に進まない，災害〔東日本大震災など〕からの復興事業の妨げとなる），管理不全となり周囲に危険や悪影響を及ぼしている。

これに対する解決策の提示は土地政策および民事法制の問題としても喫緊の課題となっている。令和3年4月，その対策として，民法，不動産登記法等の一部改正（法24号）と相続土地国庫帰属法（「相続等により取得した土地所有権の国庫への帰属に関する法律」）の制定（法25号）がなされた（施行日については，はしがき〔追記〕参照）。一方で，所有者不明土地の発生を予防し（⇨**2**），他方で，すでに発生している所有者不明土地の利・活用の円滑化を図ろうとしている（⇨**3**）。

2 所有者不明土地の発生を予防する規律

(1) 不動産登記法の改正

(ア) **序**　発生の予防に関わる規律として，まず，所有者（および共有者）不明の状態が発生する最大の原因を除去すべく，令和3年改正不動産登記法では，相続人に対し，公法上の義務として，相続（特定財産承継遺言を含む）および遺贈により所有権を取得した場合，3年以内に登記申請をするよう義務づけた（不登76条の2）。加えて，相続登記申請義務の代替的手段として，相続人申告登記の制度を創設した（不登76条の3）。なお，申請漏れの防止のため，登記名義人本人および相続人に対し相続登記が必要な不動産の一覧を証明書として発行してくれる所有不動産記録証明制度が設けられた（不登119条の2）。

次に，登記名義人の氏名や住所について変更があったときは，2年以内にその変更の登記を申請するよう公法上義務づけた（不登76条の5）。

そして，正当な理由がないのに以上の申請の義務を怠ったときは過料に処するとしている（不登164条）。あわせて，上記の登記申請義務の履行を助け，促進するため，関連する登記手続について，簡素化・合理化が図られている。

(イ) **相続登記の申請義務化について**　(a) **申請義務**　土地，または建物の所有権の登記名義人が死亡して，その相続が開始し，この相続によって所有権を取得した者は，自己のために相続の開始があったことを知り，かつ，当該所有権を取得したことを知った日から3年以内に，所有権の移転の登記を申請することが義務づけられる（不登76条の2第1項前段）。また，相続人である者が遺贈によってその所有権を取得した場合も同様に登記申請が義務づけられる

(同項後段)(以上の部分の法の施行は公布後3年以内とされる)。なお，明示的には読み取れないが，特定財産承継遺言により財産を承継した相続人は，同遺言が遺産分割方法の指定(民908条)と位置づけられているから，相続によって所有権を取得した者に含まれる＊。

> ＊ 相続人に対する遺贈による所有権の移転の登記は，これまでその他の共同相続人との共同申請とされていたが，上記のように登記申請義務が課せられたこともあり，例外として登記権利者(受遺者)が単独で申請できることとした(不登63条3項)。単独で申請できる特定財産承継遺言の場合と同様，遺言による所有権移転であり，双方で機能的に異ならないというのがその理由である(⇨51頁・第4章 III 2 (2)(イ)(b))。

(b) **申請義務の履行** 不動産登記法76条の2第1項前段の相続登記は，単独相続の場合に適用されるのは当然として，共同相続では，①遺産分割前の遺産共有状態において法定相続分(民900条，901条)に応じてされたもの(共同相続登記)である場合，②遺産の分割の後にその結果を直接反映してなされたものである場合がある。前者の共同相続登記は，共有物に関する保存行為として共有者(共同相続人)の1人による登記申請によりなすことができる(その債権者の代位によることもある)。上記①または②の登記申請は，自己のために相続の開始があったことを知り，かつ，当該所有権を取得したことを知った日から，3年以内になされなくてはならない。期間3年の起算点は，①の登記は通常相続開始を知った時(相続放棄があった場合は，その事実を知った時)，②の登記は遺産分割の時であり，3年以内という申請義務は①の登記の期間満了までに履行される必要がある(履行できないときは，とりあえず，①の登記の代替手段である後述(ウ)の相続人申告登記の申出をすることになる)。なお，特定財産承継遺言または遺贈により所有権を取得した場合の起算点は，遺言によるそれを知った時点ということになる。正当な理由がないのに(登記官が登記申請をするよう催告をするなどの手順を踏んだにもかかわらず)相続登記の申請を怠ったときは10万円以下の過料に処せられる(不登164条1項)。なお，代位者その他の者の申請によって登記が実現されている場合には，相続人，受遺者による申請はもはや問題とならない。

(c) **共同相続登記がなされた後に遺産分割がなされた場合** (i) **序** 不動産登記法76条の2第1項前段による上記(b)の①の共同相続登記がなされて

いる場合，その後遺産分割がなされれば，あらためて，遺産分割の結果を登記することになる。この登記は，法定相続分を超えて持分を取得した者にとっては，その超過部分については第三者対抗の登記となる（共有者間での持分の移動がある）。相続登記の公法上の申請義務はこの局面でも要求され，同条2項は，共同相続登記がされた後に遺産の分割があったときは，当該遺産の分割によって法定相続分を超えて持分を取得した者は，この遺産分割の日から起算して3年以内に，所有権の取得に関する登記を申請しなければならないとする。法定相続分を超えて持分を取得した者がその登記をした場合（登記の更正によることができ，単独申請となる），他の共同相続人の持分の登記も結果としてその旨改められることになる。

　遺産分割をしたにもかかわらず，登記申請義務ある共同相続人が，ここでの登記申請義務を正当な理由がないのに怠った場合には過料に処せられる（不登164条1項。民事法的には，法定相続分を超えて持分を取得したことを第三者に対抗できない）。また，参考までに付言すると，遺産分割をしないまま，相続開始の時から10年が経過してしまったときは，法定相続分および指定相続分以外の相続分（具体的相続分）を主張することができない，とされている（民904条の3）。

　(ii) 登記手続の簡素化・合理化　共同相続登記がなされた後に遺産分割がなされ法定相続分を超えて持分を取得した者がその旨の登記をするについては，上述の通り，登記実務の運用として，登記の更正によることができ，単独申請が許される扱いとなる（不動産登記法63条の運用）。これまでは，法定相続分を超えて持分を取得した旨の登記を登記義務者である共同相続人との共同申請によって行っていたが，その実務を簡素化・合理化した（登記申請の手数料〔登録免許税〕についても，二度払いを避け負担軽減が図られる）。所有者不明土地解消のため相続登記の申請義務を履行させる実効性を確保する趣旨からである。

　また，これと同様に，共同相続登記がなされた後になされる，①他の相続人の相続の放棄による所有権の取得に関する登記，②特定財産承継遺言による所有権の取得に関する登記，および，③相続人が受遺者である遺贈による所有権の取得に関する登記について，更正登記によることができ，それぞれの登記権利者の単独申請が許される扱いとなる。

(ウ) **相続人である旨の申出制度** 相続登記申請義務者の手続的負担を軽減するため簡易な相続人申告登記制度が創設され，この申出をした相続人については相続登記の申請義務を履行したものとみなすこととした（不登76条の3第2項。相続人はそれぞれ申し出る必要がある）。この制度は，相続人が，登記官に対して，①不動産の所有権登記の名義人が死亡し相続が開始した旨，②自分がこの不動産の相続人である旨，を申し出るというものである（同条1項）。申出に際しては，申出人が登記名義人（被相続人）の相続人であることが分かる戸籍謄抄本を登記官に提供するとともに，相続人の住所・氏名を申し出る必要があり，この申出があれば，登記官により職権で登記簿の所有権登記の欄にその旨が付記され（同条3項），所有者不明状態になることを防ぐ手がかりとなる。

この後に，遺産分割により所有権を取得したときは，申出をした者は，分割の日から3年以内に，（被相続人名義からの）所有権移転の登記を申請する必要がある（同条4項）。登記名義は被相続人名義のままであるので，相続人申告登記をしていない相続人とともに遺産分割の登記をすることになる（不登76条の2第1項）。なお，相続人申告による付記登記の後，遺産分割前に共同相続登記がなされ，さらにその後，遺産分割がなされた場合は，不動産登記法76条の2第2項の適用問題となる（不登76条の3第4項括弧書）。

(エ) **所有権の登記名義人の住所等の変更登記の申請義務** 登記名義人が引っ越しをして住所を変更した場合，登記記録の住所変更までは気が回らない。これが所有者不明の一原因となる。そこで，不動産登記法76条の5は，所有権の登記名義人の氏名もしくは名称または住所についての変更があったとき，当該所有権の登記名義人は，その変更があった日から2年以内に，それら変更についての登記の申請をしなければならないとし，公法上の登記義務を課すことにした。この登記の申請を怠った場合，過料に処せられる（不登164条2項参照）。不動産登記の記録により，所有者の探索を確実にすることができるように，変更の登記を義務づけたものである。さらに，不動産登記法76条の6は，登記官が，（住民基本台帳ネットワークシステムなどから）所有権の登記名義人の氏名もしくは名称または住所の変更があったと認めた場合には，職権で，それらの変更の登記をすることができるとする（ただし，自然人である場合，変更の登記をすることにつき確認をとった上で行う）。

(オ) 登記名義人についての符号の表示　さらに，所有者不明状態を回避する方策として，登記官は，登記名義人が死亡した（権利能力を有しないこととなった）と認めるべき場合には，職権で，登記名義人についてその旨の符号を表示することができる，とする（不登76条の4）。登記官が，他の公的機関（住民基本台帳ネットワークシステムなど）から，死亡等の情報を取得することが想定されている。この符号により当該不動産について相続が開始していることが表示されることになる。

(2) 相続土地国庫帰属制度

(ア) 序　(a) 新法の制定　「相続等により取得した土地所有権の国庫への帰属に関する法律」（令和3年法25号。以下，(2)では「相続土地国庫帰属法」，条文引用は単に「法」という）により，相続人が相続または遺贈により土地の所有権（または，共有持分）を取得したとき，その申請に基づき法務大臣の承認を受けて，その土地の所有権を国庫に帰属させることができる制度が創設された。

相続（遺贈）を契機にやむを得ず土地の所有者（あるいは持分権者）となった相続人が，その土地を利用する見込みがなく，かつ，その土地から受益があるわけでもない，さりとて，売却等の処分をうまくすることができないまま無為に所有を続けているということがある。このような土地は，そのまま放置されて，管理不全の土地となったり，所有者不明の土地になるおそれがある。このような事態を予防するため，他方で，望んで土地を取得したわけでもない相続人を土地管理の責務（土地基6条1項）から解放することができる途を開くことが必要である。そうした考慮から，所有者不明土地対策の一環としてこの制度が設けられることになった（法1条）。

(b) 土地所有権放棄との関係　民法の観点から敷衍しておくと，この問題はじつは，相続人（あるいは，土地を不要とする者）が土地を手放すための法律構成として，土地の所有権は放棄することができるか，というところから議論が始められた。民法は直接そのような土地所有権放棄の可否についての規定を置いていない。解釈論として，仮に放棄が可能であるとすれば所有者は放棄により所有権を喪失し，土地は無主となり，無主の土地は国庫に帰属することになる（民239条2項）。しかし，放棄を可能とすると，実際問題として，権利関係が錯綜した土地や，崖地など物理的に管理困難な土地などでは，所有者が

負担すべき管理のコストを簡単に国（国民）に転嫁できることになる。そこで，方向としては，土地所有権の放棄を原則として禁ずるとともに，一定の要件を満たせば例外的に，放棄が許される（国に帰属させることができる），という議論がされてきた。しかし，権利の放棄に関して，土地所有権についてのみ規律を置くと，たちまち，動産所有権など他の権利の放棄についての条文はどうするのかが問題となる。そこで，土地所有権の放棄のルールで対応することをあきらめて，法務大臣への申請・承認（行政行為）による相続土地所有権の国庫帰属という特殊な法律構成を特別法で創設したのである。なお，今後，土地所有権の放棄の可否については解釈に委ねられるが，仮に放棄を認めれば土地は国庫に帰属するので，国庫帰属という結論が同じである以上，相続土地国庫帰属法の枠を超えて，土地所有権の放棄を認めることは法の中で矛盾を来す。そこで，そのような土地所有権の放棄は，権利の濫用になるという解釈を採用することになるのではないか。

(ｲ) **相続土地国庫帰属の承認申請権者**　相続または遺贈により土地の所有権（または，共有持分）を取得した相続人が，審査の手数料を納めて，法務大臣に対して，その土地を国庫に帰属させることについての承認の申請をする（法2条1項）。相続人が共有している場合には，共有者全員でこの承認申請を行わなくてはならない。なお，共有者の中に相続以外の原因で共有持分を取得した者がいる場合，例外的にその者も共同して承認申請をすることを可能とする（同条2項）。

(ｳ) **国庫帰属の要件**　(a) **却下要件**　国としては，土地の管理コストの不当な転嫁を防止し，国が土地を取得した後，取得した現状のままで管理または処分が容易であることが必要である。そこで，まず管理または処分に過分の費用を要すると客観的，定型的に判断できる以下の土地については承認申請ができないこととされている（法2条3項）。すなわち，①地上に建物の存する土地，②担保権または使用および収益を目的とする権利が設定されている土地，③通路その他の他人による使用が予定される土地，④土壌汚染対策法2条1項に規定する特定有害物質により基準を超えて汚染されている土地，⑤境界が明らかでない土地その他の所有権の存否，帰属または範囲について争いがある土地，である。これに該当する場合，申請は却下される（法4条1項2号）。

(b) **承認要件** 法務大臣は，その土地の実地調査や必要な資料の提出を求める等をして事前に調査をし，以下に指摘するような，通常の管理または処分をするにあたり過分の費用または労力を要する土地でなければ，国庫への帰属を承認しなくてはならない（法5条，6条）。過分の費用または労力を要する土地の例としては，崖地，樹木，工作物が地上にある土地，除去が必要な有体物が地下にある土地，また，隣地所有者との間で争いがある土地などである。

(エ) **所有権の移転** 承認申請者は，申請が承認されれば，当該土地について，負担金（その土地の10年分の管理費用）を納付する義務が課せられる（法10条）。この負担金を通知日から30日以内に納付しない場合，承認は効力を失う。承認申請者が負担金を納付したときは，その納付の時において，承認に係る土地の所有権は，国庫に帰属する（法11条）。所有権移転の法的原因は，承認という行政行為ということになる。

(オ) **損害賠償責任** 承認の時点ですでに，当該土地につき，承認申請ができない土地（法2条3項各号），または，管理等に過分の費用または労力を要する土地（法5条1項各号）に該当する事由があり，そのことによって国に損害が生じた場合，承認を受けた者は，国に対してその損害を賠償する責任を負うものとされる。ただし，国は，これらの事由について事前に調査しているはずなので，賠償責任が発生する要件として，承認を受けた者がこれらの事由のいずれかに該当することを知りながら告げずに承認を受けた者である場合に限られる（法14条）。

3 所有者不明土地の利用の円滑化を図る

(1) **所有者不明土地・建物の管理制度および管理不全土地・建物の管理制度**

民法の中には，不在者財産管理人，相続財産管理人の制度があるが，これらは不在者の財産すべて，相続財産すべてという括りで財産管理をする仕組みであって，土地など個別の不動産に焦点を当てて管理する制度ではない。財産の管理の仕組みとして非効率で，使い勝手が悪いところもある。そこで，所有者を知ることができず，またはその所在を知ることができない土地・建物，あるいは所有者，またはその所在が不明ではないけれど，管理が行き届かないため周りに危険を及ぼしている土地・建物に特化した新たな管理制度（所有者不明

土地・建物管理制度，管理不全土地・建物管理制度）が創設された（詳しくは，⇨210頁・Ⅶ参照）。

(2) 不明共有者がいる場合の共有物の利用や共有関係解消の円滑化

土地の共有において，共有者が他の共有者を知ることができず，またはその所在を知ることができないときは，共有物の管理，変更についての共有者間での意思決定が困難である，あるいは，共有物の分割，処分においても同様な問題がある。そこで，共有制度の中にそのような場合についての解決のルールを創設した。第1は，裁判所は，共有者の請求により，所在等不明共有者に対して公告等をした上で，①その所在等不明共有者を除く残りの共有者全員の同意でもって共有物に変更を加えることができる旨の（民251条2項），あるいは，②その所在等不明共有者および賛否不明共有者を除く残りの共有者の持分の価格に従った過半数で共有物の管理に関する事項を決定できる旨の裁判をすることができる（民252条2項）とする制度を創設した（詳しくは，⇨189頁・Ⅵ3参照）。第2は，裁判所は，共有者の請求により，所在等不明共有者の持分の価格に相当する額の金銭を供託することで，①その共有者が，所在等不明共有者の持分を取得する旨の裁判をすることができる（民262条の2第1項），あるいは，②他の共有者全員が共に第三者に持分譲渡することを条件に，その共有者に，所在等不明共有者の持分を第三者に譲渡する権限を付与する旨の裁判をすることができる（民262条の3第1項）との制度を創設した（詳しくは，⇨206頁・Ⅵ5参照）。

(3) 遺産分割長期未了状態への対応

具体的相続分を主張することができる状態で，遺産分割が長期間なされないままの状態に置かれていると，個々の土地の共有関係がいつまでも確定せず，共有状態の解消が困難である。そこで，民法904条の3を新設し，相続開始の時から10年を経過した後は，遺産の分割においては，原則として，具体的相続分（特別受益，寄与分）の規定を適用しないで，法定相続分，指定された相続分に従って分割を行う，とした。

(4) 隣地の利用・調整の円滑化

ライフラインの設置に関する相隣関係の規定が新たに置かれ（民213条の2），また，隣地の使用に関する規定（民209条），および，竹木の枝の切除および根

の切取りの規定（民233条）が改められている。隣地の使用に際しては手続として事前の通知が求められているが，隣地の所有者（および使用者）に「あらかじめ通知することが困難なとき」は，「使用を開始した後，遅滞なく，通知することをもって足りる」としている（民209条3項，213条の2第4項）。また，境界線を越える隣地の竹木の枝の切除について，「竹木の所有者を知ることができず，又はその所在を知ることができないとき」は，土地の所有者自らがその枝を切り取ることができる，としている（民233条3項）。これらの規定により，隣地の所有者が不明等である場合の利用調整の円滑化を図っている（詳しくは，⇨Ⅳ参照）。

Ⅳ 相隣関係法

1 序 説
(1) 意 義

1つの土地は必ず他の土地と境界を接して相隣接している。したがって，ある土地の利用は隣接の土地の利用に対し必然的に何らかの影響を及ぼす。そこで，隣接地相互間の土地利用の調節，利害の調整を図るルールが必要となる。これが，相隣関係法である（民209条～238条）。土地の利用に関する相互調節であるから，これらの規定は所有権に限らず，土地利用権と所有権，土地利用権相互間にも類推適用されるべきである（土地利用権が地上権である場合には民法267条で相隣関係の規定を準用している）。したがって，たとえば，賃借する土地が，他の土地に囲まれて公道に通じない場合，賃借人はその土地を囲んでいる他の土地を通行することができる（民210条）。

(2) 相隣関係法の多様な内容

相隣関係法として民法には様々な規定が置かれている。隣地の使用（民209条）・公道に至るための他の土地の通行権（民210条）・継続的給付を受けるための設備の設置権等（民213条の2以下），自然水流に対する妨害の禁止（民214条）・排水のための低地の通水（民220条以下），境界標の設置・囲障の設置など（民223条，225条），竹木の枝の切除および根の切取り（民233条），境界線付近の建築の制限あるいは掘削の制限（民234条，235条，237条）などである。

なお，民法のほか，相隣関係に関わる問題につき特別法の規定が意味を持つことがある（たとえば，建築基準法63条〔後述⇨166頁・**5**(4)(ア)＊〕など）。

(3) **強行法規的な利用の調整（隣地の使用を例に）**

相隣関係法は，慣習および合意による解決を排除してはいないが，基本的には必要と考えられる利害調整を強行法規的に行っている。たとえば隣地の使用に関する条文（民209条）を例にとると，1項1号から3号に掲げる目的（「境界又はその付近における障壁，建物その他の工作物の築造，収去又は修繕」など）のため「必要な範囲内で」「土地の所有者は」「隣地を使用することができる」とされ，隣地の使用（権）はこの条文により直接根拠づけられており，合意により発生するものではない。これを根拠に裁判に訴えてでもその使用を実現することができる。そして，この使用が認められることは，隣地の所有者にとってはその範囲で強行法規による所有権の制限・負担という意味をもつ。

強行法規的な利用の調整であるので，隣地所有権を制限する内容の規律においては，必要な範囲内でのみ使用が許され（民209条1項，211条，213条の2第1項），また，その土地のために損害の最も少ないものでなければならないとされる（民209条2項，211条，213条の2第2項，220条）。そして，隣地の所有者等が損害を受けたときはその償金を支払うことが義務づけられている（民209条4項，212条，213条の2第5項，222条1項但書）。土地の所有，利用に対する法律上の制限となるからである。なお，この範囲を超える隣地の利用を確保したければ，合意による利用権の設定が必要となる。

以下，相隣関係の規律の中で特に議論のあるものを重点的に取り上げて検討を加えることとする。

2 隣地の使用

(1) **序**

境界付近で建物の建築をする場合などにおいては隣地を使用しなければならないことがある。そのため，民法209条1項は，「土地の所有者は，次に掲げる目的のため必要な範囲内で，隣地を使用することができる」として，隣地使用が必要な一定の場合に隣地を使用する権利があることを認めた。

(2) **使用が認められる要件**

(ア) **使用の目的**　隣地を使用できるのは，その目的が，①境界またはその付近における障壁，建物その他の工作物の築造，収去または修繕（民209条1項1号），②境界標の調査または境界に関する測量（同項2号），③民法233条3項の規定による（土地の所有者による隣地の竹木の）枝の切取り（同項3号）のためである場合である。いずれも隣地の一時的な使用が目的とされている。なお，目的が，継続的給付を受けるための他の土地への設備の設置，他人所有設備の使用である場合につき，当該他の土地または当該他人が所有する設備がある土地の使用を認める規定が置かれている（民213条の2第4項）。

(イ) **必要な範囲内**　上記の目的で隣地を使用できるが，その使用は，当該目的のため必要な範囲内のものに限られる。

(ウ) **住家への立入り**　これと関連するが，隣地にある住家については，その居住者の承諾がなければ，立ち入ることはできない（民209条1項但書）。境界確定等の目的の場合隣家に立ち入る必要があり得るとされるが，人が住んでいる住家の中にまで立ち入ることは居住者の平穏な生活やプライバシーの保護につき問題があるので，現実の承諾がないと立入りは許されないこととされている（判決をもってしてもこの承諾に代えることはできない）。

(エ) **損害の少ないものを選択**　隣地の「使用の日時，場所及び方法」については，「隣地の所有者及び隣地を現に使用している者〔隣地使用者〕」のために「損害が最も少ないもの」を選ばなければならない（民209条2項）。隣地を使用することが認められるとしても，隣地所有者および隣地使用者との関係でなるべく迷惑のかからないように，使用の日時，場所および方法について十分に考えなさい，という趣旨である。

(3) **使用の通知**

(ア) **使用の通知**　上記のような要件の下で，土地所有者には隣地を使用する権利が認められるが，その権利を行使するため隣地所有者および隣地使用者との間でどのようなやりとりが必要か。改正前の条文では，（隣人に対し）「隣地の使用を請求することができる」とされており（改正前民209条1項），使用を請求し，これに対する隣人の承諾（または，承諾に代わる判決〔民執177条〕）を取り付ける必要があった。

これに対して，改正された民法209条3項は，隣地を使用する者に対して，隣地所有者および隣地使用者に，使用の目的，日時，場所および方法をあらかじめ通知することを求めている。通知は，隣地所有者および隣地使用者に対し，隣地使用の要件が満たされているかどうかの判断をさせ，隣地使用の際の立会いの機会を与える，無断使用を防止するなどの意味がある。この通知を前提に，「隣地を使用することができる」（同条1項）とされているので，改正前のような意味での承諾は不要である。

なお，隣地所有者および隣地使用者に事前の通知をすることが困難なときは，使用を開始した後遅滞なく通知をすることをもって足りるとされ，公示による意思表示をすることは必要ではない。事前の通知をすることが困難なときにも事前の通知を厳格に要求するならば，必要な隣地の使用が適時にできないことが懸念されるので，本条では，使用開始後，隣地所有者および隣地使用者の所在等が判明したときに隣地の使用状況を報告する趣旨で通知をすれば足りるとしたものである。

ここで，隣地所有者および隣地使用者に（特に所有者に）「あらかじめ通知することが困難なとき」とはどのような状態をいうのか。他の条文で使われている，「知ることができず，又はその所在を知ることができない」（⇨191頁・Ⅶ3(2)(ア)(b)参照）との文言とは異なっており，また，裁判所が関わる場面でもないので，所在が直ちには判明しない場合をいい，調査の程度としても，隣地の所有者の所在に関して現地調査し，たとえば不動産登記簿・住民票等の公的記録をみるなど土地の所有者として通常なし得る範囲での調査をすることで足りるものと考えられる。隣地が共有されている場合には，共有者全員に対して通知を要するものと考えられる。

　(イ)　**隣地の使用の実現方法**　使用の目的，日時，場所および方法をあらかじめ通知したにもかかわらず，隣地の所有者または使用者が，隣地の使用に異議を唱える場合，土地の所有者は実際に隣地の使用を開始することができない。使用の日時，方法などにつき合意が形成されることが望ましいが，仮に妨害をするようであれば，土地の所有者としては，隣地使用権の確認や隣地使用の妨害の差止めを求めて，裁判手続をとることになる。

(4) 償金の支払

隣地の使用によって,「隣地の所有者又は隣地使用者が損害を受けたときは,その償金を請求することができる」(民209条4項)。具体的には,その一時的な使用に際して,隣地の工作物や竹木をやむを得ず除去したことにより生じた損害などが考えられる。

3 公道に至るための他の土地の通行権

(1) 序

(ア) 意義 他の土地に囲まれて公道に通じない土地(一般に「袋地」と呼ぶ)の所有者は,公道に至るため,「その土地を囲んでいる他の土地」(旧来の呼称は「囲繞地(いにょうち)」。以下,便宜この呼称を使うことがある)を通行することができる(民210条1項)。これが公道に至るための他の土地の通行権である(これまで一般に「囲繞地通行権」と呼ばれた。以下では便宜「隣地通行権」と略称する)。袋地を利用するためには,囲繞地を通行することが不可欠であるからである。この通行権は,「池沼,河川,水路若しくは海を通らなければ公道に至ることができないとき,又は崖があって土地と公道とに著しい高低差があるとき」(準袋地)においても,同様に認められる。隣地に限らず,公道までの他の土地にも及ぶ。隣地通行権は,当事者間で通行に関する合意が成立しなくとも,相隣関係として強行法規的に与えられる通行権である。

(イ) 囲繞地の譲受人等第三者に対する関係 袋地の所有者が囲繞地に対して隣地通行権を有することを(囲繞地の登記簿に)登記しておかないと,囲繞地の譲受人等の第三者に対抗できないか。通行地役権の場合(民177条適用)と異なり,隣地通行権では登記による対抗という問題は生じない。この権利は相隣接する袋地と囲繞地という関係に基づいて囲繞地に対し法により客観的に認められる権利であり制限物権の一種ではなく,したがって,登記できる権利とはされていない(不登3条)。

(ウ) 袋地の所有権の取得者の登記の要否 他方,袋地の所有権の取得者が囲繞地の所有者に対して隣地通行権(の承継)を主張するためには,その所有権移転登記を経由している必要があるか。最判昭和47年4月14日(民集26巻3号483頁)は,その必要はないと述べる。次に引用の判旨の理由はいまひと

つ明快ではないが,「袋地の効用」のためそれと相隣関係にある「囲繞地の所有者に一定の範囲の通行受忍義務を課し」ているので,通行権を行使する袋地の所有者が誰であるかによって囲繞地の所有者の受忍義務に特に影響がないという趣旨であろうか。たしかに,隣地通行権は一定の関係にある隣接地間で客観的に発生するので,誰がその権利を行使するかについては囲繞地の所有者は利害を主張しようがない,といえよう。

■最判昭和 47 年 4 月 14 日民集 26 巻 3 号 483 頁

判旨　「袋地の所有権を取得した者は,所有権取得登記を経由していなくても,囲繞地の所有者ないしこれにつき利用権を有する者に対して,囲繞地通行権を主張することができると解するのが相当である。なんとなれば,民法 209 条ないし 238 条は,いずれも,相隣接する不動産相互間の利用の調整を目的とする規定であって,同法 210 条において袋地の所有者が囲繞地を通行することができるとされているのも,相隣関係にある所有権共存の一態様として,囲繞地の所有者に一定の範囲の通行受忍義務を課し,袋地の効用を完からしめようとしているためである。このような趣旨に照らすと,袋地の所有者が囲繞地の所有者らに対して囲繞地通行権を主張する場合は,不動産取引の安全保護をはかるための公示制度とは関係がないと解するのが相当であり,したがって,実体上袋地の所有権を取得した者は,対抗要件を具備することなく,囲繞地所有者らに対し囲繞地通行権を主張しうるものというべきである。」

(2)　隣地通行権の内容

(ア)　内容　隣地通行権を有する者が囲繞地を通行する場合,「通行の場所及び方法」は,その者のために「必要であり,かつ,他の土地〔囲繞地〕のために損害が最も少ないものを選ばなければならない」(民 211 条 1 項)。なお,必要があるときは,通路を開設することができる(民 211 条 2 項)。

以上の点について,解釈上問題となるのは,民法 211 条 1 項のいう「通行の場所及び方法」,つまり通行権の内容としていかなるものまで認められるのかということである。とりわけ方法につき,必要であれば通路を開設して自動車の通行まで求めることができるのか,徒歩で公道まで出ることができる権利にとどまるのか。これまで下級審の裁判例としては積極例もあるが消極例も多く,自動車の通行が否定されるわけではないが当然に認められるわけでもなかった。結局は,個別的に,当該袋地の利用という観点から公道まで自動車で通行することが必要なのかどうか,「他の土地のために損害が最も少ないものを選ばな

ければならない」という基準を斟酌して決めることにならざるを得ない。最判平成18年3月16日（民集60巻3号735頁）は，自動車による通行を前提とする隣地通行権の成否およびその具体的内容についての具体的な判断基準を示した（事案は，広大な墓地が袋地であり，囲繞地〔徒歩での通行は可能〕を墓参者が車で通行するための隣地通行権の確認を求めたもの）[5]。

■最判平成18年3月16日民集60巻3号735頁

判旨　「ところで，現代社会においては，自動車による通行を必要とすべき状況が多く見受けられる反面，自動車による通行を認めると，一般に，他の土地から通路としてより多くの土地を割く必要がある上，自動車事故が発生する危険性が生ずることなども否定することができない。したがって，自動車による通行を前提とする210条通行権の成否及びその具体的内容は，他の土地について自動車による通行を認める必要性，周辺の土地の状況，自動車による通行を前提とする210条通行権が認められることにより他の土地の所有者が被る不利益等の諸事情を総合考慮して判断すべきである。」

　(イ)　**償金の支払**　以上の通行権に対する調整的金銭として，通行権を有する者は，その通行する他の土地（囲繞地）の損害に対して償金を支払わなければならない（民212条。なお，通路の開設のために生じた損害以外の損害は1年ごとにその償金を支払うことができる〔民212条但書〕）。

　(ウ)　**地役権との関係**　相隣関係法で認められる隣地通行権を超える通行権を得ようとする場合には，もちろん，隣地所有者との合意による通行のための地役権の設定（民280条）などが必要となる。

　(3)　**建築基準法上の接道義務を満たすために隣地通行権が認められるか**

　建築基準法43条は，消防活動および避難の観点から建築物の敷地は幅員

---

[5]　本件は，徒歩であれば，墓地所有者自身が所有する他の土地を通ることでこの墓地から公道に至ることができるということなので，徒歩通行という観点からはこの墓地は「公道に通じない土地」（民210条）ではない。しかし，自動車による通行を前提とすると「公道に通じない土地」となり，民法210条の通行権の成否を問題とすべきことになる。この例から分かるように，袋地は地形的に絶対的な袋地の場合もあるが，そうではなく，自動車での通行を考えれば袋地となるというように，必要とされる通行の方法との関係で相対的に袋地と判断されることもある（さらに，裁判例では，公道に至る経路はほかにもあったが，地形の関係で，自然の産出物を搬出するため別の経路での隣地通行権を認めた例もある）。

4m以上の道路に一定の幅（2m）で接していることを要求している（接道義務）。この要件を満たさず（敷地から伸びる帯状通路によって道路に接している〔接道する〕その通路幅が基準より狭く）建築の許可が下りない敷地を袋地と見て，接道義務を満たさない通路幅の部分につき隣地通行権を認めることでこれを補充することはできないか，という問題がある。

判例はこれを否定する（最判昭和37・3・15民集16巻3号556頁）。この問題については，判例のように形式的な理由で一律に否定する（通行権そのものの問題ではないから認めない）のではなく，一方で当該袋地を建物を建てて合理的に利用するという必要性と他方で囲繞地の利用状況等とを比較衡量の上，接道義務を満たすための隣地通行権を認める余地があるとする有力な学説があるが，判例はその後重ねてこれを否定している（最判平成11・7・13判時1687号75頁）。

■最判昭和37年3月15日民集16巻3号556頁

事実の概要　Xが，幅2m28cm長さ20mの帯状の通路で道路に接している所有敷地に建物を建築（増築）しようとして建築確認申請をしたところ，建築基準法に基づき制定された東京都建築安全条例による3m幅での接道義務に違反しているとしてそれを不許可とされたので，隣地所有者Yを相手に，72cm幅の不足分を補充する目的で，隣地通行権の存在確認を求めた。

判旨　Xは通行権を主張しているが，「その通行権があるというのは，土地利用についての住来通行に必要，欠くことができないからというのではなくて，その主張の増築をするについて，建築安全条例上，その主張の如き通路を必要とするというに過ぎない。いわば通行権そのものの問題ではないのである」。「してみると，本件土地をもって，民法210条にいわゆる公路に通ぜざるときに当る袋地であるとし，これを前提として，主張のような通行権の確認を求めようとするXの本訴請求は，主張自体において失当たるを免れず，従ってこれを排斥した原判決は，結局において正当である」。

(4) 分割・一部譲渡により袋地を生じた場合の特例

(ア) 分割　公道に接する1筆の土地を相続し共有している共同相続人A，Bが，これを甲乙2筆に分割（分筆）した結果，一方の土地（甲）が公道に通じない土地（袋地）となってしまったときは，その袋地所有者Aは，公道に至るため，他の分割者Bの所有地（乙。残余地と呼ぶ）のみを通行することができる（民213条1項）。通常の隣地通行権と比べると，この場合には2点の例外的扱いがなされている。第1は，上に述べたとおり袋地甲地から乙地以外の隣地丙を通行して公道に至ることができるとしても，残余地乙地以外に対しては

隣地通行権を主張できないということであり，第2は，この場合「償金を支払うことを要しない」ことである（民213条1項後段）。その理由は袋地発生の原因が当該分割にあるからである。なお，余談だが，上記の例のような分割に際しては，袋地を生じないよう甲地の一部として公道に至る帯状の通路部分を残す形状で分割することが普通である（建築基準法43条の接道義務の問題もある）。

(イ)　**一部譲渡**　同様のことが，1筆の土地の所有者がその土地の一部を譲渡することによっても生じ得る（通常は登記上分筆の手続をとった上でそのうちの1筆を譲渡する形式をとる）。そこで，民法213条2項は，1項の分割の場合の規定を準用し同じルールに服させている。

この場合，残余地に対してのみ通行権が認められるが，この扱いは残余地が譲渡され所有者に変更があった場合であっても貫徹されるとする判例がある（最判平成2・11・20民集44巻8号1037頁【百選Ⅰ71】）。「袋地に付着した物権的権利で，残余地自体に課せられた物権的負担」だからというのがその理由である。ただ，この判例の結論は，通行権が現実に行使されておらず（本件はそうである），仮に民法213条の無償通行権の負担を負っている土地であるとは知らないままに残余地を取得したという場合については，当該承継人にとっては酷である。突如，無償での通行権を主張されるからである。学説の一部では，そのような場合には，本件原告Xの主張のように民法210条の原則に戻るとの見解，あるいは，別のかたちでの保護を考えるべきだとの見解（少なくとも無償の点を見直すなど）がみられる。

■**最判平成2年11月20日民集44巻8号1037頁**

事実の概要　所有者Aが1筆の土地を甲乙2筆に分筆し，Xが袋地となった甲地を取得した。Xは残余地である乙地（A所有）の無償通行権を取得したが（民213条2項），AがXに対して，Xが公道に至るため乙地に隣接する丙地（Yの所有地でAが賃借していた）の通行を合意により認めたので，Xは丙地に通路を開設しそこを通行した。それゆえ，Xの乙地に対する通行権は顕在化しなかった。他方，その間に乙地はAからCに譲渡され，Cの居宅が建築され甲地との境界は石垣で段差を生じた。その後，Yが丙地についてのAの賃借権を解消しXの通行を禁止したが，Xはこれを争いその間に甲地上に居宅を完成させている。YがXに対し丙地の明渡しを求め，XはYに対し丙地につき民法210条の隣地通行権を主張し，Yはこれを否定して，Xは民法213条により乙地に対してのみ通行権を有する，と争った（【図表8-1】）。

【図表 8-1】

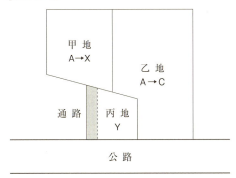

判旨 「共有物の分割又は土地の一部譲渡によって公路に通じない土地(以下「袋地」という。)を生じた場合には,袋地の所有者は,民法213条に基づき,これを囲繞する土地のうち,他の分割者の所有地又は土地の一部の譲渡人若しくは譲受人の所有地(以下,これらの囲繞地を「残余地」という。)についてのみ通行権を有するが,同条の規定する囲繞地通行権は,残余地について特定承継が生じた場合にも消滅するものではなく,袋地所有者は,民法210条に基づき残余地以外の囲繞地を通行しうるものではないと解するのが相当である」。その理由は,「けだし,民法209条以下の相隣関係に関する規定は,土地の利用の調整を目的とするものであって,対人的な関係を定めたものではなく,同法213条の規定する囲繞地通行権も,袋地に付着した物権的権利で,残余地自体に課せられた物権的負担と解すべきものであるからである」。実質的には,「残余地の所有者がこれを第三者に譲渡することによって囲繞地通行権が消滅すると解するのは,袋地所有者が自己の関知しない偶然の事情によってその法的保護を奪われるという不合理な結果をもたらし,他方,残余地以外の囲繞地を通行しうるものと解するのは,その所有者に不測の不利益が及ぶことになって,妥当でない」。

(ウ) 競売　同一人に属する甲,乙,丙の3つの土地(丙のみが公道に面する)のうち袋地甲を競落した者が,残余地乙,丙に対する無償通行権を主張するという場合も,民法213条2項が適用されるべきである(最判平成5・12・17判時1480号69頁)。

4　継続的給付を受けるための設備の設置等
(1)　序

宅地の所有者が,水道などのライフラインを設置するに際して,水道事業者の敷設した水道本管から他人の土地を通って配管設備を設けなくてはならないことがある。このような場合における相隣関係のルールとして,民法213条の2第1項は,土地の所有者が,他の土地に設備を新たに設置し,または他人が

所有する設備を使用しなければ，電気，ガスまたは水道水の供給その他これらに類する継続的給付（電話・インターネット等）を受けることができないときは，継続的給付を受けるため必要な範囲内で，他の土地に設備を設置し，または他人が所有する設備を使用することができる，と規定する（令和3年民法改正〔法24号〕で追加）。これまでは，民法210条（公道に至るための他の土地の通行権）などの類推解釈，あるいは，民法220条および221条の類推適用＊によりこのような権利を認めてきたが，明文が置かれた。

＊最判平成14年10月15日民集56巻8号1791頁は，「宅地の所有者は，他の土地を経由しなければ，水道事業者の敷設した配水管から当該宅地に給水を受け，その下水を公流又は下水道等まで排出することができない場合において，他人の設置した給排水設備をその給排水のため使用することが他の方法に比べて合理的であるときは，その使用により当該給排水設備に予定される効用を著しく害するなどの特段の事情のない限り，民法220条及び221条の類推適用により，当該給排水設備を使用することができるものと解するのが相当である」という。

(2) 要　件

(ア) 継続的給付を受けるにつき袋地であること　　土地の所有者が，他の土地に設備を新たに設置し，または他人が所有する設備を使用しなければ，継続的給付を受けることができない場合であること（民213条の2第1項）。

(イ) 必要な範囲内　　継続的給付を受けるため必要な範囲内で，他の土地に設備を設置し，または他人が所有する設備を使用すること（同条1項）。

(ウ) 損害の少ないものを選択　　設備の設置または使用の場所および方法として，他の土地または他人が所有する設備のために損害が最も少ないものを選ぶこと（同条2項）。

(3) 設備の設置または他人が所有する設備の使用の通知

(ア) 「目的，場所及び方法」の通知　　他の土地に設備を設置し，または他人が所有する設備を使用する者は，あらかじめ，その目的，場所および方法を，他の土地の所有者（または設備を所有するその他人）および他の土地を現に使用している者に通知しなければならない（民213条の2第3項）。ここでも，民法209条（隣地の使用）におけると同様，設備の設置，使用について他の土地の所有者等への事前の通知が求められているが，その承諾を得る必要があるとはさ

れていない。ただし、事後の通知は想定されていないので、通知は、必ずあらかじめ現実に行われる必要がある（民209条3項参照）。公示による意思表示の規定（民98条）を使うことになる。

　(イ)　**設備の設置または他人が所有する設備の使用の実現方法**　他の土地の所有者等が、上記の通知に対して設置、使用の妨害をするようであれば、土地の所有者としては、設備の設置、他人所有の設備の使用に対する妨害行為の差止めの判決を得て、権利の実現を図ることになる。

　(4)　**他の土地の使用**

　土地の所有者が、他の土地に設備を設置し、または他人が所有する設備を使用しようとする場合には、必然的に、当該他の土地または当該他人が所有する設備がある土地を使用することが必要となる。民法213条の2第4項は、この権利を認めている。使用する他の土地等が隣地に限られないので、民法209条と別に規定を置いている。もっとも、ここでの土地の使用は、民法209条の隣地使用と同じ関係にあるので、同条1項但書（住家への立入りには居住者の承諾を要す）、および2項から4項までの規定が準用されている。

　(5)　**償金等の支払**

　他の土地に設備を設置する者は、配管設備の埋設などに伴うその土地の損害（使用料相当額である。上記(4)の他の土地の使用に伴う損害を除く）に対して償金を支払わなければならない。その支払は、年払いですることができる（民213条の2第5項）。他方、他人が所有する設備を使用する者は、その設備の使用を開始するために生じた損害に対して償金を支払わなければならない（同条6項）。また、他人が所有する設備を使用する者は、その利益を受ける割合に応じて、その設置、改築、修繕および維持に要する費用を負担しなければならない（同条7項）。

　(6)　**分割・一部譲渡により他の土地に設備を設置する場合**

　土地の分割、土地の一部の譲渡によって他の土地に設備を設置しなければ継続的給付を受けることができない土地が生じたときは、その土地の所有者は、継続的給付を受けるため、他の分割者の所有地のみに設備を設置することができ、この場合には、償金の支払を要しない（民213条の3第1項・2項）。民法213条と同じ趣旨の規定である。

5 その他の規定

このほかに相隣地間の利用調整として，主としてどのような規定が置かれているか概観する。

(1) **水に関する相隣関係**

水は雨・雪として地上に降り，低きに従ってある土地から他の土地に，自然にまたは人工的な施設・設備を通って流れ最後は海に至る。その過程で，水に関し相隣地間での各種の調節のルールが必要となってくる。

(ア) **自然排水に関するもの** (a) **自然水流に対する妨害の禁止** 土地の所有者は，隣地から水が自然に流れて来るのを妨げてはならない（民214条）。盛土工事等で新たに水が流入することとなった場合には，受け入れる義務はなく，隣地所有者に対して相応の設備を求めることができる。

(b) **自然水流の障害の除去** 水流が天災その他避けることのできない事変により低地において閉塞したときは，高地の所有者は，自己の費用で，閉塞している低地に立ち入って，水流の障害を除去するため必要な工事をすることができる（民215条）。費用の負担について別段の慣習があるときは，その慣習に従う（民217条）。

(イ) **施設・設備等による人工的な排水に関して** (a) **水流に関する工作物についての修繕義務等** 他の土地に貯水，排水または引水のために設けられた工作物の破壊または閉塞により，自己の土地に損害が及び，または及ぶおそれがある場合には，その土地の所有者は，当該他の土地の所有者に，工作物の修繕もしくは障害の除去をさせ，または必要があるときは予防工事をさせることができる（民216条）。物権的請求権による場合と同じ内容のものである。費用の負担について別段の慣習があるときは，その慣習に従う（民217条）。

(b) **雨水を隣地に注ぐ工作物の設置の禁止** 土地の所有者は，直接に雨水を隣地に注ぐ構造の屋根その他の工作物を設けてはならない（民218条）。隣地の所有者は自然排水についてのみ承水義務がある。

(c) **余水等を排出するための低地の通水権・通水用工作物の使用** 高地の所有者は，その高地が浸水した場合にこれを乾かすため，または自家用もしくは農工業用の余水を排出するため，公の水流または下水道に至るまで，低地に水を通過させることができる。この場合においては，低地のために損害が最も

少ない場所および方法を選ばなければならない（民220条）。自然水流ではない余水等についての通水を認めており，民法214条の例外規定といえる。

　また，土地の所有者は，その所有地の水を通過させるため，高地または低地の所有者が設けた工作物を使用することができる。通水用工作物の使用の権利を認めたものである（民221条1項）。この場合には，他人の工作物を使用する者は，その利益を受ける割合に応じて，工作物の設置および保存の費用を分担しなければならない（同条2項）。

　(ウ)　**水路または幅員の変更・堰の設置および使用**　(a)　**水路または幅員の変更**　堀その他の水流地の所有者は，対岸の土地が他人の所有に属するときは，その水路または幅員を変更してはならない（民219条1項）。「両岸の土地が水流地の所有者に属するときは，その所有者は，水路及び幅員を変更することができる。ただし，水流が隣地と交わる地点において，自然の水路に戻さなければならない」（同条2項）。なお，異なる慣習があればそれに従う（同条3項）。

　(b)　**堰の設置および使用**　水流地の所有者は，堰(せき)を設ける必要がある場合には，対岸の土地が他人の所有に属するときであっても，その堰を対岸に付着させて設けることができる。ただし，これによって生じた損害に対して償金を支払わなければならない（民222条1項）。この場合，対岸の土地の所有者は，水流地の一部がその所有に属するときは，前項の堰を使用することができる（同条2項）。この場合，その利益を受ける割合に応じて，工作物の設置および保存の費用を分担しなければならない（同条3項）。

(2)　**境界に関するもの**

　(ア)　**境界標の設置**　土地の所有者は，隣地の所有者と共同の費用で，境界標を設けることができる（民223条）。その境界標の設置および保存の費用は，相隣者が等しい割合で負担するが，測量の費用は，その土地の広狭に応じて分担する（民224条）。設置された境界線上の境界標は相隣者の共有に属するものと推定される（民229条）。分割請求が許されない特殊な共有である（民257条。「互有」と称される）。

　(イ)　**囲障の設置**　(a)　**設置について**　境界に塀や垣根等を設けることが多く，その相隣関係については細かく定められている（自分の所有地内に設ける場合にはもちろん適用がない）。要件として，〔1〕相隣する各土地上に建物があり

その「2棟の建物がその所有者を異にし」，かつ，〔2〕「その間に空地がある〔相互に相手の建物を見通せる状態にある〕とき」が満たされれば，各所有者は，他の所有者と共同の費用で，その境界に囲障を設けることができる（民225条1項）。勝手に設置できるわけではなく，設置を請求することができる権利である。材料，高さについて協議が調わないときは，この囲障は，板塀または竹垣その他これらに類する材料のものであって，かつ，高さ2mのものでなければならない（同条2項）。別の慣習があれば，それによる（民228条）。

　(b)　**費用負担**　この囲障の設置および保存の費用は，相隣者が等しい割合で負担する（民226条）。なお，相隣者の1人が，民法225条2項に規定する材料より良好なものを用い，高さについてもより高い囲障を設けることを希望する場合，それは認められる（民227条本文）。しかし，その場合には，当然ながら，これによって生ずる費用の増加額はその者が負担する（同条但書）。これらと異なる慣習があればそれに従う（民228条）。

　(c)　**共有の推定**　これら境界線上に設けた囲障，障壁，溝および堀は，相隣者の共有と推定される（民229条）。

　もっとも，境界線上の障壁が1棟の建物の一部を構成するときは共有とは扱われない（民230条1項）。また，高さの異なる2棟の隣接する建物を隔てる障壁（防火障壁を除く）の高さが，低い建物の高さを超えるときは，その障壁のうち低い建物を超える部分についても，共有とは扱われない（同条2項）。

　(d)　**共有の障壁の高さを増す工事**　相隣者の1人は，共有の障壁の高さを増すことができる。ただし，その障壁がその工事に耐えないときは，自己の費用で，必要な工作を加え，またはその障壁を改築しなければならない（民231条1項）。これによりその高さを増した部分は，その工事をした者の単独の所有に属する（同条2項）。なお，これにより隣人が損害を受けたときは，その償金を請求することができる（民232条）。

　(3)　**境界線を越える隣地の竹木の枝および根の切取り**

　㋐　**隣地の竹木の枝の切除**　(a)　**原則**　土地の所有者は，隣地の竹木の枝が境界線を越えるときは，その竹木の所有者に催告をして，その枝を切除させることができる（民233条1項）。竹木の枝の切除はその竹木の価値にも影響があり得，原則としてその竹木の所有者に切除させるのが筋であるとの考えに

立っている。竹木の所有者がこの催告に応じない場合，この規定のみ（令和3年の改正前）であれば，竹木の所有者に対して枝の切除請求訴訟を提起し，その認容判決を得て，それを債務名義として強制執行（代替執行）を申し立て，竹木所有者の費用負担で第三者に切除させる方法をとらざるを得なかった。また，竹木の所有者が不明である場合は，その者を捜す必要があった。しかし，令和3年改正後民法233条3項は新たに特則を置き，竹木の所有者がこの催告に応じない場合などにおいて，土地の所有者が自ら切り取ることができることを認めた（⇨後述(イ)）。

(b) **竹木が共有である場合**　竹木が数人の共有に属するときは，各共有者は，境界線を越えている枝を切り取ることができる（民233条2項）。境界線を越えている枝の切除は竹木の共有者にとって共有物の保存行為と見ることになる（民252条5項）。したがって，土地の所有者は，竹木の共有者の1人に対してその枝の切除を催告し，その者がこれに従ってくれれば目的を達成でき（土地所有者が代わって枝を切除することを認めてくれる場合も同様），そうでない場合は切除の給付判決を得て，代替執行の方法により強制執行することができる。

(イ)　**土地の所有者が枝を切除できる特則**　　(a)　**特則**　　次に掲げる3つの場合は，土地の所有者が自ら，境界線を越えている隣地の竹木の枝を切り取ることができる（民233条3項），とする（通常，業者に切除させ，その費用を請求することになる）。すなわち，①竹木の所有者に枝を切除するよう催告したにもかかわらず，竹木の所有者が相当の期間内に切除しないとき（同項1号），②竹木の所有者を知ることができず，またはその所在を知ることができないとき（同項2号），③急迫の事情があるとき（同項3号），である。ここに掲げた場合には，竹木の越境により迷惑を被る土地の所有者に，裁判手続によることなく切除の結果を得させることとしたものである。①の催告については，②とあわせて解釈すると，知れた竹木の所有者にすれば足り，公示による意思表示の方法（民98条）によることまでは必要ではないと考えられる。②の意味も，裁判所の関与がある場面ではないので，土地の所有者として，竹木の所有者に関して通常知り得る範囲での調査をすることで足るものと考えられる。

竹木が共有状態である場合については，特則の適用の関係では，以下のようになる。すなわち，土地の所有者は共有者全員に対して催告をした上で，1人

でも催告に応じて切除をすればそれで目的が達成され，全員が催告に応じず切除をしない場合には，自分で切除できる（民233条3項1号）。共有者の1人のみを選んで催告をしその者が応じないからといって1号が適用されるわけではない。竹木の共有者の一部が不明の場合には，それ以外の共有者に催告をし（同項2号），その後は1号の規定が適用される。

　(b)　**隣地の使用**　　土地の所有者が境界線を越えている隣地の竹木の枝を切除するためには隣地に立ち入りこれを使用する必要がある。そのため，民法209条1項3号は，この場合，同条の隣地の使用に関するルールに従って隣地を使用できると規定している。

　(c)　**土地の所有者が竹木の枝の切除をした場合における費用負担**　　境界を越えて竹木の枝，根がのびてきている場合，それは，土地所有権の侵害であり，本来竹木の所有者が切除するべきである。このことからすると，切除にかかる費用は，竹木の所有者が負担すべきである。

　(ウ)　**隣地の竹木の根**　　根が境界線を越えるときは，土地の所有者はその根を切り取ることができる（民233条4項）。なお，費用負担については，枝の切除の場合と同じである。

　(4)　**境界線付近の工作物**

　(ア)　**建築の制限**　(a)　**後退距離**　　建物を築造するには，異なる慣習がない限り，境界線から50cm以上の距離（後退距離）を保たなければならない，とされる（民234条1項，236条）＊。なお，これに違反して建築をしようとする者があるときは，隣地の所有者は，その建築を中止させ，または変更させることができるが，ただし，建築に着手した時から1年を経過し，またはその建物が完成した後は，損害賠償の請求をなすことができるにとどまる（民234条2項）。

＊建築基準法63条では，「防火地域又は準防火地域内にある建築物で，外壁が耐火構造のものについては，その外壁を隣地境界線に接して設けることができる」とされる。そこで，50cm以上の後退距離を定めた民法234条1項との関係が問題となるが，判例は，「建築基準法65条〔現63条〕……所定の建築物に限り，その建築については民法234条1項の規定の適用が排除される旨を定めたものと解するのが相当である」とする（最判平成元・9・19民集43巻8号955頁）。その理由を，建築基準法63条は，耐火構造の外

壁を設けることが防火上望ましいという見地や、防火地域または準防火地域における土地の合理的ないし効率的な利用を図るという見地に基づき、相隣関係を規律する趣旨で、右各地域内にある建物で外壁が耐火構造のものについては、その外壁を隣地境界線に接して設けることができることを規定したものと解すべきであるからだとする。要するに、建築基準法63条と民法234条1項とは、特別法・一般法の関係に立ち、特別法たる建築基準法63条が優先適用されるというのである。

(b) **観望制限** 境界線から1m未満の距離において他人の宅地を見通すことのできる窓または縁側(ベランダを含む)を設ける者は、目隠しを付けなければならない(民235条1項)。この距離の算出は、こうした窓または縁側の最も隣地に近い点から垂直線によって境界線に至るまでを測定して行う(同条2項)。これと異なる慣習があればそれに従う(民236条)。

(イ) **掘削の制限** 井戸、用水だめ、下水だめまたは肥料だめを掘るには境界線から2m以上、池、穴蔵またはし尿だめを掘るには境界線から1m以上の距離を保たなければならない(民237条1項)。導水管を埋め、または溝もしくは堀を掘るには、境界線からその深さの1/2以上の距離を保たなければならない。ただし、1mを超えることを要しない(民237条2項)。

境界線の付近において上でみた工事をするときは、土砂の崩壊または水もしくは汚液の漏出を防ぐため必要な注意をしなければならない(民238条)。

Ⅴ 所有権特有の取得原因

1 序説

物に対する所有権取得の原因としては、売買契約や贈与契約に基づく所有権移転の合意(民176条)、相続(民896条)、取得時効(民162条)、即時取得(民192条)などが考えられる。

これらのほか、民法は、所有権に特有な取得の原因を239条以下で規定している。いずれも合意によらない所有権の取得であり、原始取得である。規定されている内容は、これらの場合においてはどのような要件の下で誰が所有権を取得するのか、所有権が取得される場合の関係者間での利害の調整に関するルールである。

2 無主物の帰属等

(1) 無主物の帰属

「所有者のない動産は，所有の意思をもって占有することによって，その所有権を取得する」（民239条1項）。適用例として，所有者がいない野生の動物・魚の捕獲等を挙げることができる。また，以前の所有者が所有権を放棄した動産（ただし放棄の有無の判断は難しい）を所有の意思をもって占有する場合も同様である。

以上は動産についての規定であり，無主の不動産については2項で「国庫に帰属する」とされる（⇨133頁・第7章**I**，⇨146頁・**III** 2 (2)参照）。無主の不動産に1項のルールを適用すると争いが生じ不合理だからである。

なお，参考の意味で述べると，相続人がいない等で帰属先のない相続財産（動産，不動産，その他の財産）は国庫に帰属するとされている（民959条）。

(2) 遺失物の拾得

「遺失物は，遺失物法（平成18年法律第73号）の定めるところに従い公告をした後3箇月以内にその所有者が判明しないときは，これを拾得した者がその所有権を取得する」（民240条）。

「遺失物」とは，占有者の意思によらずその所持を離れた物をいう。その拾得者は，遺失物法により，拾得した物件を遺失者に返還し，または警察署長に提出しなければならない（遺失4条1項。なお，一定の施設〔建築物，車両等〕の中で拾得したときは施設占有者に交付し〔同条2項〕，この者が原則として警察署長に提出する〔遺失13条1項〕）。警察署長は，遺失者に返還するが，遺失者を知ることができない，あるいはその所在を知ることができないときは，一定の事項を公告する（遺失6条，7条）。

この公告をした後3か月以内にその所有者が判明しないときに，この民法240条で，これを拾得した者がその所有権を取得することとされる。なお，すべての遺失者が物件の権利を放棄したときも，拾得者が所有権を取得する（遺失32条1項）。他方，遺失者に返還される場合については，遺失物法は，遺失者は，物件価格の5％以上20％以下に相当する額を報労金として拾得者に支払わなければならないとする（遺失28条1項）。

(3) 埋蔵物の発見

「埋蔵物は，遺失物法の定めるところに従い公告をした後6箇月以内にその所有者が判明しないときは，これを発見した者がその所有権を取得する。ただし，他人の所有する物の中から発見された埋蔵物については，これを発見した者及びその他人が等しい割合でその所有権を取得する」(民241条)。

「埋蔵物」とは，土地などの中に外部から直ちに発見されない状態で埋まっている物であって，現在誰の所有に属する物か判然としない物をいう。無主物ではない。したがって，相続によるなどして誰かの所有に属しているはずの物であるが，現在誰に帰属するかは判然としない物ということになる（土木工事中に地中から発見された古銭，小判など）。

遺失物法は，埋蔵物についても，遺失物と同様の手続に服させている（遺失1条，4条，7条）。そして，公告をした後6か月以内にその所有者が判明しないときは，本条で，これを発見した者がその所有権を取得するとしている。ただし，他人の所有する物（包蔵物）の中から発見された埋蔵物については，これを発見した者およびその他人（包蔵物所有者）が等しい割合で，つまり折半してその所有権を取得する。なお，すべての遺失者が物件の権利を放棄したときも，本条に従って，発見した者が，または発見した者と包蔵物所有者とが折半で所有権を取得する（遺失32条1項）。

遺失者が発見した者に対して報労金の支払義務を負うことについても遺失物の場合と同様である。

なお，埋蔵文化財については，所有者が確認できない場合，国ないし地方公共団体にその所有権が帰属する扱いとなっている（文化財104条，105条）。

3 添 付

(1) 総 説

(ア) 付合，混和，加工　付合，混和および加工（民242条〜248条）をまとめて，一般に「添付」と呼び，所有権取得の1つの原因とされる。

付合には不動産と動産の付合（民242条），および動産と動産の付合（民243条，244条）とがある。たとえば，A所有の土地の上に賃借人B所有の樹木が植えられて根を張り立木となる，またはA所有の建物に賃借人B所有の建築

材料が組み込まれるなど，不動産に動産が吸収され一物となる場合が前者の例である。また，後者の例としては，造船業者A所有の船体にメーカーB所有のエンジンおよびスクリューという推進装置を組み込んで1つの動力船とする，あるいは宝石商A所有の指輪の台座に個人B所有のダイヤ宝石を組み込んで1個のダイヤの指輪とするなどを挙げることができる。

混和（民245条）とは，たとえば精米所でA所有の玄米とB所有の玄米とが混合して識別できなくなり一体化する状態をいう。酒などの液体でも混和が生じ得る。

加工（民246条）とは，たとえばA所有の材料（木材）に職人Bが工作を加え，机という新たな物を製作することである[6]。

付合，混和，加工がなぜ「所有権の取得」の原因とされているのかというと，上記の事例において新しい1物の所有権をAまたはBが取得する，あるいはAとBとが共有することになるからである*。

> *所有者を同じくする2つの物を結合させる，あるいは自分の所有動産のみに加工を加える場合は，添付に関する各条文の文言からして，添付の規律の対象とはされていない。その理由は，新たに生じた一物の所有者は明らかで，誰が所有者となるか（「所有権の取得」）という添付における基本問題が生じないからであろう。しかし，この場合にも，民法247条1項・2項に規定された付合前のそれぞれの物に付着していた所有権以外の権利（抵当権）などの運命，民法248条の損失を受けた者の償金請求の問題が生ずることが考えられ，したがって，それらの問題が生ずるかどうかの前提である添付発生の有無の判断基準も用いざるを得ない。そこで，所有者を同じくする事例についても，必要な限りにおいて，添付の条文を類推適用することになろう（具体例として，⇨177頁・(2)(エ)参照）。

(イ) **添付において生ずる問題**　付合，混和，加工をなぜ一括りにするか。それは，次のような4つの共通の問題があるからである。

　(a)　**一物化**　第1は，所有者を異にする複数の物の付合，混和，加工により新たな一物（合成物〔付合物〕，混和物，加工物）が生ずるということである。この一物が生ずるとの結果は強行法規的なもので，事後は当事者による分離復

---

6) 上に挙げた動産付合の例も労力が加わり加工に該当しそうで，その区別が難しいが，加工とは材料と同一性のない新たな物が生ずることであると一般には理解されている。

旧を許さない確定的なものとして扱うことになる。ここでは，どのような状態になれば付合，混和，加工による一物化が生ずるのかというその判断基準が重要であり，各条文でそれが示されている。

　もっとも，客観的に一物化が生じたとされれば当事者による分離を一切許さないというわけではなく例外があり，民法242条但書は権原により附属させた付着物（強い付合ではなくある程度独立性が認められることが前提）に対し権原者の権利の留保（分離すること）を認めている。

　　(b)　**所有者の決定基準**　　第2は，付合，混和，加工の結果生じた新たな一物の所有権の帰属先を誰とするかの基準が必要であることである。その基準は，それぞれの条文で法定されている（すぐ後で詳しく検討する。⇒172頁・(2)(ア)，178頁・(3)および(4)(ア)(a)）。もっとも，これに関する規定は任意規定と解すべきである。たとえば，注文者所有の動産に加工者が工作を加える場合，民法246条により加工物の所有権の帰属が定められている。しかし，通常は，注文者と加工者との間で請負契約が結ばれており，その契約の中で加工物の所有権帰属につきあらかじめ合意がされていることが多いであろうし，そのような合意が公序に反するわけではなく当然有効とすべきだからである。その他の添付の場合も同様なことがいえよう。

　　(c)　**償金請求権**　　第3は，添付により一物が生じその一物の所有権を取得する者がいる反面，添付前の物の所有者であって添付によりその所有権を失う者がおり（加工では対価なく工作をした者を含む），その者の損失をどのように補償するかという問題が生ずる。これについては，損失を受けた者は不当利得の規定（民703条，704条）に従いその償金を請求することができる，とされている（民248条）。この問題についても，関係当事者間において請負契約などの契約関係があり，その中で報酬の合意等がなされていれば，その合意が優先する。したがって，民法248条も任意規定である。

　　(d)　**添付の波及的効果**　　第4は，添付以前の各物件に付着していた所有権以外の第三者の権利（抵当権，先取特権，質権）の存続，消滅という問題である。これについては，「物の所有権が消滅したときは，その物について存する他の権利も，消滅する」（民247条1項）。「物の所有者が，合成物，混和物又は加工物（以下この項において「合成物等」という。）の単独所有者となったと

きは，その物について存する他の権利は以後その合成物等について存し〔民法370条（抵当権の効力は目的不動産の付加一体物に及ぶ）は抵当権の効力の側から同趣旨を規定したものである〕，物の所有者が合成物等の共有者となったときは，その物について存する他の権利は以後その持分について存する」とされる（同条2項）。なお，添付によりある物の所有権が消滅したときはその物の所有者に償金請求権が生じるが（民248条），その物に対し第三者が担保物権を有していれば，その第三者は償金請求権に対して物上代位権の行使をすることができる（民304条，350条，372条）。

　以下，不動産の付合，動産の付合，混和，加工を個別に取り上げ，主として各場合における一物が生ずる基準，新一物の所有者の決定基準の問題を中心に検討する。

　(2)　不動産の付合

　㋐　付合の基準　　「不動産の所有者は，その不動産に従として付合した物の所有権を取得する」（民242条本文）。この条文は，付合により一物が生ずる基準と新一物の所有者には誰がなるかの2点を規定している。しかし，第1の，付合により一物が生ずる基準を定めた文言である「その不動産に従として付合」は必ずしも一義的に明確なものとはいえない。第2の，新一物の所有者については，不動産の所有者がその所有者となると規定されている。不動産の価値の方が大きいのが一般的であるので当然であろう。

　さて，第1の付合により一物が生ずる基準については，通説の理解では，動産が物としての独立性を失い，不動産に付着して緊密な結合関係を有し，分離復旧することが事実上不可能になり，分離復旧させることが社会経済的にみてマイナスが大きいと判断される場合，とされている。ここまでの結合状態になれば，動産を収去させないため不動産の所有権に吸収させることにしたのである（動産所有者に対しては償金を支払うことで利害調整する）。付合の根拠を，分離復旧することが社会経済的にみて大きなマイナスであるという点に置く考え方であるといってよい。後述の動産の付合についての民法243条の基準（「損傷しなければ分離することができなくなったとき」，「分離するのに過分の費用を要するとき」）と趣旨を同じくする基準といえる。

　㋑　具体例　　以下では，付合により一物となったかどうかの判断をめぐっ

て特に問題が多い2つの事例，すなわち，樹木等の植栽および建物の増改築を取り上げて具体的に検討する。不動産の付合ということで具体的に問題となる例はほかにも，たとえば，土地に堆積した土砂あるいは土地に投入された土砂が当該土地に付合するかどうか等がある。

(a) **植栽** BがMから土地の所有権を譲り受け，その土地で，球根を植えて花卉を栽培，あるいは苗木から樹木を植栽していたところ，じつはその土地の所有者はAであることが判明し，BはAにこの土地を返還しなくてはならないこととなった。この場合Bがこの土地の上で育てている花卉あるいは樹木はどのような扱いとなるのか。これらがA所有地に付合せず動産のままであれば，これらにつきBの所有権が残っており，Aは妨害排除請求ができ，Bの収去義務（収去権）の問題となる。他方，Aの土地に付合しておれば，Aの土地所有権に吸収され，土地の一部となっており，Aが自由に処分でき，引き抜いても伐採してもBに対する不法行為とはならない。ただし，その場合，Bは付合により植栽している花卉，樹木の所有権を失い損失を受けており，Aに対して償金請求権を有する[7]。さてそこで付合しているかどうかであるが，その判断に際しては上記(ｱ)で述べた基準が用いられる。この例では，花卉あるいは樹木が土地に根付きしている状態であれば，その基準からして，付合した扱いになると判断できる*。ここでは，Bは土地利用につき無権原であるので，花卉，樹木が独立性を有するに至っても，それらに対して権利を留保することはできない，と考えられる。

> ＊ かつて，無権原者による農作物の植栽につき，その耕作者（小作人）を保護する趣旨で，農作物の独立性を認め，土地には常に付合しないとするのが慣習であるとする見解があった。しかし，収穫期前であると，収去することによっては価値を回収できないので，むしろ，土地に付合して償金の請求をすることができるとする方が保護に適している。
>
> もっとも，さらに考えると通説の見解による解決にも問題がある。根付きしていても樹木の移植が可能である場合，あるいは花の収穫期にある場合には，付合していない（分離収去できる）とする方が適切な解決になることがある。特に，植栽しているBが無

---

7) 償金請求は土地に関して生じた債権であるので，占有者Bは，その支払を受けるまでは，土地に対して留置権を行使できる（民295条1項）。ただし，一般的な解釈に従えば，植栽の時点で無権原につきBが悪意・有過失の場合には留置権は成立しない（民295条2項）。

権原につき善意である場合はそうである（「善意者」を民法242条但書の「権原」ある者と同視し，独立性ある物について権利を留保できるとする解決をすべきということになる）。逆に，Bが悪意である場合は，付合したとして償金請求を認めるのは，Aとしては不要な物を押しつけられた上に償金まで支払わせられるという不都合がある。この場合には，解決としては，ある程度独立性のある物については，Aの側で，Bに収去請求をするかAがそれを引き取った上B に償金を支払うかのどちらかを選択できるとすべきではないか。

(b) **建物の増改築**　たとえば，Aが所有する建物に対し，注文を受けたリフォーム業者Bがその所有に係る材料（浴槽，給湯設備一式等）で風呂場の全面改修工事をしたところ，Aが倒産し工事代金を支払わないので，Bはこれらの材料（動産）の所有権を主張して収去を求めている。この場合，材料が建物に付合しているかどうかが問題となり，付合していなければBは自分の所有物として収去できるが，付合しておればA所有不動産に吸収されBの所有権は消滅しており，Aに対する償金請求権が残るだけとなる（もっとも，この例ではAが倒産しているので償金請求権は実際上あまり意味がない）。この場合の付合の成否の判断は結局前述(ア)の基準によるわけである*。

＊念のために言及するが，畳，建具，エアコン，エレベーター，機械・器具などの取外しの可能な設備が建物，工場に取り付けられた場合は，通常，これらは建物に付合したとはみないで，なお独立した動産として建物の従物（民87条1項）と位置づけられる。

(ウ) **権原により附属させた場合**　(a) **問題の所在**　民法242条但書は，「ただし，権原によってその物を附属させた他人の権利を妨げない」とする。権原者が自己所有動産を不動産に附属させたとき，それは不動産に付合しその一部となってはいるが，その付着物に対しなお所有権を留保しているということである。その実際上の意義としては，権原者は，権原の存続中または権原の消滅したときに，付着物を自由に分離することができ，それは適法であるということである。

解釈としては，第1に何が権原に当たるか，第2に所有権が留保できるのは，付着物が不動産とどのような状態で結合している場合なのかが問題となる。第1の権原については，他人の不動産に自己所有動産を附属させてその不動産を利用する権原，を意味すると解されている。また，第2の点については，付着

物につき所有権を留保するためにはそれがある程度の独立性を有していることが必要であると解されている。

議論のある主たる事例類型について，以下，具体的に検討する。

(b) **権原者の植栽** (i) **権原とは** A所有の土地で，Bが樹木や花卉の植栽を権原に基づいて行っている場合である。この場合，権原とは，植栽を目的とした地上権，永小作権，土地の賃借権をいい，これに該当する権原者が植栽する場合には付着物の所有権を留保するという意味だと解されている。

(ii) **独立性の要求** もっとも，所有権を留保するためには付着物にある程度の独立性が必要であり，付着物が土地の同体的構成部分となってしまった場合（「強い付合」と呼ぶ）には，所有権を留保しようにもその対象を把握できないので，結局，但書は適用されないこととなる。

そこで，種を蒔いて稲を育てるという例で考えれば，Bが種を蒔いた時点では土地に単純に付合し（その時点で権原が消滅し土地を返還すべきことになれば，BはAに対し償金請求をすることとなる），成長して独立性を獲得した時点で所有権を留保することになる（Bによる分離は適法である）。樹木の植栽の例では，根付き前は付合せず，根付きによって強い付合状態となり，その後，独立性を認め得る状態となれば権原ある植栽者は立木たる樹木に対する所有権を留保することになる。独立性が認められるのは，分離あるいは伐採しても一定の経済的な利益を得ることができる程度に樹木が生育している場合と考えることになろう。

(iii) **権原について対抗要件を具備しない場合の扱い** 先の例で，権原者（B）がその権原につき対抗要件を具備していない間に，Aが土地の所有権を（樹木等の付着物を含めて）第三者Cに譲渡し所有権移転登記を経由した場合，Cが背信的悪意者でもない限り，BはCに権原を対抗できない。この場合，BはCからの土地の明渡請求に従う必要がある。しかし，Bは植栽した時点では権原があったのであるから，民法242条但書が適用され，Bは付着物についての所有権を留保しているというべきであろう。もっとも，Bがこの樹木等についての所有権を留保していることは，Aからの土地譲受人Cに対する関係では対抗問題となり，Bが樹木等につき明認方法を施していない限り，留保した樹木等に対する所有権をCに対抗できないと解される（最判昭和35・3・1民集14巻3号307頁〔事案は，Bは利用権者ではなく土地所有権の第1譲受人であり民法242条

但書が類推適用されたもの〕)。明認方法がなく，Bが樹木の所有権を対抗できない場合には，Cに対しては何ら権利を主張できず（償金請求の問題は生じない），Aに対して損害賠償を求めるほかない。

　(c) **建物賃借人の増改築**　　(i) 建物賃借権は権原か　建物の賃借人がリフォーム業者に注文して当該建物にたとえば子供の勉強部屋を建て増すなど増改築をした場合（賃貸人の不動産に賃借人が取得した動産が付合したことになる），民法242条但書の「権原によって」これをなしたといってよいか。建物の賃借権は単に建物を利用することを本来的な内容とするものであり，自分の所有動産を付着させてその不動産を利用する権原というわけではない。したがって，本条但書の権原には当たらない。しかし，一般には，賃貸人の同意を得て増改築をする場合には，建物賃借権も本条の但書の権原となり得ると解している。

　(ii) **独立性の要求**　　権原に当たるとすると，建物賃借人が所有動産を建物に従として付合させた場合も，付着物（増改築部分）につき所有権を留保する可能性がある。もっとも，そのためにはやはり付着物につき所有権の客体となり得る独立性が必要となるというべきであろう。判例も建物の増改築の事例で，但書適用のためにはその部分につき建物区分所有権の対象となる程度の独立性を要求している（最判昭和44・7・25民集23巻8号1627頁【百選Ⅰ73】）。なお，増改築部分に独立性が認められない場合には所有権を留保できず，その部分は建物に付合し，建物賃借人は建物所有者に対し償金を請求することができるだけとなる（民248条）。

■最判昭和44年7月25日民集23巻8号1627頁

事実の概要　甲建物の賃借人が，賃貸人の承諾の下，平屋である賃借建物の上に2階部分（乙建物）を増築しその部分の保存登記も経由したが，その2階部分（乙建物）への出入りは甲建物の中の一部屋から通ずるはしご段を使用するほかはないという状態であった。

判旨　「〔乙〕建物は，既存の〔甲〕建物……の構造の一部を成すもので，それ自体では取引上の独立性を有せず，建物の区分所有権の対象たる部分にはあたらないといわなければならず，たとえ……建物を構築するについて……賃貸人……の承諾を受けたとしても，民法242条但書の適用はないものと解するのが相当」。

　(iii) **増改築費用に関する契約法の規律との関係**　なお，賃貸人の承諾の下で賃借人がなした増改築費用の負担については，賃貸借契約法による規律が用意

されており，基本的には，民法608条2項の有益費の償還請求の問題になると考えられる（もちろん費用負担につき特約があればそれによる）。上述の付合法による償金請求との相違点はいくつか指摘できるが，大きいのは，付合法による償金請求は即時になし得るが，有益費の償還請求は賃貸借契約終了の時とされる点である。両規範が競合しいずれの規律によるべきかであるが，契約関係がある場合については，契約法がよりきめ細かな利害調整を行っていると考えられるので，それによるべきであろう。そうすると，ほとんどの場合，権原に基づく建物増改築について付合法の適用があるのは付合するかどうかの判断についてのみということになる。

(エ) 2つの建物の合体　2つの建物（甲，乙）が1枚の隔壁で仕切られている場合（マンション住戸〔専有部分〕のような場合），その隔壁を除去することにより1つの建物（丙）となることがある。その甲，乙建物の所有者が異なれば，2つの不動産の付合の問題と考えてよいであろう。この甲，乙建物に主従の区別がなければ民法242条（不動産の付合）により所有者を決定することは適当ではなく，むしろ民法244条（動産の付合）の類推適用によるべきであろう（「各……所有者は，その付合の時における価格の割合に応じてその合成物を共有する」）。この場合，仮に甲，乙建物にそれぞれ抵当権が設定されていた場合には，民法247条1項・2項が適用されるべき問題となる。

ところで，2つの不動産の所有者が同一人である場合には，丙建物の所有者が誰となるかという意味での付合の規律の適用は問題とならない。しかし，従前の甲，乙建物にそれぞれ抵当権が設定されていた場合，実体法的に，まず付合により一物化が生じるかどうか，次いで，一物化が生じた場合各抵当権は消滅するのか，丙建物につき存続するのか，さらに存続するとして，各抵当権の内容，効力はどうなるのかが問題となり，あたかも，民法247条2項に類似した関係が生ずる。

この問題につき判例（最判平成6・1・25民集48巻1号18頁）は，「互いに主従の関係にない甲，乙2棟の建物が，その間の隔壁を除去する等の工事により1棟の丙建物となった場合においても，これをもって，甲建物あるいは乙建物を目的として設定されていた抵当権が消滅することはなく，右抵当権は，丙建物のうちの甲建物又は乙建物の価格の割合に応じた持分を目的とするものとして

存続する」という[8]。従前の各抵当権は，甲建物，乙建物の価値を把握しており，その価値は丙建物の価値の一部として存続しているから，したがって，各抵当権は丙建物の価値の一部として存続している甲建物または乙建物の価値に相当する各建物の価格の割合に応じた持分（民179条1項但書参照）の上に存続する，と考えるのである。

(3) 動産の付合，混和

所有者を異にする数個の動産の付合について，付合の基準は「損傷しなければ分離することができなくなったとき」，「分離するのに過分の費用を要するとき」であり，また，「その合成物の所有権は，主たる動産の所有者に帰属する」とされる（民243条）。なお，「付合した動産について主従の区別をすることができないときは，各動産の所有者は，その付合の時における価格の割合に応じてその合成物を共有する」（民244条）。

所有者を異にする物の混和について，その基準は，「混和して識別することができなくなった場合」であり，その所有権の帰属については，動産の付合の規定が準用されている（民245条）。

(4) 加 工

(ア) 加工による所有権の帰属と調整　　(a) 序　　まず，加工とは，「他人の動産に工作を加えた」（民246条1項本文）ことである（材料の一部を加工者が提供した場合も含む）。他人の不動産に工作を加えた場合は加工には当たらず，民法242条の適用が予定されている。

そして，その加工物の所有権は，原則として，「材料の所有者に帰属」し（民246条1項本文），例外的に，「工作によって生じた価格が材料の価格を著しく超えるときは，加工者がその加工物の所有権を取得する」とされる（民246条1項但書）。また，加工がなされた場合において，「加工者が材料の一部を供したとき」については，「その価格に工作によって生じた価格を加えたものが

---

[8] なお，この各抵当権者と，丙建物について抵当権設定登記がなされる前に丙建物につき賃借権などの物的権利を取得し対抗要件を具備した者との間では対抗問題が生ずるが，この判例の事案では紛争相手方たる丙建物の賃借人は背信的悪意者とされた。建物の合体についての登記手続はかつて不備であったが，平成5年に整備された（現行の不登49条参照）。これは，本文に書かれた建物の合体についての実体法的理解を前提としている。

他人の材料の価格を超えるときに限り，加工者がその加工物の所有権を取得する」（民246条2項）。なお，加工者が材料の全部を提供している場合には，加工ルールの対象外で，加工物はもちろん加工者の所有に属する。

　加工をしたけれど加工物の所有権を取得しなかった加工者，または材料を提供したが加工物の所有権を取得しなかった者は損害を受けるが，いずれにしろそれは償金請求により調整される（民248条）。

　(b)　**契約がある場合**　　加工がなされる場合には，材料の所有者と加工者間で請負契約，あるいは雇用契約などの契約関係が存在することが通常であろう。その契約において，加工物の所有権の帰属が定められておれば，所有権の帰属はそれによることになる。着物の反物を提供して着物を仕立ててもらう請負契約中で，加工物たる着物の所有権は注文者に帰属すると合意しておれば，仮に加工物の価格が材料の価格を著しく超えても（民246条1項但書参照），加工者たる請負人に所有権が帰属することはない。

　(c)　**建物建築請負における建物所有権の帰属**　　関連する問題として，請負契約に基づき注文者所有の土地上に建物が建築された場合，その完成建物の所有権は請負人に帰属するのか，注文者に帰属するのかという議論を紹介する。判例は，当事者間に所有権の帰属につき合意があればそれに従い（最判昭和46・3・5判時628号48頁），それがない場合，請負人が自分の材料を提供して建築したときは，完成建物は原則として請負人の所有に帰属すると考えており（加工における完成物の所有権帰属のルールを下敷きに判断していると思われる），完成建物が注文者に引き渡されることにより所有権が移転するという（大判明治37・6・22民録10輯861頁）。ただし，請負代金が完成前に全額支払われている場合は例外を認める（大判昭和18・7・20民集22巻660頁，最判昭和44・9・12判時572号25頁）。なお，学説においては，請負契約における当事者意思の合理的解釈として注文者に原始的に帰属する，との見解が有力である。この注文者原始的帰属説の論者は，請負代金債権支払の確保の手段という実質的な衡量の観点からも請負人原始的帰属と考える必要はなく，注文者に原始的に帰属すると考えても，請負人が注文者の引渡請求に対して注文者所有の土地・建物に留置権を行使することによって代金の支払を確保することができるという。

　(イ)　**動産の付合か加工か**　　他人の動産に工作を加える場合，見方によると

動産と動産の付合があったといえる場合もあり得る。そのような場合，新たな合成物等の所有権帰属を決定するにつき，動産の付合の規定によるのか加工の規定によるのかという問題が生ずる。いずれによるかにより所有権の帰属が異なることにもなり得る。判例は，動産と動産の単純なる付合にとどまり工作の価値を無視してもよい場合は動産の付合，材料に対して施される工作が特段の価値を有する場合は加工と位置づけている（最判昭和 54・1・25 民集 33 巻 1 号 26 頁【百選 I 72】）。

■最判昭和 54 年 1 月 25 日民集 33 巻 1 号 26 頁

事実の概要 請負契約（注文者 Y・第 1 請負人 A）に基づく建物の建築途上で A が倒産し，その間に A の下請人 X が自らの材料で築造した（屋根下地板を葺いた程度の）未だ独立の不動産に至らない建前が放置されていたところ，Y と契約した第 2 の請負人 B がその建前に対して材料を供して工事を施し建物として完成させた（Y・B 間では完成建物は Y に帰属するとの特約がある）。下請負人 X が（下請負代金の支払を受けていないのでその回収を狙って）建物の所有権を主張しているが，その理由は，〔1〕建前の所有権は X に帰属する*，〔2〕建前（動産）と B 所有の少量の動産の付合で最低限不動産といえる状態になった（民 243 条で X に帰属），〔3〕この X 所有不動産に B の動産が付合し完成建物となったので民法 242 条で X に所有権が帰属するという。所有権の帰属の決定においては，〔2〕の部分（動産の付合）の主張が重要である。これを受けて，最高裁は加工の法理を援用するだけでなく，所有権帰属の判断基準時を不動産化時点ではなく，あとの建物完成時点とした。

判旨 「建物の建築工事請負人が建築途上において未だ独立の不動産に至らない建前を築造したままの状態で放置していたのに，第三者がこれに材料を供して工事を施し，独立の不動産である建物に仕上げた場合においての右建物の所有権が何びとに帰属するかは，民法 243 条の規定によるのではなく，むしろ，同法 246 条 2 項の規定に基づいて決定すべきものと解する」。加工の規定によるべき理由としては，「けだし，このような場合には，動産に動産を単純に附合させるだけでそこに施される工作の価値を無視してもよい場合とは異なり，右建物の建築のように，材料に対して施される工作が特段の価値を有し，仕上げられた建物の価格が原材料のそれよりも相当程度増加するような場合には，むしろ民法の加工の規定に基づいて所有権の帰属を決定するのが相当であるからである」。本件では，完成建物にするまでに加工者 B が提供した材料の価格と工作によって生じた価格を加えたものが X 所有の建前の価格を超えるので，完成建物は B に帰属し，特約により Y の所有となる**。

＊建築途中の建前の所有権が注文者に帰属するか請負人に帰属するかは，上で触れた建

物建築請負契約における完成建物の所有権帰属と同一の問題である。本件では所有権の帰属についてなんらの合意がなく[9]，したがって，建前は自ら材料を供して築造した下請負人 X に帰属すると判断された。

** なお，X は建前（動産）の所有権を失っているので，その損失につき Y に対して償金請求（民 248 条）できるかという問題がある。これを認めると，Y はすでに第 1 請負人 A に対して建前の建築に相当する請負代金を支払っているので，二重払いを強いられることになる。民法 248 条には「第 703 条及び第 704 条の規定に従い」とあるので，Y には利得がないことを理由に，X の償金請求は認められないというべきであろう（最判平成 7 年 9 月 19 日民集 49 巻 8 号 2805 頁【百選 II 79】が，類似の事態について，不当利得返還請求ができるのは「対価関係なしに右利益を受けたときに限られる」と述べているのが参考になる）。

VI 共　有

1　序　説

(1) 共有の意義

(ア) 共有とは　　共有とは 1 つの物を複数の者で共同して所有することであり，各共有者は物に対し持分権を有する。民法では，共有をめぐる法律関係については，249 条以下に規定された「共有」のルールが対応する。単独所有の場合には所有者の自由な意思により目的物を使用・収益・処分できたが（民 206 条），共有の場合，基本的には共有者が協議，協力し合って目的物の使用，収益，処分等を決め，また管理の費用等を支払うことになる（民 249 条，251 条，252 条，252 条の 2，253 条）。

(イ) 共有の発生　　いかなる場合に共有が生ずるか。複数者が金銭を出し合って共同で動産または不動産を購入した場合（共働きの夫婦が住宅を買うなど），材料を提供し合って共同で動産や不動産を製作した場合，あるいは，共同相続

---

[9] 判例では，注文者と元請人との間で完成建物の所有権について注文者に帰属するとの合意があれば，その合意は，現に工事をする下請負人をも拘束するという（最判平成 5・10・19 民集 47 巻 8 号 5061 頁【百選 II 69】）。これによると本件事案で Y・A（第 1 の元請負人）間にその旨の合意が仮にあれば，下請負人 X は建前の所有権を取得してはいなかったことになる。

人が遺産分割後不動産を共有する場合などが典型例である。

　また，民法の条文を手がかりにすると，相隣関係や添付の関係で共有が法定されているもの（民229条〔境界標等〕，241条但書〔埋蔵物の発見〕，244条〔動産の付合〕），入会地の共有（民263条），組合で共同事業を営むため取得した財産の共有（民668条），共同相続による遺産（分割前）の共有（民898条）がある。建物の区分所有等に関する法律の関係では，建物の共用部分は区分所有者全員の共有に属する（建物区分11条1項）。

　(2)　共有の諸形態

　(ｱ)　共有，合有，総有　　共有には類型として3種類のものがあるとするのが解釈学上の一般の理解である。民法249条以下の規定が妥当する「共有」と，それに対して団体的拘束という観点からなにがしかの例外的扱いをすべき共有，すなわち「合有」と「総有」である。合有の例は組合財産の共有であり（相続財産の共有もこれに該当するとの議論がある），総有の例は入会地の共有である。

　(ｲ)　共有　　共有とは複数者がたまたま1つの物を共同で所有する関係をもっただけで，団体的ではない個人主義的な共有の関係と理解される。そこで，共有関係の存続を前提とした関係に満足できない場合には，原則として共有者はいつでも持分を処分することができ，それによって共有関係から離脱するか，または，共有物分割請求権を行使することによって共有関係の解消を図ることができる（民256条）ものとされている（ただし，例外がある〔民229条，257条〕）。

　(ｳ)　合有　　組合財産の共有では，共有者は組合の一員として目的物を使用収益する権原はあるとしても，共同の事業を営む（民667条）という組合目的に拘束されて，一般の共有で許される，持分の処分，債権についてその持分についての権利を行使すること，および清算前の分割請求が，制限ないし禁止されている（民676条）。持分がいわば潜在的になっている。そこで，このような共有関係を，講学上，合有と呼んでいる。他方，相続財産の共有については，確かに相続財産の分割は遺産分割（民906条）という方法による必要があり，共有物分割の手続によることはできないので団体的拘束がかかってはいるが，個々の物に対する持分の処分については民法909条但書の規定がある（遺産分割には遡及効があるが第三者〔譲受人など〕の権利を害することはできない）ので遺産分割前であっても結果的に制限されず，その意味で実質は共有に近いものと

(エ)　**総有**　総有と性格づけられる入会地の共有はかなり特殊である。共有者は入会団体を構成しその団体構成員の身分がある限りにおいて，かつその規律に従って入会地の使用収益ができるが，持分権はもたず，したがって，分割請求や持分の譲渡も認められないというものである。判例によると，権利能力なき社団における社団構成員による財産の共有も，このいわゆる総有状態にあると性格づけられている。

　以下では，民法249条以下の一般的な共有に関する規定のうち重要なものにつき検討する。共有に関して検討すべき法律関係としては，〔1〕持分ないし持分権の意義・内容，〔2〕共有物の変更，管理，〔3〕共有物の分割，〔4〕所在等不明共有者の持分の取得および譲渡，である。

2　持分権

(1)　意　義

　共有者が共有物に対して有する権利を持分という。権利の側面を特に表現するときは持分権，その割合を表現するときは持分割合と呼んだりする。

　持分権は，もちろん，所有権の実質を有する権利である。したがって，持分権の内容として，まず，「各共有者は，共有物の全部について，その持分に応じた使用をすることができる」(民249条1項)のは当然である。また，持分があるからそれを背景として，共有物の管理，変更に関する共有者の協議に参加し(民251条，252条，252条の2)，共有物の分割を求めることもできる(民256条以下)。また，他の共有者に対して，あるいは第三者に対して持分権に基づいて一定の権利主張，物権的請求権の行使をすることができる。

(2)　持分割合

　持分割合は，共有者間の合意あるいは法律の規定(民241条但書，244条など)によって決まる。これらによっては割合が明確とならない場合には，「各共有者の持分は，相等しいものと推定」される(民250条)。なお，不動産の共有の場合，この持分の割合は原則として登記をしておかないと第三者には対抗できない(ただし，遺産分割前の共有持分は別である。⇨58頁・第4章Ⅱ2(5)(イ)，不登76条の2参照)。

(3) 持分権の処分

(ア) 処分の自由　各共有者は，自己の持分を自由に処分することができる（民206条参照）。処分とは，具体的には，譲渡，担保権の設定，放棄などである。なお，持分権は割合的権利という性質上，これに利用権を設定することはできない。また，境界標等に対する相隣者の共有持分（民229条）の処分は性質上相隣する土地の処分に随伴してのみなされる。

(イ) 処分の効果　譲渡前の共有者が他の共有者に対して負担していた債務は特定承継人に承継される（民254条）。その例として分かりやすいのはマンションの共用部分の管理費の承継である（民253条1項）。債務は譲渡に際し承継されるので，前主が管理費の不払いをしていれば，共用部分の持分（マンション住戸）の譲受人がそれを支払わなければならない。ほかに，共有者間で使用や管理等について合意があれば（たとえば，不分割の合意），特定承継人は，仮にその存在を知らなくても，その合意（債務）に拘束されることになる（ただし，⇨198頁・**4**(1)(イ)参照）。

(4) 持分の放棄および共有者の死亡

「共有者の1人が，その持分を放棄したとき，又は死亡して相続人がないときは[10]，その持分は，他の共有者に帰属する」（民255条）。他の共有者に帰属させる理由を，共有の弾力性で説明するのが一般的である。放棄の場合を考えれば，その持分を他の共有者に按分帰属させることが実際的にみて妥当であり，また，持分（とりわけ不動産の持分）につき相続が発生し相続人が不存在である場合を考えれば，その持分が残余財産として国庫に帰属し（民959条）国が共有者の1人として当該共有物（不動産）の管理に参加するという事態は避けられなくてはならない。

---

[10] なお，不動産の共有者の1人が死亡し相続人の不存在が確定したが，その死亡した者に特別縁故者がいる場合，その共有持分について，民法958条の3（特別縁故者に分与）と民法255条（共有者に帰属）といずれの適用が優先するかが問題とされた事例があり，判例（最判平成元・11・24民集43巻10号1220頁【百選Ⅲ55】）は，特別縁故者に対する分与を優先させた。特別縁故者がいる場合には国庫に帰属（民959条）させず，被相続人の合理的意思を推測探究しその者に分与しようとするのが民法958条の3の趣旨であるので，その趣旨からすると，順序として国庫帰属と同じレベルの扱いである他の共有者への帰属との関係では，特別縁故者への分与が優先すべきであるというのである。

しかし，持分放棄が，その持分を按分帰属させられる他の共有者にとって利益であるとは限らず，負担となることもあり得る。特に不動産の場合，管理の負担（物理的管理とその費用，固定資産税の負担など）が増大するからである。共有者の1人が持分放棄により管理の負担を免れ，それを他の共有者に不当に押しつける意図であれば，持分放棄が権利濫用として許されないとされることもあり得る。さらに考えれば，放棄による持分の喪失は，物権変動としてその対抗要件（不動産の場合，登記〔民177条〕）を具備しなければ第三者に対抗できない。また，地方公共団体は登記簿に所有者として登記されている者に対して固定資産税を賦課徴収するものとされている（地税343条2項）。しかし，持分放棄の登記を実現するには持分放棄者（登記義務者）と他の共有者（登記権利者）との共同申請（他の共有者の協力が必要）とされているので（不登60条），持分放棄の登記は事実上実現が難しい（他の共有者は登記引取義務の不存在を主張する）。対抗要件が具備できないのであれば，単なる意思表示による持分の放棄には実効性はない。

(5) **持分権に基づく各種の請求**

共有者は，他の共有者，および第三者に対し，持分権を根拠にその確認請求，および物権的請求権等の各種の請求をすることができる。持分権に基づくこれらの請求は，基本的には，各共有者が単独で行うことができる。

(ア) **持分権の確認請求**　持分権の存否，持分割合について，他の共有者または第三者がこれを争う場合には，共有者は，それらの者を相手に，その目的物に対して自分が持分権，一定の持分割合を有することの確認を裁判所に求めることができる。

(イ) **持分権に基づく妨害排除請求，引渡請求**　(a) 対第三者　第三者が共有物につき占有を侵奪，妨害しているときは，各共有者は持分権に基づいて，物権的請求権の行使として，共有物全部についての明渡し，または妨害の排除を請求することができる。共有者全員ではなく，各共有者が単独で請求できるのは，共有物に関する保存行為（民252条5項）であるからと理由づけられる。

(b) **共有者相互間**　他の共有者に対する関係でも，共有物を物理的に損傷しあるいはこれを改変するなど共有物に勝手に変更を加えるとか，共有者間での決定（民252条1項）に反して，共有物を勝手に使用，収益する，あるい

は他の共有者のそれを妨げる場合も同様に，他の共有者は，各自の共有持分権に基づいて，右行為の全部の禁止を求めることができ，原則として，右行為により生じた結果を除去して共有物を原状に復させることを求めることができる（最判平成 10・3・24 判時 1641 号 80 頁）。

なお，共有者間での決定のないまま共有者（共同相続人などの例）の 1 人が使用，収益をしている場合，多数決によりその者に対し明渡しを求め得るかについては，管理等の問題として後述する（⇨195 頁・**3**(3)）。

(ウ) **持分権に基づく登記請求**　　(a) **第三者に対する請求**　　B・C が A から共同相続した甲不動産について，登記簿上 A の前主 M から無権利者 D に対する所有権移転登記が存する場合，共有者 B は単独でその M・D 間の所有権移転登記の抹消を請求できるか。判例は，共有不動産につき何ら権利を有しない第三者の登記が存在する場合，各共有者は単独でその登記の全部の抹消請求ができるとし，その根拠を，「ある不動産の共有権者の 1 人がその持分に基き当該不動産につき登記簿上所有名義者たるものに対してその登記の抹消を求めることは，妨害排除の請求に外ならずいわゆる保存行為に属する」からとする（最判昭和 31・5・10 民集 10 巻 5 号 487 頁）。もっとも学説では，共有物の利用関係に関する保存行為概念をこの場面で用いる必要はなく，端的に，持分権に対する侵害として，各共有者が持分権に基づいて単独で不実の登記の抹消を請求することができると説明する者が多数である（後掲最判平成 15 年 7 月 11 日は保存行為概念を用いない）。

ただし，この例で，登記の記載を実体的権利関係に合致させるためには，抹消により回復された M の所有権登記から，A，次いで B・C への所有権移転登記をする必要がある。そこで，登記先例，判例では，M・D 間の所有権移転登記の抹消請求に代えて真正な登記名義の回復を原因とする D から B・C 共有名義への所有権移転登記の請求ができるとされている（性質は妨害排除請求である）。ところで，この場合，B が単独で D から B・C 名義への所有権移転登記を請求できるか。これは否定される（D の所有名義を全部抹消して，権利を主張してもいない C の持分登記を記録することは登記手続上不可能である）。この場合には B 単独では B の持分部分についてのみ移転登記を請求できるにすぎない（結果として D・B の共有登記となる）。実体的権利関係を正しく表示するためには，

Cもまた，Dに対して自己の持分についての移転登記請求をする必要がある（同様な趣旨は，最判平成22年4月20日判時2078号22頁＊でも述べられている）。

> ＊事案は，共同相続により甲建物につき相続人X_1が1/2，X_2が1/4，Aが1/4の持分を有するところ，登記簿上は，X_1が1/4，X_2が1/8，Aが1/8，無権利者Yが1/2の持分を有する旨の共有登記（保存登記）がなされているので，X_1およびX_2が（Aは参加していない），Yを相手に，共有持分権に基づき，本件保存登記のうちYの持分に関する部分を抹消し，登記を実体的権利に合致するよう更正することを求めたというものである。これに対して上記最判平成22年4月20日は，「共有不動産につき，持分を有しない者がこれを有するものとして共有名義の所有権保存登記がされている場合，共有者の1人は，その持分に対する妨害排除として，登記を実体的権利に合致させるため，持分を有しない登記名義人に対し，自己の持分についての更正登記手続を求めることができるにとどまり，他の共有者〔ここでは，A〕の持分についての更正登記手続までを求めることはできない。」「したがって，Xらの請求は，X_1の持分を2分の1，X_2の持分を4分の1，Y及びAの持分を各8分の1とする所有権保存登記への更正登記手続を求める限度で理由があるからこれを認容〔する〕」と述べている。

ところで，最判平成15年7月11日（民集57巻7号787頁【百選Ⅰ75】）では，不動産の共有者（A・B・C共有登記）の1人（A）は，他の共有者（C）から共有不動産について持分移転登記を了しているが実体上の権利を有しない者（D）に対して（A・B・Dの共有登記），その持分移転登記（C→D）の抹消登記手続を請求することができるのか，そうではなく，Aの1/3の持分は登記上そのまま公示されているので，その持分権は何ら侵害されていないとして，持分権に基づく上記抹消登記手続は請求することができないのか，が問題とされた。判旨は，「不動産の共有者の1人は，その持分権に基づき，共有不動産に対して加えられた妨害を排除することができるところ，不実の持分移転登記がされている場合には，その登記によって共有不動産に対する妨害状態が生じているということができる」として，共有不動産について持分移転登記を了しているが実体上の権利を有しない者Dに対し，Aは単独で，持分権に基づいてCからDへの持分移転登記の抹消登記手続を請求することができる，とした。

(b) **共有者相互間** たとえば，被相続人Mからの相続によりA・B・Cの共有（持分各1/3）に属する不動産につき，そのうちの1人Cが勝手にMからCへの所有権全部の移転登記を了している場合，Aが単独で（Bは参加していない），M・C間の所有権移転登記の抹消を求めることによりA・B・Cの共

有登記を実現できるか。これは否定される。「共有者の1人がその共有持分に対する妨害排除として登記を実体的な権利に合致させるため右の名義人〔ここでは，C〕に対し請求することができるのは，自己の持分についてのみの一部抹消（更正）登記手続であると解するのが相当である」（最判昭和 59・4・24 判時 1120 号 38 頁），その理由は，「Cの所有権移転登記はCの持分に関する限り実体関係に符合しており，またAは自己の持分についてのみ妨害排除の請求権を有するに過ぎないからである」（最判昭和 38・2・22 民集 17 巻 1 号 235 頁【百選 I 59】）。Aの請求により，Aの持分を 1/3，Cの持分を 2/3 とする所有権移転登記に更正されるにとどまるということであり，請求をしていないBの持分についての更正登記まで実現することは登記手続上不可能である。実体的権利関係を正しく表示させるには，Bが自ら登記の更正を求めなくてはならない。

　(エ)　**特に共有関係にあることを主張する場合**　　以上と異なり，各共有者単独では請求できない場合がある。それは，共有者がある物について共有関係にあることを主張する場合である。土地の共有者全員が共同原告となって，共有権（数人が共同して有する1個の所有権）に基づいて，その共有権を争う第三者を相手方として共有権の確認および所有権移転登記手続を求める場合は（固有必要的共同訴訟となる），これに当たるとされる（最判昭和 46・10・7 民集 25 巻 7 号 885 頁）。

　また，共有地について隣地との境界の確定が問題となる場合は，事柄の性質上，共有者全員について合一に確定されなくてはならないので，共有者全員が共同してのみ訴訟の当事者となり得る（最判昭和 46・12・9 民集 25 巻 9 号 1457 頁。訴訟法上，固有必要的共同訴訟となる）。もっとも，共有者が原告となって訴えを提起する場合，全員がそろってでないと訴えが不適法となるというのであれば，1人でも非同調者がいると，共有者は裁判によって隣地との境界を確定することができない。この不都合を解消する方法として，最判平成 11 年 11 月 9 日（民集 53 巻 8 号 1421 頁）は，境界確定の訴えにおいて非同調者がいるとき，「その余の共有者は，隣接する土地の所有者と共に右の訴えを提起することに同調しない者を被告にして訴えを提起することができる」と判示した。その理由として，次のような境界確定の訴えの特質を挙げている。すなわち，〔1〕非同調者がいる場合であっても，隣接する土地との境界に争いがあるときにはこれを

確定する必要があること，〔2〕境界確定の訴えにおいては，裁判所は，当事者の主張に拘束されないで，自らその正当と認めるところに従って境界を定めることができること，である。このような訴えの特質に照らせば，「共有者全員が必ず共同歩調をとることを要するとまで解する必要はなく，共有者の全員が原告又は被告いずれかの立場で当事者として訴訟に関与していれば足りると解すべきであ」る，という。

3 共有物の変更，管理

(1) 序

(ア) 問題の所在　共有においては，複数の者が目的物を共同で所有し，使用，収益，処分するから，目的物の管理，変更につき共有者がそれにどう関わっていくのか，という問題がある。共有物の管理については，共有者全員の意見が一致しないとそれができないというのでは困るから，原則として，多数決で決めるという原理を導入する必要があるが（管理のうち保存行為は各共有者がそれぞれ単独で行うことができる），共有物に変更を加えるという場合にはさすがに多数決では認められず，全員の一致が必要となるという具合である（建物の区分所有においては例外がある。⇨221頁・Ⅷ2(2)(イ)，223頁・Ⅷ5参照）。以下では，この問題を取り上げる。なお，ここで取り上げる共有に関するルールは，原則として遺産分割前の遺産共有にも適用される（民898条1項・2項〔共有持分の割合を法定相続分とする〕）。

ところで，共有（特に不動産の共有）において，共有者の一部に所在等不明者がおり，その者に連絡ができないという場合には，管理，変更の協議ができず，目的物の使用，収益，処分に関する決定に支障が生じる。令和3年の改正民法（法24号）は，このような場合についての問題を解決するルールを新設した。

(イ) 共有物の使用　(a) 使用　目的物の管理，変更に関する規律を紹介する前に，共有物の使用に関する基本ルールに触れておく。「各共有者は，共有物の全部について，その持分に応じた使用をすることができる」（民249条1項）。持分の多い少ないにかかわらず，共有者は，共有物の全部を持分に応じて使用できる，という趣旨である。持分各1/2の割合で自動車を共有する場合，各共有者は合意によりその持分割合に応じて使用することになる。なお，文言

は「使用」であるが，共有物を第三者に賃貸し賃料を得ている場合であれば，各共有者はその持分に応じてその賃料債権を分割して取得することになる（収益）。

(b) **使用の対価** 共有者が自己の持分を超えて共有物を使用する場合，別段の合意がある場合を除いて，他の共有者に対して，自己の持分を超える使用の対価を償還する義務を負う（民249条2項）。A・B・Cが各1/3の持分で共有する不動産をAのみが使用する場合には，無償とするなどの別段の合意がなければ，AはB・Cに対してそれぞれ，その使用の対価として算定される当該不動産の使用料の1/3を支払うことになるという趣旨である。持分を超える使用は他の共有者の持分の負担において利益を受けているから，それを償還すべきは当然である。

(c) **善管注意義務** 共有物を使用する共有者は，善良な管理者の注意をもって，それを使用しなくてはならない（民249条3項。なお，相続人による相続財産の管理については，民法918条1項および民法940条1項を参照〔自己の財産（固有財産）におけるのと同一の注意〕）。共有にあっては，持分を超える部分については他の共有者のものであり，共有者は使用に際しては自己の財産のためにする注意ではなく，他人の物を管理する意味での善管注意義務を負担する。共有者がこの注意を怠り，そのことによって他の共有者に損害が生じた場合には，その共有持分の価格の割合に応じて，損害の賠償をしなくてはならない。

(2) **変更，管理，保存**

(ア) **共有物の変更** (a) **全員の合意が必要** 共有物に変更を加える場合には，他の共有者の同意，すなわち，共有者全員の合意が必要である（民251条1項）。たとえば，共有建物を解体する，田畑である土地を宅地に変える，共有の山林を伐採する，あるいは共有目的物全部を他に譲渡するなどの行為である（処分は，変更に含まれないとの理解もあるが，全員で行わないとできないという意味では，変更と同じである）。また，民法252条4項によると，賃借権その他の使用および収益を目的とする権利の設定については，共有の山林では10年，土地の場合5年，建物では3年*，動産の場合6か月を超えない短期のものは管理行為と位置づけられているので，共有物の変更に当たるのは，これ以上の期間の賃借権等の設定ということになる。

＊期間3年を超えない建物の賃貸借契約についてはどうか。定期建物賃貸借（借地借家38条）は別として，普通の建物賃貸借契約は原則として更新が認められるので（借地借家26条～28条），管理行為には当たらないと考える。

なお，共有物に対し，その形状または効用の著しい変更を伴わないもの（軽微変更）は，この条文でいう変更には該当しないとされている（民251条1項括弧書）。客観的に見て共有者に与える影響が軽微であると考えられる場合には（砂利道のアスファルト舗装や，建物の外壁・屋上防水等の大規模修繕工事など），持分価格に従った過半数で決することができる管理行為とみるのが妥当であるという趣旨である。

　(b)　**共有者の一部が所在等不明共有者の場合**　共有者が，「他の共有者を知ることができず，又はその所在を知ることができない」（以下，所在等不明共有者という）ときは，裁判所は，共有者の請求により，当該所在等不明共有者以外の他の共有者の同意を得て共有物に変更を加えることができる旨の裁判をすることができる（民251条2項）。ただし，条文からは明らかではないが，当該所在等不明共有者が持分それ自体を失うことになる行為（持分の譲渡，持分に対する抵当権の設定など）は，ここでいう裁判の対象となる行為には含まれない。これについては，後述の所在等不明共有者の持分の取得（民262条の2），所在等不明共有者の持分の譲渡（民262条の3）において規律されている。

　所在等不明共有者とは，必要な調査を尽くしても，共有者の氏名または名称が分からない，または，共有者の所在が分からないことをいう＊。

　所在等不明共有者についてはその同意を得ることができず，共有物の変更ができないという不都合が生ずるので，共有者は，地方裁判所に請求して，その所在等不明共有者を除く残りの共有者全員の同意でもって共有物に変更を加えることができる旨の裁判をしてもらえることとした（裁判所は，所在等不明共有者に対し，1か月を下回らない一定の期間内に異議を届け出る旨の公告をする手続を踏んだ上で，この裁判をすることができる〔非訟85条2項〕）。

＊詳しくは，以下の通りである。所有者を知ることができない事例としては，自然人の場合，不動産登記の表題部にのみＡほか何名というようなかなり昔の記載があるだけで共有者の一部しか特定できないようなケース，所有者が死亡して戸籍等を調査しても相続人が判明しないケース，あるいは判明した相続人全員が相続の放棄をしたケースなど

である。後者の所在不明の事例としては、自然人では、登記簿上または住民基本台帳上の住所を手がかりに調査を行ってもそれによっては所在が判明しない場合である（死亡している場合には、戸籍〔当該所有者の出生から死亡までの経過の記載が分かる戸籍全部事項証明書（戸籍謄本）〕を調査して相続人を調査し、その相続人の住民票を調査することになる〔その相続人が死亡している場合には同じ手順でさらに調査する〕）。法人の場合、法人の登記簿上の所在地に本店（主たる事務所）がない、また、代表者が住民票上の住所に居住していない、あるいは死亡している場合がこれに当たる。

　民法で不明概念が使われている諸規定（民252条2項1号、252条の2第2項、262条の2、262条の3、264条の2～264条の8）においても、これと同様である。

　所有者不明土地を論ずるときの「不明」は、不動産登記簿の記録からは、所有者が直ちには判明しない、および、所有者が判明してもその所在が不明で連絡がつかない、という意味（広義）であり、民法での「不明」はこれとはかなり異なる（狭い）ことに注意が必要である（⇨141頁・Ⅲ1(1)*参照）。

　(イ)　**共有物の管理**　(a)　**持分価格に従った過半数による決定**　(ⅰ)　共有物の性質を変えない範囲内でその利用または改良を目的とする行為は共有物の管理に関する事項に当たり、共有物の管理については各共有者の持分の価格に従いその過半数で決定する（民252条1項）。共有者が共有物の使用、収益の方法を決めること（各共有者が1週間交替で共有物を使用する、あるいは、土地の共有者A・B・CのうちAが単独でこの土地の上に建物を建て居住しB・Cに対して使用料を支払う等）は、この管理に関する事項の例である。共有の山林、土地、建物、動産に、それぞれ民法252条4項1号から4号までに定められた期間を超えない短期の賃借権その他の使用および収益を目的とする権利を設定することも管理に関する事項である。共有者が第三者と締結している不動産賃貸借契約を法定解除するとの決定も管理に関する事項とされる[11]。また、後述の民法252条の2第1項に規定する共有物の管理者を選任および解任することもこの管理に関する事項に含まれ、共有者が持分価格に従った過半数で決定することができる。

---

11) この解除の決定は共有者の持分価格に従った過半数で行うことができるので、当事者が複数の場合は契約の解除は全員でするという解除の不可分性のルール（民544条1項）は、結果的に適用されないことになる（最判昭和39・2・25民集18巻2号329頁）。

(ii)　この共有物の管理に関する事項の決定は，共有物を使用する共有者がいる場合であっても，行うことができる（民252条1項後段）。つまり，A・B・Cが各1/3の持分で建物を共有しており，仮に共有者Aが居住用としてそれを現在使用している場合であっても，管理に関する事項として他の共有者B・Cの多数で，以後はBを使用者とするとの決定（変更）をすることができるということである。しかし，この決定は，現在使用している共有者にとっては，大きな影響がある。そこで，以前の共有者間の決定に基づいて共有物を使用する共有者Aに対し持分価格に従った過半数による新たな決定が特別の影響を及ぼすことになるとき（受忍すべき程度を超えて不利益を生じさせるとき）は，その共有者Aの承諾を得なければ，決定は効力を有さないとした（同条3項）。他方，上の例でAの使用が共有者間の決定に基づかないものである場合には，Aの承諾は必要ではなく，Bが使用するとの決定は有効である。ただし，AとB・Cとの間に使用貸借契約関係があるなどとされる場合は（⇨後述196頁・(3)(ウ)など），B・Cの多数決によるこのような決定は意味を持たない。

　(b)　**共有者の一部が所在等不明または賛否不明の場合の過半数**　次の2つの場合，すなわち，①共有者が他の共有者を知ることができず，またはその所在を知ることができないとき，②共有者が他の共有者に対し相当な期間を定めて，共有物の管理に関する事項を決定することについての賛否を明らかにするようにと催告したにもかかわらず，当該他の共有者がその期間内に賛否を明らかにしないときは，共有者は，裁判所に請求して，所在等不明共有者（①）および賛否不明の共有者（②）を除いた残りの共有者の持分価格に従った過半数で管理に関する事項の決定をすることができる旨の裁判をしてもらうことができる（民252条2項）。条文文言がややこしいが，要するに，たとえば，共有者がA・B・Cである場合にCが所在等不明または賛否不明であるとした場合，AまたはBの請求があれば，裁判所は，Cを除いたA・Bだけの持分価格に従った過半数で共有物の管理に関する事項を決定することができる旨の裁判をすることができる，とする。所在等不明共有者または賛否不明共有者がおりそれらの者の管理に関する意思を確認できない場合，管理事項の持分価格に従った過半数決定に困難が生じ得るが，この規定によりその不都合を取り除いたのである。裁判所の手続を経させることとしたのは，結果的に過半数の側に賛成

したと扱われることになる所在等不明共有者または賛否不明共有者の意思につき慎重な取扱いを期したのである。

なお，同条2項による決定が，共有者間の決定に基づいて共有物を使用する共有者に対して特別の影響を及ぼすことになるときは，その共有者の承諾を得なければ決定は効力を有しない，とした（民252条3項）。

裁判手続としては，裁判所が，所在等不明共有者に対しては1か月を下回らない一定の期間内に異議を届け出る旨の公告をした上で，または賛否不明の共有者に対しては1か月を下回らない一定の期間内に賛否を明らかにすべき旨等の通知をした上で（この者からの賛否が明らかにされないとき），この裁判をすることになる（非訟85条2項・3項）。

(ウ) **共有物の保存行為**　　管理行為のうち保存行為は共有物の現状を維持，保存することであり，各共有者が単独ですることができる（民252条5項）。保存行為は，共有者全員の利益になるからである。目的物の物理的な維持，保存の行為（壊れた部分の修理など），および共有物に対する妨害排除の請求をすることなどがこれに当たる。また，不動産につき共同相続が開始し，被相続人から共同相続人に対して所有権移転の登記をする（不登76条の2）ことも，共有物に対する保存行為とされ，各共有者（各相続人）が単独ですることができる。

(エ) **共有物の管理者**　　共有者は，共有物の管理者の選任（および解任）を，共有物の管理に関する事項として，持分価格に従った過半数ですることができる（民252条1項）。共有物の管理者は共有者の中からまたは第三者から選任され，共有物の管理に関する行為をすることができる（民252条の2第1項本文）。たとえば，共有物の修理につき建築業者と請負契約を結ぶなどである。この際，契約は，管理者の名前で建築業者との間で締結され，かかった費用は，民法253条1項に従い，各共有者が（管理者の選任に反対した共有者を含めて）持分に応じて負担することになる。

共有物の管理者が選任されていると，共有者は管理に関する事項の決定をその都度行う必要がなくなり，共有物について円滑な管理が可能となり，また共有物に関する取引の相手方も，共有者全員を相手とする必要がなくなり，便宜である。

共有物の管理者の権限については制約があり，共有物に変更を加えることに

については（その形状または効用の著しい変更を伴わないものを除く），共有者全員の同意を得る必要がある（民252条の2第1項但書）。ここにおいて，共有者が所在等不明である（共有者を知ることができず，またはその所在を知ることができない）ときは，その所在等不明共有者の同意を得ることができないので，共有物の管理者は，裁判所に請求して，当該所在等不明共有者以外の共有者の同意を得て共有物に変更を加えることができる旨の裁判をしてもらうことができる（同条2項）。裁判手続は(ア)(b)で述べたのと同様である。

　共有物の管理者は，共有物の管理について，共有者の意見を聴くなどしながら，自己の判断で，それを行うことになる。もっとも，選任等に際して共有者が共有物の管理に関する事項を決定した場合には，共有物の管理者は，この決定に従ってその職務を行わなければならない（同条3項）。共有物の管理者の職務の執行が共有者の決定に従っていない場合，共有物の管理者の行為は共有者に対してその効力を生じない（同条4項本文）。たとえば，共有者の決定に反して，共有物の管理者が共有物である建物を2年の賃貸借に供したとして，この賃貸借契約は共有者に対しては効力を生じない，すなわち，共有者は賃借人にその利用を認めないことができる。ただし，そうすると，その契約の相手方（賃借人）は不測の損害を被ることがあり得るので，取引の安全保護のため，その者が（共有者の共有物の管理に関する決定を知らない）善意の第三者であれば，共有者は効力が生じないことをこの者に対抗する（主張する）ことができないとしている（同項但書）。

(3)　他の共有者との協議を経ない共有物の単独使用

(ア)　問題の所在　　兄弟（A・B・C）のうちの1人（A）が親の家に同居しており，親（M）が死亡して後，その者（A）がそのままその家に住み続けるということは少なくない。この場合，A・B・Cを相続人とする共同相続が発生しているとして，当該建物および敷地は，居住するAと他の共同相続人B・Cとの共有になっている。そこで，共有に関する法律問題として，共有者のうちの1人（A）が，他の共有者（B・C）との間で使用方法に関する協議を経ないまま共有不動産を単独使用していることをどう位置づけるのかが問題となる。

(イ)　明渡請求　　他の共同相続人B・Cが持分価格に従った過半数を有している場合，Aによる単独使用をやめる旨の共有物の管理に関する決定をする

ことで，Aに対して当該建物の明渡しを請求することができるか。判例（最判昭和41・5・19民集20巻5号947頁【百選Ⅰ74】）は，「少数持分権者は自己の持分によって，共有物を使用収益する権限を有し，これに基づいて共有物を占有するものと認められるから」，当然にその明渡しを請求することができるものではないという（民249条1項参照）。ただし，判決は続けて，「多数持分権者が少数持分権者に対して共有物の明渡を求めることができるためには，その明渡を求める理由を主張し立証しなければならない」とも述べている。

　この点に関し，令和3年改正の民法252条1項後段は，この例のように共有物を現に使用する共有者があるときも，共有物の管理に関する事項の決定を持分価格に従った過半数で行うことができると規定しているので，明渡しを求めることも可能であることになる（その使用が共有者間の決定に基づいたものではないので，Aの承諾を得る必要はない）。そこで，上記判例との整合性については，過半数決定のあることでもって明渡しを求める理由の主張・立証が尽くされたことになると考えることができる[12]。

　(ウ)　**使用貸借契約の推認**　　もっとも，少数持分権者Aの使用が共有者間の決定に基づいたものではない事例ではあるが，最判平成8年12月17日（民集50巻10号2778頁【百選Ⅲ71】）は，相続人の1人であるAが被相続人Mの生前に，①その承諾を得て，②遺産である建物に同居してきたときは（通常そうである），Aは遺産分割までは無償で使用できるという。判旨は，このような場合，M・A間にMの死後も遺産分割まではAに当該建物を無償で使用させるとの合意があると推認できるとし，Mの死後遺産分割まではMの地位を承継した他の相続人を貸主とした使用貸借関係（無償使用関係）が存続するからと根拠づける。この共有においては，Aとその他の相続人との間に遺産分割までは黙示の使用貸借という契約関係があるということだから，そもそも民法252条1項後段（共同相続における共有関係にも適用される〔民898条2項〕）に基づいてAに明渡しを求めるとの過半数決定ができる法律関係にはない。な

---

[12]　判例（最判昭和63・5・20判時1277号116頁）は，共有者の一部の者（A）から共有者（A・B・C）の協議に基づかないで共有物を占有使用することを承認された第三者（D）についても，前掲最判昭和41年5月19日と同趣旨を述べていたが，この場合にも，B・Cの持分価格による過半数決定があれば明渡しを求めることができることになる。

お，遺産分割までは無償使用の契約関係に基づく使用であるから，自己の持分を超える使用ではあるが使用の対価を償還する必要がないことは当然である（民249条2項）。

■最判平成8年12月17日民集50巻10号2778頁

事実の概要　バイク店を営むMが死亡し，その遺産中に店舗である建物と敷地（あわせて甲不動産）がある。相続人のうちYら2名（持分2/12）は，Mの生前事業の中心的存在であり，M死亡後もこの甲不動産に居住している。遺産分割前の時点で，他の共同相続人Xら（多数持分権者）が，Yらを相手に，甲不動産について賃料相当額の支払請求（不当利得返還請求）をした。原審はこの請求を認容。Yらは上告。破棄差戻し。

判旨　「共同相続人の1人が相続開始前から被相続人の許諾を得て遺産である建物において被相続人と同居してきたときは，特段の事情のない限り，被相続人と右同居の相続人との間において，被相続人が死亡し相続が開始した後も，遺産分割により右建物の所有関係が最終的に確定するまでの間は，引き続き右同居の相続人にこれを無償で使用させる旨の合意があったものと推認されるのであって，被相続人が死亡した場合は，この時から少なくとも遺産分割終了までの間は，被相続人の地位を承継した他の相続人等が貸主となり，右同居の相続人を借主とする右建物の使用貸借契約関係が存続することになるものというべきである。けだし，建物が右同居の相続人の居住の場であり，同人の居住が被相続人の許諾に基づくものであったことからすると，遺産分割までは同居の相続人に建物全部の使用権原を与えて相続開始前と同一の態様における無償による使用を認めることが，被相続人及び同居の相続人の通常の意思に合致するといえるからである。」

(エ)　関連問題（配偶者短期居住権）　平成30年の改正相続法では，被相続人の配偶者が被相続人の財産に属した建物に相続開始の時に居住していた場合について，その居住権を保護する制度が導入された（第5編「相続」第8章「配偶者の居住の権利」）。その中には2種類のものが含まれ，1つは，居住権を長期的に保護する「配偶者居住権」（民1028条～1036条），もう1つは，短期的に保護する「配偶者短期居住権」（民1037条～1041条）である。後者にはさらに2種のものがあり（民1037条1項1号と2号）*，その中の，1項1号の配偶者短期居住権は，上記の(ウ)で述べた判例も参考にして創設された制度である。すなわち，配偶者が被相続人の財産に属した建物に相続開始の時に無償で居住していた場合であって，「居住建物について配偶者を含む共同相続人間で遺産の分割をすべき場合」には（すなわち，共有の一場面である），「遺産の分割により居住建物の帰属が確定した日又は相続開始の時から6箇月を経過する日のいずれか

遅い日」までの間，その居住していた建物（居住建物）の所有権を相続または遺贈により取得した者（居住建物取得者）に対して，居住建物について無償で使用する権利（配偶者短期居住権）を有する，とされる。共有物の無償使用に関して，上記の最判平成8年12月17日と比較して，使用者が配偶者である場合については，要件面で，「許諾を得て」いることが求められない点で緩やかであり（同居してきたことも要件としては明示されていない），効果面では，遺産の分割により居住建物の帰属が早期に確定した場合であっても相続開始の時から6か月間は居住が認められる点で保護が厚くなっている。なお，法律構成は端的に居住建物の所有権を取得した者との間で（個別に）無償使用権が発生するものとされ，使用貸借の推認およびその使用貸借の相続という構成は採用されていない。

＊参考までに，民法1037条1項2号は，1項1号に掲げる場合以外の場合（たとえば，配偶者以外の共同相続人あるいは相続人以外の者に対して居住建物が遺贈された場合など）に，なお，居住建物取得者（たとえば，受遺者）に対して，配偶者短期居住権を主張できるとするものである（期間は，居住建物取得者から配偶者短期居住権の消滅の申入れがあった日から6か月を経過する日までの間である）。これは共有者間での使用調整の問題とは関わりがない。

4 共有物の分割

(1) 共有物分割の意義

(ア) **共有物分割の自由**　民法249条以下に規定された共有は，たとえば組合のような目的を一にした団体の構成員が1つの物を共有しているというものではなく，たまたま複数者が共有しているという性質のもので，いつでも，持分を処分することによりその関係から離脱できるとともに，共有物を分割して共有関係の解消を図ることができる，と解されている。民法256条1項本文はこのことを表現したもので，「各共有者は，いつでも〔他の共有者に対して〕共有物の分割を請求することができる」とする。

(イ) **不分割の合意**　分割は自由ではあるが，当事者間で「5年を超えない期間内は分割をしない旨」の契約をすることができる（民256条1項但書）。そして，この不分割の合意は，更新できるが，その期間は，更新の時から5年を

超えることができない（民256条2項）。なお，不分割の合意は特定承継人をも拘束するが（民254条），共有物が不動産である場合，その登記をしておかないと特定承継人には対抗できない（不登59条6号）。

　(ウ)　**分割できない例**　例外的に分割になじまないものがある。相隣者の共有である境界線上に設けた境界標，囲障，障壁，溝，堀については，分割を請求できない（民257条，229条）。また，前述のように，組合財産（合有）についても清算前は分割を請求できない（民676条3項）。また，総有においても，その存続中においては分割はできない。

　(エ)　**共有物分割と遺産分割との役割分担**　(a)　遺産分割の原則　共同相続が発生すると遺産全体が共同相続人の共有となり，また，遺産に属する個別の動産，不動産（あるいは，それらの持分）も，共同相続人の共有となる（民898条）。この遺産共有状態を解消する手続は家庭裁判所における遺産分割であるが（民906条以下），たとえば遺産中の特定不動産（あるいはその持分）について，それを共有する共同相続人間でその特定の不動産について裁判による共有物の分割を請求することも可能であるのか，が問題となる。たとえば，[事例1] A・B・Cが共同相続人として相続した財産中の甲不動産を取り出して，AがB・Cに対して民法258条に基づき共有物の分割を請求する，あるいは，[事例2] H・Iが乙不動産を各1/2で共有していたところ，Iが死亡してその持分が各1/2ずつM・Nに相続された場合，MおよびNは民法258条に基づき乙不動産についてIの相続人ではないHを含めて共有物分割を請求することができるか。民法258条の2第1項はこれを否定して，「共同相続人間で当該共有物の全部又はその持分について遺産の分割をすべきときは，当該共有物又はその持分について」民法258条の裁判による共有物の分割をすることはできない，とする。共同相続人間での遺産の共有状態の解消は遺産全体の価値を総合的に把握し共同相続人の具体的相続分に応じて民法906条に定められた遺産分割の方法により行うことが適切であって，そのような考慮をすることができない共有物分割の方法をとるべきではない，ということである。

　(b)　相続人以外の共有者からの共有物分割請求　もっとも，これは共同相続人間のルールであって，相続人以外の共有者（上記[事例2]乙不動産のH）がいる場合，その者の側から当該乙不動産について共有関係を解消するために

は，通常共有者の持分部分と共同相続人（複数）の持分部分とに分割する共有物分割訴訟を提起するほかはないので，これは可能というべきであろう（最判昭和 50・11・7 民集 29 巻 10 号 1525 頁）。相続人以外の共有者（H）に対して，M・N 間での遺産分割がなされるまで共有物分割をすることができない，とすることはその者の民法 258 条 1 項に基づく分割の権利を奪うことになり妥当ではなく，また，相続人以外の共有者と相続人である共有者（複数）との間での共有物分割という方法をとることは可能であるからである（⇨203 頁・(2)(ウ)(b)(ⅰ)参照）。そして，この共有物分割により共同相続人（M・N）に分与された部分は，共同相続人間での遺産分割の対象とされる部分となる（最判平成 25・11・29 民集 67 巻 8 号 1736 頁*）。この場合には，当該不動産について共有関係を解消するためには，相続人以外の共有者と相続人である共有者（複数）との間での共有物分割と，共同相続人間での遺産分割と，二重の手続がとられることになる。

> * この判例は，甲土地につき X_1 会社が 30/72，X_2 が 39/72，A が 3/72 の共有状態にあったところ，A が死亡し，その僅少の持分を X_2，X_3，Y_1，Y_2 が共同相続した事案で，民法 258 条の裁判による共有物分割が行われ（X_1 会社の持分とそれ以外の共同相続人の持分部分との分割），結果，甲土地上に建物を所有する X_1 会社に甲土地全部を取得させ，他の遺産の共同相続人持分部分につきその価格を賠償させるかたちでの分割が認められた（全面的価格賠償による分割。賠償された価格につき X_2 ら共同相続人間で遺産分割がなされる）。

(c) **共有物分割が可能とされる例外** (ⅰ) (a)に対する例外として，以下の場合には共有物分割の手続をとることができるとされる。すなわち，共有物の持分が相続財産に属する場合において，相続開始の時から 10 年を経過したとき，である（民 258 条の 2 第 2 項本文）。上の［事例2］で I の持分 1/2 を M・N が共同相続した場合であって，M・N が遺産分割をしないまま相続開始の時から 10 年を経過したときがこれに該当する。M・N は，M 持分 1/4，N 持分 1/4，H 持分 1/2 として，共有物分割を選択できるという意味である。その理由は，相続開始の時から 10 年が経過する前に共有物分割を許すと，相続人が具体的相続分を取得できる，あるいは，民法 906 条に従って遺産の分割を受けることができるという遺産分割上の権利が害されるおそれがあるが*，10 年を

経過したときは，具体的相続分の主張が制限され（民904条の3本文），また，10年間という長期間にわたって遺産分割をしてこなかったという事情もあり，相続財産に属する共有物の持分について裁判による共有物の分割を主張させてもよい，という判断である。

> ＊上の例で，共有物分割の結果M・Nがその共有物の各1/4の持分を取得したとして，仮にM・Nが得ている相続財産がそれ以外にはほとんどない場合には，具体的相続分の多い相続人の利益が保障されないことになる。

　これにより，当該共有不動産については，上記の(b)のようにHとM・Nとの間で共有物分割をした後，M・N間で遺産分割をする，あるいは，M・N間で遺産分割をした後で，共有物分割をするという手続を重ねる必要がなくなり，一回的解決を図ることができる（なお，Hの側から，M・Nを巻き込むかたちで，Hは1/2，M，Nは各1/4とする裁判による共有物分割の請求〔一回的解決〕ができるとの趣旨までは含まれない）。

　上の［事例1］（共有物の全部が相続財産に属する場合）については，相続開始の時から10年が経過した後でも遺産分割で処理ができ，わざわざ共有物分割を認める必要はない。

　(ⅱ)　ただし，M・Nが，相続開始から10年を超えて，遺産分割を請求し（法定相続分，および指定相続分に従ってなされるのではあるが），たとえば，Mにはこの乙不動産の持分1/2を，Nには他の財産を分与するかたちにしたいと思った場合，乙不動産について開始している共有物分割の手続が止められないというのであれば，M・Nの遺産分割に関する意思は実現することができないことになる。これは，M・Nの遺産分割上の権利（民906条に従って遺産の分割を受けることができるという権利）を侵害することになるので妥当ではない。そこで，民法258条の2第2項但書および3項は，当該共有物の持分を含めた相続財産全体についての遺産分割の手続が開始し，加えて，その遺産分割を求めている相続人が，乙不動産について共有物分割の方法をとることに異議の申出をしたときは，裁判所は共有物分割の手続を進めることはできない，とする（異議申出は，共有物分割請求があった旨の通知を裁判所から受けた日から2か月以内にする必要がある）。

(2) 共有物分割の方法

(ア) 序　共有物の分割については、まずは共有者間の協議によって行うが、その協議が調わないとき、または協議をすることができないときは、その分割を裁判所に請求することができる（民258条1項）。

(イ) 協議分割　協議による分割の場合、合意が成立すれば、どのような分割の形態であってもよい。たとえば、〔1〕現物分割（300 m² の土地甲を持分各1/3の共有者A・B・Cで100 m² ずつに分割するなど）、〔2〕代金分割（上の例で土地甲を3000万円で売却し、1000万円ずつ分配する）、〔3〕現物分割と価格賠償との組合せ（Aに180 m²、Bに120 m² の割合で現物分割することとし、A・Bがそれぞれ Cからその持分の一部〔80/100, 20/100〕を取得し、A・BがCに対しCから取得した持分の価格に相応した債務を負担し、それを支払う）、〔4〕全面的価格賠償（上の例で、Aが土地甲についてのB・Cの持分の全部を取得して単独所有し、B・Cに対してそれぞれの持分の価格に相応した各1000万円の債務を負担し、それを支払う）などが考えられる。

なお、共有者の1人が他の共有者に対して共有に関する債権を有するときは、分割に際し、その弁済に充てるため、債務者に帰属すべき共有物の一部分を債権者が取得する等の調整をすることができる（民259条）。

(ウ) 裁判分割　(a) 序　裁判所に分割を請求することができるのは、共有者間にその協議が調わないとき、または一部の者が協議に応じないなどのために協議をすることができないときである（民258条1項）。分割を求める共有者が残りの共有者全員を相手に申し立てるが、裁判所は、原告の申立ての範囲にはとらわれず、裁量により事案に適した分割をなすことができ、判決によりその判決内容に従った分割が形成される（形式的形成訴訟と位置づけられる）。

なお、一部の共有者の所在等が不明である場合には、協議による分割をすることができないので、この裁判分割の方法をとることになる。この場合には、所在等不明共有者に対しては公示送達の方法（民訴110条）が利用される（なお、後述⇒206頁・5(2)「所在等不明共有者の持分の取得」参照）。

(b) 3つの方法　(i) 裁判所が命ずることができる分割の方法としては3つあって、第1は、共有物の現物を分割する方法、第2は、共有者に債務を負担させて、他の共有者の持分の全部または一部を取得させる方法（賠償分割）、

第3は，裁判所が競売を命ずる方法である（民258条2項・3項）。

第1の現物分割は，典型としては，300 m^2 の土地甲を持分各1/3の共有者A・B・Cで100 m^2 ずつに分割するという分割である。最大判昭和62年4月22日（民集41巻3号408頁）は，分割の対象となる共有物が多数の不動産である場合について，これを柔軟に考え，これらの不動産が外形上一団とみられるときはもとより，数か所に分かれて存在するときでも，右不動産を一括して分割の対象とし，分割後のそれぞれの部分を各共有者の単独所有とすることも，現物分割の方法として許されるとし，また，共有者のうちAが分割を請求し，BとCとは分割を望まないという場合，裁判所は，BとCとの共有関係を残しつつ，Aとの間で，2/3と1/3とに2分割（『一部分割』）することを命じることも許されるとしている。

(ⅱ) 第3の競売による方法は，順序として，第1，第2の方法により共有物を分割できないとき，または，分割によってその価格を著しく減少させるおそれがあるときに，裁判所がこれを命ずることができる。分割できないというのは，たとえば家屋の場合，第1の現物分割はそもそもできず，かつ，第2の債務を負担して家屋の全部を取得するとの申出もないというケースが該当する。また，価格を著しく減少させるおそれがあるというのは，たとえば土地であれば，第1の現物分割によるならば土地が細分化されてしまうような場合であり，かつ，第2の債務を負担して土地の全部または一部を取得するとの申出もないというケースが該当する。

(ⅲ) 第1と第2の方法との関係であるが，第1の現物分割ができない場合に第2の方法が用いられるという関係にあるわけではない。第2の方法は，いろいろなバリエーションが想定される。裁判所が裁量により事案に適った分割をするわけであるが，共有者が債務を負担し，それを支払って（価格賠償して）他の共有者の持分の全部または一部を取得する（(イ)の協議分割の〔3〕〔4〕に相当）方法であるから，共有者からそのような申出があることが前提となるであろう。

前掲最大判昭和62年4月22日は，裁判分割として，現物分割に加えて過不足調整的な価格賠償による方法（第2の，共有者に債務を負担させて，他の共有者の持分の一部を取得させる方法に当たる）を正面から認めた判例である。

(iv) **全面的価格賠償**　最判平成8年10月31日（民集50巻9号2563頁【百選Ⅰ76】）は，裁判分割として，共有物の利用状況，当事者の希望を勘案して全面的価格賠償の方式による分割（第2の，共有者に債務を負担させて，他の共有者の持分の全部を取得させる方法に当たる）を認め，その条件として，①特定の者に取得させるのが相当であり，②その者に取得させても共有者間の実質的公平を害しないと認められる特段の事情がある（適正な評価がされ，賠償の支払能力がある）場合，としている。

■最判平成8年10月31日民集50巻9号2563頁
事実の概要　現物分割ができない不動産（土地およびその地上建物）につき1/3の持分を有する者Yを相手に，他の共有者Xらが裁判所に共有物分割を求める訴えを提起し，競売による分割を希望した。Yはこの不動産を単独で取得しXらに対してその持分の価格を賠償する（全面的価格賠償の）方法を希望した。Yは，家族と共にこの不動産に居住し（また，この建物に附属する建物で薬局を経営），他方，Xらは別の場所に居住していて必ずしも本件不動産を取得する必要はない。

判旨　「裁判所による共有物の分割は……その本質は非訟事件であって……適切な裁量権の行使により，共有者間の公平を保ちつつ，当該共有物の性質や共有状態の実状に合った妥当な分割が実現されることを期したものと考えられる。したがって，……現物分割又は競売による分割のみに限定し，他の分割方法を一切否定した趣旨のものとは解されない。」

裁判所は，現物分割に加えて価格賠償による過不足調整方式によることができるのみならず，「当該共有物の性質及び形状，共有関係の発生原因，共有者の数及び持分の割合，共有物の利用状況及び分割された場合の経済的価値，分割方法についての共有者の希望及びその合理性の有無等の事情を総合的に考慮し，当該共有物を共有者のうちの特定の者に取得させるのが相当であると認められ，かつ，その価格が適正に評価され，当該共有物を取得する者に支払能力があって，他の共有者にはその持分の価格を取得させることとしても共有者間の実質的公平を害しないと認められる特段の事情が存するときは，共有物を共有者のうちの1人の単独所有又は数人の共有とし，これらの者から他の共有者に対して持分の価格を賠償させる方法，すなわち全面的価格賠償の方法による分割をすることも許されるものというべきである」とした（なお，本件では，本件不動産がYにとっては生活の本拠であること等からYの単独取得に「相当性」はあるが，Yの賠償金支払能力が原審で確認されていないのでいまだ上記の特段の事情を認めることはできないとされた）。

(v) **分割の結果の現実的履行の確保**　共有物分割の訴えにおいて分割の内容（共有物を誰にどのように分割するか）が定められた場合，この定められた内容

を各共有者に現実に履行させることが必要である。民法258条4項は，共有物の分割の裁判の中で（別訴を起こすことなく），裁判所が職権で，当事者に対して，金銭の支払，物の引渡し，登記義務の履行その他の給付命令を出すことができる，としている。たとえば，A・B・Cが各1/3の持分で共有する甲不動産の分割において，AがB・Cの持分の全部を取得し，他方，B・Cに対して各1000万円の債務を負担するという判断がされる場合には，裁判所は，職権で，BおよびCに対して，Aに対する持分権移転の登記を命じ，Aに対してBおよびCへの賠償金の給付を命ずることになる。この場合，双方の給付は引換給付を命ぜられることとなると思われる。Aはこの判決でもって持分権移転登記の申請を単独ですることができ（不登63条1項），他方，Aに対してなされた賠償金の支払命令はB・Cにとって債務名義となる（強制執行が可能となる〔民執22条〕）。

(3) 共有物分割の効果

(ア) 共有者の担保責任　ある共有者が分割によって取得した物に物的なキズ，数量不足，第三者の権利の付着などがあった場合には，他の共有者は，物の売主と同じく，その持分に応じて担保責任（民562条以下参照。損害賠償義務など）を負う（民261条）。担保責任を負担する理由は，現物分割で考えれば，各共有者が持分を提供し合ってそれぞれ共有物の一部を取得するかたち（一種の交換）となっているからである。

(イ) 持分権に設定された担保権の運命　たとえば，A・B・Cが甲不動産を相等しい持分で共有し，Aの持分に対しAの債権者Gが抵当権を有している場合，共有物の分割により，Gの有するこの抵当権はどう処遇されるかという問題である。

全面的価格賠償方式による分割でAが甲不動産を単独で取得する場合は，Gの抵当権は甲不動産の観念的に存続する1/3の持分（民179条1項但書）を対象とすることになると考えられる。他方，Aが価格賠償を取得するかたちの分割となる場合には，BないしCの取得する甲不動産の全部または各持分部分（1/2）の上の観念的1/3の部分に抵当権は残存し，あるいは，GはAの取得する価格賠償金に物上代位することを選択することもできる（民372条，304条）。

問題は現物分割の場合であるが，Aが取得する区画部分にGの抵当権も集

中すると考えるのが分かり易い結論ではある。しかし，その区画部分が従前の持分と同価値であれば問題はないが，Aがそれより少ない価値の区画部分しか取得せず，調整的価格賠償もしないということになれば，Gは不測の損害を被る。したがって，この場合にも，A・B・Cがそれぞれ取得する区画部分の各1/3の観念的部分につき，それぞれ抵当権が付着すると考えることになる（大判昭和17・4・24民集21巻447頁）。もっとも，これでは面倒な法律関係が分割後に残ってしまうことになる。

いずれにしろ，この場合抵当権者はうっかりしていると，損害を被るおそれがある。民法260条は，このような観点から，「共有物について権利を有する者及び各共有者の債権者は，自己の費用で，分割に参加することができる」としている。そして，この参加請求を無視して分割をしてしまったときは，「その分割は，その請求をした者に対抗することができない」としている。この規定を積極的に活用し，抵当権者の参加による合理的な分割が期待されている。

5 所在等不明共有者の持分の取得および持分の譲渡

(1) 問題の所在

共有者が，他の共有者を知ることができず，またはその所在を知ることができない場合には，共有物の管理，変更に関して裁判所の関与が必要であり（民251条2項，252条2項），また，分割においても同様であり，不都合が大きい。共有物全体の譲渡をするにしても，所在等不明共有者につき財産管理人を選任する（民25条）必要があるため（民251条2項，民252条の2第2項によることはできない〔⇒191頁・3(2)(ア)(b)参照〕），手続が煩瑣である。

そこで，令和3年の民法改正で，共有の目的物が特に不動産である場合について，共有者に，裁判手続を経た上で，所在等不明共有者の持分の取得（持分を集約），および所在等不明共有者の持分の譲渡（共有関係を解消）を可能とする制度を創設した。

(2) 所在等不明共有者の持分の取得

(ア) 持分の取得　(a) 原則　民法262条の2第1項前段は，不動産の共有において，所在等不明共有者がいる場合，裁判所は，共有者の請求により，その共有者に，当該所在等不明共有者の持分を取得させる旨の裁判をすること

ができる，とする。この請求をした共有者が複数いるときは，所在等不明共有者の持分を，請求をした各共有者の持分の割合で按分して取得させる（同項後段）。たとえば，A・B・C が各 1/3 の持分で共有する不動産において A が所在等不明共有者であるとき，B の請求に基づいて，裁判所は，B に A の持分 1/3 を取得させる旨の裁判をすることができる（B・C が請求した場合は A の持分を B・C で按分して 1/6 ずつ），という趣旨である。

　(b)　**例外**　所在等不明共有者の持分が相続財産に属する場合（共同相続人間で遺産の分割をすべき場合に限る）はどうか。具体的には，[事例 1] ある不動産が相続財産に属しておりその相続人（A・B・C）の中に所在等不明共有者（A）がいる場合，B は，A の持分の取得を裁判所に請求することができるか。また，[事例 2] 通常の共有と遺産共有とが併存しているケースである。たとえば，H, I が不動産を各 1/2 で共有していたが，I が死亡して M および N が各 1/2 で共同相続し，その中の M が所在等不明である場合，H は，M の持分の取得を裁判所に請求することができるか。

　共同相続人（共有者）の中に所在等不明共有者（A または M）がおりその持分を他の共有者の下に集約する必要性があるのは通常の共有の場合と同様であり，理論的にも，遺産共有において各相続人が自由にその持分（法定相続分に従った）を独立して他へ譲渡することができることを考えれば，共有者 B または H が，A または M の持分の取得を裁判所に請求できてもよいように思われる。しかし，それを認め，所在等不明相続人の持分（A 1/3 または M 1/4）が共有者 B または H に取得されると，その不動産に対する持分は遺産から除かれ（共同相続人間での遺産分割の対象から除外され），金銭に変わる。そうすると，他の相続人（ここでは，C または N）が，仮に，遺産分割により当該不動産持分を取得しようとしても，それは叶わないことになり，遺産分割上の権利が失われることになる。そこで，原則としては，裁判所は持分を取得させる旨の裁判をすることができないとした（民 262 条の 2 第 3 項）。ただし，相続開始からかなり長期間が経過しているにもかかわらず相続人により遺産分割上の権利が行使されないままである場合には，持分取得の裁判を認めても，上で述べた他の相続人（C または N）の遺産分割上の権利をもはや侵害するおそれはないと考えられる。そこで，長期間すなわち遺産分割の基準が原則として法定相続分となる 10 年

が経過した場合には（供託金の額が算定可能となる），これを認めることとした（同項）。

　(イ)　**手続**　　ここでは，所在等不明共有者の意思に基づかないで持分の移転が命ぜられるので，一定の手続保障がされる必要があり，事件を地方裁判所の管轄とした上，所在等不明共有者に対して，その持分取得の裁判の申立てがあったこと，異議があるときは一定の期間（3か月を下ってはならない）内にその旨を届け出るべきことなどを公告すること，他の共有者には持分取得の裁判を共に申し立てる機会を保障するため個別に通知をしなくてはならないことなどが定められている（非訟87条）。

　(ウ)　**持分の移転と持分の時価相当額の支払請求権**　　持分を取得させる旨の裁判により，申し立てた共有者が所在等不明共有者の持分を取得するとの効果が生ずる。共有者への持分権移転登記については，この裁判に基づいて共有者が単独で申請することができる。この共有者の持分取得に対応して，他方で，所在等不明共有者には，当該共有者に対し，当該共有者が取得した持分の時価相当額の支払を請求する権利が発生する（民262条の2第4項）。

　(エ)　**申立人による供託**　　裁判所は，持分を取得させる旨の裁判をするには，申し立てた共有者に対して，一定の期間内に，所在等不明共有者のために，裁判所が定める額の金銭を供託所に供託し，かつ供託した旨を届け出ることを命じることとし（非訟87条5項），共有者がこの決定に従わないときは，申立てそのものが却下されることとしている（同条8項）。

　(オ)　**共有物分割請求等との関係**　　この共有者による所在等不明共有者の持分取得の請求があった不動産について，①裁判による共有物の分割請求または遺産分割の請求があり，かつ，②所在等不明共有者以外の共有者がこの持分取得の裁判に異議がある旨の届出をしたときは，裁判所は，持分取得の裁判をすることができない（民262条の2第2項）。所在等不明共有者の持分も含めて全体について適切な分割を希望する者がいる場合には，上記請求による持分取得ではなく，それらの手続を優先させることが妥当であるという政策決定である。

　(カ)　**対象となる共有物**　　所在等不明共有者の持分の取得のルールは，建物所有のための土地の賃借権，建物の賃借権など，不動産の使用または収益をする権利（所有権を除く）が数人の共有に属する場合について準用される（民262

条の2第5項。なお，民264条参照）。

(3) 所在等不明共有者の持分の譲渡

(ア) 序　(a) 原則　民法262条の3第1項は，不動産の共有において所在等不明共有者がいる場合，裁判所は，共有者の請求により，以下の停止条件付きで，その共有者に，所在等不明共有者の持分を特定の者に譲渡する権限を付与する旨の裁判をすることができる，とする。その停止条件とは，所在等不明共有者以外の共有者の全員がその有する持分の全部を当該特定の者に対して譲渡することである。たとえば，A・B・Cが甲不動産の共有者であって，Aが所在等不明共有者である場合，Bは，B・Cが一緒にその持分を譲渡するという条件付きで，裁判により，Aの持分を特定の者に譲渡する権限を付与してもらえる，という趣旨である。所在等不明共有者Aの持分を譲渡する権限がBに与えられるので，不動産の共有者Aが所在等不明であっても，当該不動産全体を特定の第三者に譲渡することが可能となる。

(b) 例外　所在等不明共有者の持分が相続財産に属する場合（共同相続人間で遺産の分割をすべき場合に限る）について，当該持分につき共同相続人間で遺産の分割をすべき場合には，裁判所は，持分を取得させる旨の裁判の場合と同様，相続人の遺産分割上の権利を保護する趣旨で，相続開始の時から10年を経過していなければ，持分譲渡の権限付与の裁判をすることができない（民262条の3第2項）。

(イ) 手　続　所在等不明共有者の持分の取得の場合と同様な手続が定められている（非訟88条2項で準用する同法87条2項1号・2号）。

(ウ) 所有権移転の実現　もっとも，この裁判によって直ちに当該共有不動産につき特定の者への譲渡が実現するわけではなく，ここでは，単に，申し立てた共有者に対し，所在等不明共有者の持分を譲渡する権限が付与されるにとどまるので，この裁判の後，実際に，特定の者との間で譲渡の契約が締結されることが必要であり，そのことによってはじめて所有権移転の効果が発生することになる。特定の者（譲受人）への共有物の所有権移転登記は，もとの共有者全員と特定の者との共同申請になる。所在等不明共有者については，持分譲渡の権限を付与された共有者がこの者に代わって申請することになる。

なお，この持分譲渡の権限付与の裁判の効力が生じた後2か月以内にその権

限に基づく所在等不明共有者の持分の譲渡が効力を生じないときは，その裁判はその効力を失うものとされる（非訟88条3項）。権限を付与された共有者が，その権限を行使することなく，長い時日が経過することは必ずしも適当ではない，という趣旨で期限が設けられたものである。もっとも，この期限は裁判所において伸長することが可能である。

(エ) **不動産時価相当額の持分按分額の支払請求権**　権限を付与された共有者が所在等不明共有者の持分を第三者に譲渡したときは，所在等不明共有者は，譲渡をした共有者に対し，不動産の時価相当額を所在等不明共有者の持分に応じて按分して得た額の支払を請求することができる（民262条の3第3項）。

(オ) **申立人による供託**　これに関する規律は持分の取得の場合と同様である（非訟88条2項で準用する同法87条5項・8項）。

(カ) **対象となる共有物**　所在等不明共有者の持分の譲渡の規律は，不動産の使用または収益をする権利（所有権を除く）が数人の共有に属する場合について準用される（民262条の3第4項。なお，民264条参照）。

VII　土地・建物管理命令

1　序説

令和3年改正民法で，所有権の章に，「第4節　所有者不明土地管理命令及び所有者不明建物管理命令」，「第5節　管理不全土地管理命令及び管理不全建物管理命令」の2つの制度が新たに付け加わった。すでに生じている所有者不明土地・建物の管理を効率化・合理化するため，また，管理不全化した土地・建物の適切な管理を可能とするために設けられた制度である。

民法には，不在者財産管理制度，あるいは相続財産管理制度があるが，これらは，不在者等の財産全体を，あるいは相続財産全体を管理する制度であり，管理コストもかさみ非効率で必ずしもその使い勝手がよいものではない。そこで，個々の所有者不明土地・建物の管理に特化した新たな財産管理制度を創設し，また，所有者が土地・建物を管理せずこれを放置していることで，他人の権利が侵害されるおそれがある場合に，管理人の選任を可能にする制度を創設したものである。以下，これらの制度につき概略を説明する。

2 所有者不明土地管理命令および所有者不明建物管理命令

(1) 所有者不明土地管理命令

(ア) 所有者不明土地管理命令の発出　(a) **基本**　所有者を知ることができず，またはその所在を知ることができない（以下，「所有者不明」と略称する*）土地については，土地の管理が十分にはなされないおそれがあり，周囲に危険や悪影響を及ぼし，また，土地の社会経済上の効用を阻害する要因となる。そこで，土地の所有者の利益に配慮し，土地を適切に管理することを可能とするため，次のような制度が創設された。すなわち，裁判所は，所有者不明土地（または，一部共有者が不明の場合その共有持分）について，必要があると認めるときは，利害関係人の請求により，その土地（または，その共有持分）を対象として，所有者不明土地管理人による管理を命ずる処分（「所有者不明土地管理命令」）をすることができる（民264条の2第1項。なお，以下では所有者不明土地管理人，所有者不明土地管理命令につき，単に「管理人」「管理命令」ということもある）。なお，所有者が死亡し遺産中の不動産が相続共有されている場合にも，本条は適用される。

> ＊この項では便宜「所有者不明」と略称するが，所在等不明共有者の例と同じく狭義の所有者不明の意味である（詳しくは，⇨191頁・Ⅵ3(2)(ア)(b)参照）。

(b) **動産等**　この管理命令の効力は対象土地にある動産に及ぶ（民264条の2第2項）。土地上の動産を管理対象として含む趣旨は，土地を適切に管理するためにその土地上の動産の管理，処分をする必要があると考えられるからである。なお，動産は，管理対象土地の所有者が所有するものに限られ，それ以外の者が所有する動産の場合には，管理人による妨害排除請求などで対応することになる。また，土地の処分により管理する対象財産がなくなったときは管理命令は取り消されるが（非訟90条10項），土地（または，その共有持分）等の管理・処分により管理人が得た財産（供託されている売却土地代金）を対象として，所有者不明土地管理命令を新たに発出することができる（民264条の2第3項）。

(c) **所有者不明土地管理命令を発する要件**　第1は，土地について所有者を知ることができず，またはその所在を知ることができないこと（所有者不明）

である。必要な調査を尽くしても所有者の氏名または名称やその所在が分からないことをいう。要件の第2は，管理の必要があること，要件の第3は，利害関係人の申立てがあることである。第2，第3の要件については，この制度を具体的にどのように利用するかによって，管理の必要性があるかどうか，誰が利害関係人となるかが定まってくる。制度の利用としては，大まかには，一方で，当該土地が周囲に危険，悪影響を及ぼしている場合の管理命令，他方で，土地の社会経済上の効用を阻害している場合の管理命令が想定される。そこで，利害関係人は，前者では，当該土地の近隣の者であり，後者では，当該土地を取得して有効に利・活用しようとする者，たとえば，公共事業の実施者などが想定されることになる。

　(イ)　**所有者不明土地管理命令発出の手続**　裁判は非訟事件として地方裁判所が担当する。また，管理命令を発出するには，不明である土地所有者のための手続保障として，対象土地（共有持分）について所有者不明土地管理命令の申立てがあったこと，異議がある場合には1か月を下らない期間内にその旨の届出をすべきことなどを公告しなくてはならない（非訟90条1項・2項）。所有者不明土地管理人がなすべき管理行為の内容，管理方法，管理期間等は管理命令において定めることができる。

　(ウ)　**所有者不明土地管理人の権限**　(a)　**管理権限の専属**　所有者不明土地管理人は管理命令において選任されるが（民264条の2第4項），その権限は，管理命令の対象土地（または，その共有持分），対象土地にある動産，並びにその管理，処分その他の事由により所有者不明土地管理人が得た財産（以下まとめて「所有者不明土地等」という）についての管理・処分権であり，その権限は管理人に専属するとされる（民264条の3第1項）。

　(b)　**所有者不明土地管理命令の登記**　所有者不明土地管理命令では，管理・処分権限はその管理人に専属するので，反面，所有者はその権限を失い，仮に，所有者自らが管理対象物に関する管理処分行為をしたとして，その行為は無効と解される。この場合は，所有者と取引をした第三者は不測の損害を被ることになるので，そのような事態を防止する趣旨で，対象土地の登記簿に，所有者不明土地管理命令があった旨の登記をさせることとした（非訟90条6項）。

　(c)　**権限**　所有者不明土地管理人の権限として，①保存行為，②所有者

不明土地等の性質を変えない範囲内において，その利用または改良を目的とする行為については，善良なる管理者の注意（民264条の5第1項）でもってこれを行うことができる。この範囲を超える行為，土地等の性質を変えてしまう利用・改良行為，当該土地を売却する行為，あるいは，対象土地にある動産の売却などの処分については，裁判所の許可が必要である（民264条の3第2項）。処分，とりわけ売却処分についてまで許可がなされるかどうかは当該対象土地を管理する目的に照らして判断されることになる。管理する目的とは，近隣に対する悪影響を除くための管理命令なのか，土地の有効な利・活用のためなのかなどである。後者の方が処分についての許可が得やすいであろう。なお，対象土地が売却された場合，管理すべき対象がなくなるので，土地管理命令は取り消されることになる。

　管理命令の対象土地（または，その共有持分），および対象土地にある動産の管理，処分等によって金銭が生じた場合には，管理人は，その土地の所有者（または，その共有者）のためにその金銭を供託することができ，このことを公告しなければならない（非訟90条8項）。

　なお，管理人が，対象土地に設定されている抵当権を消すために抵当権者に対して担保されている債務を弁済することができるか（裁判所は許可を与えることが可能か）が問題となり得るが，そもそも，債務の存否などの調査は土地の管理という枠を超えているので，この制度の中で処理することは困難かと思われる（民法25条以下の不在者財産管理制度でならば可能である）。もっとも，対象土地を（裁判所の許可を得て）売却し，その代金でもって抵当権者に対し担保されている債務を弁済することが当該所有者不明土地の管理のため適切なものであるとすれば，例外的に，許されることはあり得るかもしれない（ただ，この場合には，抵当権付きで売却し，買主の下で被担保債権の弁済，抵当権登記の抹消を図るべきではないかとも考えられる）。

　裁判所の許可を得ないで対象不動産の売買契約や長期の賃貸借契約などが締結された場合，その契約は無効であって効力を生じない。しかし，裁判所の許可がないことを知らないで取引をした第三者の利益を保護する必要があり，民法264条の3第2項但書は，許可がないことをもって善意の第三者に対抗することはできないと規定している。第三者には裁判所の許可がないことを知らな

かったことについての無過失は求められていない（調査義務がない）ので，仮に過失があった場合であっても第三者は保護される（契約の効力を主張できる）。第三者の保護について，表見代理規定が適用される場合と比較してより厚く保護されているといえる。通常の代理と異なり，権限が所有者不明土地管理人に専属していることが反映されている。

　　(d)　訴え　所有者不明土地等に関する訴えについては，管理命令が発せられた場合には，管理人が原告または被告とされる。

　(エ)　**所有者不明土地管理人の義務**　管理人は，所有者不明土地の所有者（不明の土地共有者）のために，善良な管理者の注意をもって，その権限を行使しなければならない（民264条の5第1項）。数人の不明の共有者の共有持分を対象として管理命令が発せられたときは，管理人は，当該命令の対象とされた共有持分を有する者全員のために，誠実かつ公平にその権限を行使しなければならない（同条2項）。

　(オ)　**所有者不明土地管理人の解任および辞任**　管理人がその任務に違反して所有者不明土地等に著しい損害を与えたことその他重要な事由があるときは，裁判所は，利害関係人の請求により，所有者不明土地管理人を解任することができる（民264条の6第1項）。所有者不明土地管理人は，正当な事由があるときは，裁判所の許可を得て，辞任することができる（同条2項）。

　(カ)　**所有者不明土地管理人の報酬等**　所有者不明土地管理人は，所有者不明土地等から裁判所が定める額の費用の前払いおよび報酬を受けることができる。管理に必要な費用および報酬は，所有者不明土地等の所有者（不明の土地共有者）が負担する（民264条の7）。

　(2)　**所有者不明建物管理命令**

　(ア)　序　所有者不明建物（不明の建物共有者の共有持分）についても，所有者不明土地の場合と同様の趣旨，内容，手続でもって，裁判所は，管理命令を発出することができる（以下で述べることのほかは，前述の土地管理命令の項を参照のこと）。利用が想定されるのは，所有者不明の建物が早晩管理不全状態に陥りそうなケースや，所有者不明の建物の購入希望者が現れたケースなどである。

　建物の管理命令の効力は，対象建物上にある動産のほか，当該建物を所有する（または当該建物の共有持分を有する）ための建物の敷地に関する権利に及んで

いる（民264条の8第2項）。対象建物とその建物所有者が有する敷地賃借権はその管理上一体としてとらえておく必要があるからである。

なお，建物区分所有法における専有部分および共用部分については，この管理命令は適用されない。建物の区分所有において専有部分の所有者が不明で，管理が放置されている場合については，建物区分所有法の中でそれに対応できる規定があり（同法57条から59条の義務違反者に対する措置の規定），管理命令の対象とする必要はないと考えられるからである。

(イ) **土地との関係** 建物の存立は，通常，土地に対する所有権か，他人所有の土地に対する利用権を基礎としている。ただし，他人所有の土地に対し無権原で建物が建っている場合もある。いずれの場合にも，当該建物の所有者が不明であり，管理の必要があれば，利害関係人の請求により建物の管理命令の発出があり得る。

この場合，同時にその敷地の所有者も不明であり管理が必要であれば，敷地につき別個に所有者不明土地管理命令が発出される。この場合，管理の必要性，内容などを勘案して，土地と建物との所有者が同じであれば，土地の管理人と建物の管理人は同一であることも妨げられないと考えられる。もっとも，土地と建物との所有者が異なる場合には，利害が反することもあり得るので，同一の管理人を選任することは適切ではない。

(ウ) **所有者不明建物管理人の権限** 土地の管理命令の規定が準用される（民264条の8第5項，264条の3）。他人所有の土地を賃借などして建築されている建物の場合，賃借権が消滅すると収去明渡しの危険があるので，建物の管理命令の効力は建物の敷地に関する権利に及んでいるところから，建物管理人は土地所有者に対する賃料の支払をする権限があると考えられる（建物存続という保存行為に該当すると考えられる）。なお，賃借権とともに第三者へ処分するという選択もあり得ると考えられる。管理対象建物が他人の土地上に無権原で建っている場合には，土地所有者（または，その管理人）から，収去明渡しを求められることになる。

所有者不明建物管理人に，裁判所の許可を得て，建物の取壊しをする権限もあり得るか。建物の管理を目的とする制度であり，原則としては取壊しは許されないと考えられるが，近隣に対する悪影響を除くため建物の取壊しが必要で

あり，取り壊してもその所有者に不利益とならないような事情がある場合には，裁判所の許可を得て取り壊すことが許されることもあり得ると考えられる。

3 管理不全土地管理命令および管理不全建物管理命令
(1) 管理不全土地管理命令
(ア) **管理不全土地管理命令の発出**　裁判所は，所有者による土地の管理が不適当であることによって他人の権利または法律上保護される利益が侵害され，または侵害されるおそれがある場合において，必要があると認めるときは，利害関係人の請求により，当該土地を対象として，管理不全土地管理人による管理を命ずる処分（「管理不全土地管理命令」）をすることができる（民264条の9第1項）。

　管理不全土地管理命令は，土地所有者およびその所在が明らかではあるが，その者による土地の管理が不全状態になっているときに，その土地所有権に制約を加え土地を適切に管理するために使われる。この点が，所有者不明の場合の土地管理命令と異なる。たとえば，所有者が対象土地から遠隔の場所に住んでいて，この土地を全く利用していないなど現に管理していない状態で，そのことによって他人の権利，利益が侵害され，または侵害されるおそれがあるケースが典型として想定される。もっとも，土地所有者が使用している場合であっても，管理不全であり他人の利益が侵害されるというのであれば，管理の必要があると認められ管理命令が発出されることもあり得る。

　土地の管理が不適当であることによって他人の権利または法律上保護される利益が侵害され，または侵害されるおそれがある場合には，権利等を侵害され，またはそのおそれがある他人は，土地所有者に対して，物権的請求権あるいは人格権に基づく差止請求権を行使することによって自らの権利等の保護を図ることができる場合もあり得よう。しかし，それによる一回的な解決では十分ではなく，土地管理人による継続的な管理が必要な場合等においては，管理不全土地管理命令が有用である。

(イ) **管理不全土地管理命令発出の手続**　管理不全土地の場合は，所有者およびその所在が分かっているので，裁判所は，管理を命ずる処分をするに際しては，管理命令の対象土地の所有者の陳述を（この手続を経ることで当該裁判の

申立ての目的を達することができないという事情がない限り）聴かなければならない（非訟91条3項1号）。

(ウ) **管理不全土地管理人の権限**　(a) **権限およびその範囲**　管理命令により選任される管理人の権限は，対象土地およびその土地にある動産，並びに，これらのものの管理，処分等により管理人が得た財産（以下，「管理不全土地等」という）についての管理・処分権である（民264条の10第1項）。実際上は，保存行為，利用または改良行為が主であると考えられる。一定の範囲の行為（①保存行為，②管理不全土地等の性質を変えない範囲内において，その利用または改良を目的とする行為）を超える行為については裁判所の許可が必要である（同条2項）。対象土地の処分については，他の方法によっては他人の利益の侵害を防止することができない例外的な場合には可能と考えられるが，所有者不明の場合と異なり所有者が分かっているので，その同意がないと裁判所は許可の裁判をすることができない（同条3項）。

　特に触れておくべき点は，所有者不明土地管理人の場合と異なり，管理・処分権が管理不全土地管理人に専属するとはされていないことである（よって，対象土地の登記簿に管理不全土地管理命令の登記はなされない）。専属としないのは，土地所有者およびその所在が明らかであるからである。そこで，所有者自らが管理不全土地等に対してなした管理・処分等の行為も効力を有する。管理不全土地等に対する管理・処分が，管理人と所有者とにより二重になされてしまった場合（土地が二重に賃貸された，土地にある動産が二重に譲渡されたなど）の扱いであるが，いずれも有効で，取引の相手方相互の優劣は，通常の二重契約，二重譲渡と同じルールの適用により解決される（優劣は対抗問題，劣後する契約の不履行）。ただ，民法264条の10第2項に従い，管理人がなす当該管理・処分行為が裁判所の許可を得なくてはならないものである場合には，その許可の裁判に際して土地の所有者の陳述を聴く必要がある（非訟91条3項2号）とされている関係で（また，土地の処分については所有者の同意が必要であり），その限りで，二重契約，二重譲渡が生ずることが避けられる仕組みとなっている。

　(b) **権限を超える行為**　管理不全土地管理人が，裁判所の許可を得ないで対象不動産の売買契約や長期の賃貸借契約などを締結した場合，権限を超える行為であるから，そもそもその契約は無効と扱われることになる。しかし，

裁判所の許可がないことを知らないで取引した第三者の利益を保護する必要があり，民法264条の10第2項但書は，許可がないことをもって善意でかつ過失がない第三者に対抗することはできないとしている。善意，無過失とは，ここでは，第三者において，管理人の当該行為が同項1号，2号に掲げる行為の範囲を超える行為であるにもかかわらず裁判所の許可がないことを知らない，および知らないことにつき過失がないということである。取引の安全のための第三者保護のレベルでいえば，表見代理規定適用の場合と同等ということになる。管理権限が管理人に専属する所有者不明土地管理人の場合（善意であれば保護される）と異なる。

(エ) **その他** 　管理不全土地における管理人の善管注意義務（民264条の11），管理人の解任および辞任（民264条の12），管理人の報酬等（民264条の13）については，所有者不明土地管理人の場合の議論を参照のこと。

(2) **管理不全建物管理命令**

裁判所は，所有者による建物の管理が不適当であることによって他人の権利または法律上保護される利益が侵害され，または侵害されるおそれがある場合において，必要があると認めるときは，利害関係人の請求により，当該建物を対象として，管理不全建物管理人による管理を命ずる処分（「管理不全建物管理命令」）をすることができる（民264条の14第1項）。

管理不全建物管理命令の効力は，対象建物にある動産のほか，当該建物を所有する（または当該建物の共有持分を有する）ための建物の敷地に関する権利に及んでいる（同条2項）。対象建物とその建物所有者が有する敷地賃借権はその管理上一体としてとらえておく必要があるからである。

管理命令により選任される管理不全建物管理人の権限，管理人の義務，管理人の解任および辞任，管理人の報酬等については，管理不全土地管理命令についての民法264条の10から264条の13までの規定が準用されているので，前に述べた管理不全土地管理命令の項を参照のこと。また，管理命令発出の手続についても，同様である（非訟91条10項で管理不全土地管理命令についての手続を準用）。

管理不全建物管理人の権限の関係では，まず，処分ができるかであるが，これは，管理のため必要であれば，所有者の同意を前提として裁判所の許可を得

て処分をすることは可能である。建物の取壊しであるが，建物に利用価値がなく，管理費用だけ増大するような事態となれば，建物の収去が視野に入ってくるが，所有者が分かっている状況の下での管理なので，所有者の同意を得なくては取壊しはできない。

Ⅷ 区分所有法

1 序説

「建物の区分所有等に関する法律」という民事特別法がある（昭和37〔1962〕年制定〔昭和58（1983）年大改正〕。以下，この節では「区分所有法」，条文引用は単に「法」という）。これは，典型的には分譲マンションのような，1棟の建物の中に独立した所有権の対象たる複数の住戸（専有部分）があり，その住戸の所有者たちが集合して入居する建物において生ずる様々な法律関係を整序する法律である。

規律すべき法律関係は主として次の2つである。第1は，建物，およびその敷地に関する所有，共有などの権利関係についてであり，第2は，複数の人が1棟の建物に入居していることから生ずるそれの団体的な管理に関する事項である。その中には，民法の観点からは，所有，共有の原則的なルールを修正する規律が含まれている。以下では，そのような点に注意を払いながら概説する。

2 建物についての権利関係（専有部分と共用部分）

(1) 建物の専有部分について

(ア) 区分所有権の承認　　まず，区分所有法1条は，1棟の建物に，数個の構造上区分された部分があり，それぞれが独立して住居，店舗，事務所または倉庫その他建物としての用途に利用できるときは，その各部分（「専有部分」と呼ぶ〔法2条3項〕）につき1個の所有権（「区分所有権」と呼ぶ〔法2条1項〕）の成立を認める。これは，1棟の建物を1個の物（1つの所有権が成立）とする民法の原則に対し例外を規定したものといえる[13]。区分所有者は専有部分を単独で所有しており，それを自由に使用・収益・処分できるが（民206条），区分所有者たちの共同の利益に反してはならない（法6条1項）。

(イ) **専有部分の判断基準**　区分所有権の目的となる専有部分であるための要件としては，上記のように，1棟の建物内において，〔1〕構造上の独立性があり，かつ〔2〕利用上の独立性のある部分であることが必要である。〔1〕は原則として固定した隔壁等で区分されていることを意味し，〔2〕は用途に相応の内部設備が備わっていれば認められる。

なお，車庫とか倉庫として用いられている部分については，それが専有部分となるか（そうではなく，後述の共用部分となるか）が争われる例が少なくない。争いの理由は，たとえば，マンションを分譲した業者がその部分（車庫とか倉庫）は専有部分でありその所有権を自分が留保していると主張し，他方で，分譲を受けた区分所有者たちがここは共用部分（自分たちの共有）であるとして争う，などである。判例は，このような例では比較的緩やかに専有部分の成立を認めており，仮にその一部にわずかの共用の設備（配線，配管設備など）が設置されていても，区分された範囲が明確でありその部分につき排他的使用が確保されているかぎり専有部分と認めることができるとしている（最判昭和56・6・18民集35巻4号798頁）。

(2) **建物の共用部分について**

(ア) **共用部分の共有**　共用部分とは，廊下，階段室，ベランダ，外壁など専有部分以外の建物の部分（法定共用部分），および，管理人室，集会所などで規約により共用部分とされたもの（規約共用部分）をいう（法2条4項，4条）。共用部分は原則として区分所有者全員の共有に属し（法11条），各共有者の持分割合は，その有する専有部分の床面積（壁の内側面積）の割合によるとされる（法14条）。

共用部分の使用については各共有者がその用方に従って行うことができる（法13条。民法の「持分に応じた使用」〔民249条1項〕とは異なる）。

共用部分に対する区分所有者の持分は，その性質上，その有する専有部分の処分に従い，専有部分と分離して処分することができない（法15条）。もちろ

---

13)　もとは，民法208条1項（削除）で，ハーモニカ型の棟割長屋を想定し，このような区分所有権を認めていた（「数人ニテ1棟ノ建物ヲ区分シ各其一部ヲ所有スルトキ」）。
　　ちなみに，不動産登記法は，専有部（法4条2項の規約共用部分を含む）を「区分建物」と呼んでいる（不登2条22号）。

ん分割請求も認められない。

(イ) **共用部分の管理等**　共用部分の管理に関する事項は，各共有者が単独でできる保存行為を除いて，原則として集会での過半数（区分所有者の頭数および持分割合による議決権の過半数）による決議で決する（法18条1項，38条，39条）。

共用部分の変更（階段室をエレベータ室に改造するなど）については，民法251条の全員同意と異なり，原則として，集会での区分所有者および議決権の各3/4以上の多数による決議で決することができるとされる（法17条）。多数決原理が採用された理由は，区分所有者のうち1名でも反対があるとそれが許されないというのでは，必要に応じた形状または効用の変更ができず適当ではないからである[14]。

他方，区分所有者は持分に応じて共用部分の負担に応ずる（法19条）。

3　建物の敷地に関する権利関係（敷地利用権の共有）

建物の専有部分を地上に所有するためには，その敷地に関する権利（敷地利用権〔法2条6項〕）が必要である。通常は，区分所有者全員で，敷地を所有（共有）するか，または第三者が所有する敷地に対し地上権ないし賃借権を準共有することになる[15]。そして，敷地利用権を共有，準共有する場合，区分所有者はその有する専有部分とその専有部分のための敷地利用権（持分）[16]とを分離して処分することができないものとされる（法22条）。これは昭和58年改正で採用されたルールである。これにより，専有部分と，これに従たる共用部分（持分）と，その専有部分のための敷地利用権（持分）とがセットで処分（譲渡，抵当権設定など）されることが確保される＊。

---

14) なお，建物敷地が区分所有者の共有である場合には，共用部分に関する当該建物についての管理，変更，負担のルールが敷地にも準用される（この場合，敷地の変更についても，多数決原理が適用されるということである）。
15) これと異なる形態として，いわゆる棟割長屋形式の共同住宅において，敷地が専有部分ごとに区画割りされ，区分所有者がその部分を単独所有するというものがある。
16) 敷地利用権に対する持分割合は，原則として，建物の共用部分に対する持分割合と同じである。

＊分離処分禁止のルールが採用された理由は次のようなものである。第1は，通常は分離処分することはないが，土地と建物は別不動産であるので分離処分が可能であり，たまたま専有部分とその専有部分のための敷地利用権が別の権利者に帰属することになった場合，面倒な法律関係が生ずる危険がある（法10条参照）。たとえば，専有部分に対してのみ抵当権が設定され（敷地共有持分には設定されない），その実行によりその所有者と敷地の共有持分権者とが食い違うことになった場合，法定地上権は成立せず，専有部分は敷地共有持分に基礎をもたない状態になる，などである。このようなことからして，分離処分できないものとあらかじめ定めておくことが望ましい。第2は，登記公示技術上の問題点解消のためである。要するに，建物専有部分とそのための敷地利用権（持分）をセットにしておいて，譲渡，抵当権設定などの運命を常に共にすることにしておけば，その権利関係の公示は専有部分（区分建物）の登記により敷地の分も併せて統一的にすることができる前提が整うことになる（不登46条，73条参照）。

4 管理の仕組み
(1) 管理を行うための団体

区分所有者が複数入居しているマンションのような建物では，その管理は，結局，その区分所有者が全員で行うことにならざるを得ない。

まず，区分所有者は，全員で，建物並びにその敷地および附属施設の管理を行うための団体を構成する（法3条）こととされている。このような区分所有者の団体に当たるものとして，一般には，管理組合という名称の団体が結成されている。しかし，管理組合が結成されていなくとも，管理のための基礎的な組織として，この区分所有法3条の団体は法律上当然に存在するものと扱われる。この団体の権限としては，「集会を開き，規約を定め，及び管理者を置くことができる」（法3条）。なお，この団体は，一定の条件を満たせば，法人（管理組合法人）になることができる（法47条以下）。

(2) 管理者・規約・集会

(ア) **管理者**　集会の決議で管理者を選任でき（一般には，管理組合の理事長がこれに該当する），選任されれば，この者は区分所有者の受任者・代理人として行動する。管理者の有する権利および負担する義務は，共用部分並びに共有の場合の敷地・附属施設を保存し，集会の決議を実行し，規約で定めた行為をすることである（法25条以下）。

(イ) **規約**　規約（一般に，管理規約と呼ばれる）を設定して，「建物又はその

敷地若しくは附属施設の管理又は使用に関する区分所有者相互間の事項」を定めることができる（法30条1項）。その規約の設定，変更等は，区分所有者および議決権の各3/4以上の多数による集会の決議によりなし得る（法31条1項前段)[17]。したがって，団体的な決定により，区分所有者の権利に対し，一定の制限を加えることもあり得る。

　もっとも，区分所有者間の利害の衡平が図られるように定められている必要がある（法30条3項）。規約の設定，変更等が一部の区分所有者の権利に特別の影響を及ぼすべきときは，その承諾を得なければならない（法31条1項後段），とされる[18]。

　(ウ)　**集会**　集会は，区分所有者の団体の最高意思決定機関と位置づけることができ，建物，敷地等の管理に関する事項は原則としてすべて集会の決議により決定されることになる（法34条以下）。

5　建替え等

(1)　その他の規律

　区分所有法では，その他，管理組合法人（法47条以下），義務違反者に対する措置（法57条以下），復旧および建替えの諸規定（法61条以下）が置かれるほか，いわゆる団地に対する規律（法65条以下）が定められている。ここでは，建替えのルールについてのみ触れておく。

(2)　建替えルール

　(ア)　**建替えルールの設定**　建物の老朽化などによりその建替えが必要になった場合には，建替えをめぐって区分所有者の間で利害が鋭く対立する。もと

---

17)　分譲マンションなどでは，一般に，マンション販売時に，マンション販売業者が準備した「○○マンション管理規約」に対して，各購入者が同意をするかたちで，規約が設定されている。

18)　屋内駐車場として使用されていたマンションの専有部分を取得し，そこを「店舗（ブティック）」に改装し使用を始めた区分所有者Ｙに対して，管理組合Ｘが，それまではそのような趣旨の規定がなかった管理規約を「専有部分は専ら住宅として使用するもの」と改定した上，ブティックとして使用することの禁止を求めた事案で，これは一部の区分所有者（Ｙ）の権利に特別の影響を及ぼすべき管理規約の改正にあたり，Ｙの承諾を得なければＹを拘束しないとした判例がある（最判平成9・3・27判時1610号72頁）。

もと共有物の変更に当たるから区分所有者全員の同意が必要であると考えられていたが（民251条），1人でも反対があれば建替えが不可能というのでは現実的ではない。そこで，前掲の昭和58年改正で，団体による多数決原理が導入され，集会における区分所有者および議決権の各4/5以上の特別多数の決議で建替えが可能となった（法62条）[19]。1つの大きな転換点であった。

　(イ)　**建替えルールの改正**　　もっとも，その改正では単に特別多数決による決議のみで建替えが可能とされたのではなく，客観的事情（「老朽，損傷，一部の滅失その他の事由により，建物の価額その他の事情に照らし，建物がその効用を維持し，又は回復するのに過分の費用を要するに至ったとき」）の存在が必要とされた。しかし，この「過分の費用を要する」との要件に該当する状態かどうかは一義的に明らかとはならず，基準としてあいまいで，建替え需要が増大しつつある今日その障害となるおそれがあった。そこで，議論の末，平成14（2002）年に，建替えがやりやすい方向に区分所有法のルールが改正された（法140号）。

　(ウ)　**現行の規律**　　その結果，現行の規律は，上記の客観的事情の存在が要件から外され，単に，集会での4/5以上の多数決のみで建替え決議をすることができることとなった（同時に，決議に至る手続を丁寧に行うよう改正）。

　この建替え決議がなされた場合，一定の手続を経た上，建替えに参加する側の各区分所有者またはその全員の合意で買受けを指定された者（建替えに協力する不動産業者など）は，最終的に建替え不参加の区分所有者に対し，区分所有権および敷地利用権を時価で売り渡すべきことを請求できる（法63条4項）。売渡しがなされたその後に残るのは全員が建替えに賛成する者だけであり，そ

---

[19]　震災等の災害により区分所有建物が全部滅失した場合には区分所有権が消滅し，そもそも区分所有者がいなくなるので集会はあり得ず，この規定は適用できない（残存する敷地所有権等の共有関係の変更として民法251条の全員同意の原則が適用される）。しかし，それでは区分所有建物の再建に不都合なので，阪神・淡路大震災の直後，「被災区分所有建物の再建等に関する特別措置法」（平成7年法43号）が制定され，これにより建物滅失の場合の建物再建についても同様に4/5以上（敷地共有者等の議決権の）という多数決原則を適用することとした（同法4条）。なお，大規模災害に直面した区分所有建物およびその敷地に関する措置として，平成25年の同法の改正で，全部が滅失した区分所有建物の敷地の売却（同法5条），一部が滅失した区分所有建物の取壊し（同法11条），一部が滅失した区分所有建物と敷地の売却（同法9条），一部が滅失した区分所有建物取壊し敷地売却（同法10条）を，やはり，4/5以上の多数決による決議で行うことができる旨の規定が新設された。

の者たちで，計画通り「建物を取り壊し，かつ，当該建物の敷地若しくはその一部の土地又は当該建物の敷地の全部若しくは一部を含む土地に新たに建物を建築する」（法62条1項）こととなる*。なお，建替え促進の意味から，この平成14年の法改正で，これまでの要件からさらに次のような緩和もなされている。すなわち，〔1〕敷地につき従前と同一でなく，たとえば隣地を取り込んでもよい，〔2〕建物の使用目的も従前と同一でなくともよい（住宅用であった建物を一部を事務所用のものとするなど），とされた。

* 建替えにおいては，建替えを実際に実現するプロセスをどうするか，資金関係をどうするか，従前の多くの権利関係の整序等いろいろ面倒な問題が生ずる。「マンションの建替え等の円滑化に関する法律」（平成14年法78号）が，上記の区分所有法の改正に併せて立法され，建替え合意者によるマンション建替組合（法人）の設立を認め，マンション建替えに向けた合意形成や事業の運営を円滑に行えるようにし，さらに，民間の事業者の参加を認め（参加組合員となる）そのノウハウや資金力を利用できるようにするなどして，文字通り建替えの円滑化を図っている。

第 9 章　用益物権

I　序　説

1　他人所有の土地を使用収益する用益物権

　所有者はその所有する土地を自ら使用収益できるが，土地を所有していない者は，他人所有の土地につき何らかの利用権の設定を受けそれを利用するほかない。

　民法典第2編「物権」の第4章「地上権」，第5章「永小作権」，第6章「地役権」，および民法294条の「入会権」は用益物権と総称され[1]，それらは，まさに，他人の所有する土地を一定の目的のために使用収益することのできる権利を規定したものである。

　それらは，使用収益の目的によって類型分けされており，地上権は「他人の土地において工作物又は竹木を所有する」こと（民265条），永小作権は「他人の土地において耕作又は牧畜をする」こと（民270条），地役権は「設定行為で定めた目的に従い，他人の土地を自己の土地の便益に供する」ことである（民280条）。入会権については各地方の慣習に任せられており定義がない（民294条）。

　これらの権利は物権と構成されており，土地の使用収益権能を直接支配できる強力な権利である。なお，これらは，物権の典型たる所有権が完全権であることと比較して，権利内容が使用収益権に限定されているので，制限物権と呼ばれる。

---

[1]　なお，入会権には別に共有に基礎を置くものがある（民263条）。これも併せて後述する。

2　用益物権と土地の賃借権

(1) 序

　ところで，他人の所有する土地を使用収益するという目的それ自体は，土地所有者との間での土地の賃貸借契約（ほかに，使用貸借契約）によっても達成できる（民法601条によれば「当事者の一方がある物の使用及び収益を相手方にさせることを約〔す〕」という内容である）。もっとも，これは債権契約であり，賃借権は，土地を使用および収益させるという賃貸人の債務の履行を通して，その目的を実現できる権利（債権）と構成される。

　現実の社会では，昔から，他人所有の土地を使用収益する場合ほとんどこの賃貸借契約が用いられ，用益物権（特に，地上権，永小作権）の設定は極めて稀であった。その大きな理由は，土地所有者が，自分の土地所有権に対する用益物権の負担を嫌い，負担のより軽い賃貸借契約を選択したからだとされる。

(2) 用益物権と土地の賃借権との比較

　そこで，地上権を例に，用益物権と土地の賃借権とを対比してみる。一方は，土地の使用収益権能を直接支配できる物権であり，他方は，相手方（賃貸人）の契約上の義務履行を通して土地の使用収益ができる債権であり，この物権と債権との性質の違いからいろいろな点での相違が生じている。

　地上権では，①登記による第三者対抗力があり（民177条），②長期の存続期間が保障され（民268条，278条），③譲渡・賃貸は自由であり（民272条），④終了の原因も限定されている（民266条，276条）。これに対して，賃借権では，債権法の改正により②の存続期間の保障については地上権との差はなくなったが（民604条），依然①登記による第三者対抗力の獲得は登記をするについて賃貸人の同意を前提とし（民605条），③譲渡・転貸には制限があり（民612条），④期間の更新の保障も不十分である（民619条）。

(3) 借地借家法等の特別法

　以上のように，民法上の賃借権は，土地の使用収益という目的を達成するためには脆弱な権利である。そこで，特に土地賃貸借の中でも保護の必要性が高い「建物の所有を目的とする」土地の賃貸借について，借地借家法という特別法により借地権としてその権利内容の強化を図っている[2]。第三者対抗力の具備方法の緩和（借地借家10条1項），譲渡・転貸の保護（借地借家19条），存続期

間の保障（借地借家 3 条），期間の更新の保障（借地借家 4 条〜6 条）などである（ただし，定期借地権は更新の保障がない等の例外を設けたものである〔借地借家 22 条〜24 条〕）。これにより特別法の適用される範囲では土地の賃借権は地上権とほぼ変わらない内容の権利となっている（「賃借権の物権化」と呼ぶ）。

なお，注意すべきは，この借地借家法は，賃借権に対してのみならず，建物所有を目的とする地上権に対しても適用され（双方を併せて「借地権」と呼ぶ），その範囲では，後述する地上権の規律に対する特別法ともなっている。これにより，たとえば，対抗力の具備方法，更新の保障において，地上権の内容が強化されることとなっている。

II 地上権

1 地上権とは

地上権は，「他人の土地において工作物又は竹木を所有するため，その土地を使用する権利」である（民 265 条）。

工作物とは，建物が典型例であるが，道路，鉄道，地下鉄，塔など地上，地下の一切の建造物を指す。竹木の所有目的とは，具体的には，林業の経営などが想定されよう。

なお，地代の支払は地上権の要素とはされていない。

2 地上権の成立

地上権の成立は，土地所有者との間の地上権設定の合意による（民 176 条「当事者の意思表示」）。設定の合意には，通常，設定の目的，地代，存続期間等が含まれ，これらについては地上権設定登記により第三者対抗要件が具備される（民 177 条，不登 78 条）[3]。合意によるほか，時効による地上権の取得もあり得（民 163 条），また，民法 388 条が定める要件が満たされる場合（その他類似の事

---

2) ほかに，農地・採草放牧地の賃借権等の設定，保護については「農地法」の規律が適用される。農地・採草放牧地の賃借権等の設定については原則として農業委員会の許可を必要とするが（農地 3 条，5 条），成立した賃借権については引渡しに対抗力が認められ（農地 16 条），解約には原則として制限が加えられている（農地 18 条）。

情が生じた場合〔民執81条など〕),「地上権が設定されたものとみな」されている（法定地上権。これについては抵当権の章で詳述する。⇨356頁・第12章Ⅳ4）。

3 地上権の内容
(1) 地上権者の権利
(ア) **地上権一般**　地上権者は工作物または竹木を所有するため他人の所有地を使用収益することができる（民265条）。使用収益は設定された目的に従って行われるべきで,「土地に対して, 回復することのできない損害を生ずべき変更を加え」ること（民271条参照）, 目的に反する使用収益をすることは許されない。

地上権が設定されると, 当該土地の使用収益権は地上権者に排他的に帰属し, 土地所有者はそれを失う。

地上権は物権として, 自由に譲渡, 賃貸, 担保権設定などの処分をすることができる。

(イ) **区分地上権**　(a) **意義**　ところで, 他人の土地に地上権を得て設置しようとしている工作物の中には, それを所有するため当該土地を上下にわたって全面的に使用する必要はなく, 地下または地上の上下一定幅の層だけ, 範囲を限って使用することで十分なものがある。たとえば, 高架の道路とか地下鉄などである。民法は, これに対応すべく,「地下又は空間は, 工作物を所有するため, 上下の範囲を定めて地上権の目的とすることができる」としている（民269条の2第1項前段）。このようにして設定される地上権を一般に「区分地上権」と呼んできた。

(b) **土地所有権との調整**　この場合, 区分地上権を設定した上下一定幅の層の部分を除き, 土地の使用収益権はなお所有者に残存しており, したがって, 土地を複層的, 効率的に利用することができる。ただし, 所有者と区分地上権者との利害を調整する必要があり, 区分地上権の「設定行為で, 地上権の

---

3) 借地権たる地上権（建物所有目的）については, 借地借家法10条1項で例外が規定されている（借地人名義で地上建物の登記〔表示に関する登記でも足りるとされる〕がされていれば土地に対する借地権を第三者に対抗できる）。

行使のためにその土地の使用に制限を加えることができる」とされる（民269条の2第1項後段）。たとえば，地下構造物のため設定された地下を目的とする（区分）地上権の行使のために，土地所有者に対して，一定重量を超える構造物の建造を制限するとかである。

　(c)　**第三者がすでに使用収益権を有する場合**　なお，すでに第三者が当該土地につき使用収益権（地上権〔区分地上権を含む〕，賃借権）を有している場合であっても，その使用収益に抵触しない限り区分地上権の成立を認めてもよいといえるので，「その権利又はこれを目的とする権利を有するすべての者の承諾があるときは」区分地上権の設定をすることができる，とされる（民269条の2第2項前段）。

(2)　**地上権の存続期間**

　その土地上で工作物を所有するという地上権の設定目的から，地上権では，長期で安定した利用が保障されている。

　まず，その存続期間は当事者の約束により自由に決められ（いくら長期のものでも認められる），存続期間を定めなかった場合も，20年から50年の長期間が保障されている。すなわち，存続期間を定めないときは，地上権者の側はいつでもその権利を放棄できるとしつつ（民268条1項本文），他方で，「地上権者が前項の規定によりその権利を放棄しないときは，裁判所は，当事者の請求により，20年以上50年以下の範囲内において，工作物又は竹木の種類及び状況その他地上権の設定当時の事情を考慮して，その存続期間を定める」とされているからである（民268条2項）[4]。

(3)　**地代の支払**

　通常，地代が合意され，それは一括で，あるいは，月または年単位で定期的に支払うことになる（民266条2項，614条）。なお，民法266条1項で，永小作権に関する民法274条から276条の規定（小作料の減免，永小作権の放棄，永小作権の消滅請求）が準用されている。

---

[4]　借地権たる地上権については，借地借家法3条以下（30年以上），および，22条以下（定期借地権）参照。

4 地上権の消滅

(1) 終 了

設定の合意により存続期間が定められているとき，および裁判所により存続期間が定められたときは（民 268 条），その期間の満了により終了する。存続期間を定めないときは，地上権者の側は，別段の慣習がなければ，いつでもその権利を放棄できる（民 268 条 1 項本文）。ただし，地代を支払うことになっている場合には権利の放棄には 1 年の予告期間を置くか 1 年分の地代を支払う必要がある（民 268 条 1 項但書）[5]。

(2) 義務違反の場合

地代不払いが「引き続き 2 年以上」である場合に，土地の所有者は，地上権の消滅を請求できる，とされる（民 266 条 1 項，276 条）。

別に，「土地に対して，回復することのできない損害を生ずべき変更を加え」た場合（民 271 条参照），または，目的に反する使用収益をするなど一定の違反行為がある場合，所有者は地上権を消滅させることができるか。民法 276 条の類推適用により可能と解すべきであろう。

(3) 工作物の収去等

地上権者は，その権利が消滅したときに，土地を原状に復してその工作物および竹木を収去することができる（収去権。他面，当然ながら，原状回復〔収去〕義務がある）。ただし，土地の所有者が時価相当額を提供してこれを買い取る旨を通知したときは，地上権者は，正当な理由がなければ，これを拒むことができない（民 269 条 1 項）[6]。ただし，これと異なる慣習があれば，それに従う（民 269 条 2 項）。

---

5) 借地権たる地上権については，普通の借地では更新が保障されている（借地借家 4 条～6 条）。定期借地権については更新はない（借地借家 22 条以下参照）。
6) 借地権たる地上権については，借地借家法 13 条参照（反対に，地上権者の側の建物買取請求権が認められる。ただし，定期借地権については買取請求権はない〔借地借家 22 条，24 条参照〕）。

Ⅲ　永小作権

1　永小作権とは

　永小作権は,「小作料を支払って他人の土地において耕作又は牧畜をする権利」である（民270条）。ここでは,小作料の支払は永小作権の要素となっている。

2　永小作権の成立

　永小作権は,土地所有者との合意により成立する（時効取得もあり得る）。合意には,小作料の定めが含まれ,通常,その存続期間も定められる。これらについては永小作権設定登記により第三者対抗力が得られる（民177条,不登79条）[7]。

　現在では,同様の目的を達成するため,農地,採草放牧地の賃貸借契約が締結され,この永小作権の制度が使われることは全くないといってよい状況である。

3　永小作権の内容
(1)　永小作権者の権利

　永小作権者は,耕作または牧畜をなす目的で他人の所有地を使用収益することができる。「土地に対して,回復することのできない損害を生ずべき変更を加え」ること（民271条）,および,目的に反する使用収益をすることは許されない。

　土地所有者は永小作権の設定により使用収益権を失う。

　永小作権は,異なる慣習がない限り,自由に譲渡,賃貸することができる（民272条。ただし,設定行為で禁じたときは,この限りでない〔民272条但書〕）。

---

[7]　農地法に規定された引渡しによる対抗力取得（16条）は農地の賃貸借契約についての特例であり,永小作権には適用がない。

同様な配慮であるが，同居の家族など占有補助者に，土地工作物等や動物の占有者の責任を負わせること（民717条，718条）が妥当でないという観点からも独立した占有の成立が否定される。

　第2は，以上の配慮からすると，逆に，占有（所持）機関側に占有の訴えによる独立の保護を与えるべき場合には，その者に独立の所持（占有）を認めるべきであるという結論が導かれる。家屋の借主である夫の不在中に，その住居の事実支配が侵害された場合には，以上の意味で，その妻に占有（すなわち占有訴権）が認められる。また，最判平成12年1月31日（判時1708号94頁）は，Y宗教法人代表者（住職）Xが，僧籍剝奪処分を受け住職の資格を失った後，宗教法人Y側からさらに寺院建物等の占有を実力で奪われたとして，Yを相手に占有回収の訴えを提起した事案で，「代表者が法人の機関として物を所持するにとどまらず，代表者個人のためにもこれを所持するものと認めるべき特別の事情がある場合には……その物について個人としての占有をも有することになるから，占有の訴えを提起することができる」として，本件代表者Xの占有（占有の訴え）を認めた。

　(ウ)　要件〔2〕——自己のためにする意思　　占有成立のため要求されるこの主観的要素は，時代が下るに従い次第に希薄化の傾向にあり，それを要求しない外国の立法例もある。わが民法は，「自己のためにする意思」という緩やかなかたちではあるが，なおそれを要求している。解釈としては，これは，物の所持による事実上の利益を自己に帰属せしめる意思をいう。このような意思があるかどうかの判断を直接にすることはできないから，所持に至った原因（たとえば，売買，賃貸借，寄託など）の客観的な事情からこの意思の存否の判断をせざるを得ない。すなわち，売買契約，賃貸借契約に基づいて所持を始めた者には当然この意思は認められる。また，受寄者，請負人は所有者のために所持をしており自己の利益のためにとは直ちにはいいづらいが，占有を奪われた場合において占有の訴えによる保護を否定する理由はないので，これらの者にも自己のためにする意思はあるといってよい。他方，自宅の庭に外から動産（野球のボールなど）が飛び込んできた場合，庭の所有者には（仮に事実支配が成立しているとしても——それもあやしいが），自己のためにする意思はないというべきであろう。したがって，動産の所有者からの物権的返還請求権の相手方とはな

(2) 永小作権の存続期間

存続期間は，20年以上50年以下で設定できる（民278条1項）。また，更新の時から50年を超えない範囲で更新することができる（民278条2項）。存続期間を定めなかったときは，期間は，別段の慣習がある場合を除き，30年とされている（民278条3項）。

(3) 小作料の支払

小作料の支払は永小作権の要素である。この小作料は，不可抗力により収益について損失を受けたときであっても，免除または減額を請求することができないとされる（民274条）。また，不可抗力によって，引き続き3年以上全く収益を得ず，または5年以上小作料より少ない収益を得たときは，その権利を放棄することができるとされる（民275条）。この2つの規定はいずれも永小作権者に厳しすぎるという批判が強い。

他方，永小作権者が引き続き2年以上小作料の支払を怠ったときは，土地の所有者は，永小作権の消滅を請求することができる（民276条）。ただし，以上の点について異なる慣習があれば別である（民277条）。

4 永小作権の消滅

存続期間の満了で終了するが，前述のように更新が認められている（民278条）。

義務違反の場合の永小作権の消滅（民276条），消滅に際しての工作物等の収去等（民279条）については，地上権の項と同様である。

Ⅳ 地役権

1 地役権とは

(1) 趣　旨

地役権は，設定行為で定めた目的（通行，引水など）に従って，他人の土地（乙地）を，自己の土地（甲地）の便益に供する権利である（民280条）。用語として，地役権を負担する乙地を「承役地」と呼び，便益を享受する甲地を「要役地」と呼ぶ（民281条，285条参照）。要役地（甲地）の所有者が承役地（乙地）

につき地役権を取得する。地役権は，他人の所有地（乙地）を使用収益する権利であるので用益物権である。同じ用益物権である地上権，永小作権が全面的かつ土地所有者の用益権限を排除する支配権であるのと比較すると，地役権では，土地使用は目的に従って制限的でありかつ所有者の用益権限を必ずしも排除するものではない（⇨236頁・**3**参照）。

(2) 設定の目的

設定の目的は，設定行為でいろいろ自由に定めることができる。たとえば，甲地の所有者が承役地（乙地）を通行するため（通行地役権），甲地に水を引くための用水路を承役地（乙地）に設置するため（引水地役権），電気事業者が自己の有する発電所，変電所用地を要役地（甲地）としてその間の承役地（乙地）上（空中）に電線を引っ張るため，あるいは，甲地の眺望・日照を確保するため承役地（乙地）の利用を制限するため（観望地役権等）などがある。

なお，民法典第2編「第3章第1節（所有権の限界）の規定（公の秩序に関するものに限る。）に違反しないものでなければならない」（民280条但書）。

(3) 相隣関係法との異同

隣地間の利用調整を図る相隣関係法がこの地役権と内容的に類似する。その異同を隣地通行権（民210条，211条）と通行地役権とを例に対比してみると，まず，いずれも隣接地の通行を確保する点では類似性を指摘できる。しかし，第1に，前者は法定の権利であるが，後者は約定の権利である。第2に，したがって，前者は必要最小限の通行が確保される範囲でしか認められないが，後者はそれに限られない。第3に，前者は相隣接する土地間での調整であるが，後者は隣接地間に限定されない。したがって，制度間の役割分担としては，法定の必要最小限の通行権の確保（相隣関係的調整）では足りないという場合に，約定の地役権の設定を受けるということになる。

2 地役権の成立

(1) 合意による設定

要役地の所有者と承役地の所有者との間の合意により成立する（民280条）。一定の客観的事情がある場合に黙示の合意が認定されることがある。たとえば，1筆の土地所有者Aがその土地を数筆に分筆して複数者に分譲する際，通行

のため自己所有地に私道を設けた場合は、その所有者は、分譲地（要役地）のため、自己所有地（承役地）に通行地役権を（黙示で）設定したものと認定されるなどである。

(2) **時効取得**

時効による取得もあり得る（民163条，283条。なお，民284条も参照）。地役権の時効取得は，「継続的に行使され，かつ，外形上認識することができるものに限」られる（民283条）。判例は，この「継続」の要件につき，通行地役権に関する事案において，承役地に通路の開設がなされることが必要であり，かつ，それが要役地の所有者によりなされることが必要であるとする（最判昭和30・12・26民集9巻14号2097頁。なお，他の者と共同で通路を開設した場合でもよい）。学説は，通路開設は必要とするが，それが要役地の所有者によることの必要性については疑問を呈する者が少なくない。

(3) **賃借人も地役権者たり得るか**

甲地の賃借人が，その賃借土地甲の便益に供するために他人所有の乙地に地役権を時効取得（または合意により取得）できるかが問題とされている。条文文言（「自己の土地の便益」）は所有者であることを前提とする。それに反するので判例は賃借人による時効取得を否定するが、学説は、賃借地の便益に供するためにも実際上地役権取得の必要性はあると指摘してこれを肯定している[8]。

(4) **登記による対抗要件具備**

地役権は承役地の登記記録にその旨の登記をすることにより第三者対抗力を取得する（民177条，不登80条。⇨42頁【図表4-1】登記事項証明書（土地）参照）[9]。

したがって、地役権が未登記である間に、承役地の所有権が第三者に譲渡された場合には、地役権者は譲受人に対して地役権を対抗できない（地役権は消

---

8) ただし、少なくとも要役地（甲地）の登記記録に民法605条による賃借権の登記がなされていなければ、登記手続上地役権の登記を実現できない（不登80条3項参照）との問題点がある（建物の保存登記により賃借権の対抗力を取得している場合は登記することができない）。

9) 地役権を設定した承役地乙地の所有者が登記義務者であり、地役権を取得した要役地甲地の所有者が登記権利者となる。承役地乙地の登記記録にこの地役権設定登記がなされ（登記事項は要役地〔甲地〕、地役権設定の目的および範囲等である〔不登80条1項・2項〕）、同時に、登記官が職権で要役地甲地の登記記録に承役地乙地に関する事項を登記する（不登80条4項）。

減する）。しかし，判例によると，未登記であっても（黙示での地役権成立が認定される場合などは未登記である），承役地の譲受人が，地役権設定登記の欠缺を主張するについて正当な利益を有する第三者に当たらないと解される場合には，地役権者は地役権をなお対抗することができ（最判平成 10・2・13 民集 52 巻 1 号 65 頁【百選 I 63】），さらに，この承役地の譲受人に対し，地役権に基づいて地役権設定登記手続を請求することができるとされる（最判平成 10・12・18 民集 52 巻 9 号 1975 頁）[10]。

3 地役権の内容

(1) 地役権者の権利

(ア) 内容　地役権者は，設定行為で定めた目的に従って，他人の土地（承役地）を，自己の土地（要役地）の便益に供する権利を有する。

(イ) 付従性　地役権は要役地の便益のために存在するから，設定行為に別段の定めのない限り，要役地の所有権に従たるものとして，要役地の所有権が譲渡されればその所有権に随伴して当然に移転し，または要役地に賃借権，抵当権などが設定されれば地役権もその対象となる（民 281 条 1 項）。この場合，要役地について所有権移転登記等があれば，地役権の移転等を第三者に対抗することができる（このことに関して不登 80 条 2 項参照）。

また，要役地の所有権に付従するから，地役権は，要役地から分離して譲り渡し，または他の権利の目的とすることができない（民 281 条 2 項）。

(2) 承役地の所有者との調整

承役地の所有者は，地役権の内容に応じて，その土地の使用収益につき制限

---

[10] 民法 177 条の背信的悪意者排除法理の項で述べたように（⇨76 頁・第 4 章 II 3 (3)(エ)参照），上掲最判平成 10 年 2 月 13 日は，背信的悪意者排除法理が適用できない事例において，「譲渡の時に，右承役地が要役地の所有者によって継続的に通路として使用されていることがその位置，形状，構造等の物理的状況から客観的に明らかであり，かつ，譲受人がそのことを認識していたか又は認識することが可能であったときは，譲受人は，通行地役権が設定されていることを知らなかったとしても，特段の事情がない限り，地役権設定登記の欠缺を主張するについて正当な利益を有する第三者に当たらないと解するのが相当である」とする。登記がなくとも通路としての使用が客観的に明らかであれば，通常は，譲受人に対し地役権を主張できるという趣旨である。上掲最判平成 10 年 12 月 18 日は，これを受けて，登記の問題を解決した。

を受ける。しかし，地上権などと異なり全面的に使用収益ができなくなるわけではない。たとえば，通行地役権，引水地役権では通行（通路開設等），引水（用水路開設等）を容認することで足り，また，観望地役権では，眺望・日照を妨げる建築などはしないという利用制限のみを受ける。

なお，承役地の所有者は，地役権の行使を妨げない範囲内において，承役地の上に設けられた地役権行使のための工作物を使用することができ，この場合には，承役地の所有者は，その利益を受ける割合に応じて，工作物の設置および保存の費用を分担しなければならない（民288条）。

(3) **存続期間，地代**

特に規定はないが，設定契約により存続期間および地代を自由に定めることができると考えられる。

4 地役権の消滅

存続期間の満了などによって消滅する。

その他，承役地の占有者が取得時効に必要な要件を具備する占有をしたときは，地役権は，これによって消滅する（民289条）。もっとも，時効取得者が地役権の負担のない土地であるとして承役地を自主占有した場合に限られる，と解すべきであり，地役権者がその権利を行使する等の事実があれば（民290条），地役権の負担のある土地としての占有となる。

また，地役権は時効により消滅することがあり（民166条2項），その消滅時効の起算点，完成猶予または更新につき特則が置かれている（民291条，292条，293条）。

Ⅴ 入会権

1 意 義
(1) **入会権の意義・形態**

入会権とは，一般に，農村，山村などにみられるものであり，村落など一定の地域（いわゆる大字や部落を単位とするものが多い）に住む住民の団体が，その地の一定範囲の山林，原野などを集団として支配し，そこから，一定の慣習的

なルールに従い，生産用の物資や日常の生活用の物資（雑草，雑木等の肥料や燃料）を得るなどの共同利用行為をするというものであり，慣習に依拠する特別の権利である。

入会の形態はいろいろあるが，今日，団体のルールに従って各構成員が自由に入会地に立ち入って利用する古典的な共同利用形態は次第に少なくなり，それに代わって，入会団体が直接構成員等の労働力を使って入会地を利用し収益を上げて構成員にそれを分配する形態や，入会地を区分けして各構成員がその区画を単独で排他的に利用する形態が増えているといわれる。

(2) 民法の規定

民法は，このような入会権につき，263条と294条の2か条を置いているが，その内容については各地方の慣習に任せるとしている。民法を立法するに際して慣行調査が間に合わず，入会権の権利内容を法で確定することができなかったので，それぞれの地方の慣習によることとした上で，慣習にない事項に関しては，入会構成員が土地を共有する場合は共有に関する規定を，共有でない場合は地役権に関する規定を準用するとしたのである（民263条, 294条）。しかし，解釈上は，入会構成員が入会地を所有する場合には，入会権はいわゆる土地の総有の関係（⇨183頁・第8章Ⅵ 1 (2)(エ)）にあると理解され，他人所有の場合には，入会権は総有的な利用権（用益物権）であると理解されている。

2 成立と対抗要件

入会権の成立・存在は慣習に依拠しており（合意によるものではない），また，入会権それ自体を登記により対抗することは予定されていない（不登3条〔登記することができる権利等〕に列挙されていない）。

もっとも，共有の性質を有する入会権では，入会土地は入会団体の総構成員の総有に属するので，所有権の登記ができる。ただ，登記手続上は，このような法人格のない（権利能力なき）社団の構成員の総有に属する不動産については，入会団体名義での登記（または，入会団体の代表者である旨の肩書を付した代表者個人名義での登記）をすることはできず，その代表者が構成員全員の受託者たる地位において個人名義で登記をするほかない（最判昭和47・6・2民集26巻5号957頁）。この場合，代表者が死亡するなどでその地位を失い，新代表者が

選任されたときは，信託法の信託における受託者の更迭の場合に準じ，新代表者名義に所有権移転登記をしなくてはならない。

入会という権利に関して歴史を遡ってみると，明治期以降，山林等についての所有のあり方の変化に伴ってこの入会慣行を否定する動きがあり，入会権の存在をめぐっての紛争が頻発したことがある。入会権という権利はその重要性が相対的に低下してきているといえよう。

3 入会権の内容

入会権は権利者である一定の村落住民の団体（入会団体）に総有的に帰属すると理解されている（最判昭和41・11・25民集20巻9号1921頁）。したがって，入会団体の個々の構成員は，入会団体の総有に属する山林原野（または他人所有の入会地に対する総有的利用権）につき持分を有しない（持分の譲渡，共有物分割請求は観念できない）。入会団体の各構成員は，入会団体の構成員たる資格に基づいて，入会権の対象である山林原野において使用収益を行う権能（収益分配を受ける権利）を認められており，入会団体の内部規律に従ってその権利を行使することができる。

4 入会権の主張等

(1) 問題の所在

入会をめぐっては，対外的に入会権の確認，あるいは使用収益権の確認を求める訴え，内部的に入会団体の構成員である旨の確認を入会団体の構成員に対して求める訴えなどにつき，訴訟法上の議論がある。判例に依拠して概観しておこう。

(2) 入会権の確認

前掲最判昭和41年11月25日は，入会団体の一部の構成員がある土地につきその土地の登記名義人である村を被告として入会権の確認を求める訴えを提起したのに対して，「入会権は権利者である一定の部落民に総有的に帰属するものであるから，入会権の確認を求める訴は，権利者全員が共同してのみ提起しうる固有必要的共同訴訟というべきである」とする（当事者適格を欠き不適法却下）。

しかし，これによると，入会集団構成員に非同調者が1名でもいると他の構成員の権利行使がおよそ不可能な結果となり妥当でない。最判平成20年7月17日（民集62巻7号1994頁）は，このような場合につき，非同調者全員を被告に加える形式の訴えの提起が許されると判示して，この問題点の克服を図った。すなわち，「特定の土地が入会地であるのか第三者の所有地であるのかについて争いがあり，入会集団の一部の構成員が，当該第三者を被告として，訴訟によって当該土地が入会地であることの確認を求めたいと考えた場合において，訴えの提起に同調しない構成員がいるために構成員全員で訴えを提起することができないときは，上記一部の構成員は，訴えの提起に同調しない構成員も被告に加え，構成員全員が訴訟当事者となる形式で当該土地が入会地であること，すなわち，入会集団の構成員全員が当該土地について入会権を有することの確認を求める訴えを提起することが許され，構成員全員による訴えの提起ではないことを理由に当事者適格を否定されることはないというべきである」とする。このような訴訟形式を適法と認めた理由として，①非同調者がいる場合であっても，入会権の存否について争いのあるときは，民事訴訟を通じてこれを確定する必要があることは否定することができず，入会権の存在を主張する構成員の訴権は保護されなければならないこと，②このような訴えの提起を認めて，判決の効力を入会集団の構成員全員に及ぼしても，構成員全員が訴訟の当事者として関与するのであるから，構成員の利益が害されることはないこと，が挙げられている。

他方，最判平成6年5月31日（民集48巻4号1065頁【百選Ⅰ78】）は，特に入会団体が権利能力なき社団である場合につき，当該団体に原告適格を認めた。「村落住民が入会団体を形成し，それが権利能力のない社団に当たる場合には，当該入会団体は，構成員全員の総有に属する不動産につき，これを争う者を被告とする総有権確認請求訴訟を追行する原告適格を有するものと解するのが相当である」，と。その理由を，「権利能力のない社団である入会団体を形成している場合には，当該入会団体が当事者として入会権の帰属に関する訴訟を追行し，本案判決を受けることを認めるのが，このような紛争を複雑化，長期化させることなく解決するために適切であるからである」，という。なお，この場合，「代表者が構成員全員の総有に属する不動産について総有権確認請求訴訟

第4版 はしがき

　今般，版を改める理由は，2021（令和3）年4月21日に，いわゆる所有者不明土地に対処する関係法が国会で成立したので，これにあわせ，本書の内容の一部（所有権，不動産登記など）を書き改める必要が生じたからである。

　成立したのは，「民法等の一部を改正する法律」（法律第24号）および「相続等により取得した土地所有権の国庫への帰属に関する法律」（法律第25号。相続土地国庫帰属法）である（同年4月28日公布）。近年，所有者が不明である土地（登記簿により所有者が直ちに判明せず，または判明しても連絡がつかない土地）が増えてきており（国土の20%を超えるとの調査結果が公表されている），所有者の調査に多大の手間がかかり，それらの土地の利用が阻害される，あるいは近隣に迷惑を及ぼすなど，いろいろな問題が生じている。上記2つの法律により，所有者不明土地の「発生の予防」と「利用の円滑化」の両面から，対策が講じられることになった。

　敷衍すれば，「発生の予防」の観点からは，不動産登記法が改正され相続登記や住所等変更登記の申請を義務化し，また，相続土地国庫帰属法により，相続等によって土地の所有権を取得した者が，法務大臣の承認を得てその土地の所有権を手放し国庫に帰属させる制度が創設された。「利用の円滑化」を図る観点からは，民法等が改正され，所有者不明土地の管理に特化した所有者不明土地管理制度などが創設され，また，相隣関係法，共有など関係する規律が改正，新設された。

　今回成立した2つの法律は公布後2年以内（相続登記の申請の義務化関係の改正については公布後3年以内，住所等変更登記の申請の義務化関係の改正については公布後5年以内）に施行される予定である。施行前ではあるが，本書は，この改正法を先取りして関係する箇所の叙述を改訂することとした。

　その他，本改訂では，判例，学説等につき，若干の補充をした。

　今回の改訂にあたっては，書籍編集部の小野美由紀さんに，第3版に引き続きお世話になった。とても丁寧なチェックをいただき，ありがたく感謝申し上

を原告の代表者として追行するには，当該入会団体の規約等において当該不動産を処分するのに必要とされる総会の議決等の手続による授権を要する」とし，その理由は，「総有権確認請求訴訟についてされた確定判決の効力は構成員全員に対して及ぶものであり，入会団体が敗訴した場合には構成員全員の総有権を失わせる処分をしたのと事実上同じ結果をもたらすことになる……からである」という。

(3) 構成員たる地位の確認，使用収益権の確認

他方，入会団体の構成員が，入会地の所有者等を相手に，使用収益権の確認，使用収益することの妨害の禁止を求めた事案において，最判昭和 57 年 7 月 1 日（民集 36 巻 6 号 891 頁）は，「入会権の内容である使用収益を行う権能は，入会部落の構成員たる資格に基づいて個別的に認められる権能であって，……部落内で定められた規律に従わなければならないという拘束を受けるものであるとはいえ，本来，各自が単独で行使することができるものである」と性格づけた上で，「右使用収益権を争い又はその行使を妨害する者がある場合には，その者が入会部落の構成員であるかどうかを問わず，各自が単独で，その者を相手方として自己の使用収益権の確認又は妨害の排除を請求することができる」とした。

また，「入会権の目的である山林につき，入会権を有し入会団体の構成員であると主張する者が，その構成員である入会権者との間において，入会権を有することの確認を求める訴え」については，「入会権を有すると主張する者が，各自単独で，入会権者に対して提起することが許される」とされる。この訴えは，入会団体の構成員たる地位もしくは入会権の内容である使用収益権の確認を求めているにすぎないので，全員との間において合一に確定する必要のないものであるからである（最判昭和 58・2・8 判時 1092 号 62 頁）。

5 入会権の処分

共有の性質を有する入会地（またはその一部）について，道路用地あるいは原子力発電所建設用地等としてその買収が問題となることがある。その際，原則としては，入会地（入会権）の処分については，共有物の変更に当たるので入会団体の構成員全員の同意が必要となる（民 263 条，251 条）。もっとも，判例

（最判平成20・4・14民集62巻5号909頁）は，入会地（入会権）の処分について入会団体役員会の全員一致の決議に委ねる旨の慣習があると認められる事案について，その慣習に従った処分を有効と判断している（ただし，本件ではその旨の慣習は成立していないとする2名の裁判官の反対意見があるきわどい判断である）。その理由を，〔1〕民法263条（「各地方の慣習に従うほか，この節の規定を適用する」）は慣習が民法の共有に関する規定に優先して適用されることを定めており，このことは入会権の処分に関する慣習であっても例外ではない，〔2〕当該慣習が公序良俗に反するなどその効力を否定すべき特段の事情が認められない限りそれは有効である，と述べる（入会集団の構成員全員の同意を要件としないで同処分を認める本件慣習は公序良俗に反しないとする）。

第10章　占有権

I　序　説

1　占有制度の意義
(1)　占有制度とは
(ア)　序　　占有ないし占有権をキーワードとする法制度が，物権編第2章（民180条〜205条）に置かれている。そこでは，物の所持，すなわち，物を事実的に支配していることを占有と呼び，その占有を基礎として占有権＊が成立するとし，占有ないし占有権を有する者に，いろいろな法的な効果（利益。不利益であることもある）を付与することとしている[1]。その際，占有を正当とする権利（所有権，賃借権など）が背景にあるかどうかを問題とすることなく，占有をそれ自体として取り上げている。

　この占有制度の趣旨を理解するためには，占有ないし占有権に一体どのような法的効果を結びつけているのかを一覧する必要がある。

> ＊民法上，「占有」と「占有権」という言葉の使い分けは明確ではない。民法の章節の立て方は，物権の一種として占有権が認められ，どのような要件の下で「占有権の取得」があるか，「占有権の効力」として何が認められるかという形式となっている。占有は占有権の要素とされる。しかし，条文を見ると，「占有権」の効力としてではなく，直接「占有」を要件とする効果が多く規定されている。占有が成立すれば，占有権が取得される関係にあるので，以下では，主に「占有」という表現を用いることとする。

(イ)　付与される効果一覧　　(a)　「占有権の効力」（第2節）中の規定　　占有に対して付与される効果としては，〔1〕占有者は何らかの正当な権利（正権原）に基づいて占有しているとの推定を受け（民188条），〔2〕所有者から物の

---

1)　ただし，動産の即時取得は取得する占有の効果としてではなく，取引の相手方の占有の権利外観効を基礎とする効果である。

返還を求められた占有者は善意であればその果実を取得でき，滅失等の責任の軽減を受け，さらに善意・悪意を問わず費用の償還請求ができるなど（民189条，190条，191条，196条）のほか，〔3〕動産の即時取得（民192条〜194条），〔4〕動物の占有による権利の取得（民195条），〔5〕占有の侵奪，妨害に対する占有の訴え（民197条〜202条）が挙げられる。

　(b)　その他の効果　　占有に結びつけて付与される法的効果としては，じつはこのほかにも，民法の規定では，〔6〕取得時効（民162条以下），〔7〕動産物権譲渡の対抗要件等（民178条，342条，352条，借地借家31条），〔8〕無主物の帰属（民239条）・遺失物拾得（民240条），〔9〕留置権（民295条），〔10〕土地の工作物等の占有者および動物の占有者の責任（民717条，718条）などがある[2]。

(2)　**占有制度の趣旨**

　㋐　**はじめに**　　以上の占有ないし占有権に付与される効果の一覧を見ると，それらが事実的支配を尊重し，保護するものであることは分かるが，雑然としていて，占有制度全体が何を目的とする制度なのかはいまひとつ明らかではない。多様な効果が与えられており，統一的な説明をすることは難しそうである。

　わが国の占有制度は，沿革的に，ローマ法のポセッシオとゲルマン法のゲヴェーレの制度に由来するとされている*。かつて学説の中には，そのことを手がかりに，わが国の占有制度の目的の説明，および，各種効果の分類整理を行う試みもあった。しかし，時代背景も法制度の枠組みも全く異なる現代の占有制度を，沿革を手がかりに整序することはあまり意味がない。

> ＊ポセッシオの制度は占有と本権の分離を前提に，本権の所在にかかわらず，事実的支配そのものを簡易な手続で保護するもので，〔5〕占有の訴え，〔2〕所有者からの回復請求の場合の保護などが，これに由来する効果とされる。ゲヴェーレの制度は事実的支配の秩序と本権秩序が未分化でゲヴェーレ（事実的支配）があるところに物権があるとするもので，上掲の，〔1〕権利適法の推定，〔3〕動産の即時取得などがこれに由来するものとされる。

---

2)　第1節「占有権の取得」の規定のうち，民法182条から184条は〔7〕動産物権譲渡の対抗要件等（「動産の引渡し」）に主として関係する規定であり（⇨106頁・第5章Ⅰ2(1)参照），民法185条から187条は主として〔6〕取得時効の成立要件に意味をもつ規定といってよい。

(イ) **機能的な分析**　近時は，沿革を考慮しながらも，多様な効果を，その果たす機能の観点から分類整理して，占有制度の趣旨を明らかにすることが試みられている。たとえば，以下のような機能が析出され，諸効果が分類配列されている。

ⅰ）占有には社会秩序維持機能がある（〔5〕占有の訴え）
ⅱ）占有には本権表象的機能がある（〔1〕権利適法の推定，〔3〕動産の即時取得，〔7〕動産物権譲渡の引渡しによる公示）
ⅲ）占有には本権取得的機能がある（〔6〕取得時効，〔4〕動物の占有による権利の取得，〔8〕無主物先占等，〔9〕留置権の発生）
ⅳ）占有にはそこにあたかも本権があると同様に扱う機能がある（〔2〕善意占有者の果実取得，および賠償義務の軽減，費用償還請求）。

2　叙述の順序

以下，占有権の取得・消滅（Ⅱ）において，どのような場合に占有が成立するのかを取り上げる。まず，占有成立の一般的要件を，次いで，占有の態様，性質を検討し（効果の種類に応じて，占有要件が異なるのでこれを検討する），最後に，主として取得時効に関係する占有の承継取得の問題を検討する。占有の効力（Ⅲ）では，民法188条から202条に規定されたもののうち，上掲の効果一覧の〔3〕動産の即時取得を除く，〔1〕権利適法の推定，〔2〕善意占有者の果実取得等，〔4〕動物の占有による権利の取得，〔5〕占有の訴え，について検討を加える。

Ⅱ　占有権の取得・消滅

1　占有の成立

(1)　はじめに

占有ないし占有権に与えられたいろいろな法的効果の発生は，ある者に占有が成立していることが前提要件である。占有成立の判定は，そのような事実的支配に対し占有に認められる各種の効果を付与するのが妥当かという観点からなされる。

民法は，一般的要件として，自己のためにする意思をもって物を所持することにより占有権を取得する（民180条）とし，また，占有代理人による所持を通して占有権を取得することもできるとする（民181条）。

(2) （自己）占有の成立

(ア) 序　　民法180条によれば，占有成立のためには，「自己のためにする意思をもって」，「物を所持する」という2つの要件が満たされる必要がある。

(イ) 要件〔1〕――物の所持　　(a) 所持概念　　物の所持は，動産または不動産に対して事実的支配を確立しているとみられる客観的関係があれば認められる。

所持概念は，占有侵害に対する保護などの効果を広く認めるかどうかに関わって広くも狭くもなるが，日常用語よりはかなり広く解されており，物に対して物理的支配が及んでいない場合，たとえば，郵便受けに配達された状態の手紙，都会のサラリーマンが相続により故郷に所有する家屋などに対しても所持が認められている（「所持の観念化」と呼ぶ）。

同様な趣旨で，他人（同居の家族や使用人など）を手足として，本人に所持が成立すると解されている（法人と法人の代表者〔手足〕との関係も同様）。この場合，その他人を，占有（所持）補助者ないし占有（所持）機関と呼んでいる。

(b) 占有（所持）機関に占有が成立するか　　この手足たる占有（所持）機関側にも独立の所持（すなわち，占有）が成立するかという問題がある。2つの異なる側面から議論がなされる。第1はこれらの者を占有者であるとして，独立した物権的請求権の相手方とすることが妥当かどうかという観点からの議論である。この観点からは原則として独立の占有者であることは否定される。この趣旨を，最判昭和32年2月15日（民集11巻2号270頁【百選I 66】）は，甲土地の所有者XからA株式会社の代表取締役Yを相手に無権原占有を理由とした引渡しが求められた訴訟で，「本件土地の占有者はA会社であってYはA会社の機関としてこれを所持するに止まり，したがってこの関係においては本件土地の直接占有者はA会社であってYは直接占有者ではない」と述べる。このような判断は，このような関係での代表取締役Yを占有者として被告にする（その実質は，物権的請求権の相手方として費用を負担させる）のは妥当でないという配慮からなされている。

らない（費用負担はしない。もっとも，相手方が所有権に基づき自らなす動産取戻しを阻害することは許されず，阻害した場合は，そのときから動産を取り込んだと評価されることになる。⇨25頁・第2章**Ⅱ**3⑶))。

　意思能力を有しない者は，自己のためにする意思を有することができないので，所持が認められても，占有は成立しない。もっとも，そう解したとしても，占有侵奪に対し保護が与えられないという不都合はあまり生じない。所持者に法定代理人等の代理人がついておれば，代理人が本人の占有意思を補充し本人に自己占有が成立する，または，代理人が本人のために所持しているとして本人に代理占有が成立すると解釈できるからである。

　⑶　**代理占有の成立**

　㋐　**序**　　占有権は，代理人によって取得することができる（民181条，204条）。典型例は，所有者が所有物を賃貸し，賃借人（ここでいう代理人）がそれを所持し，その賃借人の所持を通して，本人たる所有者が占有権を取得するという事例である。この代理人を占有代理人と呼び（法律行為の代理とは異なる），占有代理人が物の所持をすることを通して，占有代理関係における本人が，所持をしていなくとも占有権を取得することが認められるのである。「代理占有」とは，この本人が取得する占有のことである（これを講学上「間接占有」と呼んでいる）。

　㋑　**成立要件**　　代理占有権の消滅事由を定めた民法204条と併せてみると，本人に代理占有が成立するための要件は以下のとおりである。

　　⒜　**占有代理人の所持（民204条1項3号）**　　所持とは前述のように物を事実的に支配している状態をいう。

　　⒝　**主観的要件（占有代理関係）（民204条1項1号・2号）**　　本人が占有代理人に占有をさせる意思，および，占有代理人が本人のために占有物を所持する意思が必要とされる。この意思の存否は，占有代理人が所持を取得した原因の性質から客観的に決せられる。この取得原因が物の返還義務を内在させているものであれば，その性質上，客観的に，上記の2つの意思が認められるというわけである。たとえば，賃貸借，寄託，運送，質権などという取得原因である。この返還義務を内在させる両者間の関係を「占有代理関係」と呼び，この関係が認められれば，本項冒頭の本人および占有代理人の主観的要件は不

要であるとする見解もある（客観説）。

　(ウ)　**占有代理人にも占有が成立するか**
この場合，占有代理人には所持があり，また，前述のように併せて自己のためにする意思も認められるので（本人のために占有物を所持する意思とは矛盾しない），占有の成立が認められる（民197条後段参照）。要するに，所有者（本人）から引渡しを受けたとき賃借人等（占有代理人）において，他主占有たる占有（他人が所有者であることを前提とした占有。⇨250頁・**2**(2)）が開始するということである。

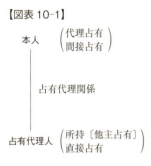

【図表10-1】

本人　（代理占有／間接占有）

｜
占有代理関係
｜

占有代理人　（所持〔他主占有〕／直接占有）

　なお，呼称上の便宜のため，ドイツ法（客観説）の呼び方を借りて，わが国でも，ここでの代理人の占有を「直接占有」と呼んでいる（これに対応する本人の代理占有を上記のように「間接占有」と呼ぶ）。

　(エ)　**なぜ代理占有概念を認めるのか**　占有代理人の所持に基づく本人（所持してはいない）の占有取得は，物の事実的支配を基礎とすべき占有の観念化のもう1つの場面である（1つは所持の観念化）。これを認める意義は，占有の訴え，動産物権譲渡の対抗要件具備などの場面において，占有の効果を享受できる者の範囲を拡大すべき要請に応えているという点にある。すなわち，所持がなくとも本人には占有があるとして占有の訴えを提起することができる。また，占有改定により譲渡人を占有代理人，譲受人を本人とすることで，譲受人に占有（自主占有たる代理占有）を取得させることができ，これにより譲受人は民法178条の「動産の引渡し」（＝占有移転）の効果を手に入れることができるのである。さらに，取得時効においては，それまで所有の意思をもってある物を自己占有していた者が，その物を賃借人等（占有代理人）に引き渡して所持を失った後も，依然として自主占有たる代理占有というかたちでその物に対する占有を継続することができ，自分の下で進行している取得時効をそのまま継続する利益を享受できる。

2 成立する占有の態様・性質

(1) 序

　成立する占有の態様，性質については，〔1〕すでに述べた自己占有・代理占有（ドイツ法での呼称を借りると本人と占有代理人双方に占有が成立する場合における，いわゆる直接占有・間接占有に対応する）という態様があるほか，〔2〕自主占有・他主占有，〔3〕権原に基づく占有・基づかない占有，〔4〕善意占有（過失ある占有・過失なき占有）・悪意占有，〔5〕瑕疵ある占有・瑕疵なき占有に分類整理できる。以下，それぞれの占有の内容，およびどのような法的な効果との関係で意味がある分類なのかを概説する。

(2) 自主占有と他主占有

(ア) 区別の意義（取得時効の成否）　自主占有は所有の意思がある占有であり，他主占有は所有の意思のない（他人が所有者であることを前提とする）占有である。この区別は，取得時効の成立について特に意味がある。取得時効は「所有の意思をもって……占有した」こと（自主占有）を要件とするからである（民162条。なお，民法239条1項〔無主の動産の自主占有による所有権取得〕，191条但書〔他主占有者による全額の損害賠償義務〕も参照）。

(イ) 所有の意思の有無の判断　所有の意思の有無は，占有を根拠づけた権原の性質により客観的に判断される。たとえば，権原が売買契約，贈与契約（あるいは，窃取）であれば所有の意思ある占有を基礎づける。地上権の設定，質権の設定，賃貸借契約，寄託契約等であれば他主占有である。権原は，それ自体が有効である必要はない。売買契約が無効であっても，それに基づき買主が目的物の引渡しを受け占有を開始すれば，その占有は自主占有である（取得時効が進行する）。

(ウ) 自主占有の推定と反証　(a) 推定　「占有者は，所有の意思をもって……占有をするものと推定」されている（民186条1項）。したがって，取得時効の成立（民162条）を主張する者は，自主占有であることを主張立証する必要はなく（占有を主張立証すればよい*），それを争う者が反証を挙げる必要がある。

＊なお，民法162条1項（20年の取得時効）の挙げる取得時効の要件のうち，(i)所有の意思，(ii)平穏公然，は民法186条1項で推定されており，また，(iii)「他人の物」については自分の物でもよいとされているので，結局，訴訟における取得時効の要件事実としては，〔1〕ある時点で占有していたこと，〔2〕〔1〕の時点から20年経過した時点で占有していたこと（占有継続は民186条2項で推定される），〔3〕援用権者が相手方に対して時効援用の意思表示をしたこと，である。民法162条2項（10年の取得時効）の場合には，〔2〕が10年，となり，占有開始時点での善意・無過失については善意は186条1項で推定されているので，要件事実として，〔4〕無過失であること，が加わる。

(b) 反証　そして，自主占有の推定に対する反証については，〔1〕権原が他主占有を基礎づけるものであること（賃貸借契約であるなど），または，〔2〕「他主占有事情」があること，が証明されることにより成功する（最判昭和58・3・24民集37巻2号131頁）。後者は，所有者であれば当然とるべき行動にでなかった（所有権移転登記手続を求める，固定資産税を負担する），反対に，所有者であればとらない行動をした（賃料を支払ったことがあるなど）という事情をいう。

■最判昭和58年3月24日民集37巻2号131頁

事実の概要　Xは農家の長男として長年にわたって父親Aとともに農業に従事してきた。昭和33年元旦にXはA（農地等の本件土地所有者）からいわゆる「お綱の譲り渡し」（熊本地方の慣習的制度）を受け本件不動産の占有を開始した。Xはこれにより本件土地の所有権の贈与を受けたと信じ，農業の経営とともに家計の収支一切を取りしきり，農協からの借入金等の名義をAからXに変更したり，A所有の山林の一部をX名義に移転したりした。昭和40年3月，Aが死亡し相続人はXと弟妹Yらであった。Xは，贈与契約の履行として，Yらに対して本件不動産についての所有権移転登記を求めた。「お綱の譲り渡し」には，所有権を移転する面と家計の収支に関する権限を譲渡する面とがあるとされ，Yらは贈与を争った。原審は，贈与であるとは断定できないとしつつ，Xの時効取得（善意無過失で10年）を認めた。上告審では，Xの自主占有が争われた（推定に対する反証）。

判旨　取得時効の成立を争う者が，所有の意思のない占有に当たることについての立証責任を負うところ，「所有の意思は，占有者の内心の意思によってではなく，占有取得の原因である権原又は占有に関する事情により外形的客観的に定められるべきものであるから……〔1〕占有者がその性質上所有の意思のないものとされる権原に基づき占有を取得した事実が証明されるか，〔2〕又は占有者が占有中，真の所有者であれば通常はとらない態度を示し，若しくは所有者であれば当然とるべき行動に出なかったなど，外形的客観的にみて占有者が他人の所有権を排斥して占有する意思を有していな

かったものと解される事情が証明されるときは、占有者の内心の意思のいかんを問わず、その所有の意思を否定し、時効による所有権取得の主張を排斥しなければならないものである」（本件では、占有者は「お綱の譲り渡し」により本件各不動産の占有を取得したが、所有権移転登記手続はおろか、農地法上の所有権移転許可申請手続さえも経由せず、所有者であれば当然とるべき態度、行動に出ず、「他主占有事情」があるとされた）。

　もっとも、所有権移転登記手続を求めなかったり固定資産税を負担しなかったりした事実があれば、ただちに他主占有事情があると判断することになるかというと、必ずしもそうではなく、そのような事実が存在する背景事情も斟酌した上、総合的に判断する必要があるというべきである。最判平成7年12月15日（民集49巻10号3088頁）は、B（のち相続人Xが承継）がA（のち相続人Yが承継）所有名義の甲土地上に家屋を所有し同土地を長い期間占有してきたことを基礎に、Xが同土地を時効取得したとして所有権移転登記を請求し、Yが他主占有事情（固定資産税を支払う旨申し出ていない、ずっと所有権移転登記請求もしてこなかった）を指摘して自主占有を否定した事案で、以下のような判断を示している。すなわち、本件事実関係（Aが本家、Bが分家という人的関係、Bが居住用建物を建築、移築、増築して右土地を長期間使用したのにAがこれに異議を述べたことがなかった、BがAから経済的援助を受けたことがあったなど）の下においては、Bが所有権移転登記手続を求めなかったことおよび固定資産税を負担しなかったことをもって他主占有事情として十分であるということはできない、と。

　(エ)　**他主占有から自主占有への変更**　　(a)　**意義**　　他主占有の占有者が、〔1〕「自己に占有をさせた者に対して所有の意思があることを表示し」、または、〔2〕「新たな権原により更に所有の意思をもって占有を始める」という事情があれば、占有の性質が、他主占有から自主占有に変更される（民185条）。この変更が意味をもつのは、変更の時点から占有者につき取得時効の進行が開始し得るということである。

　　(b)　**具体例**　　〔2〕の新権原に該当する事例としては、たとえば、他主占有する賃借人が賃貸人から当該目的物の所有権の譲渡を受けたときは、この譲渡が自主占有を基礎づける新権原ということができ、仮に譲渡が無効であっても、この時点から取得時効が進行する（最判昭和51・12・2民集30巻11号1021頁）。

〔1〕の所有意思の表示の例としては，農地解放に際し，地主Aに所有権が残された一部農地について，小作人Bが従前のまま小作を続け，「農地解放後に最初に地代を支払うべき時期であった昭和23年12月末にその支払いをせず，これ以降，AらはBが本件土地につき地代等を一切支払わずに自由に耕作し占有することを容認していた」等の事実関係の下においては，Bが遅くとも昭和24年1月1日にはAらに対して本件土地につき所有の意思あることを表示した（この時点から取得時効が進行する）ものとした判例（最判平成6・9・13判時1513号99頁）を挙げることができる。

(c) **相続は新権原か** (i) 問題の所在　ところで，相続による占有承継があった場合，被相続人の下で他主占有であったものが，相続人の下で自主占有となることがあり得るか。問題は以下のような事例で生ずる。

すなわち，Aは，死亡した父親Bが8年間ほど耕作していた農地甲をBの単独所有に属するものとして相続し，その耕作を継続しさらに21年が経過した。その農地甲は元はBの父親C所有のものであり，Cが死亡したときの相続人は長男Bおよび都会で暮らすBの弟たちD，Eとであった。AがBの単独所有と信じたのは，Bから農地甲はBがCから遺贈された旨聞いていたからであったが，その登記名義は現在までずっとCのままであり，固定資産税もC名義のままBおよびその後Aが支払ってきた。AはB死亡後相当年数が経過した後，D，Eに対してAの名義とすることに協力を求めたところ拒絶されたので，贈与および相続を原因とする所有権の取得を，そうでないとしても時効取得したとして所有権移転登記手続を求めた，というような事例である。

この事例では，CからBへの遺贈がなかったとすれば，農地甲は兄弟であるB，D，Eが共同相続（共有）し，その共同占有（自主占有）となり，Bが単独で自主占有しているわけではない（D，Eの共有持分の存在を前提とした〔いわば部分的に他主〕占有）。しかし，仮にAの父親Bからの相続を境にAが開始した占有が甲土地全体についての単独の自主占有に転換したということができれば，その時点からAの取得時効が進行する。問題は2点あって，第1は，後述（⇨259頁・3(3)(イ)）の論点に関係するが，相続を理由とする占有承継の場合，相続人は被相続人の占有をそのまま承継し相続人固有の占有を取得する余地はないのか，第2は，相続は相続人の占有を自主占有に変える新権原となり

得るかどうか，である。

(ⅱ) 判例　判例は，第1につき，相続人固有の占有を認め（最判昭和37・5・18民集16巻5号1073頁），第2についても，相続が新権原たり得ることを認めている（最判昭和46・11・30民集25巻8号1437頁）。

■最判昭和46年11月30日民集25巻8号1437頁

判旨　相続人（X）らは他主占有をしていた被相続人（A）の死亡により，「本件土地建物に対する同人の占有を相続により承継したばかりでなく，新たに本件土地建物を事実上支配することによりこれに対する占有を開始したものというべく，したがって，かりにXらに所有の意思があるとみられる場合においては，Xらは，Aの死亡後民法〔旧〕185条にいう『新権原ニ因リ』本件土地建物の自主占有をするに至ったものと解するのを相当とする」，と。（ただし，Xらは所有者に対し家賃を支払っていた事実があり，自主占有への変更は否定された）。

しかし，相続は被相続人の権利義務をそのまま承継させ，したがって，相続という権原は特に何もなければ被相続人の占有の性質をそのまま受け継がせるものである。それ自体としては売買のように自主占有を基礎づける（新）権原ではあり得ない。そこで，上記の判決は，相続人において固有の占有が開始され，「かりにXらに所有の意思があるとみられる場合においては」，新権原による自主占有が開始されたものとみることができるとしたのである。つまり，権原の客観的性質から自主占有を判定するというのではなく，相続人の固有の占有が所有の意思に基づくものとみることができる場合には，相続を新権原とした自主占有が認められるという逆転した判断構造となっているのである。ただし，所有の意思は，客観的，外形的に認識し得るものである必要がある。たとえば，収益を収受し，公租公課を自分で負担し，所有権移転登記を求めるなどである*。ここで，客観性を求めるのは，所有者の側が占有者は他主占有のままである（時効取得されることはない）と認識しているのであるから，その所有者に対して進行する取得時効の中断の可能性を与えることが必要であるからである。

　　＊最判昭和47年9月8日（民集26巻7号1348頁）は，相続を契機に取得した相続人固有の占有が所有の意思に基づくものであればその占有は自主占有である，と端的に述

べる。「共同相続人の1人が，単独に相続したものと信じて疑わず，相続開始とともに相続財産を現実に占有し，その管理，使用を専行してその収益を独占し，公租公課も自己の名でその負担において納付してきており，これについて他の相続人がなんら関心をもたず，もとより異議を述べた事実もなかったような場合には，前記相続人はその相続のときから自主占有を取得したものと解するのが相当である」，と。

  (d) 所有の意思の証明責任　　物の占有があれば一般的には自主占有が推定され，取得時効の成立を争う者が他主占有たることの証明責任を負う（⇨前述250頁・㈦参照）。しかし，他主占有をする者の相続人が（相続により取得した占有は他主占有であり取得時効は成立しないので）独自の占有に基づく取得時効の成立を主張することになるが，「占有者である当該相続人において，その事実的支配が外形的客観的にみて独自の所有の意思に基づくものと解される事情を自ら証明すべきものと解するのが相当」である。その理由は，「右の場合には，相続人が新たな事実的支配を開始したことによって，従来の占有の性質が変更されたものであるから，右変更の事実は取得時効の成立を主張する者において立証を要するものと解すべきであり，また，この場合には，相続人の所有の意思の有無を相続という占有取得原因事実によって決することはできないからである」（最判平成8・11・12民集50巻10号2591頁【百選Ⅰ67】）。

  (3) 正権原に基づく占有・正権原に基づかない占有

  占有が，所有権とか賃借権など，占有を正当とする権原に基づくものかそうでないものかの区別である。権原に基づくことは推定されている（民188条）。正権原に基づかない占有であれば，所有者等の本権者の返還請求権に服する。

  (4) 善意占有（過失ある占有・過失なき占有）・悪意占有

  これは正権原に基づかない占有の場合であって，それを知っているか，知らないか，および知らない場合においてそのことに過失があるかないかの区別である。たとえば，不動産所有権の譲渡を受けた者が，その譲渡行為の無効を知らなければ善意，知っていれば悪意である。善意占有は推定されている（民186条）。しかし，無過失については推定規定がない。

  区別の意義は，取得時効の時効期間が20年か10年か（占有開始時点での善意・無過失〔民162条〕），占有物からの果実を取得できるか（善意），返還すべきか（悪意〔民189条，190条〕），その他，民法191条（占有者による損害賠償），民

法196条（占有者による費用償還請求）において扱いが異なる。

(5) 瑕疵なき占有・瑕疵ある占有

善意，無過失，平穏，公然，継続の占有であるか，悪意，過失，強暴，隠秘，不継続の占有であるかの区別である。善意，平穏，公然，継続が推定されている（民186条1項・2項）。

なお，自主占有であるとの推定，および（無過失を除き）瑕疵なき占有の推定がなされているが，これは，物に対する事実的支配を一応正当なものとして保護することで社会の秩序を維持しようとする占有制度の趣旨からなされているのである。

3 占有の承継取得

(1) 序

占有は，その成立のところで述べたように，原始取得が原則的な形態である。占有は，個々の占有者の物に対する事実的支配を基礎とするからである。売買契約に基づき引渡しを受けた買主の自主占有も，賃貸借契約により開始した賃借人の他主占有も，泥棒の自主占有も原始取得されたものである。

しかし，民法は，占有を基礎として占有権概念を認めることで，占有権の譲渡，すなわち，占有が同一性を保ちつつ承継取得されることを承認した（民187条，182条〜184条）。これにより，第1に，物の譲渡があった場合も前主と後主の占有が継続しているとして，それらの占有期間を通算することが可能となり，第2に，民法178条の動産物権譲渡の対抗要件たる「引渡し」（自主占有の移転）があったことを説明することができる。

(2) 占有権の譲渡（占有の承継取得）の方式

(ア) 譲渡の方式　　占有権譲渡の方式については，民法182条から184条に規定されている（詳しくは，⇨106頁・第5章Ⅰ2(1)参照）。ここでは，譲渡人の自主占有を譲受人に承継取得させることがポイントとなっている。現実的支配を移す方式である占有権譲渡（〔1〕現実の引渡し）が原則であるが，現実的支配を移さない方式での占有権譲渡が認められる（〔2〕簡易の引渡し〔他主・直接占有する譲受人に，意思表示のみで，間接占有する譲渡人の自主占有を承継取得させる〕，〔3〕占有改定〔譲受人に間接占有を設定することによる自主占有の承継取得〕，〔4〕指

図による占有移転〔譲受人に間接占有を移転することによる自主占有の承継取得〕）。なお，賃借権の譲渡のような場合には，現実の引渡しによる直接占有たる他主占有の承継が観念でき（民182条1項に含まれる？），これは家屋賃借権の対抗力（借地借家31条）承継には意味がありそうである。

(イ) 「相続」による占有の承継取得　民法の条文に規定はないが，相続による被相続人の占有の承継取得が認められている。もし認めないと不都合が生じ得る。たとえば，取得時効の基礎たる占有の継続（通算）が認められない。また，相続人が相続開始の事実を知らない間に相続財産に対する占有侵害があった場合，相続人固有の事実支配は開始していないので，相続人が占有の訴えを行使できないなどである。そこで，相続による被相続人の占有の承継を認める必要がある。

(3) **占有の承継取得の効果**

(ア) 譲渡の場合　(a) 序説　物の譲渡に伴い占有も同一性を保ちつつ承継取得されることを認めるので，承継人においては，二重に占有を取得することになる。1つは，承継を契機に事実支配を開始して取得した「自己の占有」であり，もう1つは，同一性を保持しつつ承継取得した「前の占有者の占有」である。民法187条1項は，承継人が，その選択に従い，「自己の占有」のみを主張することも，「自己の占有に前の占有者の占有」を併せて主張することもできるとしている。そして，前の占有者の占有を併せて主張する場合には，その瑕疵をも承継する（民187条2項）。なお，この条文の解釈としては，「前の占有者」は直前の占有者に限定されず任意に選択したそれより前の占有者をも含み得る（その場合，併せて主張した占有者の占有の瑕疵を承継する）。

(b) 取得時効の主張において　この規定は，実際には承継人が取得時効の主張をする場合に意味をもつ。要するに，自分の占有期間のみを主張してもよいし，前主の占有期間と自分の占有期間を通算してもよいが，後者を選択すると，前主の占有の瑕疵を承継することになる。つまり，取得時効の成立につき，自分に有利な方を選択して主張できるというわけである。具体例を挙げた方が分かり易い。たとえば，[例1] 前主が悪意の自主占有8年間，自分が善意・無過失の自主占有11年間であれば，通算すると19年間の悪意の占有で時効取得はできないが（民162条1項），自分の占有を切り離して主張すれば11

年間の善意・無過失の占有で短期10年の時効取得ができる（民162条2項）。
[例2] 前主が悪意の自主占有12年間，自分が善意・無過失の自主占有9年間という場合は，いうまでもなく通算が有利である。

　(c)　**前主の善意・無過失の占有を通算できるか**　前主の占有が善意・無過失である場合，承継人（悪意または有過失）が前主の占有を併せて主張したとき，前主の瑕疵のない占有を承継・通算できるのか，という問題がある。これを認める判例がある（最判昭和53・3・6民集32巻2号135頁【百選Ⅰ46】）。

■最判昭和53年3月6日民集32巻2号135頁

事実の概要　本件土地はXの所有である。しかし，Y_1（国）が所有者でない者から農地買収（無効）により本件土地を取得した後，さらにA→Y_1→B→Y_2と譲渡された。その間の占有の事情は，Y_1（有過失の自主占有）→A（善意・無過失の占有4年）→Y_1（有過失の占有3年）→B（善意・無過失の占有4年）→Y_2（北海道。現在占有）である。Xの所有権の主張に対して，Y_2がA→Y_1→Bの占有（11年間）を切り取って短期10年の時効取得を主張。

判旨　「10年の取得時効の要件としての占有者の善意・無過失の存否については占有開始の時点においてこれを判定すべきものとする民法162条2項の規定は，時効期間を通じて占有主体に変更がなく同一人により継続された占有が主張される場合について適用されるだけではなく，占有主体に変更があって承継された2個以上の占有が併せて主張される場合についてもまた適用されるものであり，後の場合にはその主張にかかる最初の占有者につきその占有開始の時点においてこれを判定すれば足りるものと解するのが相当である。」

　以上の判旨からは，前主の占有が善意・無過失であれば，その承継人が自分の占有を通算して時効取得を主張する場合，その占有が悪意（または，有過失）であっても，全体が善意・無過失の占有として10年の短期取得時効を援用できるということになる。この判断には，現在の占有者Y_2が特に悪意である場合には倫理的にみて違和感がある。そこで，学説では，善意・無過失の通算を認めるべきでないとの議論が有力である。しかし，他方で，第1の占有者が占有取得の際善意・無過失であれば，その後占有を続け後に悪意となった場合であっても10年の短期取得時効を主張できることと比較検討する必要がある。また，上記の例で，B（およびY_2）の時効が成立しないとなると，善意・無過失の第1占有者Aが担保責任を追及される不都合があるとの指摘もあり，判

例の結論を仕方なしとするものもある[3]。

　(イ)　**相続の場合**　相続による占有承継の場合にも民法187条は適用されるか。相続は包括承継であることを理由に否定する見解もあった（被相続人の占有を瑕疵ともどもそのまま承継する）。しかし，相続人が相続を契機として固有の占有を取得することを否定する理由はなく，判例は，「民法187条1項は……相続の如き包括承継の場合にも適用せられ，相続人は必ずしも被相続人の占有についての善意悪意の地位をそのまま承継するものではなく，その選択に従い自己の占有のみを主張し又は被相続人の占有に自己の占有を併せて主張することができる」と述べ（最判昭和37・5・18民集16巻5号1073頁），学説にも異論はない。

4　占有権の消滅

　占有権の消滅事由として，民法203条本文は，「占有権は，占有者が占有の意思を放棄し，又は占有物の所持を失うことによって消滅する」という。ただし，占有者が占有権を奪われ所持を失った場合，占有回収の訴えを提起することができ，それに勝訴すれば，占有権は消滅しない扱いである（民203条但書）。

　また，代理占有権は以下のいずれかの事由により消滅する（民204条）。

① 本人が代理人に占有をさせる意思を放棄したこと。
② 代理人が本人に対して以後自己または第三者のために占有物を所持する意思を表示したこと。
③ 代理人が占有物の所持を失ったこと。

III　占有権の効力（占有の効果）

1　占有権の効力（占有の効果）概観

　民法典の占有権の章に規定された占有の効果は，〔1〕権利適法の推定（民188条），〔2〕回復者（本権者）との関係で占有者に与えられる法的地位（民189条～191条，196条），〔3〕即時取得（民192条～194条），〔4〕動物の占有による

3）　松久三四彦「判批」百選Ⅰ〔第5版新法対応補正版〕138頁参照。

動物に対する権利の取得（民195条），〔5〕占有の訴え（占有保護請求権。民197条〜202条）である。このほかに，重要な占有の効果として，〔6〕取得時効（民162条以下），〔7〕動産物権譲渡の対抗要件等（民178条，342条，352条）がある。

これらの諸効果は，占有制度の趣旨に関連して述べたように，統一的な制度目的の下で整然と規律されたものではなく，沿革に依りながら，占有，占有権が事実的支配に基づくという点に着目して，同一範疇に括ることのできるいろいろな効果を並べ上げたという性質のものである。以下では，それぞれの効果について，その趣旨，およびその効果が発生するための要件である占有の内容を紹介する。

以上の指摘からも分かるように，同じく占有が効果発生の要件とされてはいるが，それぞれの効果に対応して占有の内容は異なっており，単一の占有概念が前提とされているわけではない。それぞれの効果に適合するかたちでその占有要件が設定されているといってよい。たとえば，〔3〕即時取得は，今日の理解では，前主の占有を通して前主を所有者と信じたことによる効果とされる。そこで，占有が要件となるといっても，効果を主張する取得者の占有ではなく，前主の占有が要件であり，その内容は前主が所有者であるとの外観をもたらすものである。そこで，権利者らしい外観をもたらす占有かどうかが問われ，自己占有に限るか代理占有でもよいかなどという議論となる。

なお，ここでは諸効果のうち，〔3〕〔6〕〔7〕は別に扱われるので（〔3〕⇨112頁・第5章**Ⅱ**，〔6〕は民法総則で，〔7〕⇨106頁・第5章**Ⅰ** 2），〔1〕〔2〕〔4〕〔5〕を検討する。

2　権利適法の推定

(1) 意　義

民法188条は，「占有者が占有物について行使する権利は，適法に有するものと推定する」という。占有者は，通常は，所有権，質権，賃借権，寄託契約に基づく権利など何らかの占有を根拠づける権利（本権）に基づいて占有しているという事情を背景として，このような推定がなされている。なお，民法186条は占有者は所有の意思をもって占有すると推定しているので，上記と併せると行使する権利は所有権であるとの推定となる。

この推定は具体的には，たとえば，動産または不動産を占有するBに対して，Aが所有権を主張してその返還を求める訴訟において意味を持つ。Bの占有が適法であるとの推定がされているので，その推定を破る事実をAが証明できない限り，占有者Bはそれを返還する必要はない，つまり，事実的支配の現状が保護されることになる。

　もっとも，この推定をどのような内容のものとみるかにより，Bを保護する程度が異なる。これまで，規定の文言からしてこれをいわゆる法律上の権利推定と解する見解が多数であった。そう解すると，Aは自分が所有権を有するとの証明をするだけでは足りず，占有者Bがいかなる意味でも占有すべき権利を有してはいないとの証明をしない限りはこの推定を破ることができず，Aの返還請求権は認められないとの結論となる。この意味での証明は困難であり，Bの保護は極めて強力なものとなる。しかし，占有者にここまでの保護を与えることは妥当ではないとの立場から，これは事実上の権利推定規定であり，Aが所有権の存在の証明をすることで反証ができれば，今度は，Bが本権（たとえば，賃借権など）の存在の証明をする必要があるとの解釈が有力に主張されている。

(2) **適用場面の限定**

　本条の推定については，以下のような場面では適用を限定するとの解釈がなされている。

　(ア) **不動産の場合**　その第1が，目的物が不動産の場合の占有の推定力である。不動産については登記がその権利関係の公示方法であり，登記に権利の推定力がある。そこで，既登記の不動産では，占有の推定力は働かない（登記の推定力が優先する）とする。占有の推定力が働くのは，未登記の場合，および引渡しが公示方法とされる場合（建物賃借権）ということになる。

　(イ) **権利の由来する相手方に対して主張する場合**　たとえば，占有するBがAから賃借権を取得したことを主張する場合には，BはAに対しては自分の占有による本権推定力，すなわち賃借権があるとの推定を援用できない，とする。この場合には，Bは賃貸借契約の存在を証明しなくてはならない。

3 回復者（本権者）との関係で占有者に与えられた法的地位

(1) 序

たとえば，CはBから不動産所有権の譲渡，引渡しを受け占有していたところ，Bが全くの無権利であることが分かり，Cが真実の所有者Aに返還をする場合，Cが無権原で他人Aの所有物に干渉をしていた占有期間中の諸関係につき，所有者Aとの間で清算をする必要がある。

この場合Cは本来は占有すべき権原がなかったわけではあるが，そのことにつき善意であった場合には，無権原であったことをあくまで貫いてその関係を清算させることは必ずしも適当ではなく，その間のCの事実的支配の状態を尊重して特別な処理をする必要もあるのではないか。民法は，そのような配慮から，占有期間中の，生じた果実の取得，目的物滅失等の責任，および投下費用の償還請求の関係につき特別の規定を置いている。

(2) 占有者と果実

(ア) 意義 **(a) 善意占有者の果実収取権**　「善意の占有者は，占有物から生ずる果実を取得する」（民189条1項）。上記の事例で，占有者Cが，占有期間中に，物から生じた天然果実，賃料等の法定果実（民88条。占有者自らが使用した使用利益を含む）をすでに取得している場合，その物本体の返還をするにあたって，果実は返還する必要がないという意味である。果実は本来誰が収取できるかといえば，所有者など果実収取権者である（民89条）。正当なる権原に基づかないで占有する者は果実を本来の果実収取権者に返還すべき関係にあるが，ここでは，善意の占有者，つまり，この占有物から生ずる果実を収取する権利を有すると誤信している占有者につき例外的扱いを認めたわけである。善意での事実的支配を尊重し，また，経済的には占有者は果実収取のために一定の資本を投下していることも考慮して，果実の返還をさせることは利害調整として不適切と考えるのである（対応して，民法196条1項但書は，占有者が果実を取得したときは通常の必要費は占有者の負担とし，回復者に対して必要費の償還請求をすることを制限している）。

ところで，民法189条2項は，「善意の占有者が本権の訴えにおいて敗訴したときは，その訴えの提起の時から悪意の占有者とみなす」として，悪意の占有者である場合のルール（民190条1項）の適用を指示する。善意であっても，

所有者からの物の返還請求の訴えに敗訴した以上，訴えが提起された時以降収取したその物からの果実につき返還を免れることはもはや妥当ではないという判断である。

　(b)　**悪意の占有者**　悪意の占有者は，善意の場合のような保護を与える理由はないので，「果実を返還し，かつ，既に消費し，過失によって損傷し，又は収取を怠った果実の代価を償還する義務を負う」とされる（民190条1項）。この悪意の占有者についての規律は，「暴行若しくは強迫又は隠匿によって占有をしている者について準用」される（民190条2項）。

　(イ)　**不当利得法の適用との調整（適用領域の限定）**　事例を変えて，M・N間で売買契約があり，この契約が何らかの理由で無効であって買主Nが引渡しを受けた目的物をMに返還する関係が生じているとして，この場合，民法189条の問題でもあり得るし，また，M・N間は「法律上の原因なく他人の財産……によって利益を受け」た関係（民703条以下）に該当し不当利得返還の問題ともなり得る。占有者Nと回復者Mという関係（裸の物権的請求権の関係）として民法189条以下を適用すれば前述の通りとなるが，契約関係があった場合の後処理である不当利得返還請求の問題として処理すれば利得の返還の問題となる。双方による処理の結果が同じであればともかく，いずれによるかによって差がある。特に，不当利得法では，利得を得たNが善意であっても，民法189条と異なり，果実につき「その利益の存する限度において」（民703条）返還する義務を負う（ただし，返還を請求する側Mも代金を取得しておればその利息を返還する関係にある）。

　そこで，双方の規律が適用される関係にある場合，どちらの規律で処理をすべきかという問題があり，議論されてきた。近時は不当利得法の解釈において類型論が有力であるが，それによると，①上掲のM・N間のように，契約関係が無効・取消しとなった場合の契約当事者間では，契約の巻き戻し的な清算として，双方のなした給付（給付利得）をすべて原状に回復させるという処理が妥当であり，したがって，民法189条，190条の出番はない。②他方，冒頭（⇨(1)）に挙げたA・Cのような関係では，不当利得法としては契約関係にない者の間の侵害利得の返還の問題となるが，ここでは物の返還がその内容となるので，その関係を規律すべき民法189条，190条を（不当利得法の特則として）

適用して処理をするのが妥当である，とする。

(3) 占有者の回復者に対する損害賠償義務

占有者がその責めに帰すべき事由によって占有物を滅失し，または損傷したときは，占有者は回復者（所有者）に対して損害賠償義務を負担する（民709条）。この賠償義務についての特則として，占有者が善意であれば軽減され，「その滅失又は損傷によって現に利益を受けている限度において賠償をする義務を負う」とされる（民191条本文）。ただ，「所有の意思のない占有者は，善意であるときであっても，全部の賠償をしなければならない」（同条但書）とされるので，賠償義務の軽減は所有者であると誤信して占有している者について適用される。善意の自主占有者に対し，他人の物を保管する場合と同様の全額の賠償義務を負担させるのは妥当ではないという趣旨である。

損害賠償の内容は，現に利益を受けている限度（民703条参照）において賠償をする義務である。

他方，悪意の占有者は，他主占有者と同じく，もちろんその損害の全部の賠償をする義務を負う（民191条本文）。

(4) 占有者の費用償還請求権

(ア) **序** 占有者は以下のようなルールに従って回復者に対し自らが目的物に対して投下した必要費，有益費の償還請求をなし得る（民196条）[4]。

(イ) **必要費** 占有者が占有物を返還する場合，その物の保存のために支出した金額その他の必要費を回復者から償還させることができる（民196条1項本文）。必要費とは，修理費，固定資産税（公租公課）など物を保存，管理するための費用であり，それは，本来，本権者が負担すべき費用であるので，その支出額の返還を請求することができるとしたものである。ただし，占有者が果実を取得したときは，通常の必要費（災害による修繕費用などの特別の必要費は除く）は，占有者の負担に帰する（民196条1項但書）。

(ウ) **有益費** 他方，占有者が有益費を支出した場合には，その価格の増加が現存する場合に限り，回復者の選択に従い，その支出した金額または現存す

---

[4] なお，類似の規定として，留置権者による費用償還請求権（民299条），および賃借人の費用償還請求権（民608条）がある。

るその増価額（どちらか低額の方が選択されよう）を回復者から償還させることができる（民196条2項本文）。有益費とは，増・改築費など物の改良その他物の価格の増加に要した費用であり，このような費用を支出するかどうかは本来本権者が決定できるので，返還義務を軽減したのである。

(エ) **占有者の善意・悪意** なお，いずれにおいても，占有者の善意・悪意は区別されていない。必要費は当然本権者が負担すべきものであったし，有益費も物の価値の増加が現存する限り返還すべきであるからである。

(オ) **支払期限** 費用償還請求権の支払の期限は，いずれも占有物を返還する時である。この債権については，占有者は，その弁済を受けるまで留置権を行使してその目的物を留置することができる（民295条参照）。ただし，有益費については，悪意の占有者に対しては，裁判所は，回復者の請求により，その償還について相当の期限を許与することができる（民196条2項但書）。そこで，この期限許与があれば物の返還が先履行となるので占有者は留置権の行使をすることができなくなる（民295条1項但書）。

4 占有の訴え（占有保護請求権）

(1) 序

(ア) **意義** 占有の訴えには，3種類のものがある。占有者が，その占有を妨害されたときはその妨害の停止を（占有保持の訴え〔民198条〕），妨害されるおそれがあるときはその妨害の予防を（占有保全の訴え〔民199条〕），占有を奪われたときはその物の返還を（占有回収の訴え〔民200条〕）請求することができる。

条文の用語は占有の訴え，一般には占有訴権と呼ばれる制度であるが，呼び名はともかく，これはもちろん実体法上の制度であり，占有保護請求権とでもいうべきものである*。物権的請求権があるべき支配状態を守る制度であるのに対し，占有の訴えは，事実的支配の状態をそれ自体として保護しようとする制度である。

＊ほかに占有保護手段として，占有に基づく自力救済がある。占有侵害があった直後において，侵害者にまだ新たな事実的支配が確立されていない段階では，占有に基づく自

力救済が例外的に許される(違法性が阻却される)と解されている。その要件は、〔1〕不法な私力により占有を奪われたこと、〔2〕占有の攪乱状態において行使されること(侵害の現場、追跡中など)、〔3〕救済のための手段が相当であること、である(一般的な自力救済の場合〔最判昭和40・12・7民集19巻9号2101頁参照〕とその趣旨が異なるので、緊急やむを得ない必要性(緊急性)とか、自力救済によるのでなければ後日その請求権の実現がはかれない(補充性)などという要件は求められない)。

(イ) **制度の存在理由**　事実的支配をそのまま一応正当として保護するというコンセプトであるが、物権的請求権が認められるのと別に、なぜそのような制度が必要なのか。次のようなことがこれまで説かれてきた。

(a) **占有保護は、本権保護につながる**　本権の証明は困難であり、目に見える事実的支配を保護することで、背景に存在する本権を保護することができる、と。しかし、現在のわが国においては、所有権などの本権の証明はさして困難ではないので、本権それ自体を根拠に保護を請求すればよく、本権保護のため占有の訴えが必要であるとはいいにくい。

(b) **占有保護により、簡易迅速に社会秩序を維持できる**　それが正当な権原に基づく支配かどうかはともかく、とりあえず事実的支配状態を守ることで、簡易迅速に社会の秩序を維持できる、と。しかし、簡易迅速に行使できるように占有の訴えの手続が整えられているわけではないので、この機能もあまり期待できない。むしろ、本権保護の手段である仮処分の制度がその役割を果たし得る。

(c) **占有保護により、債権的利用権の保護を図ることができる**　賃借権は債権であって、それが第三者により侵害されても、賃借権者は、物権的請求権による保護は享受できない。占有の訴えは、このような場合の賃借権の保護に力を発揮する、と。しかし、債権的利用権であっても、それが対抗力を具備すれば、物権的請求権類似の請求権が解釈により認められている。もっとも、対抗力を具備しない、あるいは対抗力を具備できない債権的利用権(使用借権)もあり、そのような場合には占有の訴えが有用であるといえよう。

(d) **占有を保護することで、自力救済禁止の理念を体現する**　本権者であっても、あるべき支配状態の回復を自力で図った場合、それが自力救済として許される限度を超えれば、占有の侵奪として占有の訴えに服することになる。

そこで，占有の訴えには，物の支配という領域での権利者の自力救済を禁止する趣旨が含まれているといえる。また，占有者が侵害を受けた場合，その回収等は私力によるのではなく占有の訴えによるべきであるという意味でも，自力救済の禁止の趣旨が表現されている。占有の訴えに含まれるこのような自力救済の禁止の理念は，社会秩序を維持すべきであるとの理念につながっている。

(2) **占有の訴え（占有保護請求権）の要件・効果**

(ア) **占有保護請求権の当事者**　請求権者は占有者であり（民197条以下），その占有を妨害されたか，その占有を妨害されるおそれがあるか，その占有を奪われた者[5]である（民198条以下）。

この占有者には，「他人のために占有をする者」，すなわち賃借人などの代理占有者（直接占有者）も含まれる（民197条後段）。もちろん，その場合の本人（間接占有者），すなわち所有者もまた同時に請求権者である。なお，占有（所持）補助者，占有（所持）機関は請求権者ではない。

請求の相手方は，占有の妨害者，妨害するおそれを生じさせている者，侵奪した者である（民198条以下）。

(イ) **侵害の違法性と侵害者の故意・過失**　物権的請求権の場合と同様に，侵害は違法と評価されるものである必要があるが，侵害者の故意・過失は要件ではない。

(ウ) **占有保持・保全・回収の各訴えについて**　(a) **占有保持の訴え**　占有の妨害があることが要件である。この場合，占有者は，その妨害の停止および損害の賠償を請求することができる（民198条）。

占有保持の訴えを提起できる期間は，妨害の存する間またはその消滅した後1年以内である（民201条1項本文）。ただし，工事によって占有物に損害を生じた場合においては，その工事に着手した時から1年を経過し，またはその工事が完成したときは，これを提起することができない（民201条1項但書）。以上の期間制限のうち，妨害の停止につき意味があるのは，「妨害の存する間」という定めである。上記のそれ以外の期間の定め（妨害の消滅した後1年以内な

---

5) この者は占有を奪われてはいるが，占有回収の訴えを提起したときは占有権は消滅しないとされるので（民203条但書），なお占有者と位置づけられている。

ど）は損害賠償の請求について意味があるものである。

　ところで，条文では，損害賠償請求が効果とされるが，これは便宜上ここに置かれているにすぎず，性質上不法行為法の問題であり，したがって，要件としては加えて故意・過失が必要であると理解されている。この損害賠償請求権については，さらに，占有権が侵害されることによりいかなる損害が発生するのかという問題もある。占有者に何らかの法律上保護される独自の使用利益があるといえればその侵害を観念することができるが，使用利益は本来本権者に帰属するので，それについての損害発生を認めるのは困難である。ただし，善意占有者の場合には果実収取権が認められており，その利益の侵害による損害の発生はあり得るとの指摘がある。

　　(b)　**占有保全の訴え**　　占有を妨害されるおそれが客観的に存在することが要件である。この場合，占有者はその妨害の予防または損害賠償の担保を請求することができる（民199条）。

　占有保全の訴えは，妨害の危険の存する間において請求できる（民201条2項前段）。工事を原因として占有物に損害を生ずるおそれがあるときは，占有保持の場合と同じ規律に服する（民201条2項後段）。本条でいう損害賠償の担保は，不法行為に基づく損害賠償とは性質が異なり，妨害の予防の担保という位置づけであり，妨害予防の請求と選択的に請求できる。

　　(c)　**占有回収の訴え**　　(i)　**基本類型**　　占有を奪われたことが要件である。占有者が，その意思に基づかないでその所持を奪われた場合である（窃取，強取がその例）。占有を委託した場合はもちろんこれに当たらない（遺失，詐欺による交付も侵奪には当たらない）。奪われた場合，占有者は占有を侵奪した者に対して，その物の返還および損害の賠償を請求することができる（民200条1項）。

　占有回収の訴えは，占有を侵奪した者の特定承継人（譲受人など）に対しては請求できない。ただし，その承継人が侵奪の事実を知っていたときは請求できる（民200条2項）。また，占有回収の訴えは，占有を奪われた時から1年以内に提起しなければならない（民201条3項）。以上2つの制約はいずれも，侵奪による事実的支配の紊乱がある限りで，占有の訴えを認めるという趣旨からのものと理解できる。

　　(ii)　**占有の交互侵奪の場合における占有回収の訴えの成否**　　Aは，所有する

小舟を盗まれた（第1の占有侵奪）が，その小舟を事情を知りつつ購入したBの下で発見したので，それを自力で回復した（第2の占有侵奪）。そこで，BはAによる占有侵奪を理由に小舟の占有回収の訴えを提起した。このような事案で，判例（大判大正13・5・22民集3巻224頁）は，Aの行為は法の禁ずる自力救済であって許されないとして，Bの占有回収の訴えを認めた。

しかし，学説の多くは，このようないわゆる占有の交互侵奪では，（Aによる）第2の占有侵奪が自力救済として許される限度を超えていても，第1の侵奪を受けて1年以内であった場合には（民201条3項参照），第1の占有侵奪をした者（これと同視されるB）は，占有回収の訴えを行使できないという。これを，AがBに対し占有回収の訴えを1年以内に行使し勝訴すればAの占有は継続して正当であったことになるので，AはBに対し返還を拒み得るというべきだからと理由づける。また，第2の侵奪の事実を重視しBの占有回収の請求権は成立するとしつつ，ただ，その行使は信義則に反し許されないと構成するものがある[6]。

(3) **占有の訴えと本権の訴えとの関係**

(ア) 序　占有の訴え（占有保護請求権）と本権の訴え（物権的請求権）とは，その要件・効果が異なるから，それぞれの趣旨に従って別個独立に請求権が成立し，その訴えを提起できる。

(イ) **両訴が並行する場合**　したがって，Aが所有者かつ占有者である場合にBから占有侵奪を受けたときは，AはBに対して，所有権に基づく返還請求権（本権の訴え）と占有回収の訴え（占有の訴え）とを行使できる。この関係につき，民法202条1項は，「占有の訴えは本権の訴えを妨げず，また，本権の訴えは占有の訴えを妨げない」という。問題は，いずれか一方を行使して敗訴したとき，改めて，他方を行使することができるか，ということである。民事訴訟法学での訴訟物に関する周知の議論のいずれに従うかにより結論が異なる。判例，旧訴訟物理論に立つ学説は，両訴を単純に別のものとみてこれを肯定的にみてきた。他方，いわゆる新訴訟物理論を採る学説では，この紛争はいずれも内容が物の返還を求めるものであり，上記2つはその結論を導く観点

6）　中田裕康「判批」百選Ⅰ〔第5版新法対応補正版〕146頁参照。

の相違にすぎないので，紛争の一回的解決の要請から一方で敗訴すると改めて他方で争うことはできない，という。

　(ウ)　**両訴が対立する場合**　Aが所有者，Bが占有者である場合に，AがBの占有を侵奪したときは，BはAに対して占有回収の訴え（占有の訴え）を行使でき，他方，AはBに対して所有権に基づく返還請求権（本権の訴え）を行使できる。この関係につき，民法202条2項は，「占有の訴えについては，本権に関する理由に基づいて裁判をすることができない」という。Bの占有の訴えの中で，Aに所有権があるという理由でAを勝訴させてはいけないという趣旨である。

　ところで，別訴であれば，当然，Aは本権の訴えを行使できる。議論があるのは，Bの占有の訴えに対して，Aが，その係属裁判所での併合審理を求めて，反訴として，本権の訴えを提起できるかであるが，判例（最判昭和40・3・4民集19巻2号197頁【百選Ⅰ70】）は次のような事例でこれを認めている。すなわち，土地がYとXとに二重譲渡され，引渡しを受けたX（占有者）がこの土地上に建物を移築する工事を開始したところ，登記を具備しているY（所有者）がこれを妨害したので，Xが占有保全の訴えで妨害をしないよう求めたのに対し，Yが所有権に基づき建物収去土地明渡請求をした事案で（原審は双方の訴えを認容），「占有の訴に対し防禦方法として本権の主張をなすことは許されないけれども，これに対し本権に基づく反訴を提起することは，右法条の禁ずるところではない」，という。学説では，この判決を受けて，この事例のような占有保全の訴え（まだ，本権者による妨害が現実化していない事例）に対する本権に基づく反訴の場合に限定しないで，占有保持・回収の訴え（本権者による侵害が現実化している事例）に対してであっても本権の訴えを反訴として提起できる，とするものが多数を占める。しかし，それを認めてしまうと，所有者が私的な実力を行使して，占有者の占有を排除して，自らの所有権的支配を実現することを追認してしまうことになり，自力救済の禁止と真っ向から対立することになる。そこで，学説の中には，自力救済禁止の趣旨を徹底する意味で，いったん占有の訴えを認容して占有の回復をさせることが重要であり，占有保持・回収の訴えの場合には反訴で本権の訴えを提起することは許されないとするものもなお有力である。

5　動物の占有による動物に対する権利の取得

家畜以外の動物で他人が飼育していたものを占有する者は，その占有の開始の時に善意であり，かつ，その動物が飼主の占有を離れた時から1か月以内に飼主から回復の請求を受けなかったときは，その動物について行使する権利を取得する（民 195 条）。

Ⅳ　準占有

この章（民法典第2編第2章「占有権」）の規定は，自己のためにする意思をもって財産権の行使をする場合について準用される（民 205 条）。占有は物に対する事実的支配を保護する制度であるが，その趣旨が，財産権に対する事実的支配についても及ぼされるというわけである。とりわけ，民法 163 条の「所有権以外の財産権」の取得時効において財産権に対する準占有（自主占有）が問題となる。たとえば，地役権の準占有による時効取得（民 283 条），不動産賃借権の準占有による時効取得などである。

第2編

担保物権法

第11章　担保物権法総説

I　序　説

1　担保物権の意義
(1)　序
　担保物権とは，ある債権（とりわけ金銭債権）の回収を確実にする目的で，当該債権に関連づけて，債権者が，債務者または第三者の所有する物（動産・不動産）または権利を対象に取得する特別な物的権利であって，もしも債務者が当該債務の履行をしない，またはすることができないときは，債権者はその権利（担保物権）を行使して，その物または権利の有する交換価値を現実化（競売等）して，他の一般債権者に優先して債務の弁済を受けることができるというものである（これを，担保物権の優先弁済的効力という）。なぜ，そのような担保物権というものが必要なのか，具体的にどのような働きをするものなのか。

(2)　債権者平等の原則
　たとえば債権者Gが債務者Sに対して，1000万円の金銭債権を有するとして，Gは，期限にSから全額の弁済を受けることができるか。Sが財産（債務に対する「責任財産」という）を十分に持っていれば，その返済を期待できる。しかし，弁済の期限において，Sがほかからも債務を負担している，あるいはその間に責任財産を減少させる[1]などにより，債務の総額が責任財産の額を超えるような場合には，全額の弁済を受けることのできる保証はない。債権は他の債権に対して優先権がなく平等に扱われるからである（債権者平等の原則）。
　すなわち，上記の債務者Sが任意に返済しない場合，債権者Gは裁判所に

---

[1]　なお，民法上，債権者が債務者の責任財産を保全する制度として，債権者代位権（民423条以下），詐害行為取消権（民424条以下）がある。しかし，これは本来的にはあるべき責任財産を保全する機能をもつ制度であって，債権者に優先的弁済を認めようとしたものではない。

訴えて，SはGにその債務を支払えとの判決（給付判決）を得るなどした上で，裁判所による強制執行の手続により，S所有の不動産などの財産を強制的に競売しその売却代金から弁済を受けることになる（民執22条以下参照）。しかし，他の債権者らもこの売却代金の配当に与ろうとし，その総額が売却代金額を超える場合にはどうなるか。

　債権者は平等なので，この場合，Gは競売の結果配当に充てられることになった金額をそれぞれの債権額に応じて平等に按分した額の配当を受けることになる。たとえば，配当を求めている債権者らの債権の総額が5000万円，競売の結果配当に充てられる金額が2000万円であれば，各債権者は平等に各々の債権の2/5の額の弁済を受けることとなり，1000万円の債権を有するGは400万円を回収できるにとどまる（そして，債務者Sにこれ以外に責任財産がないとなれば，これ以上の回収は不能になる）。このように，強制執行の手続において（破産手続の場合も同様），債権は，その発生原因，発生した時期いかんにかかわらず平等に扱われるという原則，すなわち債権者平等の原則があり[2]，結果として債権者には全額の弁済を受けるという保証はないことになる。

(3) 債権の確実な回収を確保する手段の必要性

　このようなことであるとすると，仮にGがSから金銭の借入れの申入れ，あるいは商品の継続的供給と掛売り（代金の後払い）など信用供与の申入れを受けた場合，それにより発生する金銭債権の確実な返済を確保する手段が伴わないのであれば，Gとしては，この取引をすることに躊躇を覚えることになる。これを乗り越える手段として考えられるのは，ここで発生するGのSに対する債権についてだけは，他の一般的な債権と異なり，確実に回収できるような特別の権利をあらかじめGに取得させておくことである。

　そのようなものとして，民法が用意しているのは，第1は，これから取り上

---

[2] あまりふれる機会がないのでここで述べておくが，国税，地方税（租税債権）は，私法上の債権と異なり，裁判所の手続によらないでも徴税機関の手で自力執行が可能であり，また，他の債権に対し優先権が与えられている特殊な債権である（税徴8条，地税14条）。したがって，担保物権との優劣が直接問題となる（税徴15条，16条など参照。たとえば16条では，「法定納期限等以前にその財産上に抵当権」が設定されていれば，抵当権の方が優先するなどの扱いが予定されている）。

げようとする担保物権（物的担保）の制度であり，第2が，「第3編　債権」中に規定された保証（人的保証）の制度である。

2　物的担保と人的保証
(1)　その内容

　第1の物的担保は，債権者が，債務者または第三者の所有物または権利に対して，特別の権利（すなわち，担保物権）の設定を受けあるいは取得し，債務者が債務の弁済をしない場合，その担保物権を裁判所の競売手続により行使してその物または権利の有する価値を現実化させる[3]などして，そこから他の債権者に先立って優先的に当該債権の弁済を受けるというものである。担保物権は，物または権利の交換価値を物権的に把握し，その価値を現実化するなどにより債権の優先的回収をする権利ということができる。

　第2の人的保証は，債権者が，ある債務に関し，保証人と保証契約を結び保証債務を負わせておき，債務者がその債務（主たる債務）の履行をしないときに，保証人にその保証債務の履行をさせるというものである（民446条以下）。もっとも，この手段は，保証人を債務者に追加して，保証人の持つ責任財産をも債務の引当てに加えるという意味があるにとどまり，したがって，保証人の責任財産が十分にはないときは，有効・確実な債権回収の手段とはならない。

(2)　比　較

　以上の2つの手段を比べてみると，物的担保の方が，物の価値を直接把握しそこから優先的に債権回収できるという意味で，より確実な手段といえる。しかし，物の価値を現実化するについては競売という手続的な手間がかかるという側面もある。他方，それに比して，人的保証は，保証人に請求して，払ってもらえればそれで債権回収が実現できるという簡易さがあり，その点でメリットがあるといってもよい。そのような長所・短所を勘案して，物的担保，人的保証を利用することになるが，金融取引などにおいては双方を重畳的に利用す

---

3)　担保物権に基づき競売をする場合には，一般の債権に基づく強制執行と異なり，債務者に支払を命ずる確定判決などの「債務名義」（民執22条）を必要としない（民執181条など）。債務名義を取得する手間と費用を免れるということもメリットの1つといえる。

ることが一般的である。

Ⅱ 各種の担保物権とその分類

1 序説

さて，民法に規定されている担保物権は，留置権，先取特権，質権，および抵当権の4種類である。これに加えて，実定法に根拠を持つ担保物権として，民事特別法（工場抵当法，自動車抵当法など）に規定された各種の抵当権，商法に規定された留置権，先取特権などのほか，仮登記担保契約に関する法律による仮登記担保権がある。

さらに，民法では正面から担保物権としては規定されていないが，実際の取引社会で債権担保の目的で使われ，判例上承認されている重要なものとして，譲渡担保，および所有権留保などがある[4]。

これらは，いくつかの観点から種類分けされ，そうすることにより各々の担保物権の特徴が明らかにされる。

種類分けの観点として重要なものとしては，第1に，民法典に規定されているものかそうでないかによる分類（典型担保，非典型担保）がある。これは，制限物権型の担保か または権利移転・留保型の担保か，という分類と重なる。第2に，その発生が，法定のものか，当事者の合意によるものかによる分類（法定担保物権，約定担保物権）がある。

2 典型担保（制限物権型担保）

(1) 序

民法典に規定される留置権，先取特権，質権，および抵当権は，典型担保と

---

4) 所有権留保と同様なかたちで，債務者の占有する目的動産（リース物件）が供与した信用の担保として機能する現象が，ファイナンス・リース取引においてみられる。また，これらのほかに，物権という性格はない（担保物権ではない）が，優先性がある債権回収の手段として，相殺予約，代理受領等が挙げられる。以下では，ファイナンス・リース，相殺予約については取り上げない。債権総論等別の場所で論ずるのが適当だからである。他方，代理受領については，担保物権ではないが，債権を目的とする譲渡担保，権利質と関連があるので，後に簡単にふれることとする（⇨435頁・第13章Ⅲ2(1)(イ)＊）。

呼ばれている。いずれも，その種類，内容，効力等が明文で規定されている。そうではないものを非典型担保と呼ぶ。

典型担保のうち，質権，抵当権は約定担保物権であり，留置権，先取特権は法定担保物権である。

(2) 約定担保物権（質権，抵当権）

質権，抵当権は，担保を欲する債権者と，担保目的物の所有者である担保提供者（債務者，第三者）との設定の合意（民176条）で成立する担保物権（約定担保物権）である。なお，後述の非典型担保はすべて約定の担保である。

抵当権は，不動産（ほかに地上権等の物権を含む）を対象として，担保設定者である債務者または第三者にその占有を留めたまま，その目的物の交換価値のみを物権的に把握するもので，債務者が債務不履行になると，抵当権者が競売により抵当権を実行し，その売却代金から他の債権者に先立って自己の債権の弁済を受ける権利である（民369条）。

これに対し，質権は，動産，債権等の権利または不動産を対象として，設定者から質権者に目的物の現実の占有を移転させ，留置することにより心理的に強制を加え弁済の動機づけをし，場合によっては目的物から収益を得つつ（不動産質の場合），最終的には，競売により他の債権者に先立って自己の債権の弁済を受ける権利である（民342条）。なお，実際の取引社会では，不動産質権はほとんど使われていない。

(3) 法定担保物権（留置権，先取特権）

留置権，先取特権は法律の規定によって直接発生する担保物権（法定担保物権）である。法定担保物権は，法が，一定の法政策目的に従いまたは公平の見地から，「この種の債権」だけは特に弁済を確実にしたいと決定し，その債権につき担保物権の成立を認める，というものである。

このうち，留置権とは，たとえば，S所有のパソコンが故障したのでメーカー関連会社Gにそれを送付し修理してもらい修理代金が発生したという場合，Gがこのパソコンに関して生じたこの修理代金の弁済を受けるまでは，当該パソコンを手許に留置しておくことができる権利である（民295条）。このような関係にあっては，債権者にパソコンの留置を認めることで債務者に圧力を加え，修理代金の弁済を確保させるというのが公平に適うという趣旨である。したが

って，留置権の目的物と担保される債権（被担保債権）とは，一定の牽連関係にあることが必要がある。

留置権は，他の担保物権と異なり優先弁済的効力はなく，留置的作用，すなわち，主として物を留置することで債務者に心理的な圧迫を加えて債務の弁済を促すというやや特殊なものである。

次に，先取特権は，法が一定の理由から特に優先すべきとする債権（民 306 条，311 条，325 条参照）につき，債務者の総財産，債務者の特定の動産，または，債務者の特定の不動産に対し取得できる法定の担保物権であり，債務者が債務不履行の場合，原則，競売の手続により，他の債権者に先立って自己の債権の弁済を受ける権利である（民 303 条）。

(4) 典型担保の特色

非典型担保と比較して典型担保の特色を指摘すると以下のようになる。

第 1 に，典型担保はいわゆる制限物権型の担保権である。すなわち，担保権の設定者，負担者に目的物の所有権を保持させたまま，担保権者が制限物権としての担保権を取得するという法形式が採用されている。これに対し，後述の非典型担保では，権利移転・留保という法形式が採られている。

第 2 に，典型担保の実行については，原則として，執行裁判所の競売手続によることとされている（民執 180 条以下の「第 3 章　担保権の実行としての競売等」）。債務者が債務を履行しない場合，債権者＝担保権者は，執行裁判所の競売手続を通して担保の目的物の交換価値を現実化して，その売却代金から優先的に債権を回収するのである（ただし，留置権には優先弁済的効力はない）。

3　非典型担保

(1) 序

非典型担保として取り上げられるのは，債権担保の目的でなされる物または権利の譲渡（譲渡担保），物または権利でもってする代物弁済の予約または停止条件付代物弁済契約（仮登記担保），代金後払形式の売買契約における売買目的物の所有権留保である。

いずれも，債権担保の目的で，当事者の合意によって（約定担保），権利の移転・留保という法形式を使って行うものである。民法典に規律されていない担

保であり，その形式，内容，効力等は，当事者の合意，および判例によるその合意の規範的解釈により固められてきた（仮登記担保については後に立法的に規律された）。

　なぜ，このような形式の物的担保が用いられるのか。いろいろな事情から，民法に規定された制限物権型担保権のみでは実際の取引社会での需要に対応できないし，そうかといって，望むような形式・内容の制限物権型担保権（たとえば，占有留保形式の質権）を創設・利用することは物権法定主義に反するので許されない。そこで，所有権（権利）移転という法形式を使って（これは適法である），債権担保の目的を達成しようとするのである。なお，この場合も実質は担保であり，債権者に債権の満足以上の利益を与えることは適当ではないので，判例は，いわゆる担保目的物の丸取りを禁止し，その価格から被担保債権額を差し引いた額は，清算金として設定者に返還するよう義務づけている*。

> ＊そして，たとえば，譲渡担保では，債権者の設定者に対する目的物引渡請求権の行使につき，設定者への清算金の支払義務の履行と引替給付の関係に立たせることで，設定者への清算金の支払を確保することとしている。

　典型担保と比較して特色を整理して指摘しておくと，第1は，権利移転・留保型の担保であるという点，および，第2は，担保の実行方法として，民事執行法による競売の手続によるのではなく（よることができず），当事者の合意を基礎として，債権者に目的物の所有権など権利自体を移転させる方法（ただし，清算が必要）が採用される点である。

(2) 譲渡担保

　譲渡担保とは，債権を担保する目的で，債務者または第三者の所有不動産または動産あるいは債権等の権利を債権者にあらかじめ譲渡し，債務が弁済されれば，不動産所有権等は譲渡担保設定者に返ってくるが，弁済できなければ確定的に債権者に帰属させるというものである。権利移転型の担保であり，また，民事執行法による競売手続を経ることなく簡易に担保権を実行できる。

　譲渡担保という担保方法の必要性などについては，次のような点を指摘できる。まず，生産用の動産設備を担保に金融を得ようという場合，民法の規定する動産担保方式である質権は，その占有の現実的移転を成立要件等とする（民344条，352条）ので生産による資金調達の途が断たれるため利用できず，この

譲渡担保の方式によるほかはない。

また，不動産については，民法の規定する抵当権はその実行につき執行裁判所での競売という手間と費用のかかる方法が予定されており，簡易な方法により実行ができることに譲渡担保のメリットがあるとされている。

さらに，集合動産，あるいは集合債権，さらには，生成中の権利をも担保の目的とすることができ，そういう意味で極めて使い勝手のよい担保方法であり，実務上もよく使われている。

もっとも，担保権設定という目的と，それを上回る所有権自体が移転するという法形式とが食い違っており，当事者の内部関係では清算義務が問題となるほか，担保権設定の一方の当事者と第三者との対外的関係においては，所有権が譲渡担保権者に完全に移転しているものとしてその法律関係を処理すべきかどうかという，悩ましい問題が生じる。

(3) 仮登記担保

仮登記担保とは，金銭債務を担保するため，債務不履行の場合には債務者または第三者に属する不動産所有権を債権者に移転するとの，代物弁済の予約，停止条件付代物弁済契約などをいい，債権者が予約上（停止条件付き）の地位（将来所有権を取得するという地位）を仮登記で公示する形式の担保権である。今日，「仮登記担保契約に関する法律」で規律されるが，権利移転型の非典型担保であり，担保権の実行は民事執行法の競売手続によるのではなく，私的実行による方法が規定されている。

もともと，この形式の担保が使われるようになった動機は，1つには，抵当権設定に加え代物弁済予約を併用しておいて，裁判所での競売手続を回避しようとすることにあり，もう1つは，被担保債権額を超える価格の不動産を代物弁済として丸々取り込むことにあった。しかし，後者については，判例により，その差額の清算義務が課され認められなくなり，仮登記担保法においてそのための手続が明文化されている。

(4) 所有権留保

所有権留保とは，目的物先渡しの売買で，売主が残代金の弁済を確保するため，買主との間で，代金の完済まで目的物の所有権を売主に留保する特約を付けたものをいう。

代金が完済されれば所有権は買主に移転し，債務不履行の場合は，売主は売買契約を解除し，留保した所有権に基づき目的物の返還を請求し，それを処分するなどして残代金債権の回収を図ることになる。買主との間では解除による原状回復で同じ目的を達成できるので，所有権留保の特約は，売主が，買主からの転得者などの第三者に対して留保した所有権を主張する場合に特に意味がある担保方法である（民545条1項但書参照）。

債権者が債権の担保の目的で物件を所有するという形態をとらえれば譲渡担保と同じ法形式であるが，譲渡担保は設定者が債権者に目的物の所有権を譲渡するのに対して，こちらでは債権者（売主）が目的物の所有権を留保するという点で違いがある（たとえば，権利の公示方法などに差が生ずる）。

4　目的物件の側からみて利用できる担保物権の種類

担保物権の目的となるのは，交換価値ある財産である。厳密な分類ではないが，この担保の目的物の側からみて，主として，どのような種類の（約定）担保物権が利用できるかという整理をすると以下のようになる。

〔1〕不動産：抵当権（根抵当権を含む），譲渡担保，仮登記担保。
〔2〕動産：質権，譲渡担保。生産のための機械器具については，譲渡担保が利用される。
〔3〕在庫商品など集合動産：譲渡担保。
〔4〕動産売買での目的動産：所有権留保。
〔5〕株式などの有価証券：質権，譲渡担保。
〔6〕債権：質権，譲渡担保。譲渡・質入れ制限特約付の債権（民466条2項・3項）については，代理受領。
〔7〕預金債権：譲渡および質権設定が強く制限されているので（民466条の5），銀行自らが，預金者の借入れにつき相殺予約という形式で担保に利用する。
〔8〕取引により生ずる現在および将来の債権：譲渡担保。
〔9〕電子記録債権：質権，譲渡担保。

Ⅲ 担保物権の効力

担保物権は，次のような効力を通して，債権回収の実効性を確保している。

1 優先弁済的効力

目的物の交換価値を把握し，その価値から他の債権者に優先して弁済を受けるという効力であり，担保物権の主たる効力である。それのみを本来的機能とする担保物権は，抵当権，先取特権，譲渡担保，仮登記担保，所有権留保である。

質権では，優先弁済的効力のほか，次に掲げる2つの効力も併せ有する。

2 留置的効力

目的物を債権者の手許に留置することで，債務者に対し債務の弁済を促すという効力である。この効力でもっぱら債権の回収を図るのは，留置権である。実際上は，この効力によって，事実上，優先的な弁済を受けることができているとされる。占有移転型担保である質権においては，この効力も有している（民347条）。

3 収益的効力

担保権者が，目的物から収益を得て，被担保債権の弁済に充当する効力である。動産質権では質物から生ずる果実を収取し，これを自己の債権の弁済に充当できる（民350条，297条1項）。

なお，不動産質権者は占有する目的不動産の使用収益ができる（民356条。もっとも，この場合，被担保債権の利息の請求ができないとされる〔民358条〕）。しかし，収益を債務の弁済に充当できるとされているわけではない。

債権質権についても，目的たる債権から生ずる利息に対して，収取権がある（⇨438頁・第13章Ⅲ3）。

IV 担保物権の通有的性質

　担保物権について，共通に，次のような性質があると分析される。しかし，すべての担保物権に等しく当てはまるわけではなく，例外もあることに注意を要する。

1　付従性
　担保物権は，債権を担保するという目的で存在する。そこで，被担保債権があってはじめて成立し，それが無効であればもちろん担保物権も無効，それが弁済等により消滅すれば，担保物権も消滅する。つまり，担保物権は被担保債権と運命をともにするという性質がある。これを付従性と呼んでいる。もっとも，後に詳述するが，根抵当（根質，根譲渡担保も同じ）については，実行の局面を除き，この付従性は緩和されている。

2　随伴性
　担保目的で存在するから，被担保債権が譲渡等で移転すると，担保物権もこれに伴って移転するという性質がある（付従性の一側面ともいえる）。もっとも，根抵当（根質，根譲渡担保も同じ）については，元本確定前には，この随伴性はない。

3　不可分性
　担保権者は，被担保債権の全部の弁済を受けるまでは，担保目的物の全部について担保物権を行使することができる（民296条，305条，350条，372条）。これを，担保物権の不可分性と呼んでいる。したがって，1000万円の被担保債権に対し時価500万円相当額の目的物に担保物権を設定した場合，500万円を弁済するだけではもちろん，999万円を弁済しても担保物権を消滅させることはできない。
　なお，担保目的物の一部が滅失した場合，その残部で被担保債権の全額を担保することになるが，このことをも不可分性の一内容として説明することもあ

る。

4　物上代位性

　担保物権の目的物が売却され，賃貸され，または滅失・損傷することにより，その目的物の所有者たる設定者に，代金債権，賃料債権，または損害賠償債権（あるいは火災保険金請求権）が発生する場合において，担保権者は，それらが設定者に払い渡される前に差し押さえることで，それらに対してもなお担保物権を行使することができる，とされる（民304条，350条，372条）。担保物権はもともとは物に対する権利であったが，その担保目的物の交換価値が何らかの理由で現実化した場合には，担保物権の効力を，それらの価値顕現物（債権）に対しても及ぼしていくことができる。これを担保物権の物上代位性（物上代位権）と呼んでいる。

　ただし，これは，担保物権のうち，交換価値を把握し，優先弁済的効力が認められるものに特有な性質であり，優先弁済的効力を有さない留置権には認められない。民法の条文上このことは明らかである。非典型担保である譲渡担保，仮登記担保については，解釈上議論がある。

第12章　抵当権

I　序　説[1]

1　抵当権の意義と性質
(1)　不動産を目的とした非占有担保である

　抵当権は，民法に規定されている制限物権型の約定担保物権である。この点で共通する質権と相互に対比しつつ，意義，性質等を概観する。

　抵当権につき，民法369条1項は，「抵当権者は，債務者又は第三者が占有を移転しないで債務の担保に供した不動産について，他の債権者に先立って自己の債権の弁済を受ける権利を有する」と規定する。これは，抵当権が優先弁済権を権利内容とするものであることを示すと同時に，抵当権の2つの特徴，すなわち，目的物は「不動産」（地上権・永小作権を含む〔以下，特に断らない限り，同様〕）であり，その「占有を移転しない」で担保に供することをもあらわしている。

　これに対して，質権については，「質権者は，その債権の担保として債務者又は第三者から受け取った物を占有し，かつ，その物について他の債権者に先立って自己の債権の弁済を受ける権利を有する」と規定する（民342条）。権利内容は抵当権と同様優先弁済権であり，その特徴として，目的物は「物」（動産，不動産，財産権）であり，質権者が「受け取った物を占有」することとされる。

　明白な相違は，担保の目的物が不動産に限定されるのか（抵当権）そうでないのか（質権），および，目的物の占有が設定者に残るのか（抵当権）担保権者

---

1)　本書では，各種担保物権のうち比較的重要性が高く，議論も多くなされている約定担保権，そのうちまず，不動産を対象とする抵当権から扱うこととする。次いで，約定担保物権のうち質権を，その後，やはり約定の物的担保である非典型担保を扱い，最後に，民法に規定されている法定の担保物権を論ずる。

に移転するのか（質権）の2点である。

(2) **非占有担保だから登記による公示が不可欠**

歴史的には，農場経営者，あるいは，工場経営者が，事業に使っている自己所有不動産を，その占有，利用関係をそのまま自分の下に維持し事業を続けながら，担保として提供し，金融機関から金銭の融資を受けるという経済的需要が生じ，そのような需要を満たす担保方法として抵当権制度が作られ発展してきたのである。

したがって，抵当権は必然的に非占有担保として構成されることになる。

この非占有担保という構成と密接に関連する問題が，抵当権の公示である。設定者が従前と変わりなく占有・利用している不動産に対して抵当権が設定されたことは，外部からは認識することができない。しかるに，債務不履行となれば，不動産は抵当権に基づき競売に付され，その価値は抵当権者に優先的に把握されるのであるから，当該不動産の取引安全のため，抵当権の設定は登記という方法で公示されることが不可欠である。

そこで，抵当権が設定できる目的物は，登記により公示することが可能である物に限定されることとなり，わが民法では，原則，不動産が目的物とされた。なお，占有留保形式の担保（抵当権）は事業融資の担保方法として利便性があるので，その後，特別法によっていろいろな営業用の財産について，登記による公示ができるようにした上，抵当権設定が可能となった（⇨290頁・**2**(1)(ア)(b)）。

なお，対比して，質権は，占有移転型の担保であるから，質権の存在は物の占有によって一応公示することができるので，質権が設定できる目的物は，「譲り渡すことができない物」を除けば（民343条），広く，動産，不動産，および財産権一般に及ぶことになる。しかし，他面，設定者に占有・利用を留保できないので，事業者が，営業用財産に質権を設定して融資を受けるということができない，という使い勝手の悪さがある。

(3) **優先弁済的効力をもつ**

抵当権者は，被担保債権が債務不履行となれば，目的物の交換価値から他の債権者に先立って自己の債権の弁済を受ける権利（優先弁済的効力）を有している（質権の場合も同じ）。

その優先弁済権実現の方法は，民事執行法第3章の「担保権の実行としての

競売等」の手続による。具体的には，担保不動産競売（競売による不動産担保権の実行）の方法と，担保不動産収益執行（不動産から生ずる収益を被担保債権の弁済に充てる方法による不動産担保権の実行）の方法とがある。最終的には，前者の方法を使って，執行裁判所で目的不動産を競売し，その競売代金から優先的に配当を受けることになる。

　なお，抵当権はもっぱらこの優先弁済的効力に依拠する担保物権であるが，質権は，この効力のほか，質権者が質物の現実的占有を取得している関係でいわゆる留置的効力をも有している。

(4) 目的物の占有・利用・管理は設定者に留まる

　抵当権においては目的物の占有は設定者にあるので，その利用および管理は設定者に任せられている。もっとも，設定者の利用は通常の用法に従って行う必要があり，その限度を超える場合には抵当権侵害となり，抵当権者による妨害排除に服することになる。

　他方，質権の場合には，占有は質権者に移転するので，質権者は，他人の所有物である質物を善良なる管理者の注意をもって管理する必要が生ずる（民350条，298条1項）。不動産質では「目的である不動産の用法に従い，その使用及び収益をすることができる」とされるが（民356条），不動産管理の費用の負担，および使用，収益のいずれも，通常の債権者にはむしろ負担であり，したがって，不動産質権が利用されることは極めて稀である。

(5) 担保物権の通有性

　なお，抵当権には，担保物権の通有性，すなわち，付従性，随伴性，不可分性，物上代位性が認められる。これは，質権においても同様である。この点についてはすでに前章でふれたので，ここでは立ち入らない。

2　どのような経済取引において利用されるか

(1) 抵当権

(ア) 事業者が信用を得る際の担保方法として　　(a) 序　抵当権は非占有担保権であり，しかも，不動産という財産的価値の大きい物を担保の目的物とするので，事業者が負担する金融機関からの借入債務，あるいは他の事業者との取引から生ずる債務などの担保方法として利用できる。

(b) **抵当権の目的物の範囲の拡張**　前述のように，公示の関係で抵当権は民法上，不動産にその目的物が限定されている。しかし，抵当権の事業者用の担保方法としての利便性を生かすため，その後，金融取引の需要に応じて特別法を制定し，抵当権設定に適格な各種の財産（動産を含む）につき，登記による公示を可能とした上，抵当権が設定できるようにした。

すなわち，企業の生産設備を主として抵当権の目的とする鉄道抵当法および工場抵当法（明治38年）等の財団抵当に関する法，会社の総財産を一体として担保の目的とする企業担保法（昭和33年），他方，事業用動産や重要動産に抵当権設定を認める，農業動産信用法（昭和8年），商法（明治32年。商847条〔船舶を対象とする〕），自動車抵当法（昭和26年），航空機抵当法（昭和28年），および建設機械抵当法（昭和29年）などである。

(c) **根抵当——継続的取引関係において利用**　継続的取引関係における債権担保の方法として根抵当が果たす役割の重要性を指摘しておく必要がある[2]。事業者が，金融機関あるいは他の事業者と継続的な取引関係にあり，取引の経過に応じて一方で債権が次々発生し他方で弁済によって順次消滅し，しかし常時一定額の借入金または売掛金等が残っているという事例は，取引界ではむしろ普通に存在している。この場合に，1の債権に1個の抵当権を設定する普通抵当のやり方では，ひんぱんに設定，消滅（およびそれぞれの登記）を繰り返さなくてはならない。そのような面倒なことはできないので，取引実務では，あらかじめ1個の抵当権を設定しておき，増減変動する不特定の債権を一定金額まではまとめてそれで担保するという特別の抵当権を使ってきた。これを根抵当と呼び，民法398条の2以下の規律するところである（昭和46年に「第4節　根抵当」として立法された）。

(イ) **不動産譲渡担保など非典型担保の役割**　抵当権はこのようにして事業者が信用を得る際の担保方法として重要な役割を担っている。しかし，優先弁済権実現の方法が裁判所の競売の手続に依拠するという点，つまり，費用，時間がかかる上あまり高く売却できないなどという実情から，実務界の一部では

---

[2] 本書では，基本的には普通抵当を念頭に叙述をしており，付従性その他の面で特殊性のある根抵当の法律関係については後でまとめて扱う（⇨404頁・Ⅸ参照）。

これを敬遠する傾向があった。不動産譲渡担保，仮登記担保などの権利移転型の非典型担保が利用されるのは，そのような背景からである。これらの方法を使えば，合意に基づいて私的に不動産所有権を移し目的物を引き渡すことによって，簡易に「担保権」を実行することができるというわけである。もっとも，すでに述べたように，目的物の丸取りは許されず，債権者に清算義務が課せられることは異論のない法理である（仮登記担保法ではこのことが法定されている）。

(ウ) 消費者が信用を得る際の担保方法として　　今日では，さらに，消費者が，住宅（土地付建物，マンション住戸）を購入する際，その購入資金を金融機関等から借り入れ，その債務の担保として，自分の所有となったその住宅に抵当権を設定するというかたちで利用することもある。抵当権は非占有担保であるから，設定者は住宅として占有利用し続けることが可能である。

(2) 質　権

他方，質権では抵当権の場合に比してその目的物の財産的価値は少額であり，また，設定者からその占有が奪われるので，特に動産の場合，事業者が信用を得る際の担保方法としては適さず，消費者の得る小口の信用の担保方法として利用されることが多い，とされる。もっとも，債権，株式などの財産権は換価が容易であるところから，財産質は，短期の事業者金融の担保方法として用いられることが多い。

以上指摘のように，事業者が営業用の機械，器具，商品などの動産を担保に融資を得ようとする場合，設定者に占有を留保できない質権には致命的欠陥がある。事業者が，占有を移さないで，それら動産を担保に信用を得るためには，譲渡担保（所有権を移転し占有改定による引渡しをする）という方法を使うほかない。なお，前述の農業動産，建設機械，自動車などの動産に抵当権の設定を認める特別法は，この動産質権の担保方法として足らざるところを補う意味をもっているといえる。

II 抵当権の設定と公示

1 抵当権設定の合意（抵当権設定契約）

(1) 合意の当事者およびその性質

　抵当権は不動産を目的物とする物権であり，それを取得しようとする債権者と，自己の所有不動産に抵当権を設定しようとする債務者または第三者との合意により設定される[3]。この合意は，民法176条にいう意思表示に当たる。

　抵当権設定の合意は諾成・不要式のものであり[4]，登記簿への抵当権設定の登記は第三者に対する対抗要件である（民177条）。

　抵当権の発生を効果とするこの合意は，抵当権設定契約と呼称されることが多いが，債権契約ではなく単純なる物権的合意である（条件ないし期限付きでなされることも許される。⇨33頁・第3章 II 2 参照）。

(2) 第三者が当事者である場合

　(ア) 物上保証人　　民法369条は，債務者のほかに第三者が自らの不動産を債務の担保に供することもあるとしている。このように，他人の債務のために自分の財産（ここでは不動産）を担保として提供する者を物上保証人という。物上保証人と呼ぶのは，保証人が他人の債務のため保証債務（および責任）を引き受ける関係と類似しているからである。物上保証が実際になされる例としては，たとえば，中小企業である会社の借入債務を担保するため，そのオーナー社長や親族の者が第三者として自己所有の不動産に抵当権を設定するような場合である。

　(イ) 物上保証人と保証人との比較　　もっとも，物上保証は（人的）保証の場合と次の2点で異なる。すなわち，第1に，物上保証人は，保証人が保証債

---

[3] 不動産の真の所有者ではない者（で登記簿上所有者名義を有する者）が所有者と自称して当該不動産に抵当権を設定した場合，その合意は無効であり抵当権は成立しない。ただし，民法94条2項類推適用等により抵当権取得者が善意であり，真の所有者に帰責性があればその無効を善意の抵当権取得者に対抗できないことがあり得る。

[4] ただし，通常は，抵当権設定契約書などという書面の形式でなされる。抵当権設定の登記申請に際して，それが登記原因証明情報となる（不登61条参照）。

務を負うのと異なり，債務を負うわけではなく，所有不動産に抵当権という物的負担，つまり責任を負担するにとどまるということである。第2に，その責任は，保証人が全財産でそれを負担するのとは異なり，担保に提供した当該不動産に限定されたものであることである。

したがって，債務者が債務不履行になった場合，物上保証人が債権者から支払の請求を受けるということはあり得ず，単に，抵当権の実行による当該不動産の競売を甘受するという立場にたつのみである。

(ウ) **物上保証人の債務者に対する求償の関係** (a) **求償権の発生** 物上保証人は債務の最終的な負担者ではないので，抵当権が実行されて抵当不動産を失い結果として自分の所有不動産で債務者の債務が弁済されることになった場合は，債務者に対して，弁済した金額につき求償権を取得することになる。また，抵当権の実行を免れるために物上保証人は債務者に代わって債権者に対し債務の第三者弁済をすることが認められるが（民474条），この場合も同様に弁済した金額につき求償権を取得する。以上の関係は，保証人の債務者に対する求償の関係と類似しているので，物上保証人は，「保証債務に関する規定に従い，債務者に対して求償権を有する」とされている（民372条，351条）。

(b) **求償権の行使** 以下，保証の議論に立ち入ってしまうが，求償権の内容は，債務者の委託を受けて物上保証をしたか，委託を受けないでしたかにより扱いが異なる（なお，大部分は委託を受けた関係にある）。まず，債務者の委託を受けて物上保証をした者は，民法459条により，実際の債務の弁済額に加えて，「弁済その他免責があった日以後の法定利息及び避けることができなかった費用その他の損害の賠償」（民459条2項，442条2項）の求償をなすことができる。他方，債務者の委託を受けないで物上保証をした者は，債務の消滅行為をした当時債務者が利益を受けた限度において求償でき（民462条1項，459条の2第1項），物上保証が債務者の意思に反している場合は，債務者が現に利益を受けている限度においてのみ求償できる（民462条2項）。

また，保証人が債務者に通知をしないで弁済をした場合には求償権行使につき一定の制限が課せられるが（民463条），その規定も物上保証に準用される。

(c) **事前求償権は行使できるか** 事後の求償権行使に関する以上の規定のほか，いわゆる保証人の事前求償権に関する規定（民460条）が準用される

かが議論されている。準用が認められるとすると，同条の要件に該当すれば，物上保証人はあらかじめ債務者に対して求償権を行使し，それによって受領した金銭で債権者（抵当権者）に第三者弁済をすることができる。学説の一部には準用を認めるべきであるとの考えもあるが，判例（最判平成 2・12・18 民集 44 巻 9 号 1686 頁）は，民法 351 条（民 372 条が準用）の文言が，債務者を現実に免責させた場合に求償権を有するとされていること等を理由に，物上保証人に事前求償権を認めるとの結論は導けないという。したがって，準用される保証の規定は求償権の範囲に関する規定に限られることになる。

■最判平成 2 年 12 月 18 日民集 44 巻 9 号 1686 頁

判旨 「けだし，抵当権については，民法 372 条の規定によって同法 351 条の規定が準用されるので，物上保証人が右債務を弁済し，又は抵当権の実行により右債務が消滅した場合には，物上保証人は債務者に対して求償権を取得し，その求償の範囲については保証債務に関する規定が準用されることになるが，右規定が債務者に対してあらかじめ求償権を行使することを許容する根拠となるものではなく，他にこれを許容する根拠となる規定もないからである」。さらに敷衍して，保証人は債務者から保証債務の弁済の委任を受けており，その委任事務処理費用の前払いとして事前求償ができるのであるが，物上保証の場合は，抵当権を設定することを委任しているのみで，「債務負担行為の委任ではないから」，求償権の範囲はもちろんその存在すらあらかじめ確定できず，また，第三者弁済をしたとしてもそれは委任された事務の処理には該当しないので，委任事務処理費用の前払い，つまり事前求償は問題となり得ないという。

(d) **求償権と弁済による代位** 以上のように，物上保証人には債務者に対する求償権が認められている。しかし，求償権は一般債権にすぎず，また，そもそも求償が問題になる状況では債務者には弁済資力がないことが通常であり，求償権が認められるだけではあまり意味がない。そこで，民法は，この債務者に対する求償権を確保できるよう，弁済による代位という制度を用意している（民 499 条以下）。すなわち，債権者は弁済により満足を受けたわけであり，その債権者がそれまで有していた原債権および物的担保，保証など一切の権利を，物上保証人，保証人などの求償権を有する第三者に行使することを認めたのである（民 501 条）。具体的には，たとえば，同一債務につき，物上保証人のほかに債務者自身が自己所有の不動産に（共同）抵当権を設定している場合には，物上保証人はその抵当権を実行して求償権の満足を得る（通常一部代位〔民

502条〕の問題となる）。あるいは，同一債務につき，ほかに保証人や物上保証人がいる場合には，求償権を有する物上保証人はそれらの者に対し，民法501条3項3号，4号の規定に従って，抵当権の実行あるいは支払の請求をすることで，最終的負担の一部を分担してもらうことができる。

2 目的物

(1) 序

抵当権の目的物とすることができるものは何か。「不動産」（民369条1項），および，「地上権及び永小作権」（同条2項）である。不動産とは，土地および建物[5]であり[6]，それぞれが独立の不動産として，抵当権の目的物となる。

実務では，土地とその地上建物が同一所有者に属する場合には，法律関係が複雑とならないように，同一の債務につき，通常双方に抵当権を設定するが，法的にはもちろん別々に抵当権が設定され，いわゆる共同抵当の関係となる（⇨396頁・Ⅷ）。なお，建物がマンション住戸など区分所有法にいうところの専有部分である場合は，建物の共用部分（階段，外壁部分など）に対する共有持分，および土地所有権などの敷地に対する権利の（準）共有持分をセットにして抵当権を設定しなくてはならない（建物区分15条，22条）。

(2) 地上権等

「地上権及び永小作権」は物権（物ではなく権利）である。権利が抵当権の目的とされている。物権は物を対象とする権利であることからすると権利を対象とすることは例外となる。しかし，質権や一般の先取特権においても，それらは財産権を目的として成立することができるとされており（民362条1項，306条），担保物権においては権利を対象とすることが必ずしも例外とはいえない。担保物権は目的物の財産的価値を排他的に支配し，そこから優先弁済を受けるという性質の権利であるので，目的物に財産的価値さえあればそれが物である

---

[5] 建築途上でいまだ独立の建物（不動産）と認定できないものには抵当権は設定できない。しかし，独立建物（不動産）となることを停止条件とする抵当権設定の合意は有効であり，不動産となった時点で改めて合意をする必要はないというべきであろう。

[6] 立木ニ関スル法律上の立木も不動産であり（立木法2条1項），同法により「土地ト分離シテ立木ヲ……抵当権ノ目的ト為スコト」ができる，とされる（同条2項）。

か権利であるかはさして重要ではないのである*。

> *不動産賃借権（特に借地権）はどうか。借地権たる土地賃借権は地上権と類似するから独立して抵当権が設定できるとしてもよさそうであるが，それを許す根拠規定がないのでこれに抵当権を設定することはできない。もっとも，土地の賃借権者が所有する地上建物に抵当権を設定した場合には，土地賃借権を建物の「従たる権利」とみて，主物・従物の規律を類推して，抵当権の効力が及ぶとされる（民87条2項。⇨309頁・Ⅲ3(4)）。なお，同様の状況で土地利用権が地上権である場合も同じ理屈が通用しそうであるが，この場合には，民法369条2項を尊重して，それぞれに抵当権を設定・登記し共同抵当とすると考えざるを得ない。

(3) 1個の不動産

(ア) **原則** 1個の不動産に1個の抵当権が対応する。

1個の債権の担保として数個の不動産に抵当権が設定される場合（共同抵当）であっても，抵当権は各不動産につきそれぞれ1つずつ設定されていることに変わりはない（民法392条は，このような共同抵当の関係にある複数の抵当権を相互に関連づけて，特に各不動産に対する後順位担保権者相互の利害を調整している）。

他方，1個の不動産には複数の抵当権が成立し得るが，しかし，これには順位が付けられている（民373条）。つまり，正確には，当該不動産の交換価値から先順位抵当権者が把握している交換価値を差し引いた残りの交換価値を対象に，次順位の抵当権が設定されているというべきである。

(イ) **不動産の一部** 1筆の土地の一部に抵当権を設定できるかであるが，一部について所有権譲渡が可能であるのと同様に抵当権も設定できると考えられる。しかし，対抗要件としての登記を整えるためには，まず，該当部分を1筆とする分筆の登記をし，その上で，抵当権設定登記をすることになる。

(ウ) **共有持分** 不動産に対する共有持分につき抵当権を設定することができる。たとえば，AとBとが甲土地を共有する場合に，Aは，債権者のため自分の共有持分に抵当権を設定することができる。共有持分は実質所有権の性質があり，交換価値もあるからである。ただし，共有持分の処分が許されないとされる組合財産の場合（民676条1項）には，持分に対する抵当権の設定も許されない。

3 被担保債権

(1) 序

(ア) **債権の種類** いかなる種類の債権を担保するため，抵当権が設定できるのか。金銭債権が典型例であるが，その他の債権でも可能であるとされる。その他の債権であっても債務不履行になれば最終的には金額的な請求権に姿を変えるので抵当権による担保になじむのである。この場合の登記の扱いであるが，金銭債権では債権額が登記事項とされるが，一定の金額を目的としない債権（たとえば原油100トンの引渡債務など）についてはこれに代えてその債権の価額が登記事項とされている（不登83条1項1号）。

(イ) **債権の一部または複数の債権を被担保債権にすることができるか**

(a) **債権の一部** まず，ある金銭債権の全額でなくその一部金額について抵当権を設定することは可能である（一部抵当）。

(b) **複数の債権** 同一の債権者に属する複数の債権（債務者が異なってもよい。一部の債務者について物上保証となる）につき1個の抵当権を設定することもできる。担保の目的物の価額が複数の被担保債権の総額を下回る場合には，債権額に按分して優先弁済を受けることになる。

債権者が異なる複数の債権につき1個の抵当権を設定できるか。このような関係は，一部弁済による代位により結果として生じ得る（抵当権を債権者と代位者とで準共有する）。そこで，異なる債権者2名と設定者との間で1つの抵当権を設定する（準共有とする）合意ができないわけではないと思われる（もっとも，それぞれ抵当権を設定し同順位とすることもできる〔不登19条3項参照〕）。なお，信託法（平成18年法108号）では，同一の債務者に対し複数の金融機関が貸出をしている場合に，それら複数の債権につき，債務者が自己所有不動産につき信託の仕組みを使って，信託受託者を抵当権者とする1つの抵当権を設定することが認められた（信託3条1号・2号。セキュリティ・トラストと呼ばれ，信託受託者が複数の債権者のために抵当権を保有・管理・実行する）。

(2) 付従性との関係で問題となる諸場合

(ア) **被担保債権が無効** たとえば，金銭消費貸借があり抵当権が設定されたところ，消費貸借契約が無効であった場合，抵当権も付従性により無効となる。この場合，「借主」に対してすでに給付された金銭については，「貸主」は

不当利得返還請求権を行使できる（民703条以下）。その不当利得返還請求権も無効となった元の抵当権で担保される関係にあるか。否定されるべきである[7]。

　(イ)　**将来の特定債権**　　(a)　序　　将来発生する特定の債権，あるいは，条件付きの債権につき，現在の時点で抵当権を設定・登記できるか[8]。

　この論点は，まず，金銭消費貸借が金銭の交付を効力要件とする要物契約（民587条）であることとの関係で取り上げられてきた。融資実務でなされる，まず金銭消費貸借の約束，次いで抵当権設定の合意とその登記，その後に金銭を交付する，というやり方だと，債務未発生段階で抵当権を設定したこととなり，付従性に反して問題がある，と。その説明のため，将来発生する債権のための抵当権設定は有効かが論じられたのである。判例は，これを有効と認め付従性との折り合いをつけてきた。

　債権法改正（平成29年法44号）で新設された民法587条の2は，例外として，書面でする消費貸借につき，諾成的消費貸借契約を認め，「当事者の一方が金銭その他の物を引き渡すことを約し，相手方がその受け取った物と種類，品質及び数量の同じ物をもって返還をすることを約することによって，その効力を生ずる」，とした。この契約の成立後に設定された抵当権については，したがって，（金銭が未交付で借主に対する貸主の返還請求権は具体化していないが，）上で述べた附従性の問題は生じない，と思われる。

　(b)　**求償権担保の有効性**　　正面から問題となる典型例は，保証人が，保証契約締結の時点で，後に保証債務を弁済しその結果主たる債務者に対し取得することあるべき将来の求償権につき，抵当権の設定を受け（登記を得）ておくこと（求償権担保）が許されるかどうかである。判例[9]・通説は，将来そのよ

---

7)　もっとも，消費貸借契約の無効原因が借主側にあり，借主がその無効を盾に取って抵当権の無効を主張するなどの場合には，信義則が適用されて，無効主張が封じられることはありうる（最判昭和44・7・4民集23巻8号1347頁【百選Ⅰ84】参照）。なお，貸金と不当利得返還請求権との間に経済的実質的同一性があることを根拠に，直截に，この不当利得返還義務を担保するものとして抵当権は有効に存続するとの考えもある（高木多喜男『担保物権法〔第4版〕』〔有斐閣，2005〕112頁など）。しかし，無効原因の所在が債権者側にある場合などでは抵当権を有効とみるのは問題があり，判例のように個別の事案ごとの判断による方が妥当と考える（道垣内弘人『担保物権法〔第4版〕』〔有斐閣，2017〕130頁）。

8)　将来増減変動する不特定の債権の担保については，根抵当の制度がカバーしている（民398条の2以下）。

うな債権が発生するとの法律関係が現在すでに存在するのであれば，これを認めてもよいという（なお，不登88条1項3号は，条件付債権につき抵当権設定が認められることを前提とした規定である）。

4　対抗要件
(1)　意　義
(ア)　**基本的関係**　(a)　**登記**　不動産の登記簿に，ある不動産につき抵当権を取得した旨の登記をすることが第三者に対する対抗要件である（民177条）。

(b)　**未登記抵当権の扱い**　登記は対抗要件であるから，未登記であっても抵当権は有効に成立している。したがって，債務が履行されなければ，抵当権者は抵当権を実行することができる*。しかし，第三者（当該不動産の譲受人，他の抵当権者，配当加入申立債権者，または賃借人等）がいると，抵当権を対抗できない，すなわち第三者との関係では優先弁済権を主張できないという関係となる。したがって，未登記であって第三者に対抗できない抵当権はほとんど意味がない。

> ＊ただし，抵当権を実行する場合，執行裁判所に根拠となる文書を提出しなくてはならない（民執181条1項）。抵当権の登記があれば，その登記事項証明書を提出することで足りるが（同項3号），未登記の場合は，抵当権の存在を証する確定判決等の謄本または公正証書の謄本を提出しなくてはならない（同項1号・2号）。

(c)　**抵当不動産の譲受人，利用権者との対抗関係**　たとえば，ある不動産に対する抵当権設定と当該不動産の譲渡とが相前後してなされた場合，抵当権者と譲受人は相互に登記なくしてその物権変動を主張できず，所有権移転登記が先であれば抵当権者は譲受人に対抗できなくなり（抵当権は設定されなかったと扱われる），他方，抵当権設定登記が先になされれば譲受人は抵当権者に対抗できず抵当権の負担付きの所有権を取得するにとどまる（第三取得者となる）。このことは，抵当権と用益物権または賃借権との間でも同じである。用益物権

---

9) 最判昭和33年5月9日（民集12巻7号989頁）は「当事者間の合意によって，特定の数個の債権を一定金額の限度で担保する1個の抵当権を設定することも，また将来発生の可能性のある条件付債権を担保するため抵当権を設定することも，有効と解すべき」である，という。

等の対抗要件具備（民177条，605条，借地借家10条，31条）が先であれば，抵当権は利用権の負担付きの所有権を対象としたものとなり（競売における買受人も利用権の負担付きで取得する），抵当権の登記が先であれば，利用権は抵当権実行までは存続するが（抵当権者は占有・利用には干渉できない），買受人に所有権が移転する時点で対抗できず消滅する（なお，借家人には買受人の買受けの時から6か月を経過するまでは，その建物の引渡しの猶予が認められている〔民395条〕）。

(d) 抵当権者相互の対抗関係（抵当権の順位）　以上の関係は同一不動産に数個の抵当権が設定されたときにも妥当し，その抵当権相互の優先劣後は登記の先後によるとされる（民373条）。優先する順に，抵当権には，第1順位，第2順位と順位番号がふられ，抵当権が実行された場合，売却代金はまず第1順位の抵当権者に配当され，残額があれば，第2順位の抵当権者にというかたちで，順位番号順に配当がなされる。

なお，先順位の抵当権が弁済等何らかの原因で消滅すると，後順位の抵当権はその順位が繰り上がる。これを順位昇進の原則と呼ぶ[10]。

(イ) 登記事項　登記簿には，抵当権の登記として，その権利内容に関わる次のような事項が登記される。すなわち，抵当権者，抵当権設定の日付，申請受付の日付・受付番号などの一般的事項（不登59条）のほか，被担保債権の額，債務者の氏名（不登83条1項），および，利息に関する定めや損害賠償額の定め（不登88条）等である（⇨42頁【図表4-1】登記事項証明書（土地））。

これにより抵当権という負担の内容が公示されるので，当該不動産の所有権を譲り受けようとする者はその不動産の評価をある程度正確にすることができ，また当該不動産に後順位抵当権を取得しようとする者はその残りの交換価値（の最小額）がいくらかを推計でき（土地の推定評価額から，登記の記載から分かる

---

[10] ドイツ法では，いったん成立した抵当権の順位は固定のものとし，ある被担保債権が弁済され消滅しても，その抵当権はその順位のまま，被担保債権のない抵当権として設定者（所有者）に留保され，所有者はその（有利な）順位の抵当権を新たに担保に提供することで，別口の自己にとって有利な条件での融資（信用）を獲得することができる仕組み（順位確定の原則）が採用されている（前提として所有者が自らの土地に抵当権を持つことができる制度〔所有者抵当〕が必要）。日本法のような順位昇進の原則によると後順位抵当権者は棚ぼたの利益を手にすることができるので，抵当権の制度設計としては妥当なものでないとし，順位確定の原則を採用する抵当権制度の方がより合理的なものであると評価をする学説がある。

先順位の抵当権の被担保債権の最大額〔民375条参照〕を差し引くことで推測可能)，取引の安全が図られる。

(2) 無効登記の流用

話がやや細かくなるが，抵当権登記の対抗力が認められるかどうかが問題とされる特別な場合につき，検討しておく。

(ア) **問題の所在**　たとえば，GのSに対するP債権を担保するためS所有不動産にP抵当権が設定されその旨の登記がなされ，その後，P債権が弁済等により消滅した場合，P抵当権も付従性により消滅し，その登記は実体関係がなく無効な登記となり，抹消されることになる。

ところが，そのP抵当権の登記だけが抹消されないまま残り（意図的に残し），後に，GのSに対するQ債権を担保するため設定されたQ抵当権の登記として，そのP抵当権の登記を合意で流用することがある。その場合に，そのP抵当権登記は，Q債権を被担保債権とするQ抵当権の登記として有効であろうか（対抗力を有するかという問題であるが，利害関係人からの当該P抵当権登記の抹消請求が許されるかというかたちで問題となることもある）。当該登記の流用前から存在する第三者D（P抵当権の消滅により順位が上昇した後順位担保権者，無効後流用までの譲受人または担保権取得者など)，および流用後の第三者E（当該不動産の譲受人，担保権取得者など）に対する対抗力の有無が問題となる。

(イ) **判例**　判例は，第三者に対する関係では抵当権登記の対抗力を主張できないとする。実体が異なる以上P抵当権のための登記をQ抵当権のための登記として流用することは許さないという趣旨である。ただし，登記流用後の不動産譲受人であって，抵当権の存在を考慮した値段で買い取った者に対する関係では，例外的に抵当権登記の流用を主張できるとした判例があり（大判昭和11・1・14民集15巻89頁)，また，対抗関係には立たない，登記を流用した抵当権設定者S自身の抹消請求は認めないとしている＊。これらの者は不測の損害を被らない関係にあることがその理由であろう。

＊ なお，ほかに参考となる判例として，抵当権と類似の権利関係であるが，債権者G_1が，担保の目的で甲不動産に対し有している所有権移転請求権保全仮登記上の地位（弁済がなければ甲不動産の所有権を取得できる地位）を，債務者Sから債務の弁済を受けた後（これにより当該仮登記は無効となる)，当該（無効な）仮登記に対する付記登記により

> 他の債権者 G_2 に譲渡し，G_2 が同じく S に対して有していた債権の担保として流用した事例で，その後当該不動産に利害関係を有するに至った第三者は，付記登記の無効を主張するにつき正当な利益を有しないとしたものがある（最判昭和49・12・24民集28巻10号2117頁）。抵当権登記と異なり，仮登記では被担保債権は登記事項ではないので，付記により移転した仮登記は現在の実体的権利関係（G_2 の債権のための担保）と合致している。したがって，流用後の第三者に対する関係では付記登記による移転を無効とする必要はない。

(ウ) **学説**　学説は，流用前の第三者 D がその間に獲得した地位・権利を害することはできない，という。しかし，流用後の第三者 E に対しては，流用登記が現在の権利関係に合致しており，また，第三者は登記を前提として利害関係に入ったのでその利益が害されることはないとして，有効としてもよいとするものが多い。これによると，具体的には，Q 債権の不払いを理由にQ 抵当権を実行し，その際，P 抵当権登記の日付・順位の登記の対抗力をその内容の範囲で，流用後の第三者（登記をした者であっても）に対しては援用できる，ということである。

抵当権実行にあたって，登記と実体（被担保債権・抵当権）とが食い違い，同一ではないことは明白となるが，それでも登記を流用後の第三者との関係で一律に有効とみてよいとするのは，疑問がある[11]。判例のように個別的事情を斟酌して判断すべきではないか。

III 抵当権の効力

1 序説

たとえば，G の S に対する貸金債権につき，S 所有の甲不動産に抵当権が設定されている場合に，S が債務不履行となれば，G は甲不動産に対する抵当権を実行し，甲不動産を競売等しその売却代金等から被担保債権の優先弁済を受ける。

ところで，抵当権の効力はどこまで及んでいるのかについて，次の2つの面

---

11) 道垣内・前掲本章注7) 138頁。

から検討が必要である。第1は、抵当権の目的物である不動産の範囲についてである。目的物は甲不動産であるといっても、本体たる甲不動産のほか、その付合物（土地の定着物など）、従物、そこから生じている果実などに対して、その実行前においてどこまで抵当権の効力が及んでいるのか（抵当権に基づく物権的請求権の問題など）、実行時においてどこまで抵当権の目的物として競売できるのかを明らかにしておく必要がある。第2は、抵当権で担保されている債権について、他の債権者、後順位抵当権者に優先して弁済してもらえる金銭的な範囲はいったいどこまでか、という問題である。元本の残存額については当然優先するであろうが、不払いである利息、長期間の遅延損害金などについては、どの範囲まで他の債権者に対し優先を主張できるのかである。以下、これらの問題について順次検討する。

2 抵当権の効力の及ぶ目的物の範囲

抵当権が設定できる対象は「不動産」である（民369条）。そこで、抵当権が成立している目的物の範囲は、原則として、当該土地、建物についての所有権が及ぶ範囲と一致している。

しかし、抵当権の効力が及ぶ目的物の範囲については、民法370条、371条、372条（304条）により、さらには民法87条2項の適用の結果、不動産本体以外のものが含まれることになる。つまり、抵当権の実行が許される目的物の範囲がこれにより拡張されている。

すなわち、「付加して一体となっている物」（民370条。以下、「付加一体物」と呼ぶ）、債務不履行後の「抵当不動産の果実」（民371条）、「目的物の売却、賃貸、滅失又は損傷によって債務者が受けるべき金銭その他の物」（民372条、304条1項。以下、「代位物」と呼ぶ）である。加えて、条文では明確ではないが、それまで抵当権の効力が及んでいた付合物、従物、および果実であったが、抵当権実行前に不動産から分離されたもの、搬出されたものにも、一定の範囲で抵当権の効力が及んでいる。

以下、付加一体物、果実、分離物、代位物の順で項目を改めて検討する。

3　抵当権の効力の及ぶ目的物の範囲──付加一体物

(1)　序

(ア)　民法370条　抵当権は，抵当地の上に存する建物を除き，その目的である不動産（以下，「抵当不動産」と呼ぶ）に「付加して一体となっている物」に及ぶ（民370条本文），とされる。まず，「建物」を除くとするのは，建物が土地と独立の別不動産であることから当然である。したがって，土地に抵当権が設定された場合，抵当権の効力が及ぶのは，その土地およびその土地の付加一体物である。また，建物の場合には，その建物とその建物の付加一体物ということになる。

抵当不動産本体に加え付加一体物に対しても抵当権の効力が及ぶというのは，それらが一体となって抵当不動産の担保価値を構成していると考えられるからである。したがって，抵当権設定時点での不動産の付加一体物に抵当権の効力が及ぶのみならず，実行されるまでの時間的経過の中で不動産の付加一体物となったものにも抵当権の効力を及ぼそうとするのが本条の趣旨といえる。

(イ)　付加一体物と付合物，従物　付加一体物という概念・用語は，民法370条固有のものであり，これまでみてきた民法上の「物」に関係する概念と対比してどうか。類似，近似する概念・用語としては，民法242条の「不動産に従として付合した物」（「付合物」という）と，民法87条の「従物」とがある。

不動産への付合があれば，付合した物の所有権は原則として当該抵当不動産の所有権に吸収されるので（民242条），付合物は当然付加一体物といえるが，これに対して，不動産の従物は，同一所有者に属するとはいえ，あくまで抵当不動産とは別の動産または不動産であるので，付加一体物の概念に含まれるかどうかが解釈上問題とされる（あらかじめ述べておくと，判例は従物を付加一体物に含めない立場である）。

以下では，まず，付加一体物概念と付合物，従物の概念との関係について，検討する（⇨(2), (3), (4)）。次いで，抵当不動産の付合物，従物に抵当権の効力が及ぶことと関連して問題となる点，第1に効力が及んでいることにつき特別な第三者対抗要件が必要かという問題（⇨(5)），第2に民法370条但書に規定された抵当権の効力が及ぶことを排除する別段の定め等の例外について検討する（⇨(6)）。最後に，関連する規律として，工場抵当法の工場供用物件につい

てふれる（⇨(7)）。

(2) 付合物

(ア) 付加一体物に該当する　不動産の付合物に当たるものは，建物および立木ニ関スル法律の適用される立木を除く土地の定着物（立木，庭石など），建物増改築部分などである。これらは不動産の構成部分であり，当然，付加一体物として，抵当権の効力が及ぶことになる。なお，判例は，建物に抵当権が設定された後その建物に備え付けられた入口用と外側雨戸用のガラス戸（9枚）につき，それを譲り受けたXと抵当権実行としての競売によりその建物（上記ガラス戸を含む）を買い受けたYとがそのガラス戸の所有権を争った事案において，建物の内外を遮断するようなガラス戸は建物に取り付けられると建物の一部を構成するので，独立動産ではなく付合物（付加一体物）であり抵当権の効力が及んでいるとする（大判昭和5・12・18民集9巻1147頁）。取り外しが容易であることに着目するとこのガラス戸は従物ともみうるが（原審判断）＊，最高裁は建物の内外を遮断する（それがなければ建物が吹きさらしとなる）という意味で壁と同様に扱い建物の一部とみたのであろう。

＊従物とみると，判例によれば（⇨後述(3)(イ)），付加一体物には当たらないので，抵当権設定後に備え付けられた本件ガラス戸には抵当権の効力が及ばないことになる（設定前から備え付けられていたのであれば民法87条2項により抵当権の効力は及ぶ）。

この関係で問題となりそうなものは，鉄塔など，建物とはいえないが，独立性のある定着物である。当事者間で除外する別段の合意がなければ（民370条但書），土地の定着物（付合物）として，抵当権の効力が及ぶと解さざるを得ない。

(イ) 付合物の場合における特有の例外　付合のルールによると，権原によってその物を附属させた他人（土地の賃借人など）は，その物（たとえば植林している立木など）の所有権を留保することができる（民242条但書）。この場合，留保物は抵当権設定者の所有に属さないから，したがって，この留保物には抵当権の効力は及ばない。ただし，そのためには，その権原が抵当権に優先する旨の対抗要件（登記）の具備が必要である（権原に対抗要件が具備されていないときは，当該立木が権原者に属する旨の明認方法の具備が求められる。⇨175頁・第8章Ⅴ3(2)(ウ)(b)(ⅲ)参照）。

(3) 「従物」を含むか

(ア) 問題の所在　従物とは，主物である不動産の常用に供するため附属させた自己の所有に属する動産・不動産である（民87条1項）。たとえば，庭の石灯籠，建物の畳・建具，設置されたエアコン・台所設備，家屋の離れ家などをいう。従物が，民法370条の付加一体物に含まれるとして主物に設定された抵当権の効力が及ぶかが問題とされている。肯定，否定の見解が対立する。肯定説では，民法370条により，抵当権設定の前後を問わず従物にも抵当権の効力が及ぶとされる。他方，従物が付加一体物には含まれないとする見解にあっても，少なくとも抵当権設定（処分）時の従物については，民法87条2項を根拠に，抵当権の効力が及ぶことを認めている。

(イ) 判例　(a) 序　判例は，従物は付加一体物の概念に含まれないという。その上で，抵当権設定時に存する従物については，民法87条2項により，主物たる抵当不動産の処分（＝抵当権の設定）に従って，抵当権の効力が及ぶという。他方，設定後の従物については効力が及ぶことを否定している。具体的に利害が対立するのは抵当権設定者と抵当権者との間および抵当権設定者と競売における買受人との間であり，設定後の従物が抵当権の効力に服さないとすれば，その物の所有権は抵当権設定者に残り，他方，抵当権の効力に服するとすれば，競売の対象になり，買受人に所有権が移転することになる。

(b) 抵当権設定前の従物　まず，大連判大正8年3月15日（民録25輯473頁）は，建物に設定された抵当権の効力は反対の意思のない限り「抵当権設定当時建物ノ常用ノ為メ之ニ附属セシメタル債務者所有ノ動産」，すなわち，建物の従物にも及び，「是等ノ物ハ建物ト共ニ抵当権ノ目的ノ範囲ニ属スルモノト解スヘキハ民法第87条第2項ノ規定ニ照シ疑ヲ容レサル所トス」という。また，最判昭和44年3月28日（民集23巻3号699頁【百選Ⅰ85】）も，この判例を引用して，抵当権設定当時抵当不動産の常用のために附属していた石燈籠・庭石について抵当権の効力が及ぶとする。また，最判平成2年4月19日（判時1354号80頁）は，ガソリンスタンド用店舗建物に抵当権が設定された事案で，「抵当権設定当時……本件建物の従物」である「地下タンク，ノンスペース型計量機，洗車機などの本件諸設備」に抵当権の効力が及ぶとしている（最高裁の2つの判決は民法87条2項を挙げてはいないが，判例変更がされたわけでは

ない)。

■最判昭和44年3月28日民集23巻3号699頁

事実の概要 抵当不動産上の従物等に対し強制執行（動産執行）をしてきた一般債権者Yに対し，抵当権者Xがこれら従物は抵当権の目的であるとして強制執行の排除を求めたものである（第三者異議の訴え）。判旨は，従物が抵当権設定当時のものであるとしてXの請求を認容した。

判旨 「本件石灯籠および取り外しのできる庭石等は本件根抵当権の目的たる宅地の従物であり，本件植木および取り外しの困難な庭石等は右宅地の構成部分であるが，右従物は本件根抵当権設定当時右宅地の常用のためこれに付属せしめられていたものである」「本件宅地の根抵当権の効力は，右構成部分に及ぶことはもちろん，右従物にも及び……この場合右根抵当権は本件宅地に対する根抵当権設定登記をもって，その構成部分たる右物件についてはもちろん，抵当権の効力から除外する等特段の事情のないかぎり，民法370条により従物たる右物件についても対抗力を有するものと解するのが相当である。」

(c) **抵当権設定後の従物** 前掲大判昭和5年12月18日は，設定後の畳・建具等に抵当権の効力が及ぶかが問題となった事案である（⇨305頁）。判旨は，畳・建具類は一般に動産としての性質を失わないのが通例であり付加一体物には当たらず，したがって，抵当権の効力は及ばないとした（ただし，建物の内外を遮断するガラス戸は，独立動産の性質を喪失し建物の一部を構成し，付加一体物に当たり抵当権の効力が及ぶと判断している）。

内外を遮断するガラス戸は，物理的に取り外しは容易ではあるが，従物ではなく付加一体物に当たるとみることができるので民法370条により抵当権の効力が及ぶと述べているにすぎず，判例を変更して，従物が付加一体物に当たるとしているわけではない。

(ウ) **学説** 学説には，従物が付加一体物に含まれることを肯定するものと，否定するものがあり，肯定説によれば，設定後の従物にも民法370条を根拠に抵当権の効力が及ぶことになる。しかしながら，否定説にあっても，民法87条2項を根拠に，設定後の従物に抵当権の効力が及ぶことを認めるものが有力である。それは，条文文言の「主物の処分に従う」という場合の「処分」を抵当権の設定行為に限定しないで，抵当権の実行までの一連の行為を「処分」と認めることで，その適用を根拠づけるのである。したがって，設定後の

従物についても抵当権の効力が及ぶとの結論において両説に差がないことになる。両説の違いは，単に，抵当権の効力が及ぶ根拠を，民法370条とするか（肯定説），民法87条2項とするか（否定説）の理論的説明にとどまることになる。

　学説が設定前後を問わず抵当不動産の従物に対して抵当権の効力を及ぼすべきであると判断する実質的根拠は何であろうか。それは，抵当権を設定する当事者の通常の意思を根拠としているものと思われる。すなわち，当事者は，通常，抵当不動産の担保価値を，設定当時に存在する付合物，従物を含めて一体的なものとして評価して抵当権を設定しており，また，抵当権設定後にその付合物，従物について，通常予測できる範囲の変化（たとえば，畳，建具を新しく入れ替える，あるいは設備を更新するなど）があったとしても，担保価値を一体的に評価していること自体には変わりはなく，それらに対しても抵当権の効力は及ぶものと予期しているといってよいからである（また，ある従物に効力を及ぼさせたくなければその旨の意思を表示することができ，その意思は尊重されている〔民87条2項，370条但書〕）。また，抵当権の効力が不動産の従物に及ぶとしても，従物につき取引関係に立とうとする第三者を害するおそれはない。一方で不動産に対し抵当権が設定されている事実（従物に対して抵当権が及んでいること）は登記により公示されており（当事者の合意で除外する場合もその旨の登記が対抗要件とされる〔後述〕），他方で分離処分されることがあった場合には即時取得制度（民192条）等による取得者保護が適用されるからである。

　私は，本条の沿革からして付加一体物を付合物に限定する必要はないと考えており，また，民法87条2項の「処分」という文言を拡大解釈し設定後の従物にも効力が及ぶとする上記の否定説の解釈には違和感を覚えるので，従物も付加一体物に含まれると解釈すべきであると考える*。

　　＊沿革を重視して，民法370条を従物，付合物概念の区分を知らないフランス法の系譜に位置づければ，付加一体物は両者を含む概念としてよい。他方で，ドイツ法を参考に両概念の区別を継受したわが民法の体系を重視すると，従物についての法的扱いは民法87条が規定するところであり，付加一体物は付合物を意味するものと解釈することになる。もっとも，ドイツ民法では，設定後の従物にも抵当権の効力が及ぶ旨の明文の規定が置かれていることを指摘しておく（ドイツ民法1120条）。

(4) 「従たる権利」

　従物に類する問題として，土地賃借人の所有する地上建物に抵当権が設定されたときに，敷地に対する賃借権に対しその抵当権の効力が及ぶかという問題がある。敷地の利用権が地上権であれば，建物に対する抵当権と併せてそれに抵当権を設定できる（共同抵当となる）。しかし，土地の賃借権には抵当権が設定できない。そこで，抵当権の効力が及ばないとすると，競売による建物の買受人は敷地利用権をもたず，買い受けた意味が全くないことになる。

　敷地の賃借権は建物存立につき不可欠の権利であり，建物所有権が譲渡される場合には当然，いわば「従たる権利」として，同時に譲渡された扱いとなる。根拠は民法87条2項類推適用である。抵当権設定の場合も同様であって，建物への抵当権取得により，その抵当権の効力が敷地の賃借権にも及び，抵当権の実行による競売により抵当建物を買い受けた者に敷地の賃借権も移転するといってよい（ただし，賃借権の譲渡につき賃貸人の承諾を得る必要がある〔民612条。承諾に代わる許可の制度について借地借家20条参照〕）。判例もこれを認め，その理由を，敷地の賃借権は建物所有権に付随し，これと一体となって一の財産的価値を形成しているものであるから，と述べている（最判昭和40・5・4民集19巻4号811頁【百選Ⅰ86】。事案は，借地権者X所有の建物に設定された抵当権が実行され，Yが買い受けたところ，Xは自分がなお賃借人だと主張し，土地所有者Aに代位して，Yに対し建物収去土地明渡しを求めたものである）。

　なお，（たとえば使用借権を有する土地の上に）建物を所有する者が，同建物に抵当権を設定した後に，同建物のために敷地につき賃借権を取得した場合も，敷地である土地の賃借権に対して抵当権の効力が及ぶと考えるべきであろう（ただし，土地賃借権を対抗することができない土地の権利者がいる場合には，その者に対しては建物に対する抵当権の効力が及ぶことを主張できない）。

(5) 対抗要件

　抵当不動産の付加一体物（さらに判例では設定前の従物）に抵当権の効力が及んでいることを何らかのかたちで公示することが必要か，という問題がある。しかし制度上そのような登記手続は用意されていない。そこで，これらの物に対して効力が及んでいることは，抵当不動産に対する抵当権設定登記で公示していると考えることになる（なお，⇨次項(6)参照）[12]。従たる権利についても同

様である。

(6) 付加一体物に効力が及ばない例外

民法370条但書は，次の2つの場合につき，付加一体物に効力が及ばないとした。

第1に，「設定行為に別段の定め」がある場合は，付加一体物ではあるが抵当権の効力が及ばない。高価な物が付加一体物とされる場合などにおける除外の意思を尊重するものである（通常予期される範囲を超える価値の付加一体物の場合には，このような合意が黙示でなされていると解釈すべき場合があろう）。ただし，特に注意を要するのは，この定めは登記をしないと第三者に対抗できないこととされているという点である（不登88条1項4号）[13]。例外的な除外であるから登記が必要とされる。

第2に，民法424条3項の規定により債務者の付加一体物とする行為について債権者が詐害行為取消請求をすることができる場合も，抵当権の効力は及ばない。

(7) 工場供用物件（工抵2条，3条）

民法から離れるが，民法370条類似の規律としてこの問題を紹介する。

工場抵当法2条は，工場の所有者が工場に属する土地（または建物〔以下同じ〕）に設定した抵当権は，別段の定めがない限り，その土地（建物）の付加一体物，およびその土地（建物）に備え付けた機械，器具その他の工場供用物件に及ぶとする。そして，同法3条で，抵当権の目的たる工場供用物件については抵当権の登記の登記事項とされ（同条1項），この登記事項を明らかにするため当事者の提供する情報に基づきこれを記録した目録が作成される（同条2項）。

工場供用物件は，民法の観点からすると多くは工場の土地・建物にとってそ

---

[12] なお，判例は，従物に抵当権の効力が及んでいることを民法87条2項で根拠づけているが，従物に効力が及んでいることを第三者に対抗するにつき，抵当不動産に対する抵当権設定登記で足りる旨述べている（前掲最判昭和44・3・28〔⇨307頁〕）。

[13] なお，抵当権の効力が設定前の従物に及ぶことを民法370条によってではなく民法87条2項によって根拠づける構成（判例）であっても，ある従物に抵当権の効力を及ぼさない旨の合意は民法87条の解釈上当然可能であり，また，そのことは登記によって公示する必要があるがその扱いは民法370条但書の場合と同様となろう（前掲最判昭和44・3・28はこの趣旨も述べるか）。

の従物に該当すると考えられるが，特別法により民法370条，87条2項と異なる規律が用意されており，特に，工場供用物件自体が登記事項とされている点に大きな特徴がある。すなわち，ある工場抵当権の効力が，土地（建物）に備え付けられた工場供用物件に及んでいることについては，登記（目録記載）をしておかないと，第三者に対抗することができない。民法の抵当権では，抵当権設定登記があれば，一般的に当該不動産の従物に対し抵当権の効力が及んでいることを第三者に対抗できるが，工場抵当ではこれと異なる扱いとなっている。

最判平成6年7月14日（民集48巻5号1126頁）は，工場抵当法3条の目録を提出していない第1順位の抵当権者Xと，この目録を提出している後順位抵当権者Yと，いずれが当該工場供用物件の売却代金の配当につき優先するかが問題となった事案につき，「3条目録の記載は第三者に対する対抗要件である」とし，目録を提出しているYを優先させるとの判断を示している。

4 抵当権の効力の及ぶ目的物の範囲——果実

(1) 民法371条

抵当不動産から法定果実（地代，賃料など）や天然果実（米，麦，果物など）が生じた場合，抵当権はこのような果実に対して，効力を及ぼしていくのであろうか。民法371条は，「抵当権は，その担保する債権について不履行があったときは，その後に生じた抵当不動産の果実に及ぶ」とする。債務不履行後に生じた法定果実，天然果実に対して抵当権の効力が及ぶとするものである。

民法371条は，平成15年に従前の規定を改正してできたものである。この条文は，抵当不動産から生ずる天然果実・賃料などの収益に対する抵当権の行使・実行方法として，同じ時の法改正において新たに設けられた「担保不動産収益執行」制度（民執180条2号）に実体法上の基礎を与えるものである。担保不動産収益執行とは，担保不動産競売（民執180条1号）と並ぶもう1つの担保権の実行方法であって，当該不動産を管理してその不動産から生ずる天然果実や賃料などの収益をもって被担保債権の優先弁済に充てるというものである。そのような担保不動産収益執行を行うための前提としては，民法（実体法）のレベルで，債務不履行があれば抵当不動産の収益に対して抵当権の効力が及ん

でいることを明確にしておく必要があったのである。

(2) 不履行後の果実に効力が及ぶ

(ア) **不履行後の果実**　債務「不履行があったときは，その後に生じた抵当不動産の果実」に対して抵当権の効力が及ぶ。抵当不動産の使用収益は抵当権設定者に委ねられているから，被担保債権の債務不履行前の使用収益から生じる果実は，抵当権設定者に帰属する。抵当権者がその効力を主張できるのは債務者が債務不履行に陥った後の果実である＊。

> ＊債務不履行があり，担保不動産収益執行が開始されたとき，たまたま債務不履行前に未払いであった賃料債権がそのまま残っていれば，その賃料債権にも効力が及び執行の対象となるか。民法の条文文言からはこれに及ぶとは読めないが[14]，担保不動産収益執行の手続規定からは，それをも執行の対象としているようにも解釈できる（民執188条，93条2項）。立法担当者はそれまでの執行実務を尊重してか，執行の対象となることを肯定している[15]。なお，天然果実は，債務不履行後に収穫すべきもののみが収益に当たるとされる（民執93条2項）。

(イ) **対象となる果実の種類**　果実は法定果実，天然果実の双方を含む。条文文言からこのことは明らかである。

(ウ) **抵当権の行使方法**　本条により債務不履行後は抵当権の効力が果実に及ぶことになるが，抵当権を行使して優先弁済を受けるためには，担保不動産収益執行という抵当権実行の方法によるか（民執180条以下，188条），または，物上代位権を行使しなくてはならない（民372条，304条）。債務不履行後そのような手続がなされないでいる間に設定者が果実を収取したからといってそれが抵当権者に対する不当利得となるものではない。

(エ) **賃料に対する物上代位と担保不動産収益執行**　抵当権を行使して抵当不動産の賃料から債権の回収を図る場合，抵当権者は，物上代位と担保不動産

---

14) 道垣内・前掲本章注7) 153頁。
15) 谷口園恵＝筒井健夫編著『改正担保・執行法の解説』（商事法務，2004）57頁。生熊長幸『担保物権法〔第2版〕』（三省堂，2018）38頁以下は，強制執行の1つの方法である強制管理の対象となる賃料債権の範囲と抵当権の実行方法の1つである担保不動産収益執行の対象となる賃料債権の範囲が異なるのは，その性質上当然であるとして，民事執行法188条が強制管理に関する同法93条2項を準用するのは不適切であるとの指摘をする。

収益執行と2つの方法を選択的に利用できる。概していえば，担保不動産収益執行は不動産を差し押さえ管理人を選任して不動産の管理等を行うことになるので（民執188条，93条以下）費用もかかり，これを利用するにはそれなりの規模の収益の上がる賃貸物件であることが必要であり，他方，物上代位は賃料債権の差押えをする（民執193条）だけで簡易，機動的に行使することができるので，賃貸の規模のあまり大きくない場合に利用されることになろう。また，担保不動産収益執行は，物上代位と異なり，天然果実に対しても有効である点で相違がある。

5　抵当権の効力の及ぶ目的物の範囲——分離物

(1) 問題の所在

抵当権の効力が及んでいた抵当不動産の付合物，従物が，抵当権実行前に不動産から分離された場合，さらには搬出されたとき，その分離物に対しなお抵当権の効力が及ぶか，どこまで及んでいくかという問題がある。具体例としては，従物である機械・設備が分離・搬出された，付加一体物である立木が伐採・搬出された場合などがある。

これについては次の2つの面からの検討が必要である。第1は，分離物，搬出物にも，なお抵当権の効力は及ぶのか，及んでいるとして抵当権をどのように実行するのか，第2は，分離行為，搬出行為が抵当権の侵害に当たる場合，抵当権に基づくその侵害の停止，排除は可能であるかである（第2の点については後述。⇨340頁・Ⅳ2(3)(イ)参照）。

(2) 通常の使用，収益の範囲

分離・搬出が，設定者本人の権限に基づく通常の使用，収益行為に伴うものである場合には，それが抵当権者に認められているので，分離とともに抵当権の効力は及ばなくなると考えられる[16]。たとえば，山林業を営む者が，通常の事業の範囲内で，抵当山林の樹木を伐採・搬出した場合などである。

---

[16] 工場抵当の場合につき，工場抵当法6条は，抵当権設定者（工場の所有者）が抵当権者の同意を得て，付加一体物を分離しまたは工場供用物件の備付けを止めた場合にはその物に対する抵当権が消滅するとしているが，参考になる。

(3) 通常の使用，収益の範囲を超える場合

(ア) 判例　分離・搬出が通常の使用，収益の範囲を超える場合につき，判例は，競売開始決定の前後を問わず，抵当不動産の上にある分離物には抵当権の効力が及び，搬出の禁止を求めることができる，という。問題は，分離物が搬出されたときに，（抵当権の効力がなおそれに及ぶかどうかという前提問題があるが，効力が及ぶとされる場合に），分離物に対する抵当権の担保的支配を保全するために何らかの物権的請求権を行使できるか，である。

工場抵当法5条によると，工場抵当権の効力は，分離・搬出物が第三取得者に引き渡された後でも，動産の即時取得（民192条）が成立するまでは，なお及ぶとされている。最判昭和57年3月12日（民集36巻3号349頁【百選Ⅰ90】）は，このことを確認した上，工場からの搬出物につき抵当権の効力がなお及んでいるとされる事案につき，抵当権の担保価値を保全するため，「抵当権者は搬出された目的動産をもとの備付場所である工場に戻すことを求めることができる」，「けだし，……抵当権の担保価値を保全するためには，目的動産の処分等を禁止するだけでは足りず，搬出された目的動産をもとの備付場所に戻して原状を回復すべき必要があるからである」，という。抵当権者は抵当不動産を占有すべき権利を有しないので，搬出物につき抵当権に基づく抵当権者への返還請求は認められない。そこで，この判決は，妨害排除の趣旨でもとの備付場所（工場）への返還を認めたものである。

(イ) 学説　(a) 分離されたにとどまるとき　通常の使用・収益の範囲を超える場合には，分離され抵当不動産上にある木材および設備（動産）にも抵当権の効力が及び，さらなる伐採・分離行為の差止めおよび搬出禁止請求（妨害予防請求）をなし得ることについては異論がない。この場合において，競売は，抵当不動産の競売の中で一体として行うことになろう[17]。

(b) 搬出や譲渡されたとき　この場合については，おおむね以下のように議論が分かれる。〔1〕およそ分離物が抵当不動産の上から搬出されると抵当権の効力は及ばなくなる。これは抵当権の効力が及ぶにつき抵当目的物である

---

[17] 工場抵当の場合，工場抵当法2条で抵当権の効力が及ぶ付加一体物，工場供用物件は，抵当不動産とともに差し押さえられる扱いである（同法7条）。

不動産と分離物とが物理的に一体的な関係にあることを重視するする考えであるが，設定者自身の搬出によっても効力が及ばなくなるという結論は，効力の及ぶ範囲をやや狭く考えているように思われる。〔2〕分離物に対し抵当権の登記の対抗力が及ぶ範囲で抵当権の効力は及ぶ。〔3〕第三者に民法192条以下による即時取得が成立するまでは抵当権の効力が及ぶ，などの見解が対立する。このうち，〔3〕の見解は一般の抵当権の場合にも，上に述べた工場抵当法5条と同じ扱いを求めている。思うに，工場抵当権の場合には，工場供用物件それ自体も抵当権の登記の登記事項とされ，目録が作成されており公示が十分にされているので，分離されても原則として（第三者が即時取得するまで）効力が及ぶとしてよいであろうが，一般の抵当権の場合には，抵当権の登記のみの弱い公示力に依拠しているので，抵当権の効力が及んでいることにつき善意・無過失の第三者が出てくるまでなお抵当権の効力が及ぶと考えるのは行き過ぎであろう。したがって，〔2〕の見解が妥当ではないかと思う。それによると，抵当権者は，抵当不動産から搬出され抵当権の登記の公示力が及ばなくなった後に譲渡を受けた第三者に対しては，分離物について抵当権の登記による対抗力を主張できない（ただし，第三者が背信的悪意の場合は別）。他方，設定者自身が分離・搬出したときは，設定者は当事者であるので，当然抵当権者は抵当権を主張（対抗）でき，返還を求めることができる。また，搬出前に譲り受けた第三者に対しても抵当権の登記による対抗力を主張できる（ただし，譲受人は抵当権の及ぶ動産であることにつき善意・無過失である場合には負担のない動産所有権を即時取得する），と解すべきであろう[18]。

なお，搬出物に対し抵当権の効力が及んでいる場合の競売の方法であるが，分離したまま不動産と一体で競売する手続は民事執行法には用意されていないので，前掲最判昭和57年3月12日が述べるように，妨害排除請求により（抵当権は非占有担保なので返還請求ではない）元の抵当不動産の所在場所に戻した上，抵当不動産と一体で競売するほかない。

---

18) 安永正昭「登記・登録による公示と動産の善意取得」神戸法学雑誌42巻1号（1992）104頁。

6 抵当権の効力の及ぶ目的物の範囲——物上代位

(1) 意 義

(ア) **民法372条（304条）** 物上代位は，先取特権，質権，抵当権において認められている。抵当権に基づく物上代位については，民法372条で，先取特権における物上代位を定めた民法304条を準用するかたちで規定されている。民法304条は，「先取特権は，その目的物の売却，賃貸，滅失又は損傷によって債務者が受けるべき金銭その他の物に対しても，行使することができる。ただし，先取特権者は，その払渡し又は引渡しの前に差押えをしなければならない」とある。そこで，これを抵当権に即して，「先取特権（者）」を抵当権（者）と，「債務者」を抵当権設定者と読み替えることになるが，さらに，抵当権と先取特権との性質の違い（たとえば，抵当不動産を第三者が取得しても抵当権が付着したままであるが〔追及力〕，動産先取特権では第三取得者に引き渡されれば消滅する〔民333条〕など）を踏まえて解釈することが求められる。

なお，「抵当権設定者が受けるべき金銭その他の物」を「払渡し……の前に差押え」をして抵当権を行使する，というのは分かり難い表現であるが，要するに，抵当権者が，「目的物の売却，賃貸，滅失又は損傷によって」発生する債権（以下，この項ではまとめて「代位物」と呼ぶことにする），つまり，売買代金債権，損害賠償債権，賃料債権などを払渡しの前に差し押さえ，第三債務者に対しその支払を求めることで，抵当権の優先弁済権を行使するという意味である。

(イ) **制度趣旨** (a) **価値代替物に対し抵当権の効力が及ぶとの説明** このような制度が置かれた理由はどこにあるのか。かつては，抵当権（先取特権，質権）は目的物の交換価値を支配する権利だから，何らかのかたちでその交換価値が現実化した場合，その価値代替物（価値顕現物）に対しても抵当権等の効力を主張できるとする制度だと説明されてきた。この説明は，目的物の滅失・損傷による損害賠償債権への物上代位，動産を目的とする先取特権の場合における売却代金債権への物上代位にはよく当てはまる。その場合は，抵当権等はその範囲で目的物を失って消えるはずであるが，その目的物の価値代替物を設定者が手にする以上，その価値をもともと把握していた抵当権者等になお抵当権等を行使させるのが妥当である，と。

(b) **賃料債権に対する物上代位について**　しかし，抵当不動産の価値代替物に対し抵当権の効力が及んでいくのが物上代位制度であると説明すると，抵当不動産の賃貸によりその設定者が取得する賃料債権について抵当権者が物上代位（民372条，304条参照）できることをうまく説明できない。不動産は抵当権が設定されたときのままで何らの変化がなく，賃料は果実（収益）であって，ただちには不動産の価値代替物とは言い難いからである。このようなことから，賃料債権に対する物上代位を否定する見解もあった＊。

＊　もっとも，平成年代より前には，賃料に対し物上代位権を行使する例はほとんどなく，むしろ，抵当不動産を競売することにより優先弁済権を行使することが普通であったので，このような議論が表面化しなかった。しかし，いわゆるバブル経済の崩壊で不動産価格の暴落があり，競売をしても被担保債権の満足が得られないという事態となってはじめて，条文に規定のある賃料債権への物上代位が注目されるようになった。

しかし，物上代位を否定することは賃料債権への物上代位が民法304条の明文で認められていることと相容れない。また，最高裁判所は，債権回収の目的でバブル経済崩壊後に多く用いられるようになった賃料債権に対する物上代位の行使が認められるかどうかが争われた事案について，この条文文言を援用して，これを認容した（最判平成元・10・27民集43巻9号1070頁【百選Ⅰ87】）。さらにその後，前述のように（⇨311頁・4）平成15年には，民法371条が改正されて，被担保債権の不履行後の抵当不動産の果実（賃料）に対し抵当権の効力が及ぶことが明記された。民法372条（304条）はこれを受けて，賃料債権に対する物上代位という方法（手続）による抵当権の行使を定めた規定と性格づけられることとなった。以上から，被担保債権の債務不履行後は抵当不動産からの賃料（収益）に対して物上代位ができるのは，結局，抵当権の効力をそこまで及ぼすのが妥当であるとの法的価値判断があるからだということになる。

以上の結果，物上代位には性質の異なる次の2種類のものが混在していると説明すべきことになる。

(c) **代替的（代償的）物上代位と付加的（派生的）物上代位**　すなわち，物上代位には，抵当不動産の価値代替物（損害賠償債権など）に対するものと，抵当不動産から派生的に生ずる収益的債権（賃料債権）に対するものと2種類あるという説明である。前者については，民法372条（304条）の条文が価値

代替物に対し抵当権の効力が及ぶ実体法上の根拠となっているが、後者については、民法371条の条文が被担保債権不履行後の果実（賃料等）に抵当権の効力が及ぶ実体法上の根拠である、と。そこで、賃料に関しては、民法372条（304条）は、担保不動産収益執行と並んで、賃料に対する物上代位権行使という方法によって抵当権を実行してもよいという意味を付与するにとどまることになる[19]。

以下では、抵当権の場合何が物上代位の対象となり得るかという問題、および、物上代位権行使の方法である差押えの趣旨について、順次検討する。

(2) 物上代位の対象

民法304条は先取特権につき、「目的物の売却、賃貸、滅失又は損傷によって債務者が受けるべき金銭その他の物」を物上代位の対象とするが、これを準用する抵当権においてはどうか。

(ア) 売買代金債権　(a) 序　まず、抵当不動産の売買代金債権はどうか。動産を目的とする先取特権の場合には、目的動産が第三者に売却され引き渡されれば先取特権は消滅するので（民333条）、債務者の取得する売買代金債権を目的動産の価値代替物としてこれに物上代位することは意味がある。

これに対し、抵当権の場合はどうか。目的不動産が売却され所有権が第三取得者に移転しても抵当権者は抵当権を対抗でき、抵当権が消滅することはない（追及力）。そこで、基本的には、抵当権者は、あくまで不動産競売の方法で抵当権を実行すればよいのであって、以下で検討するように、売買代金債権に対する物上代位を認める必要はないと考えられる。

すなわち、まず、抵当不動産の価額が被担保債権額を上回る場合には、通常、第三取得者が第三者弁済をして抵当権を消滅させて抵当不動産を取得するので、物上代位は問題とならない。仮に、第三取得者の下で抵当権が存続するとして、売買代金債権（普通は不動産の価額と被担保債権額の差額）に物上代位を認めた場合、設定者（売主）は、売買代金債権額を手にすることができないので、その分につき事後にあらためて第三取得者（買主）に不当利得返還請求をして調整を図る必要が生じるので、物上代位を認めるのは妥当でない（なお、仮にその抵

---

19) 道垣内・前掲本章注7) 148頁、高木・前掲本章注7) 139頁。

当不動産のもともとの価額が売買代金額とされた場合には抵当権者は代価弁済を求めればよい〔民378条〕)。

抵当不動産の価額が被担保債権額を下回る場合は，不可分性からして被担保債権全額を支払わないと抵当権を消滅させられないので，普通，取得しようとする第三者は現れない。仮に第三者が現れ当該抵当不動産の通常の価格で所有権を取得しようとする場合には，その者は抵当権の消滅を図るため，抵当権消滅請求の制度（民379条以下）を利用するか，あるいは代価弁済（民378条）の問題として処理されるはずであり，物上代位の出る幕はない。

(b) 判例　買戻代金債権に対する物上代位を認めた判例がある（最判平成11・11・30民集53巻8号1965頁）。抵当権においては売買代金債権に対する物上代位を認める必要はないという上記の議論との関係での位置づけが問題となるが，下記引用のように，この事案では一般の場合と異なり抵当権それ自体が消滅するという点で特殊性があり，また，買戻代金債権は目的不動産の価値代替物と位置づけられるから，動産の先取特権に基づく売買代金債権に対する物上代位と類似した状況が存在するということができよう。

■最判平成11年11月30日民集53巻8号1965頁

事実の概要　A所有の甲土地が買戻特約付きでBに売却され，その旨の登記がされ，Bはその後自己の債権者YおよびXに対し甲土地に順次根抵当権を設定した。Aが甲土地を買い戻し，BがAに対し買戻代金債権を取得したので，Yがそれに物上代位したところ，一般債権者として同債権を差し押さえていたXは，Yの物上代位の成立を争った。その理由は，買戻しがなされた以上買戻特約登記に後れるYの抵当権は遡及的に消滅する（もともと抵当権はなかったという扱いとなる）ので，それに基づく物上代位権の行使はあり得ないというのである。

判旨　物上代位権の行使を認めた。その理由として，〔1〕たしかに抵当権は消滅するが，「抵当権設定者である買主〔B〕やその債権者〔X〕等との関係においては，買戻権行使時まで抵当権が有効に存在していたことによって生じた法的効果までが買戻しによって覆滅されることはないと解すべきであり」，また〔2〕「買戻代金は，実質的には買戻権の行使による目的不動産の所有権の復帰についての対価と見ることができ，目的不動産の価値変形物として，民法372条により準用される304条にいう目的物の売却又は滅失によって債務者が受けるべき金銭に当たるといって差し支えないからである」。

(イ) 滅失・損傷により生ずる債権　抵当不動産が滅失・損傷したことによ

り，設定者が，原因行為者に対して損害賠償債権を取得した，あるいは，損害保険会社に対し損害保険契約に基づき損害保険金請求権を取得したという場合がこれに該当する。このうち，損害保険金請求権は滅失・損傷によって直接生ずる債権ではなく，損害保険契約を結んでいるからこそ発生する債権であるので，価値代替物ではないとの議論もあったが，抵当権設定者が抵当不動産を失ったことにより獲得する債権であり，実質的に，価値代替物といってよい[20]。

この場合も，もちろん「払渡し……の前に差押え」をしなければならないが，差し押さえるにあたって，債務者が被担保債権につき債務不履行であることを要件とするかどうか。民法の解釈からはその必要はない。不動産に対する抵当権は消滅するが，その効力が滅失・損傷による損害賠償債権に及んでいることをとりあえず明らかにしておく保全の趣旨である（抵当権を実行するという趣旨ではない）ので，差押えには債務不履行であることは要件とはならない，と解する*。

＊もっとも，物上代位権の行使としての債権差押えは，民事執行法193条に基づき行うものとされ（同条1項後段），ほかに物上代位のための特別な差押えの規定は用意されていない。同条は担保権の実行としての差押えを規定するものであり，したがって，被担保債権の期限到来後でないとそれをすることができないこととなる（民執30条参照）。手続面が実体法に十分に対応できていないというべきであろう。ただし，実務上は，抵当不動産が滅失損傷するような場合には，債権に対応すべき担保が不十分となるおそれがあるので，たとえば金銭消費貸借契約上の期限の利益喪失特約により，その大部分においては，被担保債権につき期限が到来する扱いになるであろう。なお，念のため述べておくと，次項の賃料債権の場合はこれと異なって，被担保債権の不履行後にはじめてそれに対して抵当権の効力が及び物上代位権を行使できるのであるから（民371条），まさに，差押えは担保権の実行としての差押えということになる。

(ウ) **賃料債権** (a) **序** これについては議論があったが（⇨317頁・(1)(イ)(b)参照），前掲最判平成元年10月27日で賃料債権につき抵当権に基づく物上

---

[20] なお，損害保険金請求権については物上代位権が行使できるかどうかの疑念があること，また，保険会社から設定者に支払われる前にうまく抵当権者が差し押さえることができるかどうかという問題もあるので，担保実務においては，建物に抵当権を設定する際に，必要があれば設定者に損害（火災）保険契約を締結させ，その将来損害保険金請求権につき質権を設定しておくという方法がとられている。

代位が肯定され[21]。さらに、民法371条の改正により、債務不履行後に生ずる法定果実（賃料）を含む果実については抵当権の効力が及ぶと明文で規定されたので、これを根拠として、民法372条（304条）により物上代位ができることは条文上確定している。これは、抵当不動産から派生的に生ずる債権に対する物上代位と性格づけられる。

指摘すべき点は、第1に、賃料債権につき物上代位（差押え）をするにあたって、当然、被担保債権についての債務者が債務不履行の状態であることを要すること（民371条）、第2に、差し押さえられる賃料債権はもちろん「払渡し又は引渡しの前に差押え」をしなければならないことである。そこで、差し押さえる方法としては、将来発生する賃料債権を先々まで一括して被担保債権額に満つるまで、あらかじめ差し押さえておくという方法がとられることになる。

(b) **賃料債権への物上代位の問題点**　指摘される問題点は、〔1〕対抗で劣後する後順位抵当権者が物上代位権を行使した場合であっても（しかも、不動産競売の方法ではその者は配当を得られる可能性の低い場合であっても）、先順位抵当権者が抵当権（物上代位権）を行使しないときは[22]、物上代位権の行使において優先すること（この点は、後述の担保不動産収益執行でも同様の理由で同じ取扱いになる）。〔2〕制度上、抵当不動産の所有者（設定者）は、当該不動産からの収益である賃料をすべて抵当権者に持っていかれてしまうので、管理費用が捻出できずに管理をする意欲を失い、その結果として抵当不動産が荒廃することである。この問題点〔2〕が、担保不動産収益執行制度（裁判所が選任する管理人が不動産の管理をする）を導入した動機の1つである。

(c) **転貸賃料**　抵当権の設定者が直接取得する債権ではない転貸賃料に

---

21) 本判決は、全面肯定の理由として、〔1〕抵当権が非占有担保であることは、先取特権と異なるものではないこと、〔2〕賃料債権に物上代位を許しても、「抵当権設定者の目的物に対する使用を妨げることにはならない」こと、という2点を挙げ、賃料債権に対する物上代位を認める先取特権の規定（民304条）を抵当権にそのまま準用すべきであると結論づける。

22) 物上代位権を行使すると、抵当権が根抵当権である場合にはそれによってその根抵当権で担保すべき元本が確定する（民398条の20第1項1号）ので、確定を避けようとする根抵当権者は物上代位権を行使しないということがあるとされる。根抵当権において元本が確定するということは、それ以降新たに発生する継続的取引関係上の債権が当該根抵当権によっては担保されなくなる（取引を止めざるを得ない）ことを意味するからである。

【図表 12-1】

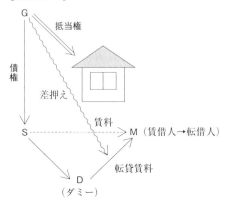

対しては，民法 372 条（304 条）の文言上，物上代位権は行使できないはずである。しかし，賃料債権に対する物上代位権の行使を妨害する目的で，単純な賃貸借の関係を転貸借のかたちに改変する事例があり，転貸賃料に対する物上代位が問題となった（最決平成 12・4・14 民集 54 巻 4 号 1552 頁）。たとえば，S 所有の賃貸不動産（賃借人 M）に対し，G が抵当権を取得した後，S が，契約をやり変えて，自分のダミーである D を賃借人とし，元の賃借人 M を D からの賃借人（転借人）とし，元の S・M 間の賃料額（たとえば 30 万円）を，D・M 間の転貸賃料額とし，S・D 間の賃料を安く（たとえば 10 万円）してしまうという事例（【図表 12-1】）である（実際には，S はダミーである D から，D が M から受け取る賃料 30 万円を回収している）。この契約関係の改変で，G は物上代位できる賃料債権額が，30 万円から 10 万円に減少する。要するに，賃料債権への物上代位に対する妨害があり，そこで，転貸賃料に対して G は物上代位権を行使できないかが問題とされた。解釈上の論点は，民法 372 条，304 条 1 項所定の「債務者＝抵当権設定者」に抵当不動産の賃借人（転貸人）を含み得るかである。この平成 12 年最高裁決定は，条文文言，および，賃借人（転貸人）は物的担保を負担する者ではなく自己に属する転貸賃料でもって被担保債権の弁済に供すべき立場ではないとの実質を指摘して否定した。ただし，例外的に，上記のような妨害事例については転貸賃料への物上代位権行使を認めた。認められるのは，「抵当不動産の賃借人を所有者と同視することを相当とする場合」である。

■最決平成 12 年 4 月 14 日民集 54 巻 4 号 1552 頁

判旨　「「債務者」には，原則として，抵当不動産の賃借人（転貸人）は含まれないものと解すべきである。」「けだし，所有者は被担保債権の履行について抵当不動産をもって物的責任を負担するものであるのに対し，抵当不動産の賃借人は，このよう

な責任を負担するものではなく、自己に属する債権を被担保債権の弁済に供されるべき立場にはないからである。同項の文言に照らしても、これを『債務者』に含めることはできない。また、転貸賃料債権を物上代位の目的とすることができるとすると、正常な取引により成立した抵当不動産の転貸借関係における賃借人（転貸人）の利益を不当に害することにもなる」として否定。「もっとも、所有者の取得すべき賃料を減少させ、又は抵当権の行使を妨げるために、法人格を濫用し、又は賃貸借を仮装した上で、転貸借関係を作出したものであるなど、抵当不動産の賃借人を所有者と同視することを相当とする場合には、その賃借人が取得すべき転貸賃料債権に対して抵当権に基づく物上代位権を行使することを許すべきものである」として例外を認めた。

(3) **差押え**

(ア) **差押えの必要**　物上代位権を行使するためには抵当権者は損害賠償債権、賃料債権などの代位物を、「その払渡し又は引渡しの前に差押えをしなければならない」（民372条〔304条1項〕）。

物上代位権の行使は代位物である債権を対象とする抵当権の実行を意味し、その手続は、債権執行の手続を準用して行われる（民執193条）。すなわち、抵当権者が、代位物たる損害賠償債権、保険金請求権、賃料債権などを執行裁判所で差し押さえ、第三債務者（賠償義務者、損害保険会社、賃借人など）からそれを取り立てて優先弁済に充てるか、転付命令を得てその債権から独占的な満足を得ることになる＊。

＊執行裁判所の差押命令は、「債務者に対し債権の取立てその他の処分を禁止し、かつ、第三債務者に対し債務者への弁済を禁止」することを内容とするものであり（民執145条1項）、これは、債務者、第三債務者に職権で送達され（同条3項）、第三債務者に送達された時に効力が生ずる（同条4項）。差し押さえた債権者は、債務者に対して差押命令が送達された日から1週間を経過したときは、第三債務者からその債権を取り立てることができる（民執155条）。転付命令は、差押債権者の申立てにより、差し押さえられた金銭債権を差押債権者に移転する命令であり（民執159条1項）、確定すればその券面額で債務が弁済されたものとみなされる効力がある（民執160条）。

抵当権者は、民事執行法の手続に則り、自ら債権の差押えをすることが必要である（たとえば、第2順位の抵当権者が差押えをしたが、第1順位の抵当権者はそれをしていないという場合、後者は物上代位権を行使していないので、債権の取立てはできない）。また抵当権者自ら差押えはしていないが他の債権差押事件において配当要求をしたという場合、判例は、「抵当権に基づき物上代位権を行使する

債権者は，他の債権者による債権差押事件に配当要求をすることによって優先弁済を受けることはできないと解するのが相当である」と述べ（最判平成13・10・25民集55巻6号975頁），あくまで，抵当権者自らが差し押さえることを求めている[23]）。

　(イ)　差押えの趣旨といつまでに差押えをすべきか　　(a)　問題の所在　　以上の通り，「その払渡し又は引渡しの前」に抵当権者自らが代位物たる債権を差し押さえることが物上代位権行使のために必要であることは明らかとなった。

　しかし，この代位物たる債権については，抵当権者のほかにも，利害の関係を持つ者がいる。たとえばこの債権の債務者（抵当権者からみると第三債務者），抵当権設定者の一般債権者でこの債権に差押命令を得た者，さらに転付命令まで得た者，同一不動産に対する先順位・後順位抵当権者，この債権の譲受人などである。これらの者との関係において，物上代位権の行使として債権の差押えをすることの意味はどこにあるのかが問題となり，そのこととの関連で，物上代位権行使の時間的限界，つまり，〔1〕第三債務者の弁済，〔2〕一般債権者の差押え，〔3〕転付命令，〔4〕他の抵当権者の物上代位権の行使，〔5〕債権譲渡，などがすでになされた後にもなお，抵当権者は差し押さえて物上代位権を行使することができるのかという問題が検討されることになる。

　差押えの趣旨については，様々な考えがこれまで述べられており，したがって，競合する利害関係者が出てきた場合のうちどこまで物上代位権の行使が優先できるかについての答えも分かれている。以下，代表的な考えをごく簡単に紹介した後で，現在，判例の採用する第三債務者保護説を検討する。

　(b)　優先性確保説　　これは，目的物の滅失により消滅するはずの抵当権の効力が例外的に代位物に及ぶとの理解に立って，代位物に対する抵当権の効力を主張するためには，他の債権者に先立って抵当権者自らそれを差し押さえることが必要であるとする考えである（大連判大正12・4・7民集2巻209頁参照）。これによれば，上記〔1〕から〔5〕の諸事例では先立って差し押さえない限りす

---

23)　その理由を，この判決は，「けだし，民法372条において準用する同法304条1項ただし書の『差押』に配当要求を含むものと解することはできず，民事執行法154条及び同法193条1項は抵当権に基づき物上代位権を行使する債権者が配当要求をすることは予定していないからである」，という。

べて物上代位できないことになる。今日では採用されない考えである。

（c）**特定性確保説**　その後有力であったのは「特定性確保説」である。抵当権の効力は代位物に当然に及ぶが，一般債権者など第三者保護の趣旨で，一般財産への混入を避け抵当不動産の代位物であるという特定性を確保しておかなくてはならず，そのために「差押え」を要するというものであった。この考えでは，一般債権者の差押えなどにより特定性がすでに確保されておれば，抵当権者がこれに後れて競合的に差し押さえ，物上代位権を行使したとしても，抵当権者と一般債権者との優劣の問題となるので，物上代位が優先するとの結論を導くことができる。

最高裁判例（最判昭和59・2・2民集38巻3号431頁）は，動産の先取特権に基づく物上代位の事案で実質このような趣旨を述べている[24]。抵当権の場合にもこの考え方が妥当すると考えられてきたが，その後，判例は，抵当権については次に紹介する第三債務者保護説を採用するに至っている。

（d）**第三債務者保護説（債権譲渡後の物上代位の可否【図表12-2】）**

（i）**潜脱的譲渡事例の登場**　以上の判例・学説の状況下で，債務不履行に直面した抵当権設定者Sが，代位物たる賃料債権を将来にわたって第三者D（設定者の債権者など）に譲渡する事案が多く発生した。たとえば，抵当不動産である賃貸マンション内の物件10戸分（賃借人Mら）×賃料月額各20万円を将来9か月分，総計1800万円を譲渡し，Mらにその旨通知して対抗要件を具備するというのである。これは，判例により賃料債権に対する物上代位が例外なく全面的に認められ，実務で多く用いられることに抗して，抵当権設定者が

---

[24] 最判昭和59年2月2日の事案は，債務者が破産手続開始決定を受けた事案であるが，これは一般債権者による差押えがあった場合と同視できるとしつつ，判旨は，「差押によって……物上代位の対象である債権の特定性が保持され，これにより物上代位権の効力を保全せしめるとともに，他面第三者が不測の損害を被ることを防止しようとすることにあるから，第三債務者による弁済又は債務者による債権の第三者への譲渡の場合とは異なり，単に一般債権者が債務者に対する債務名義をもって目的債権につき差押命令を取得したにとどまる場合には，これによりもはや先取特権者が物上代位権を行使することを妨げられるとすべき理由はないというべきである」，という（同旨，最判昭和60・7・19民集39巻5号1326頁【百選Ⅰ82】）。抵当権の場合については，後述の最判平成10年3月26日民集52巻2号483頁により，抵当権設定登記が一般債権者の申立てによる差押命令の第三債務者への送達より先であれば，物上代位に基づく差押えが上記送達に後れても物上代位権の行使が優先する。

【図表 12-2】

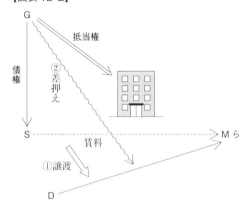

賃料債権に対する物上代位をなんとか免れようとする動きの1つである。ここに，代位物たる債権の譲渡がなされても，抵当権者Gはそれを差し押さえて物上代位権をなお行使することが認められるかが問題となった。これが認められないのであれば，抵当権設定者は，債権を譲渡することによって容易に物上代位権の行使を免れることができ，抵当権者はその利益を害されることになる。

(ⅱ) **かつての判例** それまでの判例は，賃料債権が譲渡され対抗要件が具備されると抵当権設定者には債権がもはや帰属しないので，抵当権者による差押えは優先できないものとして，物上代位権の行使を否定してきた。また，特定性確保説は，この問題の是非について一義的に明確な答えを出すことができない。

(ⅲ) **現在の判例** 最判平成10年1月30日（民集52巻1号1頁【百選Ⅰ88】）は，この種の事案につき，抵当権における物上代位権行使のための差押えの趣旨目的は，対象債権につき利害を有する第三者の利益を保護するためというのではなく（それは抵当権設定登記に任せる），主として，「二重弁済を強いられる危険から第三債務者を保護するという点にある」という。すなわち，差押えがなされた時点ではじめて抵当権者は賃料債権に物上代位できる（賃借人に賃料支払を請求できる）ことにして，第三債務者が当該債権につきすでに（譲受人に対し）弁済をしているにもかかわらず，遡って二重に抵当権者に対して支払をさせるという危険を避けさせるということにあるという。そのような差押えの趣旨目的に照らすと，債権譲渡後に抵当権に基づく物上代位権行使のための差押えを認めても，第三債務者に何ら二重弁済の危険は生じないのだから（差押えまでの債権譲受人に対する支払はそのまま有効），債権譲渡後に物上代位権を行使することは許されるとした。

■最判平成 10 年 1 月 30 日民集 52 巻 1 号 1 頁

判旨　「1　民法 372 条において準用する 304 条 1 項ただし書が抵当権者が物上代位権を行使するには払渡し又は引渡しの前に差押えをすることを要するとした趣旨目的は，主として，抵当権の効力が物上代位の目的となる債権にも及ぶことから，右債権の債務者（以下「第三債務者」という。）は，右債権の債権者である抵当不動産の所有者（以下「抵当権設定者」という。）に弁済をしても弁済による目的債権の消滅の効果を抵当権者に対抗できないという不安定な地位に置かれる可能性があるため，差押えを物上代位権行使の要件とし，第三債務者は，差押命令の送達を受ける前には抵当権設定者に弁済をすれば足り，右弁済による目的債権消滅の効果を抵当権者にも対抗することができることにして，二重弁済を強いられる危険から第三債務者を保護するという点にあると解される。

　2　右のような民法 304 条 1 項の趣旨目的に照らすと，同項の『払渡又ハ引渡』には債権譲渡は含まれず，抵当権者は，物上代位の目的債権が譲渡され第三者に対する対抗要件が備えられた後においても，自ら目的債権を差し押さえて物上代位権を行使することができるものと解するのが相当である。」

　判決文はこれに続いてその理由を述べているが，それを整理すると，けだし，〔1〕民法 372 条（304 条）の「払渡し又は引渡し」（の前に差押えをしなければならない）という言葉は当然には「債権譲渡」を含むものとは解されない，〔2〕「物上代位の目的債権が譲渡されたことから必然的に抵当権の効力が右目的債権に及ばなくなるものと解すべき理由もない」，〔3〕債権譲渡後に差し押さえても，第三債務者が差押命令送達前に債権譲受人に弁済した債権についてはその消滅を抵当権者に対抗でき，弁済をしていない債権についてはこれを供託すれば免責されるので，二重払いをする危険に陥ることはなく，差押え本来の趣旨目的が達成できている，〔4〕「抵当権の効力が物上代位の目的債権についても及ぶことは抵当権設定登記により公示されているとみることができ」，〔5〕対抗要件を備えた債権譲渡により容易に物上代位権の行使を免脱できるとすれば抵当権者の利益を不当に害する，ということである。

　しかし，これを読むだけではいまひとつ理由を理解しづらい。以下の 2 点のように整理することができよう。

　第 1 に重要な点は，抵当権者と代位物たる債権の譲受人（第三者）との関係である。まず，代位物たる債権（賃料債権など）に抵当権の効力が及ぶことは抵当権設定の時から運命づけられており（民 372 条〔304 条〕により）[25]，そのこ

とは，抵当権設定登記により公示されているとみることができる。このように代位物たる債権に抵当権が及んでいることは抵当権設定登記によりその時点から公示されているのだから，その債権が第三者に譲渡されその対抗要件が具備されても，その債権に抵当権が及んでいることに変わりがなく（抵当権の追及力でも説明できよう），譲受人は，代位物たる債権の取得を，抵当権設定登記による（その登記の時点からの）対抗力でもって優先する抵当権者に潜在的に対抗できない状態である（抵当権者の物上代位権の行使たる差押えにより顕在化する）。また，抵当権が及んでいることは登記により一般に公示されているのだから，第三者たる譲受人の利益は害されることはないといってよく，差押えに第三者保護の役割を担わせる必要はない[26]。

　第2は，抵当権者と代位物たる債権の債務者（第三債務者）との関係である。気になるのは，第三債務者（賃借人）に債務の二重払いのおそれはないのかである。債権の譲渡があり通知による対抗要件具備があったのだから，安心して譲受人に支払っていたところ，後に，それに優先する抵当権者が物上代位してきて，遡って二重弁済を強いられることにはならないかという心配である。しかし，その点の心配はいらない。というのは，物上代位権行使のためには差押えが必要とされるから，第三債務者は，差押命令の送達を受ける前に債権譲受人に弁済した債権についてはその消滅を抵当権者に対抗することができ，弁済をしていない債権についてはこれを供託すればいずれにしろ免責されるから，二重払いの危険は生じないのである。

　本判決は，以上の2点の考察の結果，抵当権に基づく物上代位の場合，差押えは第三者の保護のためには必要がなく（登記があるからである），主として，差押えを要求する趣旨目的は「二重弁済を強いられる危険から第三債務者を保

---

[25]　なお，平成15年の民法改正後は，それ以前と異なり，債務不履行後に生じた賃料債権に対して及ぶことは，民法371条により根拠づけられる。

[26]　動産売買の先取特権に基づく物上代位については，後で取り扱うが（⇨541頁・第18章Ⅲ4），抵当権と異なり，その公示方法が存在しないので，差押えには，単に第三債務者保護のみならず第三者（譲受人）の保護の趣旨も含まれるから，物上代位の目的債権が譲渡されその第三者対抗要件が具備されてしまうと，その後においては，先取特権者は，物上代位権を行使することができないと解される（最判平成17・2・22民集59巻2号314頁〔⇨544頁〕，すでに，結論としては，前掲本章注24）最判昭和59年2月2日で同趣旨が述べられている）。

護するという点にある」との結論を得て，そのような趣旨目的に照らすと，債権譲渡後に抵当権に基づく物上代位権行使のための差押えを認めても，第三債務者に何ら二重弁済の危険は生じないのだから，債権譲渡後に物上代位権を行使することは許されるとしたものと理解できる。

(ウ) **物上代位と競合するそのほかの事例**　(a) 序　判例は，この譲渡と物上代位との優劣のほか，物上代位との競合が問題となるいくつかの事例につき判断している。簡単に紹介する＊。下記の(b)(d)においては，抵当権設定登記によるその時からの対抗力を基準として解決が図られている。

> ＊　なお，(3)(イ)(a)「問題の所在」(⇨324頁)で挙げた諸事例のうち，〔1〕第三債務者の弁済後については物上代位ができないことは明らかであり，また，〔4〕先順位・後順位抵当権者が先に差押えしているときも，上記の判例の考えに従えば，抵当権者はなお物上代位権を行使することができ，抵当権設定登記でそれぞれの対抗力が定まるのでその登記の順位で優劣が決まることになる。

(b) **物上代位と一般債権者による差押えとの競合**　最判平成10年3月26日（民集52巻2号483頁）は，抵当権の効力は代位物（賃料債権）にも法律上当然に及んでいるが，そのことを第三者に対抗するには抵当権設定登記を経由することが必要であるから，一般債権者による賃料債権の差押えが抵当権設定登記の前にすでになされていれば，その債権者に対抗できないとした。

■最判平成10年3月26日民集52巻2号483頁
事実の概要　Sが所有不動産（甲）をMに賃貸していたが，その賃料は将来にわたってSの債権者Aによって差し押さえられていたところ，その後に甲不動産に債権者Gのため抵当権が設定され，さらにその後その抵当権者Gが賃料債権を物上代位のため差し押さえた場合，抵当権設定登記前からすでにAによって差し押さえられていた賃料債権部分についてGの物上代位権の行使が優先するかが問題となった事案である。

判旨　「一般債権者による債権の差押えの処分禁止効は差押命令の第三債務者への送達によって生ずるものであり，他方，抵当権者が抵当権を第三者に対抗するには抵当権設定登記を経由することが必要であるから，債権について一般債権者の差押えと抵当権者の物上代位に基づく差押えが競合した場合には，両者の優劣は一般債権者の申立てによる差押命令の第三債務者への送達と抵当権設定登記の先後によって決せられ，右の差押命令の第三債務者への送達が抵当権者の抵当権設定登記より先であれば，抵当権者は配当を受けることができないと解すべきである。」

代位物に対し抵当権の効力が及んでいることが抵当権設定登記により公示され，その登記時から対抗力を取得しているという考え方がより明確に確認されたものである。したがって，本件と逆に，抵当権設定登記が先であり，その後に一般債権者による債権の差押えがなされた場合には，もちろん，抵当権者は代位物に対し物上代位権を行使できるとの結論となる。

(c) **物上代位と転付命令との競合**　代位物たる債権に対する転付命令が第三債務者に送達された後に，抵当権者が，同債権に対し物上代位権を行使できるか。転付命令はその対象債権が差押債権者に移転する効果をもつので，これを単純に債権譲渡と同じとみれば，前掲最判平成10年1月30日からして物上代位を肯定することになろう。しかし，判例は，民事執行法上の規律（159条3項）の解釈を根拠にこの場合の物上代位権の行使を否定する（最判平成14・3・12民集56巻3号555頁）。判旨は，「転付命令は，……転付命令が第三債務者に送達された時に他の債権者が民事執行法159条3項に規定する差押等をしていないことを条件として，差押債権者に独占的満足を与えるものであり」，この「差押えに物上代位による差押えが含まれることは文理上明らかである」から，先に物上代位による差押えがされていない限り物上代位は許されない，とする。

(d) **物上代位と相殺**　抵当不動産の賃借人Mが賃貸人たる抵当権設定者Sに対し，たとえば保証金返還請求権などの債権（100万円）を有しているような場合，MがSに対し賃料債権（月額50万円）2か月分と保証金返還請求権とが相殺適状であるとして相殺したときは賃料債権はその対当額で消滅するので（「払渡し」と同じ効果），その後では，抵当権者Gは賃料債権に対して物上代位権を行使することができない。また，この相殺が，Sによりなされた場合であっても同様である（その意味ではSのMに対する債務の免除も同じ）。

ところで上記の事例で，反対に，抵当権者Gが先に（相殺の前に）賃料債権を将来10か月分にわたって物上代位権の行使として差し押さえた場合，その抵当不動産の賃借人Mは，その後であっても，賃貸人Sに対して有する債権（保証金返還請求権など）とその賃料債権（2か月分）との相殺（相殺適状になる毎月末の支払期限に相殺の意思表示をする，またはあらかじめ毎月末で相殺により消滅するとの相殺の合意をする）でもって対抗することができるか（相殺によって賃料債

権は消滅したので支払う義務はないといえるか)。相殺の担保的機能を認める判例(民511条参照。最大判昭和45・6・24民集24巻6号587頁【百選Ⅱ39】)の考え方が妥当するのであれば，Mが反対債権(MのSに対する債権)を，Gの差押え前に取得していさえすればこれは肯定されることになる。

　最判平成13年3月13日(民集55巻2号363頁)は，相殺を否定して，物上代位権を行使して賃料債権の差押えをした後は，「抵当不動産の賃借人は，抵当権設定登記の後に賃貸人に対して取得した債権を自働債権とする賃料債権との相殺をもって，抵当権者に対抗することはできないと解するのが相当である」とした。

　その根拠を，代位物に抵当権の効力が及んでいることが，抵当権設定登記により，また，登記の時点から公示されているという点に求めた。すなわち，「けだし……差押えがされた後においては，抵当権の効力が物上代位の目的となった賃料債権にも及ぶところ，物上代位により抵当権の効力が賃料債権に及ぶことは抵当権設定登記により公示されているとみることができるから，抵当権設定登記の後に取得した賃貸人に対する債権と物上代位の目的となった賃料債権とを相殺することに対する賃借人の期待を物上代位権の行使により賃料債権に及んでいる抵当権の効力に優先させる理由はないというべきであるからである」，と(したがって，逆に，Mが抵当権設定登記前にすでに反対債権を取得している場合には，それと賃料債権との相殺は認められる)。また，両債権を相殺をする旨のあらかじめの合意に基づく相殺であっても同様の理が妥当するという。

　賃借人は，抵当権設定登記がなされた後に賃貸人(抵当権設定者)に対して取得する債権については，その支払の引当てとして賃料債務を当然には当てにできない(いつ差し押さえられて抵当権者に持っていかれるか分からないから)。抵当権が設定されているかどうかはその登記により公示されているので賃借人は不測の損害を被らない，ということである。

　(e)　**賃料債権に対する物上代位と敷金返還請求との関係**　ところで，上の(d)の事例において，賃借人Mが有する債権が，抵当権設定者(賃貸人)Sに交付している敷金(100万円)の返還請求権である場合も，(d)と同じルールが妥当するのか，敷金は賃料債権の担保だから特別なのかという議論がある。同じルールが妥当するなら，抵当権設定登記後に敷金返還請求権を取得したのであ

れば（敷金返還請求権は賃貸借契約が終了し目的物を明け渡した時に発生する〔民 622 条の 2 参照〕ので通常はそうなる），これを自働債権とする相殺でもって抵当権者の物上代位に対抗することができない。とすると，M としては賃料は全部物上代位した抵当権者に支払わなくてはならない一方，自分が S に対して賃料債権の担保の趣旨で交付している敷金は S がすでに無資力に陥っているので取り戻せず，不公平ではないか，ということになる。敷金相当額までは当然に賃料と相殺することができてしかるべきではないか。

　最判平成 14 年 3 月 28 日（民集 56 巻 3 号 689 頁）は以下のように述べる。そもそも敷金返還請求権は，当該賃貸借契約が終了し目的物が明け渡されるまでは発生しないので（最判昭和 48・2・2 民集 27 巻 1 号 80 頁），その敷金返還請求権の発生前においては賃料債権との相殺はおよそ問題とならない（M は物上代位した抵当権者の賃料支払請求は拒めない）。しかし，賃貸借契約が終了し賃借人が目的物を明け渡してしまえば，「目的物の返還時に残存する賃料債権等」は敷金が存在する限度において敷金の充当により当然に消滅するので，そのような賃料債権に対して抵当権者が物上代位権を行使していたとしても結果としてその対象を失うことになる，という。

　敷金との相殺ではなく，敷金を未払賃料に充当することによる賃料債権の当然消滅（物上代位は対象を失う）の問題としている。そう考える理由は，抵当権者は抵当不動産の用益関係には介入できず，抵当不動産の所有者等は賃貸借契約に付随する契約として自由に敷金契約を締結することができ，敷金契約が結ばれた以上，賃料債権は敷金の充当を予定した債権となり，このことを抵当権者に主張できるというわけである。以上の判断を前提とすると，賃料債権に対し物上代位権の行使を受けた賃借人は，敷金取戻しを考えるのであれば，その対抗手段として賃貸借契約を終了させ物件を明け渡し，その間支払を留保していた賃料等を敷金により当然充当させるということであろう。

7　抵当権で担保される債権（被担保債権）の範囲
(1)　序

　たとえば，平成 15 年 3 月 1 日発生の G の S に対する 1000 万円の貸金債権（利息年 10％，遅延損害金年 15％）につき，S は自己所有の甲不動産（時価 2000 万

円相当) に抵当権を設定し、その旨の登記がなされているとする[27]。ここにおいて、Sが借入金を返済できなくなり、Gが担保不動産競売 (または担保不動産収益執行) の方法により抵当権を実行する場合、Gは、いかなる範囲で「他の債権者に先立って自己の債権の弁済を受ける権利」(優先弁済権) を有しているか。

まず、何が被担保債権となるかは、抵当権設定の際に合意されたところに従って決まる。それは、上記事例のような元本、利息の利率で計算した額、および遅延損害金の利率で計算した額 (であって未払いの債権額) ということになる[28]。

(2) 利息、遅延損害金

(ア) **問題の所在**　ところで、利息、遅延損害金等が未払いで累積している場合、それが何年分であれすべて無制限に優先弁済を主張することができるのであろうか。これは、先順位の者への配当の残額につき配当を受けることになる後順位の担保権者等の利害に直接影響する問題である (だから、後順位者が通常想定されない質権においては問題とされていない [民346条は制限を置かない])。

(イ) **民法375条の規律 (通算して最後の2年分)**　(a) **規律の内容**　民法は一定の制限を設けた。すなわち、優先弁済を主張できるのは、「利息その他の定期金」[29]の「満期となった最後の2年分」(民375条1項) と、「債務の不履行によって生じた損害の賠償」の「その最後の2年分」であり、しかも、前者と「通算して2年分を超えることができない」とされている (同条2項)。

未払いの利息、遅延損害金が、仮に、前者が2年分、後者が1年分あるとすると、遅延損害金1年分と利息1年分との通算2年分についてのみ優先弁済権を行使することができ、利息1年分については優先弁済は得られないで一般債権として扱われる。したがって、上記の設例では、元本がまるまる不払いであ

---

27) 遅延損害金の利率が合意されていない場合には、利息の約定利率と同率となる (民419条1項)。
28) なお、登記が対抗要件であるから、仮に、元本1000万円のところ800万円、利率10%のところ9%等と登記された場合には、もちろん、第三者に対しては登記した限度でのみ抵当権の効力 (優先弁済権) を対抗することができる。
29) 利息以外のその他の定期金に当たるものは、賃料債権などであるが、実際の社会では賃料債権を担保するための抵当権設定はあまり考えられない。

るとして，元本1000万円，利息100万円，遅延損害金150万円の1250万円が優先弁済の額となる。なお，「最後の2年分」の解釈であるが，弁済期がすでに来ている利息・遅延損害金の2年分という意味か，競売手続で配当金が支払われるその時点から逆算してまるまる2年分と解釈するのか，議論があるが，条文文言からして後者と考えるのが素直であろう。

なお，それ以前の利息についても，満期後に特別の登記をしたときは，その登記の時からその抵当権を行使することを妨げない，とされる（民375条1項但書）。この部分についてはこの特別の登記時から優先権が与えられるにとどまるので，それより前の第三者に影響が及ぶわけではない。

　(b) **制限する趣旨**　2年分に制限する趣旨は，もちろん後順位抵当権者等の利害関係人の利益を確保するためである。後順位の担保権の設定を受けようという場合，登記簿の記載から先順位抵当権者の把握する優先弁済権の最大額を計算することができる（元本，プラス，通常，額が大きくなる遅延損害金の2年分）。ここから，担保目的不動産の残存交換価値を予測でき，それを自分の債権の担保とすることができる。

同時に，この制限は，他方で，不動産所有者の側の利益にもなっている。というのは，この制限を踏まえて計算した残りの交換価値を担保として利用し，新たな融資等を受けることが可能となるからである。

　(c) **制限の適用場面（利害関係人）**　この制限は，被担保債権の範囲そのものを絶対的に縮減するという性質のものではない。後順位抵当権者などがおれば，それらの者との相対的な関係において配当に際して優先弁済権を主張できる範囲が制限されているにすぎない。

では，どのような者がこの制限の恩恵に浴すべきか。後順位抵当権者のほか，担保不動産競売の手続に参加してきた抵当権設定者の一般債権者がこれに当たる。なお，後順位抵当権者や一般債権者がいなければ，抵当権者は，当事者として，抵当権を設定した債務者および物上保証人に対して，累積している利息，遅延損害金全額の優先弁済を主張できる。

目的不動産の第三取得者が利害関係人となるかどうかが議論されている。判例・通説は，抵当権が付着した不動産の所有権を譲り受けた者であるから，設定者の負担をそのまま承継するという（当事者）。他方，これと反対に，第三取

得者は，不動産の譲受けに際して，この最後の 2 年分という制限を考慮し値段の計算をし，残余価値に期待しているので保護に値するという有力説がある[30]。当該不動産の価値から債権の満足を受ける場面でのみ働く規律か，取引関係に立つ者の保護まで範囲を広げるかという問題である。すでに制限を超える遅延損害金等が累積している状態で抵当不動産の譲渡がなされた場合，後説によると（他に利害関係人はいないとして），譲渡が原因となって，抵当権者は直前と同一内容の抵当権は主張できなくなるわけで，抵当権の追及力に抵触するように思われる。前説に従っておきたい[31]。

(d) **任意の弁済においてこの制限が働くか**　民法 375 条の制限は，担保権が実行される局面で働くルールであり，任意の弁済で抵当権を消そうとする場合は適用がない（不可分性〔民 372 条（296 条）〕が働き，全額弁済の必要がある）。

Ⅳ　抵当権と抵当不動産の所有・利用等

1　序　説

(1) **序**

抵当権においては，抵当不動産の所有・利用・占有との間で緊張関係が生じ，その調整が必要となる。すなわち，ある不動産に抵当権が設定され，その目的物の交換価値に対する（および，債務不履行後は加えてその収益に対して〔以下，省略〕）物的な支配状態が確立したとき，その不動産の所有者自身が有する使用，収益，処分の権限に対してはどのような影響があるのか。また，当該不動産につき所有者以外の利用権者，占有者がいる場合，それらの者と抵当権者との法律関係はどのようになるのか，ということである。これらは，抵当権が設定されている状態において，および，抵当権に基づく優先弁済的効力が発動される場面において問題となる。

(2) **全体の見取り図**

(ア) **抵当不動産の使用・収益との関係**　　(a) **原則**　まず，不動産の使

---

30) 道垣内・前掲本章注 7) 163 頁。
31) 高木・前掲本章注 7) 156 頁参照。

用・収益との関係であるが，抵当権が設定・登記されても，所有者および利用権者（賃借権者等）によるそれ以前からの使用・収益には直ちには影響がない。また，所有者は，抵当権設定・登記後に，抵当不動産に賃借権等を設定して収益を上げることができ，それによる賃借人等は抵当不動産を使用・収益（なお，転貸も）することができる[32]。また，仮に，利用権の設定を受けていない者が抵当不動産を占有しており，そのことが所有者との関係で違法と評価されても，抵当権者がその無権原者に対して直ちに妨害排除等何らかの請求ができる関係に立つわけではない。

以上のことは，抵当権が，抵当不動産を占有する権原を含まず，その占有を所有者たる抵当権設定者に留めておく非占有担保権であることから導かれる結論である。

(b) **侵害にわたる使用・収益は許されない**　もっとも，ここでの抵当不動産の使用・収益は抵当権を害するものであってはならず，抵当権に対する違法な侵害に当たると評価される場合には，抵当権者は，抵当権という物権（優先弁済を受ける権利）の円満な状態を守るため抵当権に基づく物権的請求権を発動することができる。また，侵害が不法行為に当たる場合には，加害行為者に対してその損害の賠償を請求できる。

(c) **使用・収益はいつまで存続し得るか**　これら所有者，および賃借権者等による使用・収益は，抵当権が実行され抵当不動産の競売が開始されてもなお存続し得るが，売却の手続が進行し買受人の代金納付により買受人に不動産の所有権が移ると（民執79条），まず，所有者による使用・収益が覆滅する。

また，賃借権等に基づく抵当不動産の使用・収益については，売却により消滅することになる抵当権に対抗できるかどうかで二分され，対抗できないものについては覆滅し（民執59条2項），対抗できるものであれば買受人により引き受けられ賃借権者等は継続して当該不動産を使用・収益できる。

(d) **利用権の特別の保護**　抵当権の設定・登記後に抵当不動産に設定さ

---

[32] ただし，前述のように，抵当権設定者の受ける収益については，債務不履行後は，抵当権者がそれに対して抵当権を実行（物上代位，担保不動産収益執行）することがある（民372条，304条，371条，民執180条）。

れた賃借権は，抵当権が実行され不動産が競売されると直ちに消滅することになるが，これに対する例外的扱いを可能とする制度，およびその影響を緩和する制度が民法の中に設けられている。

前者は，抵当権設定登記後に設定される賃貸借について，それに先立つすべての抵当権者の同意を得ることによって，その対抗力を逆転させることを認める制度である（抵当権者の同意の登記がある場合の賃貸借の対抗力〔民387条〕）。後者は，競売による抵当建物の買受人に建物を明け渡すこととなった建物使用者を保護する趣旨で設けられた，引渡しの猶予の制度（民395条）である。

これらは，平成15年の民法改正で廃止された抵当不動産の短期賃貸借保護の制度（改正前民395条＝抵当権の登記後に設定された賃借権であっても短期〔民602条〕かつ登記したものであればその限度で抵当権者に対抗できる）によって担われていた抵当権と利用権との調整の役割の一部を，別のかたちで果たさせようとするものである。

　(e)　**法定地上権**　　以上の叙述からはあまり表面だっては現れてこないもう1つの不都合が，抵当土地の使用・収益に関して存在する。それは，土地およびその地上建物を併せ所有する者が，仮に土地についてのみ抵当権を設定した場合において，抵当土地の競売による抵当権の実行がなされると，その抵当権設定者は土地の所有権を失い，その結果所有する地上建物のための土地の使用・収益権をなくしてしまうという問題である。手当てがなされなければ，当該建物は，新たに土地所有者となった買受人の明渡請求に屈して収去しなくてはならないことになる。

このような問題が発生するのは，わが民法上，土地と建物とが別不動産であること，および抵当権設定の前に自己所有建物のために自己所有土地に賃借権（自己賃借権）を設定することが認められていないことが原因である。そこで，民法は，このような場合には「その建物について，地上権が設定されたものとみなす」との法定地上権の制度を置いている（民388条）。

なお，関連して，抵当権設定後の抵当地上に建造された（法定地上権の成立しない）建物につき，抵当権者が土地とともに競売できる制度（抵当地の上の建物の競売）が置かれている（民389条）。

　(イ)　**所有者による抵当不動産の処分**　　(a)　**譲渡・新たな権利の設定**　　所

有者は，抵当権設定後も，目的物の所有権を第三者（第三取得者と呼ぶ）に譲渡したり，地上権，賃借権を設定したり，あるいは抵当権等の担保権を設定することができる。つまり，所有権の譲渡や新たな権利の設定を原則として自由に行える。

　(b)　**抵当権の追及力**　　ここでは，抵当不動産の譲渡があった場合の法律関係について概観しておく。抵当不動産が第三者に譲渡され所有権移転登記がなされた場合，抵当権登記の対抗力に劣後する譲受人は，抵当権の負担のある不動産所有権を取得することになる。したがって，被担保債権の債務者が債務不履行となり，抵当権の実行としての担保不動産競売がなされるようなことがあると，不動産の所有権を失うこととなる。

　(c)　**第三者弁済**　　そこで，第三者が抵当不動産を譲り受けようとする場合には，当然，当該不動産に対する抵当権を消滅させることを考える。その方法としては，まず，第三者弁済（民474条）が考えられる。被担保債権を弁済して抵当権を消滅させようというわけである。しかし，これは被担保債権額が抵当不動産の価額より少ない場合は使えるが，そうでない場合は，抵当権の不可分性から被担保債権の全額を弁済しなくては抵当権は消せないので使えない。加えて，後順位の抵当権がある場合は，先順位抵当権が消えても後順位抵当権の順位が上昇するだけなので，結局それらの被担保債権額の合計額すべてを支払ってすべての抵当権を消す必要があり，第三者弁済の方法によることは難しい。

　(d)　**代価弁済と抵当権消滅請求**　　そこで，民法は，抵当不動産の譲渡に際して抵当権を消滅させる特別の機会を第三取得者に与えている。1つは，代価弁済（民378条）であり，他の1つは抵当権消滅請求（民379条〜386条）である。前者は，抵当権者の請求に応じて第三取得者が「抵当権者にその代価を弁済したとき」は抵当権が消滅するとされるものであり，後者は，第三取得者のイニシアティブにより抵当権が消滅する可能性を付与した制度である。

　(3)　**叙述の順序**

　さて，以上の問題について以下で個別に検討するが，その順序は，上に描いた全体の見取り図の順番に従うこととする。すなわち，まず，抵当権の侵害に対する救済手段（⇨2），抵当建物使用者の引渡しの猶予，および抵当権者の同

意の登記がある場合の賃貸借の対抗力（⇨3），法定地上権，および抵当地上の建物の競売（⇨4），代価弁済と抵当権消滅請求（⇨5）である。

2　抵当権の侵害に対する救済手段
(1)　序
　抵当権は物権であり，したがって，一般論をすれば，抵当権が侵害されまたは侵害されるおそれがある場合には，抵当権に基づく物権的請求権を行使し，その侵害を排除，予防することができる。また，その侵害が不法行為に当たれば，抵当権者は，その損害の賠償を求めることができる（民709条）。
(2)　物権的請求権
　(ア)　**抵当権侵害**　抵当権が侵害または侵害されるおそれが生じるのは，具体的にどのような場合なのかは，抵当権という権利の内容とも関係して問題となる。
　抵当権は，抵当不動産の交換価値を物権的に把握し，それを現実化して他の債権者に優先して弁済を受けるという権利であり，したがって，それが他者により違法に侵害されまたは侵害されるおそれが生じた場合に，抵当権侵害があるということになる。
　なお，抵当権は占有を権利内容としないので，占有が奪われるかたちでの侵害はあり得ず，「物権的返還請求権」は問題とならない。抵当権の侵害に対しては，妨害排除または妨害予防の請求権のみが生じ得る。
　(イ)　**侵害の具体的態様**　具体的には，次のような態様の侵害が考えられる。
　第1に，抵当不動産に対する物理的侵害。すなわち，単純に抵当不動産を損傷する行為，および，抵当山林の樹木を伐採する，あるいは抵当建物から従物等を分離するなど，抵当不動産から抵当権の効力の及ぶ目的物を通常の使用・収益の範囲を超えて分離し，搬出する行為は抵当権侵害に当たり得る。
　第2に，抵当権設定者以外の第三者による抵当不動産の占有。このような占有（とりわけ無権原占有）があることにより，担保不動産競売による交換価値の実現が妨げられ，優先弁済請求権の行使が困難になることがあるが，これも抵当権侵害と評価されることがあり得る。
　第3に，抵当権が登記簿上適切に登記されていない場合。抵当権の実体に合

わせるべく登記請求権が発生する。登記請求権の発生する根拠の議論とも関わるが，物権的請求権としてしか性格づけられないものもある。

以下では，これら3つの類型について詳しく検討する。

(3) **物権的請求権——物理的侵害の場合**

(ア) **侵害態様**　抵当不動産を損傷する行為，および，抵当不動産から抵当権の効力の及ぶ目的物を通常の使用・収益の範囲を超えて分離・搬出する行為は，抵当権の把握する目的物の価値を違法に減少させるものであり，抵当権の侵害または侵害のおそれを生じさせているといえる。

(イ) **物権的請求権による対応**　(a) **妨害排除または妨害予防の請求**　抵当権者は侵害者（債務者，抵当権設定者，その他の第三者が考えられる）に対し，抵当権に基づいて妨害排除，妨害予防の請求をすることができる。具体的には，損傷，分離，および搬出などの行為の差止め，分離物の処分の禁止，搬出された分離物の回収などである。無権原の占有者が損傷等の行為をする場合には抵当不動産を所有者に対し明け渡すべき旨を請求できよう。

(b) **分離・搬出物の回収について**　(i) **妨害排除請求**　抵当権は非占有担保であるので，搬出された分離物は抵当権者への返還を求めるのではなく，妨害排除の趣旨で，元の所在場所に戻させる内容のものとなる。執行手続上，分離物は抵当不動産とともに差し押さえ競売されることになるからそれが妥当な方法である。判例も，前に紹介したように，抵当権の目的である工場供用物件（工抵2条）が分離され第三取得者がそれを占有している事案で（抵当権の効力はなお及んでいるとされた事案〔工抵5条〕），「抵当権の担保価値を保全するためには，目的動産の処分等を禁止するだけでは足りず，搬出された目的動産をもとの備付場所に戻して原状を回復すべき必要があるから」，「抵当権者は搬出された目的動産をもとの備付場所である工場に戻すことを求めることができるものと解するのが相当である」という（前掲最判昭和57・3・12〔314頁〕）。

(ii) **分離・搬出物の回収が可能である限界**　分離・搬出が侵害行為であるとしても，抵当権に基づく妨害排除の請求をなし得るためには，対象たる分離物に対して抵当権がなお及んでいることが前提である。ではいったい，搬出された分離物に対し，どこまで抵当権の効力が及んでいくのか，どこから及ばなくなるのか，その区分の基準が問題となる。これについては，すでに扱ったので

そこの記述を参照されたい（⇨314頁・Ⅲ5(3)）。

　(ウ)　**期限の利益喪失の効果（債務者が侵害者の場合）**　ここで便宜関連して述べておくが，民法137条は，「債務者が担保を滅失させ，損傷させ，又は減少させたとき」(2号) は，「債務者は，期限の利益を主張することができない」としている。債務者に自身の信用を失わせる事情が発生した場合，そのような債務者にもはや期限の利益を与えておく必要はないという趣旨である。

　債務者による抵当不動産に対する物理的侵害は通常この要件に該当すると考えられ，債務者は期限の利益を失い，直ちに債務を弁済することが必要になる。

　抵当権者＝債権者側からみれば，これは抵当権侵害に際して与えられた救済手段の1つと位置づけることができよう。

　なお，明文の規定はないが，解釈上一般に，この民法137条2号に該当する場合には，抵当権者は債務者に対して，担保を積み増すべきことを請求（増担保請求）することができることを認める。そこで，増担保請求がなされた場合には，それに従わないときに期限の利益を喪失することになる。

　(4)　物権的請求権──抵当不動産の占有による抵当権侵害の場合

　(ア)　**問題の所在**　(a)　**占有による抵当権侵害**　抵当不動産（特に，建物）を設定者以外の第三者が占有する場合であって，その者が当該不動産を占有していることそれ自体で抵当権が侵害されるということがあるのか，あるとすればそれはいったいどのような場合かが問題となる。

　考慮すべきは，一方で，第三者による抵当不動産の占有（一般に，権原のない占有）が原因で，競売をしても買受希望者が出てこないなど抵当権の本来的権利内容である優先弁済権の実現が困難な状況が生じている場合には，物権である抵当権の侵害ないし侵害のおそれがあるとして，占有者に対し明渡しを求めることができてよさそうである。

　他方で，抵当権は占有を移転しない形式の担保権であり，占有権原を内包しておらず，抵当権者は目的不動産の使用・収益については原則として干渉することはできない。仮に抵当権設定後に開始した第三者の占有が原因で競売における売却代金が下落し，被担保債権が十分には満足が得られなくなったとしても，それをもって直ちに抵当権の侵害というわけにはいかない，という問題もある。

そこで，抵当不動産の占有に加えいかなる事情が生じている場合に，抵当権侵害があると評価できるのか，その判断基準が問題となる。

(b) **問題の経緯**　(i) **背景事情**　占有による抵当権侵害という問題が取り上げられるようになった歴史的背景を述べておく方が話が分かりやすい＊。発端は詐害的短期賃貸借の賃借人による占有である。

> ＊ 平成15年改正前の民法395条には，短期賃貸借保護の制度があった（同年の民法一部改正で廃止）。抵当権設定後に設定された賃貸借であっても登記した短期賃貸借（民602条〔建物では3年を超えない賃貸借〕）であれば例外的に，その期間の範囲で，抵当権者に対抗できるとされていた（つまり，競売における買受人に短期賃借権が引き受けられ敷金の関係も承継される）。これは抵当権設定後の不動産の利用権を保護する趣旨で設けられた調整規定であった。

しかし，短期賃貸借保護の制度は不当な利益を得る手段として悪用された（詐害的短期賃貸借）。賃料は極めて安価であり，高額の敷金・保証金の約束がある等，契約を引き受ける買受人に極めて不利な内容の短期賃貸借を設定し，それに基づき賃借人が占有し，競売の成立を妨害する。その上で，短期賃借人は抵当権者に高額の解決金を要求するか，競売において自ら安く買い受けて他へ高く転売することで不当な利益を上げたのである。

このような詐害的短期賃貸借に基づく占有による抵当権妨害に対する法的な対応として，抵当権に基づく妨害排除請求ができるかどうかが問題となったのである＊。

> ＊ なお，念のため述べておくが，短期賃貸借保護制度の存在が（その濫用をとおして）占有による抵当権妨害という問題を引き起こしたが，抵当権に基づき占有による抵当権妨害を排除できるかどうかという法的な議論は，短期賃貸借保護の制度が廃止された現在においても変わりなく妥当するものである。

(ii) **占有による抵当権侵害を否定した判例**　最判平成3年3月22日（民集45巻3号268頁）は，抵当権に基づく妨害排除の訴えに対して，抵当権は非占有担保であり，抵当権者は抵当不動産の占有関係について干渉できず，第三者が抵当不動産を不法に占有しているというだけでは（事案は短期賃貸借解除後の無権原占有であった）抵当権が侵害されるわけではなく，したがって，抵当権者は，占有者に対して当該不動産の明渡しを求め得るものではない，とした[33]。

この事案は，競売不成立にまでは至っておらず，占有による減価が大きいことが判明したという段階のものであったが，判決の内容が，抵当権という権利の性質上占有による抵当権侵害はおよそ生じようがない，として否定したと読めるものであったので，短期賃貸借人の占有による抵当権妨害問題に対するマイナスの影響が極めて大きかった。

(イ) **占有による抵当権侵害を認めた2つの判例**　　(a) **判例変更（無権原占有の事例）**　抵当不動産を無権原者（賃借権のない者からの転借人）が占有しているため，入札がなく競売の進行が妨げられたという事案で，最高裁判所は正当にも判例を変更して，占有による抵当権侵害があり得ることを認めた（最大判平成11・11・24民集53巻8号1899頁）。

判旨は，まず原則として，抵当権者は抵当不動産の所有者が行う抵当不動産の使用または収益について干渉することはできないとしつつ，ただし，次のような事情があれば占有による抵当権侵害があり得ることを肯定した。すなわち，「第三者が抵当不動産を不法占有することにより，競売手続の進行が害され適正な価額よりも売却価額が下落するおそれがあるなど，抵当不動産の交換価値の実現が妨げられ抵当権者の優先弁済請求権の行使が困難となるような状態があるときは，これを抵当権に対する侵害と評価することを妨げるものではない」，と。要するに，基準として重要なのは，不法占有により「抵当権者の優先弁済請求権の行使が困難となるような状態」にあるかどうかである。

その上で，抵当権侵害の状態にあるときは，抵当権者は，抵当不動産の所有者に対して有しているところの，侵害状態を是正し抵当不動産を適切に維持または保存するよう求める請求権を保全するため，債権者代位（民423条）の法意に従い，所有者に代位して，所有者がもつ抵当不動産を適切に維持管理する権限（不法占有者に対する妨害排除請求権）を代位行使することができるという。なお，妨害排除請求の内容は，本来，占有者に被代位者である所有者に対して

---

33) なお，この最判平成3年3月22日は，抵当権者にその占有を排除し得る権限が付与されなくても，競売における買受人が引渡命令（民執83条）または訴えによる判決に基づきその占有を排除することができ，そのことにより不動産の担保価値の保存，したがって抵当権の保護が図られている（ものと観念されている），という。不法占有により競売そのものが成り立たない状況では，「買受人」による引渡命令などという話は絵に描いた餅であった。

明渡しをさせることであるが，この判決は，所有者が適切に管理できない（しない）ことを慮って，所有者のために抵当建物を管理する目的で，直接抵当権者に対して本件建物を明け渡すよう求めることができる，という[34]。

(b) 抵当権に基づく直接の妨害排除請求の承認（権原に基づく占有の事例）

次いで，最判平成17年3月10日（民集59巻2号356頁【百選Ⅰ89】）は，無権原占有による抵当権侵害を認める前掲最大判平成11年11月24日の判断基準を確認しつつ，第1に，占有権原ある占有者の場合であっても，〔1〕競売手続を妨害する目的が認められ，かつ〔2〕優先弁済請求権の行使が困難となるような状態があるときは，抵当権侵害があり得ることを認め，また，第2に，抵当権者が，侵害者に対して直接に抵当権に基づく妨害排除請求権を行使できることを認めた[35]。

権原ある占有の場合の抵当権侵害の成立要件を，無権原占有の場合と比較してみると，〔1〕の「妨害する目的」（主観的要件）が加重されている点が異なっている。無権原の占有であれば〔2〕の客観的状態のみで抵当権侵害と評価してもよいが，使用・収益の権原がある場合には約定に従っている限り，占有の結果たまたま〔2〕の状態が生じたとしても，それは侵害と評価することができず，侵害ありというためには占有権原の設定に「妨害する目的」が必要であるというのである。妥当である（本件では，当該賃貸借契約の具体的事情から「妨害する目的」が肯定された）。

なお，抵当権者が「直接自己への抵当不動産の明渡しを求めることができる」ことを認める点も，前掲最大判平成11年11月24日と同様であるが，債権者代位構成の場合（所有者のために本件建物を管理することを目的とする）と比較して理由づけに少し違いがある（「抵当権に対する侵害が生じないように抵当不動産を適切に維持管理することが所有者に期待できない場合には」）。

---

34) 本判決は，傍論で，抵当権に基づく直接の妨害排除請求権も行使し得るとした。「なお，第三者が抵当不動産を不法占有することにより抵当不動産の交換価値の実現が妨げられ抵当権者の優先弁済請求権の行使が困難となるような状態があるときは，抵当権に基づく妨害排除請求として，抵当権者が右状態の排除を求めることも許されるものというべきである」，と。

35) 権原ある占有者に対しては，所有者は不動産の明渡しを求めることができない。したがって，前掲最大判平成11年11月24日のような，所有者の明渡請求権を抵当権者が代位行使するとの法律構成は使えない。

■最判平成 17 年 3 月 10 日民集 59 巻 2 号 356 頁

事実の概要 建物建築請負人 X が, 注文者 A から, 未払いの請負代金債権 (17 億円) につき, 建築した建物とその敷地とに抵当権の設定を受け, 建物を引き渡したところ, A は合意に反して, 残債務の弁済を行わないまま約半年後に B に建物を期間 5 年で賃貸し, B はそのすぐ後に Y に期間 5 年で転貸したというものである。A と B と Y とは同一人が代表取締役を務めるなど互いに密接な関係にあり, その転貸借契約の内容は適正賃料を大幅に下回るなど正常なものとはいえないものであった。A が倒産し, 上記抵当権に基づき競売がなされたが最低売却価額が大幅に引き下げられても (4 億 8000 万円) 売却の見込みが立っていないところ, A が X に対しわずかな金 (100 万円) の支払と引換えに抵当権を放棄するように要求するなどの事実があった。そこで, X は Y に対して抵当権侵害を理由とする明渡し等を請求し, 賃料額相当の損害[36]の賠償を求めた (【図表 12-3】)。

判旨 「1 所有者以外の第三者が抵当不動産を不法占有することにより, 抵当不動産の交換価値の実現が妨げられ, 抵当権者の優先弁済請求権の行使が困難となるような状態があるときは, 抵当権者は, 占有者に対し, 抵当権に基づく妨害排除請求として, 上記状態の排除を求めることができる〔最大判平成 11・11・24 民集 53 巻 8 号 1899 頁〕。」「そして, 抵当権設定登記後に抵当不動産の所有者から占有権原の設定を受けてこれを占有する者についても, 〔1〕その占有権原の設定に抵当権の実行としての競売手続を妨害する目的が認められ, 〔2〕その占有により抵当不動産の交換価値の実現が妨げられて抵当権者の優先弁済請求権の行使が困難となるような状態があるときは, 抵当権者は, 当該占有者に対し, 抵当権に基づく妨害排除請求として, 上記状態の排除を

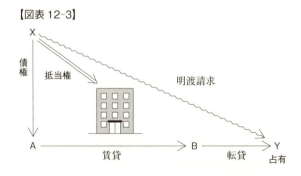

【図表 12-3】

---

[36] なお, この判決では Y の抵当権侵害による不法行為により, X に賃料相当損害金が発生するかが問題とされたが, 判旨は, これを否定した。抵当権者は目的物を使用する権限はなく, 使用による利益を取得するには民事執行法上の手続によらなくてはならないからである。

求めることができるものというべきである。なぜなら，抵当不動産の所有者は，抵当不動産を使用又は収益するに当たり，抵当不動産を適切に維持管理することが予定されており，抵当権の実行としての競売手続を妨害するような占有権原を設定することは許されないからである。」

「また，抵当権に基づく妨害排除請求権の行使に当たり，抵当不動産の所有者において抵当権に対する侵害が生じないように抵当不動産を適切に維持管理することが期待できない場合には，抵当権者は，占有者に対し，直接自己への抵当不動産の明渡しを求めることができるものというべきである。」

(ウ) **民事執行法における不動産に対する占有妨害の排除手続**　前掲平成3年3月22日の最高裁判決（占有による抵当権侵害を否定）後，民事執行手続内での占有妨害排除の手段が数次にわたって強化された（平成8年，10年，および15年の改正）。執行手続上の手段として現行法上重要なものは，民事執行法55条および55条の2に規定された売却のための保全処分である（民事執行法188条で担保不動産競売に準用される）。執行裁判所は，債務者または不動産の占有者が不動産の価格を減少させ，または減少させるおそれがある行為（価格減少行為）をするときは，申立てにより，買受人が代金を納付するまでの間，当該価格減少行為を禁止し，または必要があればその行為者に対し不動産の占有を解いて執行官に引き渡し，執行官に保管させることを内容とする保全処分などを命ずることができる（なお，担保不動産競売の開始決定前の担保不動産競売の申立てをしようとする者のため，および最高価買受申出人または買受人のためにも，同種の保全処分の申立てを認める〔民執187条，77条，188条参照〕）。

占有排除の実体法的な手段である物権的請求権の行使によるよりも，この執行法上の手段による方がじつは迅速かつ実効的な占有排除が可能であるといえる。また，物権的請求権の場合に生ずる，抵当権者による抵当不動産の管理占有という，抵当権者にとって面倒な問題がない。

(5) **物権的請求権——登記請求権**

実体的に存在する抵当権に登記を合致させるためその障害となる登記の抹消を求める場合などにおいては，抵当権に基づく物権的請求権が問題となる。抵当権を設定したとき，および被担保債権の弁済等により抵当権が消滅したときにその当事者間で発生する登記請求権は必ずしも物権的請求権と性格づける必

要はないので（民法177条で基礎づけることができる），これを除外すると，問題となるのは，次のような事例においてである。

まず，先順位抵当権が弁済等により消滅しているにもかかわらず，その登記が残っている場合，後順位の抵当権者は，その登記を有害登記として抹消を請求することができる。また，かつては生じ得た特殊な事例であるが，建物を合体させて建物の滅失登記がなされ，抵当権登記もこれに伴って抹消された場合[37]，抵当権の登記を不当に抹消された抵当権者は，侵害状態をもたらしている登記の所有名義人らに対し抵当権に基づく妨害排除請求として，元の登記面の回復を請求することができる（最判平成6・5・12民集48巻4号1005頁)[38]。

(6) **物権的請求権——第三者異議**

抵当権の効力が及ぶ抵当不動産の従物に対して一般債権者が強制執行をしてきた場合，抵当権者は，優先する抵当権に基づき第三者異議の訴えを提起できる（民執38条。前掲最判昭和44・3・28〔307頁〕）。これは抵当権に基づく妨害排除請求と位置づけることができよう。

(7) **抵当権侵害と不法行為に基づく損害賠償請求**

(ア) **不法行為の成立要件**　抵当権の権利内容が故意または過失により侵害されたときは，抵当権者からその行為者に対して不法行為に基づく損害賠償請求の問題が生じ得る（民709条）。抵当権の権利内容は優先弁済を受ける権利であるから，その侵害の態様としては，抵当不動産の物理的な滅失，損傷，または従物（あるいは工場供用物件）の分離，搬出による減価，および抵当不動産の占有による減価などである。

もっとも，前に述べたように，減価があっても権限ある者による通常の使

---

37) 今日ではこのような場合に関する不動産登記手続が整備され（不登49条参照）このような問題は生じない（建物合体と抵当権との関係については，⇨177頁・第8章Ⅴ3(2)(エ)参照）。
38) 判旨を引用しておくと，「登記された甲建物について，滅失の事実がないのにその旨の登記がされて登記用紙が閉鎖された結果，甲建物に設定されていた根抵当権設定登記が登記簿上公示されないこととなり，更に右建物につき別の乙建物として表示の登記及び所有権保存登記がされている場合には，根抵当権者は，根抵当権に基づく妨害排除請求として，乙建物の所有名義人に対し，乙建物の表示の登記及び所有権保存登記の抹消登記手続を，甲建物の所有名義人であった者に対し，甲建物の滅失の登記の抹消登記手続をそれぞれ請求することができるものというべきである」，という。

用・収益による減価であれば，それは抵当権の違法な侵害とは評価されない。また，減価があっても，結局その抵当不動産の残価値で被担保債権の満足が得られるのであれば，抵当権者に損害が発生せず，不法行為は成立しないとするのが，通説・判例（大判昭和3・8・1民集7巻671頁）である。上記大判昭和3年は，（傍論で）抵当山林の立木の伐採により抵当不動産の価格が減損したとしても抵当権者が結局において完全なる債権の満足を得たのであればなんら損害がないので不法行為は成立しない，と述べる。

(イ) **損害賠償請求権の行使時期**　〔1〕損害は抵当権を実行してみないことには具体化しないので，実行後はじめて損害額が確定しその損害賠償を請求できるとする考えと，〔2〕抵当権実行前でも損害額が確定できないわけではないので，抵当権の実行時か，または損害賠償請求時点（弁済期到来後であることが必要である）で，損害額の確定および賠償請求をすることができるとする考え，とが対立する。判例および多数説は後者である。

これらに対する反対説として，〔3〕抵当不動産の減価分がすなわち損害であり，行為時を基準としてそれを確定し直ちに賠償請求ができるとする考えが述べられている[39]。抵当権の内容を優先弁済権に集中させるのではなく，抵当不動産に対する担保的価値支配の完全性の侵害が抵当権侵害であるという見解だと評することができる。

(ウ) **不法行為者が誰であるかにより生ずる問題**　債務者が賠償義務者である場合には，いずれにしろ被担保債権の弁済請求権と区別をする意味はない[40]。この場合には不法行為を論ずる必要がない。

また，抵当権設定者（抵当不動産の所有者）以外の第三者（債務者を除く）が，抵当不動産の「滅失又は損傷」をした場合，一方で，抵当権者がその第三者に対して抵当権侵害を理由に損害賠償請求をすることができ，他方で，所有者もまたこの第三者に対して所有権侵害を理由に損害賠償請求ができる。そして，後者に対しては，抵当権者はその支払前に差押えをして物上代位権を行使することができる（民372条〔304条〕）。そこで，抵当権者の損害賠償請求権と物上

---

[39] 道垣内・前掲本章注7) 190頁。
[40] 道垣内・前掲本章注7) 189頁。

代位権とが競合し複雑な関係が生ずる。今日の通説的な見解は，関係を単純化する意味で，ここでは物上代位権の行使を優先すべきであるとの結論を採用している。

3 抵当権に対抗できない利用権の保護
(1) 序

(ア) **問題の所在**　抵当権は，その目的不動産の「占有を移転しないで」設定される権利で，競売等の方法により抵当権が実行されるまでは，抵当権者は，単に抵当不動産の交換価値等を物権的に把握しているにすぎない。抵当不動産の使用・収益については，抵当権設定者にその権限が残っており，設定者は自らその使用・収益を行ってもよいし，賃借人等にそれを委ねてもよい。したがって，抵当権の設定それ自体は，それ以前からの使用・収益に何ら影響を及ぼさないし，また，抵当権設定後においても，設定者が賃貸借契約を締結しこれを第三者に使用・収益させることは原則として自由である。

しかし，競売の方法により抵当権の実行がなされた時以降は，所有者は所有権（使用・収益）を失い，また，賃借人等による使用・収益については運命が二分される。抵当権に対抗できる賃借権等（民605条，借地借家10条，31条）は買受人に引き受けられるのでそれに基づく使用・収益は継続できるが，抵当権に対抗できない賃貸借等は消滅し（民執59条2項），賃借人等は不動産の明渡しを余儀なくされる*。そこで，抵当権に対抗できない賃借権等はいつ競売によりその権利が消滅するか分からない不安定なものであり，ある不動産につきすでに抵当権が設定されていることは，新たに賃貸借契約等により第三者に使用・収益させるという観点からは**，これを阻害する要因といえる[41]。

> * 代金を納付した買受人は，買受時点から6か月が経過する前に申し立てることにより，債務者または不動産の占有者に対し引渡命令を得ることができる（民執83条）。引渡命令はこれを債務名義として強制的に引渡執行をすることが可能となるものであり，買受人に対して引渡しをしないまま占有を継続する者に対し，強力な武器となる。ところで，この引渡命令は，当然であるが，買受人に対抗できる権原により占有している者に対してはなし得ない（民執83条1項但書）。
> ** 旧短期賃貸借保護の制度　平成15年民法一部改正前の民法395条には，このような

関係における抵当権と利用権との調整規定，すなわち，短期賃貸借保護の制度が置かれていた。抵当権設定登記後であっても，短期賃貸借（民602条）であってかつそれが登記されたものであれば，例外的に抵当権者に対抗できるというものであった。したがって，競売があり買受人にその所有権が移っても，このような短期の賃貸借契約は買受人に引き受けられ，その短期の期間の使用・収益が保障された。ところが，この短期賃貸借保護の制度は，前述のように（⇒342頁・**2**(4)(ア)(b)），抵当権を妨害する手段として悪用されたため，この平成15年の民法一部改正で全面廃止された。そこで，抵当権に対抗できない賃借権は競売による買受人への所有権移転に伴い消滅し，このまま法的な手当てをしなければ，賃借人は直ちに目的物の明渡しを求められることとなった。

(イ) **抵当権に対抗できない賃借権の保護の制度**　しかし，競売による所有権移転により賃借人が直ちに明渡しを求められるような扱いは妥当ではないとして，平成15年の民法の一部改正において立法的な手当てがなされた。すなわち，一定程度賃借権を保護する趣旨で，第1に，抵当権設定後に抵当権者の同意の登記がある場合の賃貸借の対抗力容認の制度（民387条），および，第2に，抵当建物使用者の引渡しの猶予の制度（民395条）が設けられた。

(2) **民法387条の制度**

(ア) **制度の趣旨**　民法387条の制度は，「登記をした賃貸借は，その登記前に登記をした抵当権を有するすべての者が同意をし，かつ，その同意の登記があるときは，その同意をした抵当権者に対抗することができる」（1項），というものである。

効果（抵当権登記に後れて登記された賃借権であっても例外的に抵当権者に対抗する

---

41) 抵当権の実行により賃貸ビル，賃貸マンションなどが競売され，その所有者が変わるという場合を想定すると，抵当権設定後に締結された賃借権は消滅するといっても，買受人は通常その賃借人を追い出すわけではなく，収益目的で同じ賃借人との間で賃貸借契約を締結し直すことになる。したがって，賃借人にとって事実上不利益はないかにみえるが，なお問題がある。それは，買受人との間で法的には賃貸借契約は承継されないので，敷金関係（その返還義務）も買受人に承継されず，賃借人は競売前の賃貸人（抵当権設定者）に敷金返還を請求するほかなく，事実上敷金返還の実現が困難である（他方，新賃貸人に改めて敷金を交付する必要がある）という点である（後述の短期賃貸借保護制度廃止の議論において特に問題視された点である）。したがって，担保不動産について賃貸借契約を締結するにあたっては，貸主たるべき者は目的不動産に抵当権が設定されていることを重要な事実として賃借希望者に説明する必要がある，と考えられる。

ことができる）だけみれば，旧短期賃貸借保護制度と類似のものである。しかし，その効果を得るための要件として，先順位で登記している抵当権者全員の同意が必要であるとする点で，全く異なる制度である。

　賃借権の負担のない不動産とそうでない不動産とを比べれば前者の方が高く売却できるのは当然であるから，抵当権者がわざわざ後順位の賃借権を自分の抵当権に対抗力で優先させる旨の同意に応ずることは例外であろうと思われる。同意が得られるとすれば，それは，たとえば安定した収益が見込める優良な者が賃借を申し出，その者が競売後も賃貸借の確実な継続を望んでおり，その希望を受け入れて賃貸借契約を締結することが当該抵当不動産の使用・収益方法として望ましく，また，先順位の抵当権者すべてにとって債権の満足の観点から特に不利とは感ぜられない場合ということになろう[42]。

　なお，この制度の利用は，抵当権が設定・登記されている不動産の単位ですべきものである。たとえば，ビル1棟を所有する者がそのビルに1つの抵当権を設定・登記している場合，そのビルの一部，たとえば3階部分のみを賃借する者に対してこの同意を与えることはできない。本条で要求されている登記ができないからである。この場合に，本条の制度を利用しようとすれば，ビル1棟につき丸ごといったん第三者に賃貸し，その賃借人に対し本条の同意を与え，各部分についてはその者からの転貸借の形式をとる方法が考えられる。

　また，次に述べる引渡しの猶予の制度と異なり，本条の制度は建物の賃貸借に限定されず土地の賃貸借についても適用がある。

　㈠　**要件**　　⒜　**「登記をした賃借権」**　　当該抵当不動産の登記記録に賃借権の登記がなされる必要がある（民605条，不登81条）。抵当権者の同意の登記が必要であり，また，賃借権の内容が，買受人等のために，登記記録上明確にされていることが必要であるからである。

　この登記は，不動産登記法81条によるものであるから，賃料，存続期間，その他賃貸借契約の内容を登記する必要がある。特に，敷金の額が登記事項とされていることを指摘しておく（不登81条4号）。買受人は，賃貸借契約をその内容どおり承継し，敷金関係（返還債務）もそれに含まれ，したがって，敷

---

[42]　道垣内弘人ほか『新しい担保・執行制度〔補訂版〕』（有斐閣，2004）63頁以下参照。

金の額がいくらであるかは買受人の利害に関わり買受価格にも影響する事柄であるので登記事項とされたものである。

そこで，同意の登記後に賃貸借契約の内容に変更があった場合については，その変更を登記しないと第三者に対抗できない事柄もある。とりわけ第三者たる買受人にとって不利な変更，たとえば，賃料額を減額した，敷金額を増額した等については，登記が必要であることは疑いがない[43]。

なお，賃借権の存続期間について，かつての制度とは異なり短期賃貸借に限るとの制約はない。賃貸人，賃借人，および同意を与える抵当権者間の協議で定まった期間ということになろう。

　(b)　**先順位で登記している抵当権者全員の同意**　先順位で登記している抵当権者全員の同意が必要である。通常，賃貸借契約の内容の検討も含めた事前の協議が先行すると考えられる。

　(c)　**抵当権者の同意について登記があること**　この同意の登記は，抵当権の順位の変更の登記（民374条2項）と類似のものである。すなわち，登記をすることが効力発生の要件であり，また，「順位○○番の賃貸借が先順位抵当権に優先する」旨の独立の登記の形式でなされる。登記権利者は賃借人，登記義務者は先順位抵当権者全員であり，所有者は関与しない。同意およびその登記は，普通は賃借権の設定と同時になされるものと思われるが，登記時期について制約はなく競売開始までになされれば足りると考えられる。

　(d)　**不利益を受けるべき者の承諾**　「その抵当権を目的とする権利を有する者その他抵当権者の同意によって不利益を受けるべき者の承諾」が必要である（民387条2項）。転抵当権者，抵当権の被担保債権の差押債権者などの承諾である。

---

43)　賃借権の対抗要件具備として，民法605条（不登81条）の登記がされることは稀である。一般に借地借家法による方法（借地借家10条，31条）が用いられるからである（そこでは，賃借権の内容は登記されないから，賃貸目的物の所有者〔＝賃貸人〕の変更があった場合，前契約の内容がそのまま承継されるとのみ論じられていた）。そこで，不動産登記法81条の登記事項とされる賃貸借契約の内容が事後に変更された場合，そのことを登記しておかないと，変更後の内容を第三者に対抗できないかどうかという議論はあまり意識的にはなされていない。この議論については，道垣内ほか・前掲本章注42）68頁以下，道垣内・前掲本章注7）182頁以下参照。

(3) 抵当建物使用者の引渡しの猶予の制度

(ア) **制度の趣旨**　抵当権者に対抗できない賃借人を保護する第2の制度が，民法395条の引渡しの猶予の制度である。すなわち，建物賃借人については，競売による買受人が所有権を取得した時から起算して6か月を経過するまで，その建物の引渡しが猶予されるというものである。

建物賃貸借の場合，賃借人はその建物に居住しあるいはそこで事業を展開しているわけだから，競売により買受人に所有権が移転したから直ちに引き渡せと命じることは，賃借人にとって唐突であり不利益が大きい。そこで，一定の要件下で引渡しにつき一定期間の猶予を認めたのである。この猶予期間は代替の建物を見つけて引越しをする準備の期間ということになる。

なお，土地の賃貸借についてはこの制度の適用はない。土地の場合にはこのような猶予を認める必要があまり高くはないという判断である。抵当権の設定されている土地を，居住や事業展開の拠点として（建物所有の目的で）賃借するなどということは通常考えられないからである。

(イ) **引渡しの猶予が得られるための要件**　「抵当建物使用者」に対して引渡しの猶予が認められる（民395条1項）。この抵当建物使用者に該当するための要件は2つあり，第1は，「抵当権者に対抗することができない賃貸借により抵当権の目的である建物の使用又は収益をする者」であることが必要である（民395条1項）。

すなわち，まず，賃貸借契約に基づいていることが必要とされる。権原のない者はもちろん使用貸借の場合にもこの保護は受けられない。買受人の利益と対比して，使用貸借はこの保護を与えるに値する利用権ではないという判断である。また，現実に「使用又は収益」していることが必要である。制度趣旨からして，そうでない者に引渡しの猶予を認める必要がないからである。使用・収益は，少なくとも建物の競売における買受人の買受けの時にしている必要がある。

要件の第2として，この賃借人は，〔1〕「競売手続の開始前から使用又は収益をする者」，または，〔2〕「強制管理又は担保不動産収益執行の管理人が競売手続の開始後にした賃貸借により使用又は収益をする者」であることが必要である（民395条1項1号・2号）。〔1〕については，競売開始後に使用・収益を開

始した者に対してもこの引渡猶予の保護を与えると，抵当権の実行を妨害しようとする者によりこの制度が濫用されるおそれがあるので，競売手続の開始前から使用・収益する者に対してのみ保護を与えることとしている。

ただし，〔2〕については，後述の強制管理または担保不動産収益執行の管理人が競売手続の開始後にした賃貸借により使用または収益をする者についてはそのようなおそれはないし，6か月間の引渡しの猶予が認められることで，担保不動産収益執行等の手続中において賃借人を見つけやすい（収益が確保できる）という利点がある，とされ保護の対象となっている。

(ウ) **効果（引渡しの猶予）** (a) **引渡しの猶予とその期間** 以上の要件を満たす抵当建物使用者に対し，一律に6か月間という引渡しの猶予が認められる[44)45)46)]。起算点は，「競売における買受人の買受けの時」である（民395条1項）。

(b) **引渡しの猶予の期間における法律関係** (i) **引渡しの猶予の意味** 賃借権は，競売により買受人が建物の所有権を取得した時点で消滅している[47)]。

---

44) もともとの賃貸借契約の期間が，たとえば，競売における買受人の買受けの時から2か月後に満了するものであった場合，賃借人はその時点での引渡しを覚悟していたはずであるから，買受けの時から6か月間という引渡猶予の保護を与える必要はないのではないかという疑問がある。しかし，法的には，賃貸借関係は競売による買受けの時に終了しているので（2か月後に終了するという法律関係そのものがなくなっている），買受け後は，一律の6か月の引渡しの猶予の問題となると解釈すべきであろう（道垣内ほか・前掲本章注42）59頁）。

45) 旧短期賃貸借保護の制度においては，競売における買受人の買受けの時点以降に使用・収益が保障される期間は，各事案ごとでバラバラであった。典型例では，買受人の買受けの時点での，建物の短期賃貸借期間，またはその更新後の期間（ただし競売手続の開始後の更新は買受人に対抗できないとされた）の残期間が，いわば引渡しの猶予期間ということであった。したがって，短期でない長期賃貸借の場合はもちろん（最判昭和38・9・17民集17巻8号955頁），買受人の買受けの時点で更新を対抗できないまま期間の満了を迎えている場合には，買受けの時に直ちに引渡しが義務づけられた。

46) 代金を納付した買受人は，買受け時点から6か月が経過する前に申し立てることにより，債務者または不動産の占有者に対し引渡命令を得ることができる（民執83条）。しかし，この引渡命令は，買受人に対抗できる権原により占有している者に対してはなし得ない（民執83条1項但書）。民法395条で6か月の引渡し猶予が認められている者がこれに当たるかであるが，この者は猶予が認められている限りは「対抗できる権原により占有している者」と同視すべきであろう。ここで，引渡命令の申立期間が6か月のままでは引渡猶予期間6か月と重なり，期限切れで買受人が引渡命令の申立てをすることができなくなるので，民事執行法83条2項は括弧書でこの場合に限って申立期間を9か月に延長している。

したがって，買受人は賃貸借契約を引き受けてはいない。また，本条文を根拠として，買受人と抵当建物使用者との間に賃貸借契約が成立するわけでもない。単に，本条文により，元の賃借人が，「6箇月を経過するまでは，その建物を買受人に引き渡すことを要しない」という状態が生ずるにとどまる。そこで，賃貸借契約上の権利義務関係，たとえば，買受人が賃貸人として修繕義務を負ったり，抵当建物使用者が賃料支払義務を負う，ということはない。

(ii) **使用の対価の支払義務**　もっとも，抵当建物使用者は事実上使用・収益が継続できるので，その対価相当額を支払う必要があると考えられる。その支払義務の法的根拠は何か。本条があることを理由に法律上の原因があるとして不当利得返還義務は発生しないといえるか。本条は引渡しをしなくてよい（占有はできる）といっているだけで，使用・収益権まで認めているわけではないので，やはり，使用・収益は不当利得となる。すなわち，不当利得返還義務として賃料相当額を支払うことになる。本条2項は，抵当建物使用者は使用・収益を続けることができるが，「建物の使用をしたことの対価」の支払義務があることを前提とした規定を置いている＊。

> ＊　東京高決平成22年9月3日（金法1937号139頁）は，「使用の対価の性質は……当該建物の使用収益を経済的に評価して，買受人に返還すべき不当利得に類似するものであり，占有者の従前からの使用収益の継続を前提とした，継続賃料の額をも考慮して，適正な使用の対価の額を算定」すべし，という（買受人が一方的に高額の使用の対価を設定し，その不払いを理由とする引渡猶予の不適用の主張を認めなかった）。

(iii) **引渡しの猶予の不適用**　「使用をしたことの対価について，買受人が抵当建物使用者に対し相当の期間を定めてその1箇月分以上の支払の催告をし，その相当の期間内に履行がない場合」には，前項の規定を適用しない（民395条2項）として，上記の使用の対価の支払が不履行の場合には，引渡しの猶予が打ち切られることを明らかにしている。対価を支払わずに引渡しの猶予を求めることができるというのは虫がよいからである。

---

47) なお，敷金返還請求権は，この賃借権の消滅時点で，元の賃貸人との間で，敷金を未払賃料等に当然充当した残額につき発生し，元の賃貸人に対して直ちに請求することができると解される（ただし，資力の面でその支払はあまり期待できない）。

4 法定地上権

(1) 序

(ア) **法定地上権の意義**　同一の所有者（A）が土地およびその地上の建物を所有する場合において，たとえば，そのAが債権者Bのためその土地のみに抵当権を設定し，競売による抵当権の実行がなされCが土地を買い受けたとすると，抵当権設定者Aは土地の所有権を失い，その結果Aが地上建物を所有するための土地の使用・収益権をなくしてしまうという問題が生ずる。そのままでは，買受人Cの請求により，Aは建物を収去し土地を明け渡さなければならないことになる。上記事例でAが建物のみに抵当権を設定する場合も同じで，その場合は建物の買受人（D）が土地所有者Aから明渡しを請求される[48]。

　民法は，この場合，抵当権の「実行により所有者を異にするに至ったときは，その建物について，地上権が設定されたものとみなす」としている（民388条）。すなわち，法律の規定でもって，地上建物の存立のため，建物所有者と土地所有者との間で地上権が設定されたものとみなしたのである。これを法定地上権と呼んでいる。このような場合における抵当権設定者の通常の意思は，抵当権が実行された後も，建物をその敷地上にそのまま存立させることであると考えられるので，建物存立のために地上権が成立することとしたのである。

　そこで，抵当権の設定は法定地上権の成立を前提になされる必要がある。すなわち，たとえば，土地のみに抵当権の設定を受ける場合は，抵当権者は，地上建物のため地上権の負担付きの土地を抵当権の目的としたとの担保価値評価をする必要がある。

(イ) **法定地上権を認めるべき背景**　法定地上権の成立を認めるべき背景として，第1に，日本法では土地と建物が別不動産であること，第2に，抵当権設定の前に自分の建物のために自己所有地に賃借権（自己借地権）を設定することが認められていないこと，が挙げられる。すなわち，第1に，土地と建物

---

[48]　土地と地上建物の所有者が別異の者である場合には，地上建物を所有するために，建物の所有者は土地の所有者との間で賃貸借契約など約定の利用権を設定することができ，通常は設定されているので，その後に土地・建物のいずれかに抵当権が設定され，競売が行われても，この約定利用権（対抗できることが前提）により地上建物が存続し得るのである。

が別不動産であるから,双方を所有する者は,土地,建物それぞれ独立して抵当権を設定することができ,その結果,抵当権の実行により所有者を異にするという事態が生じるのである。また,第2に,自己借地権の設定が認められていれば,抵当権設定の前に,地上建物のために自己所有地に借地権を設定しておくことでこの問題を回避できるが,そのような制度は一般的には認められていないので[49],法定地上権が必要となる。

　(ウ)　**同旨の制度が認められる場合**　上記と同じ状況が,同一所有者に属する土地または建物のみが差し押さえられて強制競売される場合や,税の滞納処分として公売が行われる場合等にも生ずる。そこで,それらの場合においても法定地上権の成立が認められている(民執81条,税徴127条1項,仮登記担保10条〔同法では「法定借地権」とされている〕)。

　(エ)　**抵当権設定後に抵当地に築造された建物の競売**　なお,更地に抵当権が設定された後にその地上に建物が築造された場合は,民法388条の要件を満たさないので,その建物のために法定地上権は成立しない。土地の競売がなされれば,買受人は,建物の収去を求め得ることになる。このような状況において,民法389条は,抵当権者に,土地とともにその建物を競売することができる一括競売という特別な権利を認めている。法定地上権に関連して,この項の最後のところでこの制度を紹介する(⇨372頁・(4))。

　(2)　**法定地上権の成立要件**

　実体法上,法定地上権の成立要件は,条文の文言およびその趣旨から,以下の,〔1〕抵当権の設定時に土地の上に建物が存在すること(同時存在),〔2〕抵当権の設定時に土地およびその地上建物が同一の所有者に属すること(同一所有者),〔3〕「その土地又は建物につき抵当権が設定され」,および,〔4〕「その実行により所有者を異にするに至った」ことである。

　(ア)　〔成立要件1〕**抵当権の設定時に土地の上に建物が存在すること**

　　(a)　**同時存在の必要**　抵当権の設定時に,土地の上に地上建物が存在す

---

49) 認められていない理由は,土地が自己の所有地であれば地上建物のためにわざわざ借地権を設定する必要はないし,設定しないと第三者の利益にかかわるという事情も存在しないからであると思われる(民179条1項但書参照)。ごく例外的には,借地借家法15条で,借地権が共有される場合につき自己借地権の概念が取り入れられている。

ることが必要である。

なお，登記簿上，抵当権設定時に建物の保存登記がなされており，土地・地上建物の同時存在が登記の上でも明らかであることが必要かという問題があるが，一般に，その必要はないと解されている。抵当権の取得者は，担保価値評価のため設定時に当然，地上建物が存在するという物理的状態を確認しているはずであり，登記がなくとも，法定地上権の成立による不測の損害はないと考えることができるからである。

　(b)　**更地に抵当権を設定した後に建物が築造された場合**　更地に抵当権が設定され，その後抵当権が実行されるまでの間に，設定者によりその土地上に建物が築造されたとしても，その建物のためには法定地上権は成立しない。所有者は更地として抵当権を設定したのであり，抵当権者に対して，その後に自らが築造した建物の存続のため法定地上権の成立を主張できる立場にはないからである。また，利益衡量としても，抵当権者はあくまで地上建物のない更地であることを前提とした担保価値評価をしており，法定地上権負担付きの土地として競売されるとなれば売却代金が大幅に下落し，抵当権者は予期しない大きな損害を被ることになるので，許されるはずがない。

まさに，このような事例に対して民法389条が用意されており，法定地上権が成立しないことを前提に，抵当権者に地上建物を土地とともに競売することができるとしているのである。

もっとも，更地の抵当権者が，事後の地上建物の築造を許諾し，法定地上権の成立を前提とした担保価値評価をしている場合には，利益衡量的な観点からは，その成立を認めてもよさそうにも思える[50]。しかし，競売における買受人（という別の利害関係人）は，通常，抵当権者による築造許諾という主観的事情は把握できず，更地に抵当権が設定されたという客観的事情を前提に法定地上権は成立しないとして買い受けるので，その成立を認めると不測の損害を被る

---

50)　更地としての評価をしていない場合には，法定地上権の成立を認める余地があると述べているようにも読める判例があった（最判昭和36・2・10民集15巻2号219頁）。すなわち，「被上告人が本件建物の築造を予め承認した事実があっても，原判決認定の事情に照し本件抵当権は本件土地を更地として評価して設定されたことが明らかであるから，民法388条の適用を認むべきではな〔い〕」と述べる。

ことになる。この点を併せ考慮すると結局この場合法定地上権の成立は認めるべきではない。

(c) **建物の再築——土地のみに抵当権を設定した場合**　土地のみに抵当権を設定した当時、建物（旧建物）はすでに存在していたが、その後それを倒して、新建物を築造した場合における法定地上権の成立をどう考えるか。この場合には、設定時における土地・建物同時存在の要件は満たしており、抵当権者は、旧建物のための法定地上権の成立を前提として土地の担保価値評価をしている。それにもかかわらず、ここで仮に新建物についての法定地上権を認めると、それは存続の期間が最終的には長くなるなど旧建物のための地上権とその内容が異なり、したがって土地に対する負担が大きくなりその担保価値が下がるなどの影響があり得るので、抵当権者に不測の損害を与えることになる。

そこで、この場合について、判例は、法定地上権の成立は認めるが、それは旧建物を基準とするものとしている（大判昭和10・8・10民集14巻1549頁）。この考え方は妥当である。

ところで、最判昭和52年10月11日（民集31巻6号785頁）は、抵当権者が、抵当権設定の時点で旧建物（非堅固建物）の建替えに同意し、新建物（堅固建物＝旧借地法による区分で非堅固建物〔期間30年〕と比べ借地権〔地上権〕の期間が倍長い〔期間60年。旧借地法2条〕）につき法定地上権が成立することを前提に担保価値評価をしていたとされる事案につき、「抵当権者の利益を害しない〔と認められる〕特段の事情がある」として、新建物についての法定地上権の成立を認めた。しかし、この判決はこの事案限りのものとして理解すべきである。この判旨を一般化することの問題点として、第1に、買受人には抵当権者の同意があったという主観的事情は分からないので、同人は原則どおり非堅固の建物を基準とした法定地上権（期間30年）の成立を予期しており、それは堅固建物を基準とした法定地上権（期間60年）よりは所有権に対する負担が軽いので、より高い値段で買い受けることが考えられ、この判決の結論に従うと、同人に不測の損害が生ずる危険がある。第2に、判決の一般命題は、抵当権者の利益が害されない特段の事情があれば法定地上権の成立を認めるというものであり、これは、更地に抵当権が設定された後に建物が築造された上記(b)の場合にも当てはまり、その場合にも法定地上権の成立を認める余地が出てくる。これらは、

この判決が，買受人の利益を視野の外に置いている結果として出てくる問題点である。(b)における結論との整合性を考えると，判決の一般的命題を受け入れることには躊躇を覚える。ただし，この判決の事案はやや特殊で，競売における買受人がこの抵当権者自身であったので，買受人の利益を別個に問題とする必要はないものであり，その限りでは結論に賛成することができる。

　(d)　**建物の再築——土地建物共同抵当の場合**　　(i)　問題の所在　　土地と地上建物とが同一所有者に属する場合の抵当権設定は，通常，それらを併せて共同抵当とするという方法がとられる。片方のみに抵当権を設定すると，担保価値も高くはなく，法律関係が複雑になるからである。

　このように土地と地上建物とが共同抵当の目的物とされ，その後地上建物が一度取り壊されて再築された場合，新建物のために法定地上権を成立させるかどうかについては，上記(c)（土地のみに抵当権を設定）の場合と比べ，抵当権者における利害の状況がかなり異なっている。すなわち，共同抵当の場合，債権者＝抵当権者Gは，抵当権設定にあたって，実行の際には地上建物と土地とを併せて競売することにより，少なくとも全体として土地の更地の価格相当額は配当を受ける[51]というもくろみであり，被担保債権額（貸付等の金額）も，そのような担保価値評価の上で決定している。

　ところで，この場合において抵当権設定者Sにより地上建物が再築されると（債権者＝抵当権者を害する意図で再築されることがある），土地の抵当権はそのままだが，旧建物の抵当権は旧建物消滅に伴い消滅する。債権者Gが地上建物の再築を把握せず相応の手当て（新建物に抵当権設定契約）をしないままでいると，新建物には債権者Gは抵当権をもたない状態となる（Sが債権者Gを害する意図で他の債権者に抵当権を設定してしまっていることが少なくない）。ここでGが債権回収のため土地の抵当権を実行すると，建物の所有者（S）と土地の所有者（買受人C）とが別々の状態が生ずる。この場合，新建物のための法定地上権はどうなるか。仮に，上記(c)の場合の建物再築と同じルールが適用される

---

[51]　この場合，仮に地上建物と土地の買受人が異なり，地上建物のために法定地上権が成立しても，計算式的には，「（地上建物＋法定地上権）価格＋（更地－法定地上権）価格」を受け取るので，同一人に土地と地上建物とが買い受けられた場合とほぼ同じ額で売却できる。

とすると，ここでは旧建物を基準とした法定地上権の成立を認めざるを得ないことになる。そうすると，競売においては，地上権価格（たとえば，住宅地では更地の5割から6割程度）を差し引いた価格でしか売却できず，少なくとも全体として更地価格相当額を把握していた抵当権者の当初のもくろみは崩れてしまい，不測の損害を被ることになる。また，買受人としては，買い受けた土地は地上権の負担付きであり，自分では利用できない。

これを回避するためには，債権者 G は新建物が再築された後直ちに再築前の法律状態を確保しておくこと，すなわち建物に土地と同順位の抵当権を取得しておくことが必要であった。しかし，抵当権設定者 S が上記のように妨害の意図で再築をしている場合は，再築の事実は債権者 G には知らされず，あまつさえ S は新建物につき他の債権者に抵当権を設定するなどしてしまうので，G にとっては回避は困難であったといわざるを得ない。

そこで，この共同抵当の場合における建物再築のときは，土地のみに抵当権が設定される(c)の場合におけるとは異なり，法定地上権の成立を認めるべきではないとの議論が有力に展開されることとなった。

(ⅱ) 判例　最判平成9年2月14日（民集51巻2号375頁【百選Ⅰ92】）は，「土地及び地上建物に共同抵当権が設定された場合」につき，抵当権を取得した当初，「抵当権者は土地及び建物全体の担保価値を把握」していたとの事情を尊重し（全体価値考慮説と呼ばれる），建物の再築がされた後に相応の手当てがなされ全体価値を保持できている例外的場合を除き，原則として，法定地上権は成立しないとする立場を表明した。

■最判平成9年2月14日民集51巻2号375頁

判旨　「所有者が土地及び地上建物に共同抵当権を設定した後，右建物が取り壊され，右土地上に新たに建物が建築された場合には，……新建物のために法定地上権は成立しないと解するのが相当である」。ただし，「新建物の所有者が土地の所有者と同一であり，かつ，新建物が建築された時点での土地の抵当権者が新建物について土地の抵当権と同順位の共同抵当権の設定を受けたとき等特段の事情」がある場合は例外である。

法定地上権の成立を否定する理由として，「けだし，土地及び地上建物に共同抵当権が設定された場合，抵当権者は土地及び建物全体の担保価値を把握しているから，……建物が取り壊されたときは土地について法定地上権の制約のない更地としての担保価値

を把握しようとするのが、抵当権設定当事者の合理的意思であり、抵当権が設定されない新建物のために法定地上権の成立を認めるとすれば、抵当権者は、当初は土地全体の価値を把握していたのに、その担保価値が法定地上権の価額相当の価値だけ減少した土地の価値に限定されることになって、不測の損害を被る結果になり、抵当権設定当事者の合理的な意思に反するからである」とする（以上の解釈は、〔建物の存立を認めないことになるから〕、「建物を保護するという公益的要請に反する結果となることもあり得るが、抵当権設定当事者の合理的意思に反してまでも右公益的要請を重視すべきであるとはいえない」、という）。

(イ) 〔成立要件 2〕抵当権の設定時に土地およびその地上建物が同一の所有者に属すること　　(a)　設定時所有者同一要件　　抵当権の設定、登記時に土地およびその地上建物が同一の所有者に属することが要件の第 2 である。双方が別々の所有者に帰属している場合には、建物所有者は、抵当権設定に先立って、土地の所有者との間で賃借権など建物存続のため適切な約定利用権の設定を受けておくことが可能であるので、建物存続につき法定地上権の助けを借りる必要がない*。

> * なお、民法 388 条と同じ趣旨で、不動産の強制競売において、「土地及びその上にある建物が債務者の所有に属する場合において、その土地又は建物の差押えがあり、その売却により所有者を異にするに至ったときは」、法定地上権が成立する（民執 81 条）。この場合は、「差押え」時点で、土地、地上建物の所有者が同一であることが要件となる。仮差押えがなされた時点では所有者同一であったが、差押えの時点では異別である場合はどうか。所有者同一（A）の時点で地上建物の仮差押えがなされ、その後に土地が第三者（B）に譲渡され、さらにその後に仮差押えが本執行に移行して差押え、強制競売がなされ、C が買受人として当該建物の所有権を取得した場合、この C のため法定地上権はなお成立するか。最判平成 28 年 12 月 1 日（民集 70 巻 8 号 1793 頁）は、これを肯定し、その理由として、「当該仮差押えの時点では土地の使用権を設定することができず、その後に土地が第三者に譲渡されたときにも地上建物につき土地の使用権が設定されるとは限らない」こと、「仮差押えをした債権者は、地上建物の存続を前提に仮差押えをしたものであるから、地上建物につき法定地上権が成立しないとすれば、不測の損害を被ることとなり、相当ではない」ことを挙げている。

すなわち、土地所有者 A、地上建物所有者 B の間で土地の賃借権（または、地上権〔以下同じ〕）を設定しておけば、第 1 に、土地に抵当権が設定され、それが競売により買受人 C に買い受けられたとしても、建物所有者 B は C に土

地の賃借権をもって対抗でき（ただし，賃借権等につき対抗要件具備が必要〔民605条，借地借家10条〕），第2に，建物に抵当権が設定され，それが競売によりDに買い受けられた場合，建物抵当権が従たる権利である土地の賃借権に及んでいると解されるので（⇨309頁・Ⅲ3⑷），Dは，その賃借権の移転も受けたことになり，土地所有者Aに賃借権を主張できる（賃貸借法理上，Aの承諾は必要である〔民612条，借地借家20条。競売の場合における承諾に代わる許可の制度〕）。こう考えると，約定の利用権は，第三者に対抗できるもの（B・Cの関係で），承継され得るもの（A・Dの関係で）である必要があり，賃借権，地上権はこれに該当するが，使用貸借はこのいずれについても上記賃借権等のような法的な手当てがないのでだめである。抵当権設定の時土地および建物の所有者が異なるときに，賃借権または地上権が設定されてない場合は建物存続ができなくなるが，それらの権利を設定する機会はあったわけであるから，法定地上権の制度の助けを借りることはもちろんできない。

(b) **設定時所有者同一が登記簿上明確である必要があるか**　問題の本質は，抵当権設定時点で，地上建物所有者と土地の所有者とが約定利用権を設定することが可能であったかどうかであり，実質的に双方の所有者が同一であれば，登記簿上の名義はどうであれ，賃借権の設定はできないわけで，建物存続のため法定地上権の成立が要請される。したがって，所有者同一が登記簿上明らかではないことを理由に法定地上権の成立を否定すべきではない[52]。他方で，抵当権の設定を受ける債権者も地上建物の存在する現況を見ているので，法定地上権を成立させてもその者が不測の損害を被るわけではない。

以下，いくつかの場合について検討しておく。

　(i) **建物について保存登記がない場合**　土地およびその地上建物を所有するAが，土地のみに抵当権を設定した。その時点では建物について保存登記

---

[52] もっとも，登記簿上明らかでないと，競売における買受人が，法定地上権は成立しないものと判断して買い受け，不測の損害を被ることが懸念される。しかし，抵当権設定の時に土地と地上建物が同一所有者に属していたかどうかというような客観的な事情については，競売手続においてなされる執行官による現況調査（民執57条）で明らかとなり，それらを基礎として執行裁判所が作成する物件明細書（民執62条）により明示されるので，通常はそのような懸念は当たらないと考えられる。

がない状態であった場合であっても，Aは，競売により土地を買い受けた者に対し，その所有建物のために法定地上権を主張できる（⇨357頁・㋐(a)参照）。抵当権の実行により土地を取得する者は，建物がある客観的な現況を見て法定地上権の成立を覚悟して土地に抵当権の設定を受けるのであるから，不測の損害を被るわけではない。

　　(ⅱ)　建物の所有名義が前主のままの場合　　土地およびその地上建物を所有するAが，土地のみに抵当権を設定した時点では，建物の所有名義は前主Mのままでありへの所有権移転登記が未了であった場合はどうか。この場合でも，Aは，競売により土地を買い受けた者に対し，その所有建物のために法定地上権を主張できる（最判昭和48・9・18民集27巻8号1066頁）。ここでも，上記(ⅰ)の場合と同様に，抵当権の実行により土地を取得しようとする者は建物がある客観的な現況を見ているので，不測の損害を被るわけではない。

　　(ⅲ)　土地の所有名義が前主のままの場合　　土地およびその地上建物を所有するAが，建物のみに抵当権を設定した時点では，土地は前主Mの名義であり，その後，競売により建物をBが買い受けたが，他方その間に土地の所有権移転登記がM→A→C→Dへとなされており，現在の土地所有者Dが建物所有者Bを相手方として建物の収去・土地明渡しを求めた事案で，B所有建物のために法定地上権は成立するかが問題となった事案がある。最判昭和53年9月29日（民集32巻6号1210頁）は，このような事案（簡略化している）につき，原則どおり，法定地上権の成立を肯定した。この事案で抵当権設定者Aは，法定地上権の成立を前提として建物に抵当権を設定しているので，A自身が土地所有者として法定地上権の負担を受ける状況であれば問題なくその成立を肯定できる。問題は，法定地上権の成立を引き受ける者が土地を転々譲り受けた者Dであり，Dが土地と建物の登記記録を遡って調べたとしてにわかには法定地上権の成立を予期できない場合であるので，成立を肯定したこの判決については賛否が分かれるところである（ただし，不動産登記に詳しい者であれば抵当権設定の時点で同一所有者であったことが確認できないわけではなかった事案ではあった）。もっとも，Dとしては，土地譲受けの際，その土地上に登記ある建物が存在することは認識できるので，少なくとも約定の賃借権の対抗は覚悟しているはずであり，その点を考慮すると，法定地上権を肯定してもDにとって不測の損

害とはならないといえる。

　(c) **設定時は所有者同一であるが設定後に所有者が異別となった場合**　抵当権設定当時に土地および地上建物の所有者が同一であり，後に土地または地上建物が第三者に譲渡され所有者が異なることになった場合には，法定地上権の成立が肯定されるべきである。以下，場合に分けて検討しておく。

　(i)　土地および地上建物をAが所有し，土地のみに抵当権が設定され，その後地上建物（または，土地）のみが第三者（B）に譲渡された場合　譲渡により土地および地上建物の所有者が別々になるから，その時点で地上建物（B所有）のために土地（A所有）に賃借権が設定される。しかし，Bが有するこの土地の賃借権よりも先に設定，登記されている土地の抵当権が対抗力で優先しているから，土地の抵当権が実行されると，劣後する賃借権は消滅するので，この場合建物存続のためにはやはり法定地上権の成立を認める必要がある。もともと所有者同一要件は満たされているので成立は肯定される。

　(ii)　土地および地上建物をAが所有し，建物のみに抵当権が設定され，その後地上建物（または，土地）のみが第三者（C）に譲渡された場合　譲渡により土地および地上建物の所有者が別々になるから，その時点で地上建物のために土地に賃借権が設定される。この土地の賃借権は地上建物にとっての従たる権利であり，もしもそれに対し抵当権設定後ではあるが建物の抵当権の効力が及ぶとすれば（⇨309頁・Ⅲ3⑷），建物に対する抵当権の実行によりこの賃借権も建物の買受人に承継され，この土地賃借権を基礎として地上建物は存続する。反対に，建物抵当権の効力は抵当権設定後の土地賃借権には及ばないと考える場合は，建物のために法定地上権の成立が必要となる。もともと所有者同一要件は満たされており，抵当権の設定者Aは法定地上権を予期していたのであるから，法定地上権の成立は認められる。

　(d)　**設定時は所有者異別であるが設定後に所有者同一になった場合**　土地がAの所有，地上建物がBの所有であり，Bが土地の賃借権を有している場合において，GがA所有の土地のみに抵当権の設定を受けた。その後にAが建物所有権を譲り受け（または，Bが土地所有権を譲り受け），土地建物双方の所有者が同一になった後，Gが土地に対する抵当権を実行した場合には，A（またはB）所有の建物のために法定地上権が成立するか。これらの事例において

は，建物または土地が譲渡されて双方の所有者が同一になったとしても，A・B間でなされていた約定の賃借権は，混同により消滅することなく[53]，その約定賃借権に基づき建物は敷地上に存立すると考えられる。法定地上権の問題とはならないし，これらの事例では法定地上権成立の要件（設定時所有者同一）がそもそも満たされていない。なお，上の関係において，Gの抵当権がB所有建物のみに設定された場合も，議論は同一である。

(e) **抵当権設定後所有者同一となり後順位抵当権が設定された場合** 　土地または地上建物のみに抵当権が設定されたが，その時点では土地と建物の所有者が別々であったところ（法定地上権の問題とはならない〔(d)参照〕），土地または建物の所有権が譲渡され双方の所有者が同一となり，その後に土地または地上建物に後順位抵当権が設定され（所有者同一要件は具備），抵当権が実行された場合，地上建物のために法定地上権は成立するか。問題が複雑なので，抵当権設定が土地である場合（⇨(i)）と建物である場合（⇨(ii)）とに分けて検討する。

(i) **土地に抵当権が設定された場合**　〔1〕基本事例　A所有の土地にG_1のため第1順位の甲抵当権が設定されており，その後Aが地上建物の所有権をBから取得し，土地と地上建物の所有者が同一となった場合について，その後の展開として，Aが土地にG_2のため第2順位の乙抵当権を設定し，土地が競売されたとき，Aは土地の買受人Cに対しA所有建物のために法定地上権を主張できるか。

このAとBとの間でB所有建物のためにBに土地の賃借権があった場合は，上記(d)の議論がそのまま当てはまり法定地上権の議論は必要ではない（Aは賃借権付き〔混同消滅の例外〕の建物を所有している）。しかし，ここで，Bに土地利

---

[53] 土地と建物の所有者が同一になった時点で，賃借権が混同により消滅する（民520条）ことになるか。混同の例外を規定する民法520条但書（「その債権が第三者の権利〔抵当権〕の目的であるとき」）に当たらず，混同により消滅するかにみえる場合もある（賃借権が第三者Gの抵当権の目的でない場合，つまり土地に抵当権が設定されている場合）。しかし，建物所有の賃借権は地上権に類似しているから，その場合には，物権の混同の例外を定める民法179条1項但書（「その物又は当該他の物権が第三者の権利の目的であるとき」）を類推することが許されるといってよく，そうであれば，土地は第三者Gの抵当権の目的であるから，賃借権は混同によって消滅することはないと解することができる（最判昭和46・10・14判時650号64頁）。

用の権原がなかった場合，あるいは，Bには単に使用借権があったにすぎず，その使用借権付きでAが建物を譲り受けた場合（使用借権は混同により消滅するか，仮に消滅しないとしても第三者に対抗できないので），いずれにおいてもAは土地の買受人Cに対して建物のための約定利用権を主張できる立場にはない。

　これらの場合，議論としては，乙抵当権設定の時点で，土地と地上建物が同一人（A）の所有に属していたのであるから，乙抵当権との関係では法定地上権の成立を認めてもよいのではないかということがあり得る。

　しかし，判例は，このような事案につき，1番抵当権者 G_1 が不測の損害を被るとして法定地上権の成立を否定している（最判平成2・1・22民集44巻1号314頁）。判旨は，その理由を，「土地について1番抵当権が設定された当時土地と地上建物の所有者が異なり，法定地上権成立の要件が充足されていない場合には，1番抵当権者は，法定地上権の負担のないものとして，土地の担保価値を把握するのであるから，後に土地と地上建物が同一人に帰属し，後順位抵当権が設定されたことによって法定地上権が成立するものとすると，1番抵当権者が把握した担保価値を損なわせることになるからである」と述べている＊。

> ＊　上の例で G_1 としては，B所有建物が土地上に存するがその建物のために法定地上権は成立しないとして土地の担保価値評価をしている（土地利用権はなくとも地上建物があれば，通常土地の評価額は更地価格よりはある程度減価する〔建物を取り壊す場合の費用分〕）。しかし，地上権の負担がある土地の場合，評価額は更地価格よりさらに大きく減価（たとえば5，6割程度減価）するわけであるから，妥当な判断である。

〔2〕**第1順位抵当権が爾後に消滅した場合**　ところで，上記の基本事例で，第2順位の乙抵当権が設定された後になって，第1順位の甲抵当権が設定契約の解除，または弁済等により消滅し，乙抵当権が1番抵当権に昇格し，抵当権が実行された場合は，建物のために法定地上権が成立するとしてよいか。肯定の方向に働く事情として，まず，1番抵当権者 G_1 は退場しているので，前掲最判平成2年1月22日の事案と異なり，法定地上権が成立しても1番抵当権者 G_1 の利益が害されるという事情はない。次に，執行裁判所の競売実務ではすでに消滅した甲抵当権の設定時まで遡って法定地上権の成否の調査をしておらず（調査困難な場合もある），また，買受人にあっても，乙抵当権を基準に法定地上権の成否の判断をしていると思われる（成立を予期した低い価額で買

い受けている)。反面,否定の方向に働く事情としてG_2は,前掲平成2年判決を前提に,第2順位の乙抵当権設定時に,法定地上権は成立しないと予測し,不成立を前提に当該不動産の担保余力を計算している可能性は十分にあり,そうすると,このG_2の期待を損なわせることになるおそれがあることを指摘できる。このような利害の絡まる事案につき,最判平成19年7月6日(民集61巻5号1940頁【百選Ⅰ91】)は,ここで法定地上権の成立を認めても第2順位の乙抵当権者に不測の損害を与えるものではないとして,法定地上権の成立を肯定し,民法388条の同一所有者要件につき,「競売により消滅する最先順位の抵当権である乙抵当権の設定時において同一所有者要件が充足していることを法定地上権の成立要件としているもの」と整理した。先順位にある抵当権が消滅することがあることは抵当権の性質上当然のことであり,抵当権の設定を受けるに当たっては,そのようなことも予測して担保余力の把握をしておくべきであるから,「不測の損害」ではないというのである。

■最判平成19年7月6日民集61巻5号1940頁

判旨 「土地を目的とする先順位の甲抵当権と後順位の乙抵当権が設定された後,甲抵当権が設定契約の解除により消滅し,その後,乙抵当権の実行により土地と地上建物の所有者を異にするに至った場合において,当該土地と建物が,甲抵当権の設定時には同一の所有者に属していなかったとしても,乙抵当権の設定時に同一の所有者に属していたときは,法定地上権が成立するというべきである。」

その理由として,「甲抵当権が存続したままの状態で目的土地が競売されたとすれば,法定地上権は成立しない結果となる……ものと予測していた」乙抵当権者については,「甲抵当権が被担保債権の弁済,設定契約の解除等により消滅することもあることは抵当権の性質上当然のことであるから,乙抵当権者としては,そのことを予測した上,その場合における順位上昇の利益と法定地上権成立の不利益とを考慮して担保余力を把握すべきものであったというべきであ」り,「したがって,……法定地上権が成立することを認めても,乙抵当権者に不測の損害を与えるものとはいえない」,と述べる*。

* 上のような第2順位の抵当権者は,設定の際の不動産の担保余力の把握について,一方で,第1順位の抵当権が存続のまま競売になるケースを想定して法定地上権の成立しない場合の第2順位者として受ける配当額を計算し,他方で,第1順位の抵当権が消滅した後競売になるケースを想定して,法定地上権の成立により土地の売却値段は大きく減ずるものの,順位上昇により第1順位者として受ける配当額を計算し,安全のため額の少ない方を選んで被担保債権額(貸付額)を決定すべきことになる。

(ii) 建物に抵当権が設定された場合　他方，A が土地を所有，土地の使用借権者 B が地上建物を所有している時，B が所有建物に債権者 G_1 のため抵当権を設定し，その後，土地所有者 A が建物所有権を取得し，土地と地上建物が A の所有となった状況下で，建物につき G_2 のため第 2 順位の抵当権が設定され，次いで，建物が競売されたという場合，建物の買受人 D は A に対して法定地上権を主張できるか。

判例（最判昭和 53・9・29 民集 32 巻 6 号 1210 頁）は，この場合には，法定地上権の成立を認めている。建物についてはこのように解したとしても 1 番抵当権者 G_1 が把握した担保価値を損なわせることにはならないから，という理由である。そもそも第 1 順位の G_1 は，土地賃借権の伴わない建物に抵当権の設定を受け，しかも，法定地上権が成立しないことも明らかで，いわば担保価値のない建物に抵当権を取得していたわけで，法定地上権が成立するならば望外の利益を得こそすれ何ら損失はない。他方，第 2 順位の G_2 にあっては，抵当権設定当時所有者同一で A 自身が（自己）賃借権を設定できなかった状況であるので，建物につき法定地上権の成立を前提として行動していたといってよく，保護に値するので，法定地上権の成立を肯定した結論は妥当である。

(f)　**設定時所有者同一要件と共有**　たとえば，土地が A と B との共有でその地上に A 単独所有の建物があるとき，反対に土地が A の単独所有でその地上建物が A と B との共有であるときなどでは，部分的に，土地およびその地上建物が同一の所有者に属するとの要件が満たされている。そこで，これらの場合に，共通する所有者 A により土地または地上建物（またはそれらの共有持分）に抵当権が設定され，その後抵当権が実行され所有者を異にするに至ったときは建物のために法定地上権が成立するのか，が問題とされる。

結論的に述べると，共有の場合には，結局，法定地上権という利用権の発生により他の共有者（B）が不測の負担を負うことがあり得るが，それが正当化されるかどうかが法定地上権を認めるかどうかのカギになる。以下では共有が関わる事案を類型に分けて紹介する。

(i)　土地を A・B 共有，建物は A 単独所有の場合　〔1〕土地の A 持分に抵当権設定　A の土地共有持分に対する抵当権が実行された結果 C がその持分を買い受けて，土地が B・C の共有となったとき，A 所有の建物につき法定地

上権が成立するか。最判昭和29年12月23日（民集8巻12号2235頁）はこれを否定した。理由は，（共有一般論として）「共有者中一部の者だけがその共有地につき地上権設定行為をしたとしても，これに同意しなかった他の共有者の持分は，これによりその処分に服すべきいわれはない」ので，法定地上権についても，地上権を設定したものとみなすべき事由が単に土地共有者の1人（A）だけについて発生したとしても，これがため他の土地共有者（B）の意思いかんにかかわらずその者の持分までが無視される（法定地上権を負担する）べきいわれはない，という。

〔2〕 A所有建物に抵当権設定　　土地がA・Bの共有で，A所有の地上建物に抵当権が設定され，競売によりCが買受人となった場合，C所有建物のために法定地上権は成立するか。最判昭和44年11月4日（民集23巻11号1968頁）は，〔1〕の場合と同じく原則としてBの意思を尊重し否定すべきだとしつつ，ただし，「他の共有者がかかる事態の生ずることを予め容認していたような場合においては，右の原則は妥当しない」とし，本件事案ではBの容認があったとした。

〔1〕〔2〕を通して判例について指摘できるのは，土地の共有持分権者BはA所有建物によるA・B共有土地の利用につきもともとAに許諾を与えていることが通常であり，そのような場合には一般にBは法定地上権の成立を容認していると見得るのではないかということである。

　　(ii) 建物をA・B共有，土地はA単独所有の場合　　〔1〕 A単独所有の土地に抵当権設定　　抵当権が実行され競売の結果Cが土地の買受人となった場合，A・B所有建物のために法定地上権は成立するか。最判昭和46年12月21日（民集25巻9号1610頁）は肯定した。理由は，「建物の共有者の1人がその建物の敷地たる土地を単独で所有する場合においては，同人は，自己のみならず他の建物共有者のためにも右土地の利用を認めているものというべきであるから……右土地に法定地上権が成立する」とした。

〔2〕 建物のA持分に抵当権設定　　A・B共有建物のAの持分に抵当権が設定され，競売によりCが買い受け，建物がB・Cの共有となった場合，A所有の土地に対し法定地上権は成立するか。AはもともとBに利用の許諾を与えており，法定地上権の成立を否定する理由はない。

(iii) 土地も建物もA・Bが共有する場合　　土地のA共有持分が強制競売によって売却され（A持分に対する抵当権に基づく競売の場合も同様），Cがその持分を買い受けた場合，A・B所有建物につき，B・C所有土地に対する法定地上権は成立するか。最判平成6年4月7日（民集48巻3号889頁）はこれを否定した。法定地上権の成立を肯定すると「Bは，その意思に基づかず，Aのみの事情によって土地に対する持分に基づく使用収益権を害されることになる」からであるとする。これまでの考え方（(i)参照）を踏襲するものである。

(iv) 地上建物の共有者はA・B・C，土地共有者はA・D・Eである場合（Aだけ所有者同一）　　Aの債務を担保するため土地共有者の全員A・D・Eが共同して各持分に抵当権を設定し，この抵当権が実行されXが買い受けた事案につき，最判平成6年12月20日（民集48巻8号1470頁【百選Ⅰ93】）は，A・B・Cの共有する建物のために法定地上権は成立しないとした。上記(i)でみた最判昭和29年および最判昭和44年を引用しながら，「共有者は，各自，共有物について所有権と性質を同じくする独立の持分を有しているのであり，かつ，共有地全体に対する地上権は共有者全員の負担となるのであるから，土地共有者の1人〔A〕だけについて民法388条本文により地上権を設定したものとみなすべき事由が生じたとしても，他の共有者ら〔D・E〕がその持分に基づく土地に対する使用収益権を事実上放棄し，右土地共有者の処分にゆだねていたことなどにより法定地上権の発生をあらかじめ容認していたとみることができるような特段の事情がある場合でない限り，共有土地について法定地上権は成立しないといわなければならない」，と述べる。ただし，法定地上権の成否は土地の競落人など共有者以外にも利害が及ぶから，「あらかじめ容認していたとみることができるような特段の事情」の存在は，共有者が妻子という人的関係にある（容認が推認できる）というだけでは認められず，客観的かつ明確に外部に公示されるものである必要がある，という。

(ウ)〔成立要件3〕「土地又は建物につき抵当権が設定され」たこと，〔成立要件4〕「その抵当権の実行により所有者を異にするに至った」こと　　民法388条の「土地又は建物につき抵当権が設定され」という文言からは，法定地上権の成立は，土地または建物の一方のみについて抵当権が設定された場合に限定されるかのように読める。しかし，双方について（共同）抵当権が設定さ

れ，競売の結果，土地と地上建物の所有者が異なるに至った（一方のみが競売された，または双方が競売されたが別々の者が買い受けた）場合も，法定地上権の成立が認められると解釈すべきである。抵当権の「実行により所有者を異にするに至った」ことこそが建物のために法定地上権を必要とする最も重要な事情だからである。

(3) 効 果

以上の要件が満たされた場合の効果は，「その建物について，地上権が設定されたものとみなす」である。これにより建物は，従前どおり，敷地の上に存続できることになる。

その法定地上権の内容は，土地の買受人と建物の所有者，または，建物の買受人と土地の所有者との間で，合意により決定されることになる（民265条以下参照）。もっとも，建物所有のための地上権であるので，借地借家法の適用があり，たとえば，存続期間について，10年とするとの合意は無効であり，その場合は30年となるであろう（借地借家3条，9条）。なお，地代について合意が形成できない場合には，当事者の請求により，裁判所が定めることとされる（民388条後段）。

また，事後に登場することがある第三者に対する法定地上権の対抗要件についても借地借家法10条の適用があり，地上建物の所有の登記で（法定）地上権を対抗することができる。

(4) 抵当地の上の建物の競売（一括競売）

(ア) 制度趣旨　民法389条は，「抵当権の設定後に抵当地に建物が築造されたときは，抵当権者は，土地とともにその建物を競売することができる」（1項本文），「前項の規定は，その建物の所有者が抵当地を占有するについて抵当権者に対抗することができる権利を有する場合には，適用しない」（2項），と規定する。なお，この建物については抵当権の効力が及んでいるわけではないので，競売はできるけれども，建物の売却代金については抵当権者が優先弁済権を行使できるわけではない（同条1項但書）。売却代金は建物の所有者に交付されることになる。

抵当権が設定された後にその抵当土地に建物が築造された場合には，抵当権に対抗できる利用権に基づいている場合を除き，何人による築造であれ，抵当

権に基づく競売がなされるとその土地上に建物はもはや存立し得ず，土地の買受人による建物収去土地明渡請求（または引渡命令の執行）に従うべき運命にある。

　本条は，もともと，このような原則が貫徹されてしまうとせっかく築造された建物が無駄となってしまうことを社会経済的な損失とみて，建物の存続を可能とする手段として規定されたものである。本条に基づいて，抵当権者が土地とともにその地上建物を競売することを選択し，買受人がこれらを併せて買い受けると，建物の存続が図れるというわけである。

　(イ)　**設定後築造建物の排除**　　しかし，本条は，機能としては，抵当権設定後に築造された建物の除去をめぐる関係において，抵当権者を保護するという面が強くなっている。

　上述のように抵当権設定後に築造された建物は土地の買受人により当然に排除される運命にあるが，しかし，建物の所有者を相手に建物の除去を実際に行うとなると，コストも時間もエネルギーも必要である。とりわけ，抵当権妨害目的で建物が築造されている場合は，これを除去するには相当な困難が予想される。したがって，設定後築造された建物があるときは，競売において買受人が現れにくい，あるいは売却価額が低下するなどという事態となる（さらに，それをネタに建物所有者が不当な利益をむさぼったりする）。

　このような場面で，この一括競売の制度を使えば問題を解消できる。一括競売により土地と建物とを併せて売却でき，買受人は建物の所有権も併せて取得するので，買受人による建物の取壊しなども自己所有物としてスムーズに行うことができ，競売の円滑化にもつながる。ということで，これは抵当権者にとって有益な制度ということになる。また，建物の所有者としても，収去義務（収去費用の負担）を免れ，逆に，建物売却代金の交付を受けるなどの「メリット」を享受できる（建物は担保目的物ではないので代金は債権者に配当されない）。

5　代価弁済，および抵当権消滅請求

(1)　**序　説**

　(ア)　**問題の所在**　　抵当不動産が第三者（第三取得者と呼ぶ）に譲渡されることがあるが，その場合，抵当権の登記の対抗力が優先し，第三取得者は抵当権

の付着した所有権を取得する。そこで，被担保債権について債務不履行があると，第三取得者は，担保不動産競売により所有権を失うなど不安定な地位に立つ。

そこで，第三取得者は，抵当不動産の譲受けに際しては，通常，抵当権を消滅させ負担のない不動産の取得を考える。また，抵当権者も，抵当不動産の売却に際して，あるいは売却することによって，その売却代金から被担保債権の回収を図ることを考えることも少なくない。そこで，抵当不動産の売買当事者および抵当権者（後順位者も含めて）[54]において，売買代金額について合意が形成されれば，抵当目的物の価額（売買代金額）が被担保債権額より少ない場合であっても，売買代金により被担保債権への支払をすることで抵当権を消滅させることがあり得る。

(イ) **第三者弁済の方法**　他方，上述のような抵当権者の同意が得られなくとも，被担保債権額が抵当不動産の価額より少ない場合は，第三取得者が被担保債権を抵当権者に第三者弁済をすることで（民474条），抵当権を消滅させることができる（差額は売主である設定者に代金として支払う）。しかし，被担保債権額が抵当不動産の価額より多い場合には，不動産価額以上の金銭を支払って抵当権を消滅させる必要があるが（抵当権の不可分性），そのようなことは実際上は考え難いので，この方法は使えない。

(ウ) **代価弁済，抵当権消滅請求**　民法は，代価弁済（民378条）と抵当権消滅請求（民379条～386条）という制度を設けて，このような場合につき，第三取得者に抵当権を消滅させる特別の機会を与えた。前者は，抵当権者の請求に応じて第三取得者が代価を弁済したときに抵当権を消滅させるものであり，後者は，第三取得者のイニシアティブにより抵当権が消滅する機会を付与した制度である。

(2) **代価弁済**

民法378条は，「抵当不動産について所有権又は地上権を買い受けた第三者

---

[54] 後順位抵当権者には順位上昇の利益があるので，抵当権の実行によっては配当を受け得ない後順位者であっても，合意により全部の抵当権を消滅させようとする場合には，設定者はなにがしかの補償的・慰撫的な金銭を支払うことになる。

が，抵当権者の請求に応じてその抵当権者にその代価を弁済したとき」，「抵当権は，その第三者のために消滅する」，とする。

要件としては，〔1〕第三者による抵当不動産の所有権または地上権の取得が有償であること，〔2〕抵当権者が代価の支払を請求したこと，〔3〕第三者がこれに応じて抵当権者に弁済したこと，である。抵当不動産の所有権取得者だけではなく，地上権の設定を受けた者についても適用がある。具体的には，地上権の対価を全額一時払いをする場合が想定される。

効果としては，その第三者のために抵当権が消滅することである。所有権が譲渡される場合には，抵当権で把握された不動産の価値全部が代価弁済されるので，代価を支払った第三取得者のために抵当権は全部消滅する*。被担保債権に残額があればそれは抵当権でカバーされないものとなる。

> ＊抵当不動産につき第三者に地上権が設定される場合の代価弁済においては，抵当権が把握する不動産の価値の一部（地上権価額）についてのみ代価弁済されるので，抵当権は代価弁済をした地上権者との関係でのみ相対的に消滅する。底地所有者（抵当権設定者）に対する関係では，被担保債権の残額について抵当権がそのまま存続する。したがって，仮に担保不動産競売があれば，地上権者はその買受人に対して地上権を対抗することができるという関係となる。

抵当権者が事前に把握した売買代金額に不満であれば，代価弁済の請求をしないで競売による抵当権実行を選択するであろう。したがって，この制度が働くのは抵当権者が売買代金額に納得している場合ということになる。もっとも，その場合は当事者の合意により抵当権を消滅させることが可能であり，結局，この制度の働く余地は乏しいといわなければならない。

(3) **抵当権消滅請求**

(ア) **制度趣旨** 抵当不動産の第三取得者が抵当権者に対して一定の金額を提示して抵当権の消滅を請求し，これに対して，抵当権者がその金額を承諾するか，または対抗措置として認められた競売申立てを2か月以内にしないときは，第三取得者がその提示した金額を支払うか供託することで抵当権を消滅させることができる，という制度である（民379条以下）。第三取得者のイニシアティブによる抵当権消滅の可能性を与えたものである。抵当不動産を取得しようとする者が第三者弁済により抵当権を消滅させようとする場合，被担保債権

額が抵当不動産の価額を超えなければそれはうまくいくが，反対に，被担保債権額が大きい場合には，抵当不動産の価額を超えてその全額の弁済をしなければ抵当権を消すことができないので（抵当権の不可分性），第三者弁済という方法は使えず，購入者は現れない。そこで，被担保債権額が超過する抵当不動産を第三者に購入させようとするためには，つまり流通を促進するためには，特別の制度が必要であり，まさに，この抵当権消滅請求の制度がその要請に応えるものとして立法されたのである（平成15年の改正で，以前は「滌除」と呼ばれていた制度を改正して，抵当不動産の流通促進を図るという目的に適合する制度にリニューアルした）。

抵当権の消滅の請求を受けた抵当権者は，提示された金額に不満であれば，対抗的により高額での売却（配当）をねらって不動産競売の申立てをすることができる（民383条3号，384条）。

(イ) **抵当権消滅請求をすることができる者**　抵当不動産の第三取得者である（民379条）。第三取得者とは抵当不動産の所有権を取得した者であり，地上権取得者はこれに該当しない（民378条の文言と比較せよ）。担保権実行前の譲渡担保権者は，実質が担保権者であり確定的に所有権を取得したわけではないのでこの請求はできない（最判平成7・11・10民集49巻9号2953頁）。

また，「主たる債務者，保証人及びこれらの者の承継人は，抵当権消滅請求をすることができない」（民380条）。これらの者が仮に第三取得者となったとしても抵当権消滅請求を認めるべきではないということである。これらの者はそもそも債務全額について支払義務を負う者だから債務の一部である不動産の代価分を支払ってする抵当権消滅請求を認めることは適当ではない。また，「抵当不動産の停止条件付第三取得者は，その停止条件の成否が未定である間は，抵当権消滅請求をすることができない」（民381条）。停止条件付第三取得者は所有権取得の期待権を有するにすぎず，所有権の取得が確定していないから抵当権消滅請求をすることができないのである。

(ウ) **抵当権消滅請求のできる時期**　抵当不動産の第三取得者は，所有権の取得後，抵当権の実行としての競売による差押えの効力が発生する前までは，いつでも抵当権消滅請求をすることができる（民382条）。

(エ) **抵当権消滅請求の手続**　(a) **書面送付**　第三取得者は，すべての抵

当権者(質権者,先取特権者も含む〔以下,同じ〕)に対し,民法383条1号〜3号所定の書面を送付して抵当権消滅請求をする。〔1〕1号は当該第三取得者への不動産譲渡の事実に関する書面(「取得の原因及び年月日,譲渡人及び取得者の氏名及び住所並びに抵当不動産の性質,所在及び代価……を記載した書面」),〔2〕2号は登記事項証明書,〔3〕3号は「2箇月以内に抵当権を実行して競売の申立てをしないときは」,第三取得者が,その取得の「代価又は特に指定した金額を債権の順位に従って弁済し又は供託すべき旨を記載した書面」である。

(b) **承諾または競売申立て** この書面の送付を受けた抵当権者は,第三取得者の提供した代価または一定の金額を承諾するか,これに対抗して競売を申し立てるかを選択する。何もしないまま2か月が経過したときは承諾したものとみなされ,また,競売を申し立てたが取り下げたとき,却下の決定が確定したとき,または競売手続の取消しがあったとき(民384条4号括弧書に除外例がある)も,同じく承諾したものとみなされる(民384条各号)。

(オ) **抵当権消滅の効果発生** すべての抵当権者が承諾または承諾したとみなされる場合において,抵当不動産の第三取得者がすべての抵当権者にその順位に従ってその承諾を得た代価または一定の金額を払い渡しまたは供託したときは,抵当権は消滅し(民386条),第三取得者は所期の目的を果たすことができる。

(カ) **競売の申立て** 抵当権者が競売の申立てを選択したときは,2か月の期間内に,債務者および抵当不動産の譲渡人にその旨を通知しなければならない(民385条)。なお,この対抗的な手段である競売の申立てについては,被担保債権の債務不履行を要件とはしない。

抵当権者が,競売を申し立てるのは,通常,第三取得者提供の代価または金額を受け取るよりも,競売をしてその配当を受ける方がより多額の債権回収ができると見込んだときであるが,実際により高価で売却できるかどうかは定かではない。他方,競売の結果その不動産所有権は買受人に移転するが,第三取得者は自ら買受人となることができる(民390条)ので,競争入札の結果次第であるが,当該目的物の所有権をなお取得できる可能性は残っている。

なお,売却の見込みがないこと等を理由とする競売手続の取消しがあった場合(民執188条,63条3項,68条の3第3項)は,抵当権者のみなし承諾があっ

たとはされないので（民384条4号括弧書），抵当権は消滅しないままの状態で存続する。振出しに戻るわけであり，第三取得者としては，その気があれば再度抵当権消滅請求をすることができる。

V 抵当権の処分

1 序　説

わが国の抵当権は債権担保の手段とされており被担保債権に付従する存在である。そこで，抵当権が被担保債権と切り離されて処分されるということはあまり一般的ではない。独立の処分を認めるには，実定法上の根拠が必要である。民法の条文で認められた抵当権の処分としては，転抵当，抵当権の譲渡・放棄および抵当権の順位の譲渡・放棄（民376条），抵当権の順位の変更（民374条）がある。

2 転抵当
(1) 意　義

民法376条は，「抵当権者は，その抵当権を他の債権の担保と……することができる」とし（1項），いわゆる転抵当を認めている。抵当権者Gが設定者Sに対して有する抵当権（以下，「原抵当権」という。たとえば，被担保債権2000万円，その弁済期令和2年12月1日）があるとして，Gがその原抵当権を自己の債権者Dとの合意で，Dに対する債務（たとえば，1500万円，弁済期令和2年10月1日）の担保とすることができるということである（【図表12-4】）。

転抵当は，原抵当権者Gが，その被担保債権2000万円を回収することができるようになる前に，自分の有する原抵当権を担保として利用することで，第三者Dから1500万円の金銭の融資を得ようとするような場合に利用される。なお，この目的を達成するために，原抵当権の被担保債権に質権を設定する方法（付従性により原抵当権も対象となる）も考えられる。転抵当は，これと比較すると，原抵当権のみを独立して担保に供することを認めたものと解することができる[55]。

【図表 12-4】

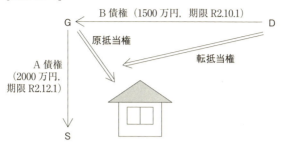

(2) 転抵当の設定

(ア) 設定契約　抵当権者Ｇと転抵当権者Ｄとの合意により設定され，原抵当権の設定者Ｓの同意は必要でない。

転抵当権の担保目的（物）については，条文の文言どおり「抵当権」と理解するのか（転抵当権は抵当権ではなく権利質的な担保物権と理解することになる），あるいは，原抵当権の目的不動産に（原抵当権が把握する交換価値の限度で）再度抵当権を設定するものと理解するのか，争いがある。前者が多数説であるが，両者に具体的な結論の差はなく法律構成の違いにとどまる。

なお，以下の点は，転抵当が有効であるための要件ではない。すなわち，転抵当権の被担保債権が，原抵当権の被担保債権と比較して，第１にその額において少ないこと，第２にその履行期が時間的に前に到来するものであること，は要件ではない（なお，⇨後述(3)参照）。

(イ) 転抵当権の対抗要件　(a) 物権変動の対抗問題　対抗要件は２つの側面で問題となる。第１は，転抵当権の設定も物権変動であるからその意味での第三者対抗要件が必要となる。すなわち，Ｇの原抵当権につきＤが転抵当権を取得した旨の登記（付記登記）をすることになる。対抗問題が生ずるのは転抵当権の設定と相容れない者との間においてである。たとえば，転抵当権の重複設定を受けた者がこれに当たる。この場合複数の転抵当権が設定されたわ

---

55) いわゆる転抵当を，被担保債権およびこれに随伴する原抵当権とに質権を設定するものとする理解（共同質入説）があったが，共同質入れは本条がなくとも可能であるので，そう解すべきではない。

けであるから，その複数者間の権利の順位は当然「抵当権の登記にした付記の前後による」ことになる（民376条2項）。また，次項で取り上げる原抵当権の譲受人などとの関係も対抗問題となる。

　(b)　**債務者等に対する対抗要件**　対抗が問題となる第2の場面として，原抵当権の被担保債権の債務者S等との関係が挙げられる。転抵当権の存続は原抵当権の存続を前提とするので，たとえば，原抵当権の被担保債権がS等により弁済されることによって原抵当権が消滅するというようなことがあってはならない。しかし，転抵当権が設定されたことはS等には明らかではない。

　そこで，民法467条の規定に従って，原抵当権者Gから債務者Sに対し転抵当権の設定を通知するか，または債務者Sがこれを承諾することで，転抵当権を，債務者，保証人，原抵当権設定者およびこれらの者の承継人に対抗することができることとした（民377条1項）。具体的には，このGからSに対する通知・Sの承諾がなされたにもかかわらず，転抵当権者Dの承諾なくして，S，保証人または原抵当権設定者等が原抵当権の被担保債権の弁済をなした場合には，これを転抵当権者Dには対抗できない（原抵当権，転抵当権は消滅しない）とする（同条2項）。なお，上記の債務者S，保証人，原抵当権設定者およびこれらの者の承継人以外の第三者が弁済した場合も，事態が類似するので本条が類推適用される。

　(3)　**転抵当の効果**

　転抵当権が設定され，対抗要件が具備された場合の，関係当事者の権利義務は以下の通り整理できる。

　㋐　**転抵当権者**　まず，転抵当権者Dにとって重要なことは，その被担保債権（以下，「B債権」という）の弁済期が到来した場合，転抵当権を実行して優先弁済を受けることができる権利を有することである。

　もっとも，転抵当権の実行といっても，結局，原抵当権の目的不動産を競売することであり，原抵当権を実行することにほかならないので，そのための要件，すなわち，原抵当権についての抵当権実行の要件が満たされている必要がある。それは，原抵当権の被担保債権（以下，「A債権」という）についての弁済期も到来したことである。

　転抵当権者Dが優先弁済を受け得る範囲は，仮にB債権額＞A債権額であ

っても，転抵当権が把握しているのは原抵当権の把握する目的物の交換価値の範囲内であるから，A債権額を超えることはない。B債権額＜A債権額である場合には，Dに配当された額（被担保債権の範囲についての民法375条が適用される）の残額が原抵当権者Gに配当される。なお，原抵当権についての後順位抵当権に対しては何の影響も与えるべきでないので，それらの者は原抵当権に次いで残額につき配当を受ける。

なお，転抵当権の実行までの間は，転抵当権者Dは，原抵当権の存続につき利益を有する。そのため，原抵当権の被担保債権の弁済による消滅については，すでに述べたように，民法377条2項で手当てがなされ，転抵当権者の承諾がない限り，受益者（転抵当権者）に対抗できないとされる。また，原抵当権者G自身はDに対して転抵当権の目的の担保価値維持義務を負担していると解される（対応して，DはGに対して担保価値維持請求権を有する）。

(イ) **原抵当権者**　　原抵当権者Gにとって重要なのは，その被担保債権（A債権）が履行されない場合であって，転抵当権者Dが転抵当権を実行しない，または（B債権が期限未到来で）できないとき，独自に原抵当権を実行できるかどうかである。原抵当権を実行すると転抵当権も消滅するので，もしもそれによりDの利益が害されるということであれば実行は認めるべきではないということになる。古い判例が，A債権額＞B債権額で，原抵当権者Gに差額の配当がある場合にのみ実行を認めるというのはそういう趣旨からであろう。

しかし，原抵当権の実行を一般に認めても，転抵当権者に不利益は生じない。上記のような差額がない場合，原抵当権者Gは，普通，実行をしないであろうが，仮に実行しても，民事執行法63条（民執188条で準用）の剰余を生ずる見込みがない場合の措置（手続取消しとなる）が対応している。反対に，差額がある場合には，競売による売却代価から転抵当権者DはGに優先して配当を得ることになる（なお，B債権が原抵当権実行の時に期限未到来であっても，原抵当権の実行が民法137条2号に該当し期限が到来する）[56]。

(ウ) **原抵当権設定者等**　　もともと，原抵当権設定者Sは，被担保債権（A債権）の弁済により自己所有不動産に対する抵当権の負担から逃れることがで

---

56) 道垣内・前掲本章注7) 196頁。

きる立場にあった。債務者も，弁済期における弁済につき利益がある（遅延損害金の発生を防止する）。債務の弁済は，民法377条2項で転抵当権者Dに対抗できないとされてはいるが，弁済期が来ても抵当権の負担あるいは債務から解放されないままであるとすれば問題がある。そこで，原抵当権設定者あるいは債務者には，弁済供託が許されるべきであろう。その場合，不動産に対する抵当権・転抵当権は消滅するが，それらは目的物の価値代位物としての供託金の上にその効力が及ぶと解することができる[57]。

3　抵当権の譲渡・放棄および抵当権の順位の譲渡・放棄
(1)　序
(ア)　**意義**　抵当権者は，被担保債権と切り離して，「同一の債務者に対する他の債権者の利益のために」，その者との合意により，抵当権を譲渡もしくは抵当権を放棄でき，「同一の債務者に対する他の債権者〔であって後順位の抵当権者〕の利益のために」，その者との合意により，抵当権の順位を譲渡もしくは放棄することができる（民376条1項）[58]。

制度の内容は，要するに，自分の債権につき抵当権を有している者が，自身の債権につき担保をもっていない債権者に対して，あるいは，自身の債権につき十分な担保をもっていない後順位担保権者に対して，自分の抵当権の優先弁済的効力（その順位〔民373条〕，その被担保債権の範囲〔民375条〕での効力）を譲渡する（使わせる），あるいは，放棄する（ともに使わせる）ことである。なぜ，このような処分形態を制度として用意しているのかであるが，抵当権者が，同じ債務者に対し新たに債権者となる金融機関に，自分が有する抵当権の優先弁済的効力を提供することで，自分の取引先（債務者）に対する協調融資を依頼するというような場合に，有用な方法だからとされる（もっとも，実務での利用

---

57)　道垣内・前掲本章注7）196頁。
58)　話が細かくなるが，条文の「同一の債務者」という要件についてであるが，債務者と抵当権設定者とが別の者である場合には，必ずしもそうである必要はない事例が存在し得る。たとえば，同一の物上保証人に対する第1順位の抵当権者と第3順位の抵当権者の間で抵当権の順位の譲渡をするというときは，必ずしも，その被担保債権の債務者が同一である必要はないというべきであろう（抵当権の譲渡でも同じことがいえる）。

は少なく，順位の譲渡・放棄がわずかに使われるにとどまるようである)。

(イ) **具体例**　4つの処分について，具体例で示すと内容が理解しやすい(後での理論的整理の内容も先取りして示しておく)。

債務者Sに対する債権者がA，B，C，Dの4人おり，Aは債権額600万円で第1順位の抵当権者，Bは債権額400万円で第2順位の抵当権者，Cは債権額900万円で第3順位の抵当権者，Dが債権額900万円の一般債権者であるとする。

〔1〕AがDに抵当権を譲渡した場合，DはAの抵当権の優先弁済効をその順位(第1)と範囲(被担保債権600万円)において享受でき，競売がなされ売却代金のうち1600万円が配当すべき金額だとすると(以下，金額を単純化すると)，配当はD 600万円，B，Cは変わりなく各400万円，600万円となる(仮に，Dの債権額が500万円であると，Aの抵当権の一部譲渡で足りるわけで，Aも残余100万円についてはなお配当を受けることができる)。

〔2〕AがDに対し抵当権を放棄した場合，配当は，AとDとが第1順位の配当額600万円を6：9の割合で分配する(A 240万円：D 360万円)。B，Cの配当には影響がない。

〔3〕AがCに抵当権の順位を譲渡した場合，CはAの抵当権の優先弁済効をその順位(第1)と範囲(被担保債権600万円)において享受でき，競売がなされ1600万円が配当すべき金額だとすると，配当はC 600万円，Bは変わりなく400万円，Cが本来の第3順位の配当から被担保債権額の残り300万円について配当を受ける。そして，Aは第3順位の抵当権の配当の残余300万円の配当を受けることができると考えることになる[59]。

〔4〕AがCに抵当権の順位を放棄した場合，配当は，AとCとが，第1順位，第3順位に対する配当の合計額(1200万円)を6：9の割合で分配する(A 480万円：D 720万円)。Bの配当には影響がない。

---

59) そう考えないと，仮に第4順位の抵当権者がいるとその者にその額が配当されることになり，抵当権の順位の譲渡がA・C間の相対的効力では済まないことになる。その場合，当事者間でAがCに優先権を与えるかたちで相対的に優先弁済的効力を交換したとでも説明することになろうか。

(2) 理論的整理

　これらの抵当権の処分は物権的な合意であり，これにより標記4種（抵当権の譲渡・放棄，その順位の譲渡・放棄）の効果が発生する。この処分について，対抗要件（〔1〕抵当権処分という物権変動についての付記登記による第三者対抗要件，および〔2〕債務者，保証人等に対する民法467条による対抗要件）の具備が必要であることは，転抵当の場合と同様である（民376条2項，377条）。

　これら抵当権の処分により，受益者は，自分の債権が回収できない事態となった場合，譲り受けた抵当権（譲り受けた順位の抵当権）または放棄を受けた抵当権（放棄を受けた順位の抵当権）を実行して（または，他の抵当権者等の担保不動産競売等に乗って），その順位，範囲において優先弁済的効力を享受することができる。受益者がその抵当権を実行するためには，自分の債権だけでなく，譲渡・放棄者の債権についても履行期が到来していることが要求される（譲渡・放棄の相対効から，かかる処分のされた抵当権の被担保債権は元のままであると観念されるからである）[60]。

　なお，これらの処分の効果が及ぶ人的範囲であるが，抵当権または抵当権の順位の譲渡者または放棄者と受益者との合意による処分であるから，それ以外の者の利害に対して影響を及ぼすことがあってはならず，したがって，処分の効果は譲渡者または放棄者と受益者との間において相対的にのみ生ずると解すべきである（処分の相対効。ただし，民法377条による債務者等に対する対抗要件を具備した場合には債務者は弁済につき一定の制約を受ける）。

　なお，これら処分と次に扱う抵当権の順位の変更との相違は，後者が絶対的効果のある処分である点にある。

4　抵当権の順位の変更

(1) 意　義

　抵当権の順位の変更とは，たとえば，ある不動産に対し，第1順位抵当権者

---

[60] 他方，譲渡者・放棄者が実行できるかが論じられているが，放棄の場合に許されることは当然として，譲渡の場合であっても，転抵当の場合と同じ理由によって実行できると解すべきである。

A（被担保債権額 600 万円），第 2 順位抵当権者 B（同 400 万円），第 3 順位抵当権者 C（同 900 万円）がいるという場合，順位変更に関係する抵当権者全員の合意によって，A・B・C という順位を C・B・A あるいは B・C・A などと変更するものである（民 374 条 1 項）。抵当権の順位変更の合意の結果，C が第 1 順位となったとき，C は債権 900 万円を第 1 順位抵当権で担保されることになる（最初から C が第 1 順位であったとの扱いになる）。そうすると，B は第 2 順位のまま順位が変わらないとしても，配当額に影響が出てくる（競売による売却代金のうち配当に回される金額が 1000 万円であれば，変更前は〔A が第 1 順位で 600 万円の配当を受け，次いで〕B に 400 万円の配当がなされるが，変更後は〔C が第 1 順位で 900 万円の配当を受け，次いで〕B に 100 万円が配当される結果となってしまう）。この点が相対効にとどまる順位の譲渡とは異なる。

なお，順位を変更する目的などについては抵当権の順位の譲渡などと同じである。

(2) **要　件**

そこで，順位の変更については関係する抵当権者全員で合意をすることとされる（したがって，B・C のみが順位を変更する場合であれば利害関係のない第 1 順位の A の合意はいらない）。なお，変更後の順位が当初からの順位と扱うので，抵当権の順位の変更は登記をもって効力要件としている（民 374 条 2 項）。

また，利害関係を有する者があるときはその者の承諾が必要とされる（民 374 条 1 項但書）。この利害関係者に該当する者としては順位変更に関わる抵当権を目的とする転抵当権者，質権者などである。

VI 抵当権の消滅

1 物権に共通，担保物権に共通の消滅事由による消滅

抵当権は，目的物の滅失（ただし，その場合物上代位がある），混同（例外がある），放棄など物権共通の消滅事由によって消滅する。また，抵当権は，担保物権共通の消滅事由である被担保債権の弁済等による消滅，あるいは被担保債権の時効消滅により消滅する。もちろん，当該抵当権の実行，あるいは当該目的不動産の競売における売却によっても消滅する（民執 59 条 1 項）。

2 抵当権特有の消滅事由

(1) 代価弁済，抵当権消滅請求

すでに見たように抵当権消滅請求，代価弁済により抵当権は消滅する（⇨373 頁・Ⅳ 5 参照）。

(2) 抵当権の消滅時効

それ以外に，抵当権のみが時効により消滅することがある。

第 1 に，抵当権はそれを行使できる時から 20 年間行使しないときは時効消滅する（民 166 条 2 項）。もっとも，債務者および抵当権設定者に対する関係においては，被担保債権と独立しては時効消滅しない（民 396 条）＊。消滅時効の完成猶予または更新があり被担保債権が存続しているにもかかわらず，債務者および抵当権設定者が，その債権を担保する目的で設定している抵当権についての時効消滅を主張することは信義に反するからである。それ以外の，たとえば，第三取得者，後順位抵当権者との関係では抵当権の時効消滅があり得ることになる。しかし，第三取得者は抵当権の負担付きの不動産と知りながら買い受けた以上，物上保証人と立場が同じであり時効の利益を享受できないというべきである。

＊ただし，破産手続において抵当権の被担保債権が免責許可の決定の効力を受ける場合には，民法 396 条は適用されず，債務者（破産者）および抵当権設定者に対する関係においても，当該抵当権自体が 20 年の消滅時効にかかる（改正前 167 条 2 項〔現 166 条 2 項〕），とされる（最判平成 30・2・23 民集 72 巻 1 号 1 頁）。その理由は以下のとおりである。免責許可の決定の効力を受ける債権は，債権者において訴えをもって履行を請求しその強制的実現を図ることができなくなり（自然債務となる），この債権については，「権利を行使することができる時」（改正前 166 条 1 項〔現 166 条 1 項各号〕）を起算点とする消滅時効の進行を観念することができない。このように被担保債権が消滅時効によって消滅しないことになると，抵当権につきいかに長期間権利が行使されない状態が継続しても抵当権は消滅しないこととなる。民法が，そのような抵当権の存在を予定しているものとは考え難いので，この場合には，債務者であっても抵当権につき 20 年の消滅時効の援用が許される，と。

(3) 抵当不動産の時効取得による抵当権の消滅

第 2 に，抵当不動産の占有者が，「取得時効に必要な要件を具備する占有をしたとき」は，抵当権はこれによって消滅する，すなわち，これにより占有者は抵当権の負担のない所有権を取得する。もっとも，「債務者又は抵当権設定

者」が占有者である場合には，取得時効に必要な要件を具備する占有を続けたとしても，抵当権は消滅しない（民397条）。

本条適用の典型例は，所有者Aが債権者Hに対して抵当権を設定しその登記を経由している不動産を，第三者Bが譲り受け占有を開始・継続し，取得時効に必要な要件を具備した場合である（A・B間の譲渡が有効，無効いずれの場合もありうる）[61]。ここでは，通常Bは登記簿の記載からHの抵当権の存在を知りつつ占有を開始しているので，「取得時効に必要な要件を具備する占有」により抵当権が消滅するためには，善意・無過失の10年（民162条2項）ではなく，悪意の20年の占有が必要ではないかが問題となる。この点，判例は「占有者の善意・無過失とは，自己に所有権があるものと信じ，かつ，そのように信ずるにつき過失がないことをいい，占有の目的物件に対し抵当権が設定されていること，さらには，その設定登記も経由されていることを知り，または，不注意により知らなかったような場合でも，ここにいう善意・無過失の占有というを妨げない」として，10年の時効取得を認める（最判昭和43・12・24民集22巻13号3366頁）。ここからすると，判例は民法397条の趣旨を，民法162条によりBが不動産所有権を時効取得（原始取得）することにより抵当権が（反射的に）消滅すると理解しており，同条は「債務者又は抵当権設定者」を例外扱いする点にのみ意味があると見ることになる。背景にある考え方は，民法162条による所有権の時効取得は原始取得であるので，第三取得者Bは抵当権の負担のない所有権を取得する，ということである＊。

＊これに対して有力学説は，民法397条を，同条所定の要件が具備されたときに抵当権が消滅することを規定したものであるとする（善意・無過失の対象は抵当権の存在についてのものである。道垣内・前掲本章注7）236〜237頁）。それらにおいて述べられる理由は，〔1〕抵当権の存在を知っている者が10年の短期で抵当権の消滅を主張できることは妥当ではないとの利益考量，および，〔2〕条文の沿革（同条所定の要件具備による抵

---

61) これと登場の順序が逆で，A所有不動産をBが譲り受け移転登記を経ないまま占有を続けていたところ，AがHに対して抵当権を設定しその登記を経由し（Hの抵当権が対抗関係で優先する），その後，Bにおいて当該不動産を時効取得した場合は，Bの所有権取得が優先し（Hは，時効取得と登記の問題における時効完成前の第三者であるので，いわゆる177条の当事者に当たるとみられるから），Hの抵当権は消滅する扱いとなる（最判昭和42・7・21民集21巻6号1643頁【百選Ⅰ45】）。これは，397条の適用場面ではない。

当権の消滅を規定したもの）などである。具体的には，Aに対する関係では民法162条により所有権の時効取得を主張できるとしても，Hとの関係で抵当権の消滅を主張できるかどうかは民法397条の適用に従うことになる（抵当権の存在につき悪意の場合20年経過しないとだめである。なお，抵当権の設定されているA所有の土地の一部をBが自主占有している場合には，BはHの抵当権につき通常善意・無過失であり10年の占有期間で足る）。

最近，やや複雑な事案で本条の適用を認めた判例がある（最判平成24・3・16民集66巻5号2321頁【百選Ⅰ58】）。A所有名義の甲不動産をいったん占有者Bが時効取得したが，その所有権移転登記がされることのないまま，第三者Hが原所有者Aから抵当権の設定を受けてその旨の登記を経由した場合において（Bの時効取得はH抵当権に対抗できない），BがHの抵当権設定登記後も占有を継続し，その時点から再度取得時効に十分な期間が経過したという事案で，「上記占有者〔B〕が上記抵当権の存在を容認していたなど抵当権の消滅を妨げる特段の事情がない限り，上記占有者は，上記不動産を時効取得し，その結果，上記抵当権は消滅すると解するのが相当である」，とした＊。

> ＊その理由を以下のように説く。〔1〕「抵当権設定登記を了したならば，占有者がその後にいかに長期間占有を継続しても抵当権の負担のない所有権を取得することができないと解することは……時効制度の趣旨に鑑みれば，是認し難い」。〔2〕これは，最判昭和36年7月20日（民集15巻7号1903頁。ここでの第三者〔H〕が抵当権の取得者ではなく所有権を譲り受け登記を経由した者である場合につき，一度時効取得した占有者Bが，「上記登記後に，なお引き続き時効取得に要する期間占有を継続したときは，占有者は，上記第三者に対し，登記なくして時効取得を対抗し得る」とした判例）に準じた解決となる。そうしてよい理由は，抵当権者が不動産を競売し買受人が現れることになると占有者は所有権の取得自体を対抗することができない事態となるが，これは上記事案の第三者に譲渡される場合に比肩するということができる。また，上記事案で所有権を得た第三者は所有権を失うことがあることと比べて，抵当権である場合には消滅しないというのは不均衡である，というのである。

(4) 抵当権の目的である地上権等の放棄

なお，地上権または永小作権を抵当権の目的とした地上権者または永小作人は，その権利を放棄しても，これをもって抵当権者に対抗することができない（民398条）。当然であろう。また，土地の賃借人がその地上建物につき抵当権

を設定した場合，従たる権利である土地の賃借権にも抵当権の効力が及んでいるが，賃借権者が土地の賃借権を放棄（または，合意解除）しても，本条を類推適用して，建物の抵当権者には対抗できないというべきであろう。

Ⅶ 優先弁済権の発動およびその手続

1 序説
(1) 抵当権の実行

抵当権者は，抵当不動産について「他の債権者に先立って自己の債権の弁済を受ける権利」を有している（民369条）。抵当権者はこの権利を被担保債権の債務者が債務を履行しない場合に行使する。これを抵当権の実行と呼んでいる。

抵当権の実行は裁判所の民事執行により行うが，それに関する手続ルールは民事執行法に規定されている（その第3章「担保権の実行としての競売等」中の不動産担保権の実行〔民執180条〜188条〕）。

抵当権者が選択できる不動産担保権（抵当権もその一種）の実行の方法としては，2種類用意されており（民執180条），第1は，「担保不動産競売」であり，競売による不動産担保権の実行をいい（1号），第2は，「担保不動産収益執行」であり，不動産から生ずる収益を被担保債権の弁済に充てる方法による不動産担保権の実行をいう（2号）。以下では，それぞれにつき，その概略を紹介する（⇨ 2，3参照。詳しくは，民事執行法の講義等で学んでいただきたい）。

(2) その他の抵当権行使の方法

(ア) 他の債権者による強制執行等　そのほか，抵当不動産について，他の一般債権者の差押えにより強制競売がなされたり，あるいは，他の担保権者の申立てにより担保不動産競売がなされた場合には，売却により当該抵当権も消滅する（民執59条）。そこで，当該抵当権者は，抵当権の登記があれば，これらの手続において，配当要求の終期までにその債権額を届け出ることにより（民執49条2項，87条1項4号），その順位に従った配当に与ることができる（民執85条1項）。なお，抵当権者は先になされた申立ての取下げ等に備えて，二重に競売の開始決定を得ておくこともできる（民執188条，47条〔以下，単に「準用」とする〕）。

(イ)　**破産などの倒産手続が開始した場合**　倒産手続が開始している場合は，抵当権の行使については，破産法，民事再生法，会社更生法などにより規律される。たとえば，破産の場合には，抵当権は別除権とされ，抵当権者は破産手続外で抵当権を実行し優先弁済を受け得る（破2条9項，65条）。民事再生においても同様であるが（民再53条），再生手続の特色として，再生債務者の事業の継続に欠くことのできない財産に担保権が存する場合には，事業を再生するという目的のため，再生債務者等は当該財産の価額に相当する金銭を裁判所に納付して担保権を消滅させることができるとの，担保権消滅請求の制度が置かれている（民再148条以下）。会社更生の場合には，更生の目的を達成するため更生担保権（会更2条10項）として個別的権利行使が禁じられ（会更47条1項，50条1項），更生手続の中でその権利行使（ただし，優先的な権利行使）をすることになる（会更168条3項。ここでも，事業譲渡の方法による更生を進めるためなどの目的で，担保権消滅請求の制度が置かれている〔会更104条以下〕），などである。

(ウ)　**抵当不動産以外の財産からの弁済**　「抵当権者は，抵当不動産の代価から弁済を受けない債権の部分についてのみ，他の財産から弁済を受けることができる」（民394条1項）。たとえば，債務者S所有の甲不動産に抵当権の設定を受けている債権者Gが，S所有の他の財産（たとえば，乙不動産）に対し強制執行をして一般債権者の地位において他の債権者と按分でその配当を受けた後，甲不動産に対する抵当権を実行して債権の残額につき優先弁済を受けると，結果的に抵当権者が配当において一般債権者より有利になる。そこで，まず，甲不動産から優先弁済を受け，その残額についてのみ乙不動産から一般債権者として按分で弁済を受けなさい，というのである。

　しかし，抵当不動産の代価に先立って他の財産の代価を配当すべき場合が出てくることは避けられない（前掲例で，Gではなく他の債権者による乙不動産に対する強制執行がなされ，Gが一般債権者として配当に参加する場合がそうである）。しかし，「この場合において，他の各債権者は……抵当権者に配当すべき金額の供託を請求することができる」（民394条2項）とされており，供託させることで，抵当権者Gにまず甲不動産からの優先弁済を得させ，残額について乙不動産から弁済を受けるという民法394条1項に従った弁済を実現させようというのである。

2 担保不動産競売

(1) 意 義

不動産を競売する方法での抵当権の実行である。要するに，法で定める手続に従って裁判所で目的物を競売してもらって，その売却代価から，抵当権者が優先弁済を受けるというものである。

競売申立ての根拠であるが，担保権に基づく場合は，一般債権者による強制競売と異なり「債務名義」（民執22条，25条）は必要ではない。その理由は，抵当権の権利内容それ自体に目的物の換価処分権が内在しており，競売はそれに基づくものだからである。債務名義不要という点を除けば，手続としては強制競売の場合とほとんど同じなので，担保不動産競売については，不動産に対する強制競売の規定が準用される（民執188条）。

(2) 競売の開始

抵当権者が裁判所に抵当権実行としての競売を申し立てるための要件は，〔1〕抵当権が存在すること，〔2〕被担保債権について履行遅滞であることである。

〔1〕の点は，裁判所に民事執行法181条所定の文書を提出することで証明する。文書の典型例は，抵当権登記に関する登記事項証明書である（民執181条1項3号）。登記がなされておらずこの文書が用意できない場合には，かなり面倒であり，抵当権の存在を証する確定判決の謄本，公正証書の謄本（同項1号・2号）などが求められることになる。したがって，第三者対抗の意味においてのみならず，競売申立ての便宜の面においても，抵当権の登記ないしその移転の付記登記はしておかなくてはならない。

〔2〕の点は積極的に証明する必要はなく，履行遅滞ではないことを主張する抵当権設定者の側が執行異議で争うことになる。

要件具備が確認できれば，裁判所は，競売開始決定をし，不動産を差し押さえ（裁判所書記官の嘱託で差押えの登記がなされる〔民執48条準用〕），その旨を所有者に送達する（民執45条準用）。差押えにより所有者には処分が禁止される（事後の処分が買受人に対抗できないことになる）が，通常の使用収益は確保される（民執46条2項準用）。

なお，抵当権者は順位が後順位であってもこの申立てをすることができるが，

先順位抵当権者に配当がされると不動産の買受可能価格からしてその者に配当される見込みがない場合には，原則としてその手続は取り消される（民執63条準用）。

(3) 売却，代金納付

この後は，売却，代金納付の手続が続く。

売却の準備として，執行裁判所は，執行官に不動産の現況調査を命じ（民執57条準用），評価人に評価を命じ（民執58条準用），売却基準価額を決定する（民執60条準用）。また，裁判所書記官は，買受希望者に対象不動産に関する情報を提供する物件明細書を作成し，インターネット等でその内容を提供する（民執62条準用）。

以上の準備を経た上で，裁判所書記官が，不動産の売却方法（入札によるか等）および日時・場所を定め，売却する不動産の表示，売却基準価額並びに売却の日時・場所を公告し，執行官が売却を実施する（民執64条準用）。これに応じて買受けの申出がなされ（債務者の申出は不許〔民執68条準用〕），最高価買受申出人に対して売却許可決定がなされる（民執69条以下準用）[62]。買受人が代金を納入し，その時点で不動産の所有権が移転する（民執78条，79条準用）*。

> ＊「担保不動産競売における代金の納付による買受人の不動産の取得は，担保権の不存在又は消滅により妨げられない」（民執184条）とされている。実体法の見地からは本来導くことのできない結論であるが，競売手続に対する信用を高めるために置かれた制度で，手続上，所有者が当該不動産競売手続に関与し，自己の権利を主張する機会が保障されていたにもかかわらずその権利行使をしなかった場合に，特にこの効力が認められる。したがって，「民事執行法184条を適用するためには，競売不動産の所有者が不動産競売手続上当事者として扱われたことを要」するとされる（最判平成5・12・17民集47巻10号5508頁）。そこで，抵当権設定者が所有者ではなく，ほかに真の所有者がいるというような事案では，真の所有者の競売手続関与がないので本条の適用はない。

---

62) 入札等の方法による売却を3回実施しても買受けの申出がなかった場合において，これ以上売却を実施しても売却の見込みがないと認めるときは執行裁判所は手続を停止し，差押債権者による売却実施の申出のないかぎり競売の手続が取り消される（民執68条の3準用）。なお，平成16年の法改正で，最低売却価額の制度（それ以上の価額での買受申出が必要とされる）が廃止され，売却基準価額の制度が採用された。それによると買受申出価額は売却基準価額の8割以上の価額で足るとされており，買受けの申出がしやすくなり，そのことで競売の停止，取消しが減少することが期待されている。

なお，この売却により，「不動産の上に存する先取特権，使用及び収益をしない旨の定めのある質権並びに抵当権」が消滅し，また，消滅するこれらの権利の1つにでも対抗できない権利（賃借権等）もまた消滅する（民執59条準用）。しかし，留置権，並びに「使用及び収益をしない旨の定めのない質権で〔売却によりその効力を失わない質権〕」については，買受人に引き受けられ，買受人がその被担保債権の弁済の責任を負う（民執59条4項準用）[63]。

(4) 配当手続

次いで，売却代金について配当がなされる。

まず，競売の費用が差し引かれる（民執42条準用）。また，抵当不動産の第三取得者がおり，その者がその不動産に対して必要費・有益費を支出していれば，その費用の償還が優先する（民391条）。

その後，その配当を受けるべき範囲内の債権者に対して（民執87条準用），その順位に従って配当がなされる。一般的には，不動産担保権者が一般債権者に優先し，担保権者相互間ではその順位に従い配当がなされることになる。不動産担保権者で配当を受けるのは，競売の差押登記の前に登記がされている担保権であって，売却により消滅する担保権を有する者である（抵当権者が主要な者。民執87条1項4号準用）。これらの者に対しては，裁判所書記官から催告がなされ，それに応じてあらかじめ定められた配当要求の終期までに執行裁判所に債権の額等を届け出ておけば（民執49条2項準用），配当を受けることができる。

抵当権と他の不動産担保物権との優劣については，登記をした不動産保存または不動産工事の先取特権（例はほとんどない）は抵当権に優先し（民339条），また，不動産売買の先取特権，不動産質権，その他の抵当権，一般の先取特権（登記がある場合）との間ではその登記の先後による。また，抵当権と租税債権との優劣であるが，「税の法定納期限等以前にその財産上に抵当権を設定しているときは」，その換価代金につきその抵当権により担保される債権にまず配当がなされ，次いで国税が徴収できる。つまり，この場合には，抵当権が優先

---

[63] したがって，不動産留置権は事実上最優先順位の担保権として扱われる。買受人はその被担保債権額分を考慮して買受代金を決めることになる。

し国税が劣後する（税徴16条など参照）。

なお，留置権については買受人の引受けとなり，配当はなされないが上に述べた通り事実上優先的に弁済を受け得る。

また，売却代金につき残余があれば，一般債権者であって，あらかじめ定められた配当要求の終期までに配当要求をしたか，二重に強制競売の開始決定を得たものに対して，按分して配当される。

3　担保不動産収益執行
(1)　意　義

担保不動産収益執行とは，不動産から生ずる収益を被担保債権の弁済に充てる方法による不動産担保権の実行であり，平成15年の民法改正により導入された。実体法上，抵当不動産の収益に対し抵当権の効力が及ぶことは，同時に改正された民法371条により明確に規定された。

不動産の収益に対する執行制度は，強制執行では「強制管理」（民執93条以下）としてすでに知られたものであり，担保不動産収益執行は，担保権の実行においてもこの制度を採用したものである。採用の理由は，〔1〕不動産の値段が下がるなどの事情で，抵当不動産の競売によっては被担保債権の回収があまりうまくいかないこと，他方，〔2〕抵当不動産が賃貸ビルなど一定のまとまった額の収益を生み出している場合には，抵当権に基づいてその収益を把握し被担保債権を回収することも有用であることが意識されたことである。

このような事情は，抵当権に基づく賃料債権に対する物上代位権の行使を一般化させた要因でもあった。しかし，物上代位権が行使された場合には，実際上，抵当権者が，抵当不動産が生み出す賃料（収益）を根こそぎ把握してしまうことになり，抵当不動産の所有者の手元にはその管理費用すら残らず，その結果管理がなされないままとなり不動産の価値が下がり，さらには賃借人が出て行くなど悪循環となり，かえって抵当権者に不利益となるなどの問題点が指摘されていた。そこで，不動産を上手に管理しつつその収益から優先弁済権を行使することのできる担保不動産収益執行制度が導入されることとなったのである。

(2) 手続の概要

担保不動産収益執行の手続には，不動産に対する強制管理の規定（民執93条以下）が準用される（民執188条）。抵当権者等の登記事項証明書等を提出してなす申立てに基づいて（民執180条，181条），執行裁判所が，担保不動産収益執行の開始決定をし，担保不動産の差押えを宣言するとともに（民執93条1項準用），管理人を選任し，当該不動産の賃借人等に対しその賃料等を管理人に交付すべき旨を命じる（民執93条1項・2項，94条1項準用）。そして，この開始決定は抵当権設定者および賃借人等に送達されなくてはならない（民執93条3項準用）。

ここで，収益とは，「既に弁済期が到来し，又は後に弁済期が到来すべき法定果実」，および「後に収穫すべき天然果実」である（民執93条2項準用）。後者はすでに収穫したものは含まない（不動産の差押えの処分禁止効が及ばないから，とされる）。

管理人は，担保不動産を管理し，賃料等を回収する。また，事案に応じて，既存の賃貸借契約の解除や新たな賃貸借契約の締結をする（民執95条準用）。なお，担保不動産収益執行の開始決定が効力を生じた後においても，収益の給付を求める権利（賃料債権等）それ自体は，決定が効力を生じた後に弁済期が到来するものも含めて，依然としてその不動産の所有者に帰属するものであり，管理人はその権利を行使する権限を取得するにすぎない（最判平成21・7・3民集63巻6号1047頁）＊。

＊ 以上を前提とすると，担保不動産収益執行の開始決定が効力を生じた後においても，担保不動産の賃借人は，抵当権設定登記の前に取得しているものであれば，賃貸人に対する債権（保証金返還請求権など）を自働債権とし，賃料債権を受働債権とする相殺の意思表示を，賃料債権を取得する不動産所有者（賃貸人）に対して有効にすることができ，これを管理人に対抗することができる（前掲最判平成21・7・3）。なお，これは，抵当権者による賃料債権に対する物上代位権の行使に対して，賃借人は，抵当権設定登記前に取得した賃貸人に対する債権との相殺でもって対抗しうるという考え方と軌を一にするものである（最判平成13・3・13民集55巻2号363頁。⇨330頁・Ⅲ6(3)(ウ)(d)）。

配当は，管理人等により，執行裁判所の定める期間ごとに実施される（民執107条1項，109条準用）。配当原資は，収益から「公課及び管理人の報酬その他の必要な費用」を控除したものであり（民執106条準用），配当を受ける者は自

ら担保不動産収益執行の申立てをした担保権者に限られ（民執107条4項1号ハ準用），競売の場合のように担保権者であれば登記の順位に従って配当を受けるという制度とはされていない。その理由は，競売と違ってここでは民事執行法59条の売却に伴う権利の消滅（消除主義）が妥当しないので順位に従った配当をする必然性はなく，また，根抵当権者が順位に従って配当を受けられるという仕組みにすると，後順位抵当権者が担保不動産収益執行の申立てをしたときに，根抵当権の元本確定を望まず取引を継続させようとして自らは担保不動産収益執行を申し立てなかった先順位の根抵当権者についても元本が確定してしまう（民398条の20第1項1号・3号）という不都合が出てくるからである。

(3) 物上代位との関係

抵当権に基づく物上代位権の行使として，抵当不動産からの賃料債権に対してすでに差押えがなされているところ，その後に当該抵当不動産につき担保不動産収益執行の開始決定がされた場合，両手続の関係はどうなるか。後者が優先し，物上代位に基づく差押命令は，その効力を停止するとされる（民執93条の4第1項準用）。そこで，賃借人等は以後管理人に対して賃料等の弁済をすることになる。先に物上代位権を行使していた抵当権者は，担保不動産収益執行の手続において，改めて配当要求をすることなく当然に，配当を受けることができるとされる（民執93条の4第3項準用）。

(4) 担保不動産競売との関係

担保不動産収益執行の手続がなされているときに，当該不動産につき競売が申し立てられ，競売手続が進行し，買受人が代金を納付するに至ると，抵当権が消滅するので（民執59条1項準用），ここで担保不動産収益執行の手続も取り消されることになる。

Ⅷ 共同抵当

1 共同抵当の意義

(1) 共同抵当とそれが利用される理由

共同抵当とは，「債権者が同一の債権の担保として数個の不動産につき抵当権を有する場合」（民392条1項）である。たとえば，債権者Gの債務者Sに対

する1000万円の債権の担保として，S所有の甲不動産（価額900万円）および乙不動産（価額600万円）にそれぞれ抵当権を取得し共同抵当とすることをいう。

取引において共同抵当が利用される理由はいくつかある。第1は，1つの不動産では担保として価値が不十分な場合に，複数の不動産に抵当権を取得することで被担保債権の額に対して十分なものとすること，第2に，目的物の滅失，損傷，または経済の変動による価格の下落の危険に備えること，第3は，敷地とその地上建物とは双方併せて抵当権を設定するのが普通だが，それらは別不動産なので法的には共同抵当の形式となる，などである。

(2) 共同抵当の設定・公示

共同抵当とするには，数個の不動産に対して同時に抵当権を設定してもよいし，また，追加的に別の不動産に抵当権を設定するかたちをとってもよい。その数個の不動産は債務者所有のものに限らず，第三者所有のものであってもよい。

その公示であるが，たとえば甲不動産と乙不動産に共同抵当が設定されたときは，それぞれの抵当権登記において，甲，乙不動産が共同抵当の目的となっていることが登記事項とされる。実際には，共同担保目録なるものが作成され，その記号および目録番号が各不動産の抵当権登記の末尾に記録されるのである（不登83条1項4号・2項，不登則166条，167条）。甲，乙不動産が共同抵当の関係にある旨の登記は，その抵当権者の利益を保護する意味からではなく，後述のように共同抵当であることに直接の利害関係を有する各不動産についての後順位抵当権者の利益のために要求されるものである。

(3) 共同抵当における後順位抵当権者相互の利害調整

ところで，数個の不動産に共同抵当権が設定されることから利害の影響を受けるのは，各不動産に対し後順位の抵当権を有する者である。抵当権者Gにとっては，数個の不動産に共同抵当権の設定を受けているからといって特に利害の関係が生じるわけではない。すなわち，冒頭の事例では，甲不動産と乙不動産の価額合計は1500万円，被担保債権額が1000万円だから，Gは十分に満足を受け得るので，甲，乙不動産の競売による売却代金のうちどの部分から配当を受けるかについては特に利害はない。

しかし，上記の事例で甲，乙不動産につき後順位抵当権者がいる場合（たと

【図表 12-5】

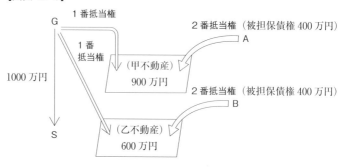

えば，甲，乙不動産にそれぞれ被担保債権額 400 万円で第 2 順位の抵当権者 A，B がいるとして〔以下この事例を［設例 1］という〕【図表 12-5】)，甲不動産が先に競売され売却価額 900 万円であれば[64]，配当は G に 900 万円，A には 0 円となる。次いで，乙不動産が競売され売却代金が 600 万円として，特別の手当てがなされなければ，配当は，G に残債権額の 100 万円，B には 400 万円となる（残金 100 万円は所有者 S に渡される）。逆に，この設例で，乙不動産が先に競売され次いで甲不動産が競売された場合，同じように考えると，G には 600 万円＋400万円が配当され，各後順位抵当権者は B が 0 円，A には 400 万円が配当される（残金 100 万円は所有者 S に渡される）。以上要するに，甲，乙不動産のいずれが先に競売されるかによって，各後順位抵当権者 A，B は配当を受けられたり受けられなかったりしてその地位が不安定であり，何よりも後順位抵当権者相互間で不公平が生ずる。ひいては，後順位抵当権を設定しても最終的にいくら配当を受けられるかの予測ができないので，共同抵当の目的不動産につき後順位抵当権を取得して信用を供与しようとする者が現れなくなり，数個の不動産全体として余剰の担保価値があっても担保として利用されないままとなる。

　この後順位抵当権者間の利害を調整し，後順位の担保権の設定を促進するためにどのような方法をとるのがよいのかが，共同抵当における課題であり，民法 392 条は以下のような解決を図っている。

---

[64] 共同抵当の数個の目的不動産を競売する順序等であるが，それについては特に制約はなく，同一の手続で行ってもよいし，異なる手続で行ってもよいということである。

2 後順位抵当権者相互の平等を図る方法

(1) 序

民法392条のルールは，一言でいえば「割付けのルール」であり，競売による配当が同時か異時か，また配当の順序いかんにかかわらず，共同抵当の被担保債権額を各不動産の価額に応じて按分負担させ（割付け），各不動産の残りの価値をその後順位抵当権者に配当するというものである。これにより，共同抵当の各不動産の後順位抵当権者は相互に平等な扱いを受けることになる。

(2) 同時配当の場合

同時配当の場合については，「その各不動産の価額に応じて，その債権の負担を按分する」（民392条1項）。[設例1]で計算すると，1000万円の被担保債権が，甲，乙不動産に900万円：600万円で按分負担され（甲不動産600万円：乙不動産400万円となる），各不動産についての残りの額が後順位抵当権者に配当される（甲不動産の第2順位抵当権者Aには300万円，乙不動産の第2順位抵当権者Bには200万円となる）[65]。

設例で，仮に乙不動産に後順位抵当権者が存在しない場合，同時配当ではあるが，割付けをしないで，Gには乙不動産の売却代金から600万円全額，甲不動産のそれから400万円を配当したものとして，甲不動産の第2順位抵当権者Aに残りの400万円を配当することは可能か。この事案で乙不動産を先に競売した場合には確かにこの結果となる。しかし，同時配当では，割付けの原則を崩すべきではない（Aには300万円）とするのが判例の考え方である（大判昭和10・4・23民集14巻601頁）。その理由としては，乙不動産の売却代金からの

---

[65] 設例の事実関係に加えてさらに，甲不動産に対し，Hが債権額500万円でGと同順位の抵当権を有しているという事案で，同時配当におけるGの割付けの計算がどうなるかが問題となった判例がある（最判平成14・10・22判時1804号34頁）。判旨は，「まず，当該1個の不動産の不動産価額を同順位の各抵当権の被担保債権額の割合に従って案分し，各抵当権により優先弁済請求権を主張することのできる不動産の価額（各抵当権者が把握した担保価値）を算定し，次に，民法392条1項に従い，共同抵当権者への案分額及びその余の不動産の価額に準じて共同抵当の被担保債権の負担を分けるべきものである」とする。設例で具体的に考えてみると，まず甲不動産の売却代金900万円をG 1000万円：H 500万円で按分し，これによると，Gは甲不動産につき600万円の担保価値を把握していることになるので，Gは，甲600万円分，乙600万円分に共同抵当を有するものとしてその債権額を甲，乙不動産に割り付けることになる。

配当を求めている差押えをした一般債権者等の利益の保護が考慮されているのであろう（Aも，もともと300万円の配当を予想していたという点も考慮される）[66]。

なお，念のため，条文文言の「各不動産の価額」というのはもちろん競売における売却代金のことである。競売をやってみてはじめて価額がいくらであるかが確定する。また，「債権（の負担）」とは，もちろん，配当時点で民法375条に従って計算された金額（元本，利息等）をいう。

(3) 異時配当の場合

(ア) **按分負担を実現する具体的方法**　　異時配当というのは，ある不動産が先に競売されその売却代金の配当がなされ，次いで，他の不動産につき競売，配当がなされるという場合である[67]。

まず，「ある不動産の代価のみを配当すべきときは，抵当権者は，その代価から債権の全部の弁済を受けることができる」（民392条2項前段）。[設例1]で，たとえば乙不動産が先に競売されると，Gは，その売却代金（600万円）からその債権全部（1000万円）の弁済を受ける。この結果，設例では乙不動産についての後順位抵当権者Bは配当を受けられないままその抵当権が消滅する。しかし，この場合にも，割付けによる利益を後順位抵当権者に保障しようとするのが民法392条2項の趣旨である。どのような方法によるか。

「この場合において，次順位の抵当権者は，その弁済を受ける抵当権者が前項の規定に従い他の不動産の代価から弁済を受けるべき金額を限度として，その抵当権者に代位して抵当権を行使することができる」，と（民392条2項後段）。つまり，[設例1]で考えると，次順位の抵当権者Bは，Gが1項の割付けによって甲不動産の代価（900万円）から弁済を受けるべき金額（600万円）を限度として，Gに代位してGの甲不動産に対する抵当権を行使することができる（Gが600万円のうちまず自分の残債権額400万円の配当を受けるが，その残額200万円がBに配当される）。この規定は，もちろん，甲不動産についての後順位抵当権者Aに対しても，割り付けた後の残額300万円を保障するものとなる。

---

66) 高木・前掲本章注7) 239頁。
67) 同時あるいは異時というのは配当が同時なのか異時なのかであり，競売手続が同一かどうかではない。通常は一致するだろうが，同一手続でも，1個の不動産のみが売却されその売却代金のみがまず配当されれば異時となる。

なお，後順位抵当権者の上記民法392条2項後段による代位の利益はどこまで保護されるかという問題がある。たとえば［設例1］でGが甲不動産に対する抵当権の実行前に甲不動産に対する抵当権を放棄してしまった場合，BはGが放棄する前は可能であったこの条文による代位ができなくなってしまう。この点，判例（最判昭和44・7・3民集23巻8号1297頁）は，Gの甲不動産に対する抵当権の放棄がなかったならばBがGの甲不動産上の抵当権に代位できた限度（200万円）で，Gは乙不動産の競売における配当においてBに優先することができない，としてBのこの条文による代位権を保護している（乙不動産の競売が終わっている場合は，BはGに対して200万円の不当利得返還請求ができることになる）。

(ｲ) **代位の付記登記** 上記の規定により共同抵当の関係にある他の不動産に対する抵当権を代位行使する権利を有するに至った後順位抵当権者は，当該抵当権の登記に対してその代位を付記することができる（民393条）。［設例1］で説明すると，甲不動産に対するGの抵当権の登記に対しBが付記登記をすることによって，Gの抵当権が（一部）Bに移転したことが公示される。もっとも，Bの代位後に当該不動産につき新たな抵当権を取得した者との関係ではこの代位の付記登記が必要であるが，代位される抵当権設定者（S），その後順位抵当権者（A）など代位前から存在する当該不動産（甲）の権利者に対しては，この付記登記がなくても，代位を主張できると解される。なぜなら，当該不動産が共同抵当の目的物であることはすでに公示されており，したがって，民法392条2項により代位が生じることを前提として権利を取得しているからである。

3 共同抵当と物上保証人
(1) 共同抵当の目的物の一部が物上保証人の所有物である場合

設例を少し変えて，Gの共同抵当において，たとえば，甲不動産は債務者Sの所有，乙不動産は物上保証人Dの所有である場合（以下［設例2］という），上記と同様に，民法392条の適用を認めるべきであろうか。学説・判例はこれを否定する。

物上保証人は，債務の最終的な負担者ではなく，抵当権の実行によって抵当

不動産の所有権を失ったときは，債務者に対して取得する求償権（民372条，351条）を確保するため債権者に代位し，その範囲で債権者の抵当権を行使することができる（弁済者代位・民499条〜502条。⇨294頁・Ⅲ1(2)(ウ)(d)）。そこで，［設例2］で，先に乙不動産が競売され，次いで甲不動産が競売された場合を考えると[68]，Dは，Sに対する600万円の求償権確保のためGの甲不動産に対する抵当権を（一部）代位行使し（民502条），Gの甲不動産の売却代価（900万円）から，G（400万円）に劣後して残額500万円の配当を受けることができる立場にある[69]。

その際，問題は，甲不動産の後順位抵当権者Aが民法392条による割付けによる利益（300万円の配当）をDに主張できるのかどうかであるが，否定される。なぜなら，「物上保証人としては，他の共同抵当物件である甲不動産から自己の求償権の満足を得ることを期待していたものというべく，その後に甲不動産に第2順位の抵当権が設定されたことにより右期待を失わしめるべきではないからである」（前掲最判昭和44・7・3）。物上保証人の弁済による代位が，共同抵当における後順位抵当権者の割付けによる保護に優先するのである*。

 * ［設例2］で，物上保証人D所有の乙不動産についての後順位抵当権者Bはどのように処遇されるのか。この場合，BはD所有の乙不動産の担保価値を把握しており，Dはそれを甘受しているので，Dが実質上乙不動産の価値を取り戻したと評価できる甲不動

---

[68] 上記の場合と逆に，甲不動産が先に競売される場合を考えてみると，Gが900万円の弁済を得て，Aの配当は0円，次いで，D所有の乙不動産の競売がなされ，Gは残債権額100万円の弁済を得る。ここで，仮にAが民法392条2項後段によりGの抵当権に代位して300万円の配当を得るとすると，物上保証人Dは，自分の不動産でもって，全く与り知らないAがSに対して有する債権をも担保したことになり，不都合である。乙不動産についての後順位抵当権者Bに配当されるべきである。

[69] 弁済による一部代位（民502条）については，代位される債権者もなお債権の残額と抵当権の一部を有しており，一部代位する者との利害の調整が解釈上問題とされている。この問題について詳しくは債権総論で学ぶことになるが，民法502条の文言にかかわらず，一部代位者は，抵当権の実行については少なくとも抵当権者の同意の下にのみ行使でき，売却代金の配当については一部代位される側の債権者と按分がなされるのではなく，その債権者（抵当権者）が優先すると解釈されている（後者につき，最判昭和60・5・23民集39巻4号940頁【百選Ⅰ94】）。

産の競売における売却代金からの配当（500万円）については，BがDに優先して取得できると考えるべきであろう。判例は，それを，「物上保証人〔D〕に移転した〔甲不動産に対するGの〕1番抵当権は後順位抵当権者〔B〕の被担保債権を担保するものとなり，後順位抵当権者は，あたかも，右1番抵当権の上に民法372条，304条1項本文の規定により物上代位をするのと同様に，その順位に従い，物上保証人の取得した1番抵当権から優先して弁済を受けることができる」と法律構成する（最判昭和53・7・4民集32巻5号785頁，前掲最判昭和60・5・23）。後順位抵当権者Bが担保として把握した目的物「乙不動産」の価値が（求償・代位を通して）Dが代位行使する「甲不動産に対する1番抵当権」に変じたわけであり，Bはこの価値代位物に「物上代位」できると法律構成したものである。この場合，代位が生ずるという法律関係はすでに明確であるので，Bにつき，民法304条所定の差押えは不要とされる。

(2) 共同抵当の目的物が複数の物上保証人の所有物である場合

［設例2］で，甲不動産もまた物上保証人E所有であるという場合である。ここで，仮に，乙不動産が先に競売されたときは，物上保証人Dは上記(1)で述べた［設例2］の場合と同様に，Gの甲不動産に対する抵当権に（一部）代位する地位にあるが，甲不動産もまた物上保証人所有であるので，民法501条3項3号による代位となり，甲，乙不動産の価格に応じて代位することになる（逆に甲不動産が先に競売された場合のEについて同じ関係が生ずる）。また，各不動産についての後順位抵当権者が物上保証人に優先すべき関係にあることは［設例2］の場合と同じであるので，したがって，［設例2］と同様，乙不動産の後順位抵当権者Bは，Dが民法501条3項3号により代位する甲不動産の抵当権から優先して弁済を受けることができ，Aについても同じ関係が成立する。この場合も，民法392条の適用はなく，後順位抵当権者相互の利害調整も，弁済による代位のルールと物上代位の類推適用とによって行われる*。

＊以上を，上記の例で検討すると，D，Eいずれにおいても民法501条3項3号で弁済による（一部）代位をし500万円の配当額を甲，乙の不動産価額に応じて，E 900：D 600の割合で代位する関係になる（E 300万円，D 200万円）。AはEの配当分を，BはDの配当分につき配当を受ける。

(3) 共同抵当の目的物が同一の物上保証人の所有不動産である場合

この場合には，民法392条が適用される（最判平成4・11・6民集46巻8号2625頁【百選Ⅰ 95】）。その理由は，この場合には，後順位抵当権者は，先順位

の共同抵当権の負担を甲・乙不動産の価額に準じて配分すれば甲・乙不動産の担保価値に余剰が生ずることを期待して，抵当権の設定を受けているのが通常であるので，その期待は保護すべきものであるからである。加えて，この場合には，物上保証人は債務者に対する求償権確保のため民法499条，501条の規定に基づく代位権を有する地位にあるが，他方の不動産も自己所有不動産であり，それに対する抵当権に法定代位をすることができないので，異なる物上保証人が共同抵当の目的物を提供している場合（(2)参照）のような解決は図れないからである。

■最判平成4年11月6日民集46巻8号2625頁

判旨　「共同抵当権の目的たる甲・乙不動産が同一の物上保証人の所有に属し，甲不動産に後順位の抵当権が設定されている場合において，甲不動産の代価のみを配当するときは，後順位抵当権者は，民法392条2項後段の規定に基づき，先順位の共同抵当権者が同条1項の規定に従い乙不動産から弁済を受けることができた金額に満つるまで，先順位の共同抵当権者に代位して乙不動産に対する抵当権を行使することができると解するのが相当である」。その理由として，「けだし，後順位抵当権者は，先順位の共同抵当権の負担を甲・乙不動産の価額に準じて配分すれば甲不動産の担保価値に余剰が生ずることを期待して，抵当権の設定を受けているのが通常であって，先順位の共同抵当権者が甲不動産の代価につき債権の全部の弁済を受けることができるため，後順位抵当権者の右の期待が害されるときは，債務者がその所有する不動産に共同抵当権を設定した場合と同様，民法392条2項後段に規定する代位により，右の期待を保護すべきものであるからである」。また，「甲不動産の所有権を失った物上保証人は，債務者に対する求償権を取得し，その範囲内で，民法500条〔現499条〕，501条の規定に基づき，先順位の共同抵当権者が有した一切の権利を代位行使し得る立場にあるが，自己の所有する乙不動産についてみれば，右の規定による法定代位を生じる余地はなく，前記配分に従った利用を前提に後順位の抵当権を設定しているのであるから，後順位抵当権者の代位を認めても，不測の損害を受けるわけではない」，と。

Ⅸ 根抵当

1 序説

GとSとの間で継続的な取引関係があり，GがSに対して継続的に債権を取得し（たとえば，300万円程の売掛債権が継続的に毎月1個ずつ発生），それらは各弁

済期に弁済されることで順次消滅するが，しかし，ある時点を取ってみれば，弁済期未到来の債権が常時ほぼ一定の額累積して存在するという関係がある（弁済期が各6か月先と合意されておれば，300万円×6＝1800万円程度）。このような関係は，銀行とその取引先，原材料を供給する会社とメーカー，メーカーと販売業者の間などで広く存在する。

この発生，消滅する一群の不特定の債権につきGが担保を取ろうとする場合，普通の抵当権は全く不向きである。これは債権に付従するので，次々と発生する債権のために，いちいち抵当権を設定し消滅させることを繰り返さなくてはならないからである。このような継続的な取引に即した担保として古くから実務上使われてきたのが根抵当という形態の抵当権である[70]。継続的な取引関係にある当事者間で，不動産に1つの根抵当権を設定しておき，それにより，発生，消滅する一群の不特定の債権につき極度額の限度で担保させるというものである。

民法にはかつては根抵当に関する規定はなかったが，判例上その有効性が承認され法理が形成されてきた。しかし，成立段階での付従性がないなど民法の規定する抵当権と異なるものであり，また，当事者間で発生する債権のすべてを担保する趣旨のいわゆる包括根抵当が許されるかなど，その内容・効力をめぐって議論があったので，昭和46（1971）年に立法的解決が図られた（抵当権の章に第4節「根抵当」が付け加えられた）。「抵当権は，設定行為で定めるところにより，一定の範囲に属する不特定の債権を極度額の限度において担保するためにも設定することができる」（民398条の2第1項）とされ，これが民法の規定する根抵当権である。

なお，根抵当権も抵当権であり，その法律関係には第4節に加え，第3節までの規定も適用される（また，第3節までの規定のみが適用されるものを，講学上，普通抵当権と呼んでいる）。

---

[70] 抵当権に限らず，質権，譲渡担保など他の約定の担保でも同様の根担保の形態があり得る。保証債務においては根保証契約（民465条の2以下）がこれに対応するものである。

2 根抵当権の意義

(1) 定　義

根抵当権は，民法398条の2第1項の定義によれば，設定行為で定めるところにより「一定の範囲に属する不特定の債権を」，「極度額の限度において」担保する抵当権である。

(2) 一定の範囲

根抵当権で担保される債権の範囲は，根抵当権設定の当事者の合意により定めることができるが（「銀行取引から生ずる債権」など），その範囲を全く自由に定めることができるとはされておらず，民法398条の2第2項・3項で列挙されている5種の定め方に従う必要がある（あとで述べるように，「特定の継続的取引契約」，「一定の種類の取引」を掲げるなどして被担保債権の範囲を定める）。したがって，民法は，いわゆる包括根抵当を許してはいない。

(3) 極度額

設定行為で定める「極度額」も必須の要素である（「2000万円」などと定める）。根抵当権者が当該不動産につき担保的支配のできる価値的範囲，言い換えれば，優先弁済権を行使できる額の絶対的上限を画するものである（民398条の3第1項）。一般には，当該継続的取引において常時存在する弁済期未到来の債権の累積額を考慮して決められる。根抵当権では，普通抵当権におけるような特定の被担保債権が存在しないので，不動産の価値のうち抵当権者が優先弁済を受ける限度額が分からず，極度額という枠が定められていなければ，後順位で抵当権を取得しようとする者は，不動産の残存担保価値がいくらになるかを把握することができないことから必要とされる。

(4) 不特定の債権

根抵当権の特徴は，「不特定の債権」を担保するという点である。「不特定」の意味は，取引継続中に次々発生している債権のうち，最終的にどの債権がこの根抵当権で担保されることになるか，取引が継続している途中の時点では決まっていないという意味である。担保される具体的債権と根抵当権との結びつき（特定）は，根抵当権の元本の確定（民398条の19以下）によって生ずる。以上の意味で，根抵当権は元本の確定前は，担保されるべき債権との特定的結びつきを欠いているので，発生における付従性，存続における付従性が緩和され

ていることになる。そこで，元本確定前に個別の被担保債権のいずれかが譲渡されても，もともと根抵当権との特定的結びつきはないのだから，その債権は，当該根抵当権の被担保債権からそのまま外れていくことになる（民398条の7第1項）。

3 根抵当権の設定

(1) 設 定

根抵当権は，根抵当権を取得しようとする者（G）と，所有不動産にその負担を引き受けてよいとする者（H）との合意で設定される。根抵当権者は債権者である。設定者は，継続的取引上の債務者（S）であることが多いであろうが，第三者（物上〔根〕保証人）であることもある。これ自体は，普通抵当権と同様である。

重要な点は，特定の債権に付従する普通抵当権とは異なり，根抵当権は債権関係から独立して設定されるので，G・H間での設定行為において必ず被担保債権の「債務者」，「担保すべき不特定の債権の範囲」，「極度額」を定める必要がある（民398条の2）。

(2) 設定登記

根抵当権も対抗要件として登記が必要である。主要な登記事項は，債務者（不登83条1項2号），「担保すべき債権の範囲及び極度額」（不登88条2項1号），および，その定めがあるときには，元本確定期日である（不登88条2項3号）。

(3) 設定行為で定める事項

(ア) 序　根抵当権の設定にあたっては，設定の当事者間で，「債務者」，担保すべき「不特定の債権」の範囲，「極度額」を定める必要があり（民398条の2），加えて，元本の確定期日を定めることができる（民398条の6第1項）。なお，叙述の便宜のため，根抵当権者が優先弁済を受けることができる被担保債権の範囲についてもここで述べておくこととする（⇨(ウ)(d)，(エ)のそれぞれ末尾参照）。

(イ) 債務者　債務者については，次の担保すべき債権の範囲を決定する要素の1つとして同時に決定される。

(ウ) 担保すべき債権の範囲　(a) 序　担保すべき不特定の債権の範囲の定め方は，条文上，以下に掲げる5種類のものに限定されている（民398条の2

第2項・3項)。なお，この担保すべき債権の範囲の定め，および債務者については，元本の確定前は，設定当事者の合意により変更することができる（民398条の4第1項）。

　(b)　**「特定の継続的取引契約」**　第1は，債務者との間の特定の継続的取引契約の名前を挙げて，そこから生ずる債権を当該根抵当権で担保すると定める方法である（民398条の2第2項）。たとえば，「平成○年△月×日締結した債務者Sとの間の電気製品供給契約」と定めるわけである。具体的な契約の例として，ほかに，石油販売特約店契約，当座貸越契約，あるいは手形割引（貸付）契約などを挙げることができる。

　(c)　**「一定の種類の取引」**　第2は，特定の債務者との間に存在する「一定の種類の取引」から生ずる債権を担保すると定める方法である（民398条の2第2項）。取引の種類とは，たとえば，売買取引，商品供給取引，運送取引，銀行取引，あるいは信用金庫取引などである。具体的な契約名は挙げなくてよいので，将来において取引範囲が拡大しても，そこから発生する債権を当該根抵当権で担保できるという利点がある。もっとも，債権の範囲の特定ができない定めは許されない。たとえば，登記実務では，「商社取引」「問屋取引」「仲立取引」などでは受け付けないこととしている。要するに，どの債権が当該根抵当権で担保されるのか明確とならない定め方は認められないのである。

　(d)　**「特定の原因に基づいて債務者との間に継続して生ずる債権」**　以下の2つ（(d)，(e)）は上の2つ（(b)，(c)）と異なり，取引によらないで生ずる債権である（民398条の2第3項）。この第3のものを当該根抵当権の担保すべき債権と定めることは稀であろうが，登記参考例として挙げられているのは，たとえば，継続的に発生する甲工場の廃液による損害賠償債権とか，乙工場からの清酒移出による酒税債権（根抵当権者は国）である。

　(e)　**「手形上若しくは小切手上の請求権」**　(i)　背景　第4のものとして，債務者との取引によらないで取得する手形上もしくは小切手上の請求権を，当該根抵当権の担保すべき債権と定めることができる（民398条の2第3項）。債務者Sが振出または裏書した手形または小切手を，根抵当権者Gが，第三者Dの手を経てたまたま取得した場合（「回り手形」などという），GはSに対してこの手形上の請求権を取得する。しかし，手形の取得は第三者Dとの間の取

引には当たるが，Sとの間での取引には当たらないので，上で挙げた当該根抵当権につき第1や第2の定め（G・S間の手形割引契約，または銀行取引）があったとしても，上記Sに対する回り手形上の請求権はその担保すべき債権の範囲には属さない。しかし，特に根抵当権者が銀行である場合には，このようなかたちで取得した当該債務者Sに対する手形上もしくは小切手上の請求権であっても，当該根抵当権で担保されることが強く期待されている。この規定はそのような利益を特に保護したものと位置づけることができる。

(ii) 被担保債権とすることができる範囲　もっとも，この第4の定めは濫用されるおそれがある。すなわち，当該債務者Sの信用状態が悪化した後，当該根抵当権の極度額の枠にまだ余裕があるというので，根抵当権者Gが，Sが振り出した手形・小切手を駆込みで安く買い集めてこの根抵当権で担保させ，そのことによって後順位抵当権者や一般債権者を害するなどである。そこで，法は根抵当権の行使につき制限を設けた（民398条の3第2項）。すなわち，〔1〕「債務者の支払の停止」，〔2〕「債務者についての破産手続開始，再生手続開始，更生手続開始又は特別清算開始の申立て」，〔3〕「抵当不動産に対する競売の申立て又は滞納処分による差押え」，という事由があったときは，その前に取得した手形・小切手についてのみ根抵当権を行使でき，例外的に，その後に取得したものであってもその事由を知らないで取得したものについては行使することを妨げないとしている。

(f) 電子記録債権　第5のものとして，電子記録債権*（電子記録債権法〔平成19年法102号〕2条1項）は，民法398条の2第2項の規定にかかわらず，根抵当権の担保すべき債権とすることができる（民398条の2第3項）。

> *「電子記録債権」とは，電子債権記録機関（大手金融機関が参加する全銀電子債権ネットワークなど）が作成する記録原簿への電子記録を債権の発生，譲渡等の効力要件とする金銭債権である。事業者の資金調達の円滑化等を図るため，電子記録債権法により創設された新しい類型の金銭債権である。電子記録債権の形態にすると，債権譲渡に際して，発生が記録されている電子記録債権につき譲渡記録をすることで譲渡の効力を生じ，売掛債権等の一般の債権のままで処理する場合のデメリット（譲渡対象債権の存在確認のコスト，二重譲渡リスク等），手形にした場合のデメリット（作成，交付，保管のコストなど）を解消することができる。

電子記録債権は，したがって，根抵当権で担保すべき債権の範囲に入れるこ

とができるかに関しては，上記の「手形上若しくは小切手上の請求権」と同列であり，平成 29 年の債権法改正においてこれらの債権と並べて第 3 項に取り込まれた。

　(g)　**特定の債権**　　上記(b)～(f)に属さない特定の債権も，上のいずれかと併せてであれば，担保すべき債権として定めることができることに異論はない[71]。

　(エ)　**極度額**　　根抵当権の必須の要素として，設定行為で極度額を定めることとされる（民398条の2第1項）。根抵当権者は，その極度額を絶対的上限として，「確定した元本並びに利息その他の定期金及び債務の不履行によって生じた損害の賠償の全部について，……その根抵当権を行使することができる」のである（民398条の3第1項）。

　根抵当権の行使については，元本の確定（後述），および，債務者において何らかの債務不履行があれば，根抵当権者は，その確定した元本債権とその元本から生ずる利息・定期金および遅延損害金の全部について，優先弁済を受けることができるが，ただし，それは，極度額を限度としてとされる。その意味は，極度額を超えなければ，利息，損害金は何年分でも（民法375条の利息等の最後の2年分という制約は受けない）「全部」について担保される。反対に，仮に元本債権だけで極度額を超えれば，超過した元本および利息等は全く担保されないということを意味する。

　抵当不動産につき極度額を超える売却代金があれば，超過分は後順位の担保権者等に配当される。したがって，極度額は，後順位抵当権の設定を受けようとする者には当該不動産の残存担保価値を計算する基礎となる。後順位担保権者など配当を受けることのできる第三者がなく，競売代金に余剰が生じた場合は，根抵当権者は極度額を超える部分について当該競売手続においてその交付を受けることができるか。これは否定される。根抵当権についての極度額の定めは，単に後順位担保権者など第三者に対する右優先弁済権の制約たるにとどまらず，さらに進んで，根抵当権者が根抵当権の目的物件について有する換価

---

[71]　もっとも，最初から特定の債権のみに限定して根抵当権を設定することは根抵当の趣旨に反するので許されないと考えるべきで，その旨の登記も認められない。

権能の限度としての意味を有するものと解するのが相当であるからである（最判昭和48・10・4判時723号42頁）。

なお，この極度額は後に変更が可能であるが，それは後順位抵当権者等の利害に関わるので，利害関係を有する者の承諾を得なければ変更することはできない（民398条の5）。

(オ) **元本確定期日** 根抵当権設定契約で，当事者は，任意に，根抵当権の担保すべき元本が確定すべき期日を定めることができる（民398条の6第1項）。また，当事者は，後にこれを変更することもできる。この変更は，後順位抵当権者その他の第三者の利害に直接関わらないので，その承諾は必要でない（民398条の6第2項）。

ただし，確定すべき期日は，これを定め（または変更し）た日から5年以内のものでなければならない（民398条の6第3項）。これは根抵当権による長期間にわたる不動産の拘束を避けるという配慮からである。

4 元本確定前の被担保債権に関する変更等

(1) **序**

根抵当権はその背景にある取引等の関係に応じて一定期間存続する。しかし，その間に，債権を生じさせる取引の内容が変化したり，債権者（根抵当権者）あるいは債務者が，自然人であって死亡して相続が生じたり，会社であって合併や分割がなされたり，また，根抵当権を第三者に譲渡することなども考えられる。これらの事情の変化に対応する規律が，民法398条の4から398条の15までに置かれている。

(2) **被担保債権の範囲および債務者の変更**

根抵当権の設定当事者は，元本の確定前においては，担保すべき債権の範囲，および，債務者を変更できる（民398条の4第1項）。GとSとの間の「電気製品供給契約」から生ずる債権を担保するとしていたものを，GとSとの間の「売買取引」から生ずる債権を担保するものとしてその範囲を変更したり，個人商店SがS株式会社になった場合に，債務者をS株式会社に変更したり，GがSの子会社Tとの電気製品供給契約を開始しTとの当該契約から生ずる債権もこの抵当権で追加的に担保すると変更するなどである。極度額という担保

価値支配に変化があるわけではないので，後順位抵当権者その他の第三者の承諾は必要ではない（民398条の4第2項）。なお，これらの変更については元本確定前に登記がなされないとその変更をしなかったものとみなされる（民398条の4第3項）。

(3) **極度額の変更および元本確定期日の変更**

3(3)(エ)，(オ)（⇨410頁以下）の叙述を参照されたい。

(4) **根抵当権の被担保債権の個別譲渡等**

元本の確定前は，担保すべき債権の範囲に属する個別の債権であっても，具体的に当該根抵当権で担保されることになるかどうかは確定していない。そこで，確定前に，かかる個別の債権を譲り受けた者，かかる個別の債権につき代位弁済をした者は，当該根抵当権を行使することはできない（被担保債権から除外される）。また，かかる債務について引受けがなされたとき，根抵当権者は，その引受人に対する当該債務についてはもはや根抵当権を行使できない。元本の確定前に免責的債務引受があった場合における債権者は，民法472条の4第1項の規定（担保権設定者の承諾を条件に担保権を引受人が負担する債務に移すことができる）にかかわらず，根抵当権を引受人が負担する債務に移すことができない。元本の確定前に債権者の交替による更改があった場合における更改前の債権者は，その当事者は，民法518条1項（更改後の債務への担保の移転）の規定にかかわらず，当該根抵当権を更改後の債務に移すことができない。元本の確定前に債務者の交替による更改があった場合における債権者も同様とする（以上，民398条の7）。

(5) **根抵当権者または債務者の相続・合併・会社分割**

根抵当権者または債務者につき，死亡による相続，合併，会社分割があった場合，根抵当権はその際に確定するのか，あるいは新しい主体に承継されその時点以後に発生する債権または債務をも担保するのか，という問題である。

(ア) **相続** 元本の確定前に，根抵当権者Gが死亡し相続が開始したときは，根抵当権は当然には確定しないで，根抵当権者の相続人（A，B，C）と設定者との間で根抵当権を承継する相続人（事業の承継者A）を合意で定めれば，相続開始の時に存した被担保債権群（共同相続されA，B，Cに分割帰属）はもちろんであるが，その相続人Aが相続の開始後に取得する債権群をも担保するこ

とができる,とされる（民398条の8第1項）。ただし,その合意がないか,その合意について相続の開始後6か月以内に登記をしないときは,この承継はなく,担保すべき元本は,相続開始の時に確定したものとみなされる（民398条の8第4項）。

　元本の確定前に,債務者について相続が開始したときは,根抵当権は,相続開始の時に存する債務のほか,根抵当権者と根抵当権設定者との合意により定めた相続人（事業の承継者）が相続の開始後に負担する債務を担保する（民398条の8第2項）。相続の開始後6か月以内に登記をしないときの法律関係は上記と同様である（民398条の8第4項）。

　(イ)　**合併**　元本の確定前に根抵当権者またはその債務者について合併があったときは,根抵当権は,相続の場合と異なり何ら合意を必要としないで承継され,合併の時に存する債権または債務のほか,合併後存続する法人または合併によって設立された法人が合併後に取得する債権または負担する債務を担保する（民398条の9第1項・2項）。

　このことにより事後に担保すべき債権・債務の範囲が拡大するなど根抵当権設定者の利害には一定の影響が生ずる。そこで,根抵当権設定者は,債権者または債務者の合併による利害の変化を受け入れたくない場合は,担保すべき元本が合併の時に確定したものとみなす元本確定の請求をすることができる（民398条の9第3項・4項）。ただし,債務者の合併において,その債務者自身が根抵当権設定者である場合は,この元本確定の請求をすることができないのは当然である。なお,この元本確定の請求は,根抵当権設定者が合併のあったことを知った日から2週間を経過したとき,または合併の日から1か月を経過したときはすることができない（民398条の9第5項）。

　(ウ)　**会社分割**　この場合にも,根抵当権は原則承継され,分割の時に存する債権または債務のみならず,分割をした会社および分割により設立された会社または分割をした会社の権利義務を承継した会社が,分割後に取得する債権または負担した債務をも担保する（民398条の10第1項・2項）。根抵当権設定者が元本確定請求をすることができる関係については,合併の場合と同じである（民398条の10第3項）。

(6) **根抵当権の処分**

(ア) **序** その元本の確定前においては，根抵当権者は，転根抵当を除いて，民法376条1項（抵当権の処分）の規定による根抵当権の処分をすることができない（民398条の11第1項）。

(イ) **根抵当権の譲渡** 根抵当権の場合には，これとは別に，元本確定前に，根抵当権の全部譲渡，分割譲渡，および一部譲渡が認められる。根抵当権によって取引上の債務を担保するという地位そのものを，根抵当権を譲渡することにより他者に享受させようとする制度である。

(a) **根抵当権の全部譲渡** 元本の確定前においては，根抵当権者は，根抵当権設定者の承諾を得て，その根抵当権の全部を譲り渡すことができる（民398条の12第1項）。根抵当権という抵当不動産に対する極度額までの担保的価値支配権を被担保債権とは独立して譲渡できるという趣旨である。根抵当権のGからAへの譲渡により，根抵当権者Gは根抵当権を全く失い，逆にAは根抵当権を取得し，自分の取引上の債権を担保することができる。したがって，担保すべき債権の範囲の変更，および債務者の変更も同時に行われることになる（民398条の4参照）。

根抵当権設定者は，自分の所有不動産でいかなる債権を担保するかにつき利害を有するので，根抵当権の全部譲渡についてはこの設定者の承諾が必要である。なお，譲渡につき債務者が設定者である場合を除き，債務者の利害は顧慮されない仕組みである。

(b) **根抵当権の分割譲渡** 元本の確定前に，根抵当権設定者の承諾を得て，根抵当権者は，その根抵当権（たとえば極度額1500万円）を2個の根抵当権（甲根抵当権〔極度額1000万円〕，乙根抵当権〔同500万円〕）に分割して，その一方（たとえば乙根抵当権）を第三者Bに譲渡することができる。極度額は分割により減少するがGは従前どおり根抵当権者（甲根抵当権）であり，新たにBが乙根抵当権の根抵当権者となる。分割された部分（乙根抵当権）の譲渡の法律関係は全部譲渡と同じである（民398条の12第2項前段「その一方を前項の規定により譲り渡すことができる」）。つまり，根抵当権設定者の承諾が必要である。

この場合において，分割前の根抵当権を目的とする権利（転抵当権など）は，関係の複雑化を避ける趣旨で，譲り渡した根抵当権の方（乙根抵当権）につい

ては消滅するものとした。そうすると，分割前の根抵当権を目的とする権利者にとっては不利益となるので，分割譲渡に対しその承諾を得なければならないとする（民398条の12第2項後段・3項）。

(c) **根抵当権の一部譲渡** 　一部譲渡とは，根抵当権者Gが自分の根抵当権を，譲渡後はその譲受人Cと共有するかたちとなるよう，根抵当権を分割しないで譲り渡すことをいう。元本の確定前においては，根抵当権者は，根抵当権設定者の承諾を得て，このようなかたちの根抵当権の一部譲渡をすることが許されている（民398条の13）。この一部譲渡により，CはGと当該根抵当権を共有することになるが，Cは，その際，自分が共有する根抵当権部分について，被担保債権の範囲，その債務者の追加的変更をすることになる。

さて，根抵当権の共有者GとCは*，同順位の者として根抵当権を行使し，それぞれその債権額の割合に応じて弁済を受けることとされている。たとえば，確定後の債権額が，Gが2000万円，Cが1000万円であれば，仮に極度額1500万円として，各債権額の割合に応じてGが1000万円，Cが500万円の弁済を受ける。ただし，元本の確定前に，これと異なる割合を定め，またはある者が他の者に先立って弁済を受けるべきことを定めたときは，その定めに従う（民398条の14第1項）。

> ＊根抵当権の共有は，ほかにも，設定時において複数者を根抵当権者とする場合に生じ，あるいは根抵当権の相続の場合にも生じ得る。共有であれば，民法398条の14に規定されたルールが同様に適用される。

この根抵当権の共有者（たとえばC）は，元本確定前において，他の共有者（G）の同意を得て，根抵当権の譲渡の規定（民398条の12第1項）に従って（根抵当権設定者の承諾を得て），根抵当権共有者としての権利を第三者に譲渡することができる（民398条の14第2項）。

5　根抵当権の元本の確定

(1)　元本の確定の意義

元本の確定とは，根抵当権につき，一群の不特定の債権を担保する状態から，確定の時点で存在する元本（債権）を具体的に担保する状態にすることである。元本の確定した後に新たに発生する元本についてはもはや当該根抵当権では担

保されない＊。

＊ 当該根抵当権で担保すべき範囲内の債権として元本 a, b, c, d, e, f, g, h が発生し，その後元本 a, b, c, e が弁済により消滅している状態で元本の確定があると，その時点に存在する d, f, g, h という元本債権が当該根抵当権で担保されることになり，以後仮に当該範囲内の債権として i, j が発生したとしても，もはやこれらはこの根抵当権によっては担保されないということである。

確定後は，根抵当権は，確定した元本，および，その元本から生ずる利息・定期金，遅延損害金のみを担保するものとなるので（民398条の3第1項），性質は普通抵当権に近いものとなるといってよい（ただし，被担保債権の範囲を利息等の最後の2年分と限定する375条の適用はない）。

なぜ元本を確定させなくてはならないのか。それは，確定事由から窺えるが，1つは，根抵当権者側の事情であり，主として，債務者の信用状態が悪化した場合に優先弁済権の行使ができるようにするためであり，他の1つは，設定者側に対して，一定の期間経過後は自己所有不動産に対する根抵当権という担保的負担から解放される手段を与えるということである（確定時以後の新規元本は担保せず，担保されている元本等の債務が完済されると根抵当権は消滅する）。

(2) **元本の確定事由**

(ア) **元本確定期日の到来**　まず，当事者が元本確定期日を定めている場合，その期日が到来すると元本は確定する。なお，この定めがあるときは，根抵当権を設定した当事者は次項で述べる確定請求をすることはできない（民398条の19第3項）。

(イ) **根抵当権の元本の確定請求**　(a) **根抵当権設定者の請求**　確定期日の定めがない場合，根抵当権設定者は，根抵当権の設定の時から3年を経過したときは，担保すべき元本の確定を請求することができ，この請求の時から2週間を経過することによって元本は確定する（民398条の19第1項）。根抵当権を負担する者の意思により元本を確定させるものであり，所有不動産に対しあまりにも長期間，根抵当権という担保的負担が継続しないよう配慮したものである。

(b) **根抵当権者の請求**　確定期日の定めがない場合，根抵当権者は，いつでも，担保すべき元本の確定を請求することができ，この場合においては，

担保すべき元本は，その請求の到達時に確定する（民398条の19第2項）。平成15年の担保法改正により本項が設けられた[72]。たとえば，根抵当権者が元本確定前にその時点での被担保債権全部を譲渡すべき必要が生じることがあるが（企業の再編，不良債権の処理など），根抵当権を確定しないままで債権の譲渡をすると，譲受人はその債権のために根抵当権を行使することはできない（民398条の7第1項）。そこで，譲受人が当該根抵当権での担保を求める場合には元本の確定が必要となる。そのような需要に応えるために規定されたのが本項である。なお，この場合の元本確定の登記は，迅速に根抵当権を債権の移転に随伴させるため，例外的に，根抵当権者単独でできるとされた（不登93条）。

(ウ) **民法398条の20に列挙の確定事由** 以下に掲げるような事由があれば，根抵当権の担保すべき元本は確定する。いずれの場合も根抵当権者がその優先弁済権を発動させるべき局面であって，根抵当権の元本は確定しなくてはならない。

ⅰ） 根抵当権者が，抵当不動産について競売，担保不動産収益執行，または物上代位権行使としての差押えを申し立てたとき（民398条の20第1項1号）。

ⅱ） 国，地方公共団体である根抵当権者が，抵当不動産に対して滞納処分による差押えをしたとき（民398条の20第1項2号）。

ⅲ） 第三者の申立てによる抵当不動産に対する競売手続の開始または滞納処分による差押えがあったことを，根抵当権者が知った時から2週間を経過したとき（民398条の20第1項3号）。ただし，それらの手続開始等の効力が消滅したときは別である（民398条の20第2項）。

ⅳ） 債務者または根抵当権設定者が破産手続開始の決定を受けたとき（民398条の20第1項4号）。ただし，手続開始決定の効力が消滅したときは別である（民398条の20第2項）。

---

[72] なお，平成15年の改正前には，民法398条ノ20第1項1号に「担保スベキ元本ノ生ゼザルコトト為リタルトキ」という確定事由があったが，そのような状態になったかどうかが一義的に明らかではないので，同じ時の改正でその条文は削除された。

(3) 元本の確定後の法律関係

(ア) 元本確定の効果 元本確定の効果は，すでに述べたように，確定時の元本が当該根抵当権により具体的に担保される元本となり，それ以後発生する元本は担保されないということである。確定後の根抵当権は，確定元本，およびその元本から生ずる利息，遅延損害金のみを担保するものとなる。

(イ) 根抵当権設定者の極度額減額請求権 元本の確定時において当該根抵当権により担保されるべき金額はいったん確定できるが，その金額が極度額と比べて少なく，いわば担保の空き枠がある場合には，その抵当不動産の所有者はその空き枠の担保価値を別途有効に利用することが考えられる。しかし，根抵当権者が支払の請求をせず，他方債務者も弁済をしないままの状態が長く続くと，確定元本から生ずる利息，損害金等が増大し，極度額までは無制限にこれが担保される（民法375条は適用されない）結果，空き枠がどんどん縮減することになる。そこで，空き枠を有効利用したい根抵当権設定者に極度額減額請求権を与え，「現に存する債務の額と以後2年間に生ずべき利息その他の定期金及び債務の不履行による損害賠償の額とを加えた額」に極度額を減額することができることとした（民398条の21第1項）。これは形成権で，この請求をすることで直ちに減額の効果が発生する。

(ウ) 根抵当権の消滅請求 反対に，元本確定後，現に存する債務額が極度額を超えるときは，物上根保証人や抵当不動産の第三取得者，地上権，永小作権の取得者，および対抗力ある賃借人は，「その極度額に相当する金額を払い渡し又は供託して，その根抵当権の消滅請求をすることができる」（民398条の22第1項）。これは形成権で，請求により消滅の効果が発生する。

根抵当権設定者は極度額までの担保価値支配を容認しているにすぎないので，物上保証人や抵当不動産の第三取得者等であれば，その額を提供すれば，その負担から解放されるとしたものである。

ここでいう「極度額に相当する金額を払い渡し」等は，理論上，債務の第三者弁済と位置づけることはできない。物上根保証人等による第三者弁済は当然可能であるが，第三者弁済の方法では被担保債権の全額を弁済しないと根抵当権は消滅しないので，その相違は明らかである。もっとも，「その払渡し又は供託は，弁済の効力を有する」とされているので（民398条の22第1項後段），

払渡し等をした物上根保証人等は，債務者に対して求償権を取得する。

他方で，主たる債務者，保証人およびこれらの者の承継人は自らが根抵当権設定者である場合はもちろん，抵当不動産の第三取得者になったとしてもこの抵当権消滅請求権は認められない（民398条の22第3項，380条）。これらの者は債務全額について弁済義務があるからである。また，抵当不動産の停止条件付第三取得者も条件の成否未定のままではこの消滅請求は認められない（民398条の22第3項，381条）。

(エ) **根抵当権の実行**　元本の確定があった場合には，根抵当権を実行する要件が具備されていることが多いが，そうではない場合もある。抵当権を実行することができるためには，その要件として，当該根抵当権で具体的に担保されている債権のうち1つでも債務不履行となっている必要がある。

6　共同根抵当

数個の不動産につき根抵当権を有する者がいる場合の法律関係につき，民法は，〔1〕「共同根抵当」（民398条の16）と，〔2〕「累積根抵当」（民398条の18）とに区分し，後者を原則的な形態，前者を例外的な形態と位置づけた。

数個の不動産につき根抵当権を有する場合としては，各不動産が「同一の債権」（担保すべき債権の範囲，債務者および極度額が同じ債権）を担保する場合と，そうではなく，各不動産が範囲の一部重複する債権を担保する場合（甲不動産はG・S間の電気製品供給契約から生ずる債権を，乙不動産はG・S間の売買取引から生ずる債権を担保する）とが考えられる。

民法398条の16は，同一の債権を担保するもののうち，特に，〔1〕「その設定と同時に同一の債権の担保として数個の不動産につき根抵当権が設定された旨の登記をした場合」に限定して，例外的に，普通抵当権の共同抵当に関する民法392条を適用し，割付けを認めた（共同根抵当）。そして，〔2〕それ以外の場合にはすべて，「各不動産の代価について，各極度額に至るまで優先権を行使することができる」（民398条の18）とする（累積根抵当）。

2つの違いはどこにあるか。例を挙げて考える。同一の債権を担保するために甲不動産（時価3000万円）および乙不動産（時価2000万円）にそれぞれ極度額2000万円の根抵当権の設定を受け，元本確定後の被担保債権額が3000万円

であったとする。上記の条件を満たして〔1〕共同根抵当とされると割付けがあり，極度額2000万円が甲，乙不動産の価額に按分され，甲不動産から1200万円，乙不動産から800万円の限度で（合計2000万円）優先弁済を受けることになる（根抵当権者は，もともと，2000万円までの与信を考えており，危険の分散の意味で共同根抵当としている）。他方，〔2〕累積根抵当であれば，「各不動産の代価について，各極度額に至るまで」（つまり，2000万円＋2000万円）優先弁済権を行使できるので，この例では，債権者は3000万円全額につき債権回収ができる（根抵当権者は4000万円まで与信できると考えている）。

　根抵当権において複数の不動産を担保の目的物にしようとする場合は，当事者の意思は，通常，各不動産に設定した極度額は累積的に利用するというものであるということで〔2〕累積根抵当が原則とされている。

◆第13章 質　権

I　序　説

1　質権の意義

　質権は，抵当権と並んで民法に規定されている典型の制限物権型の約定担保物権である。

　質権は，質権者が担保目的物を質権設定者（債務者または第三者）から受け取って占有し（この点で抵当権と異なる），その物について他の債権者に先立って自己の債権の弁済を受ける権利である（民342条）。

　たとえば，Sがその営業資金の融資を金融業者Gから受けるため，その担保として，Sが所有する書画数点，売掛代金債権およびゴルフ会員権をGに引き渡すなどして質権を設定するというのがその例である。質権者が質権の目的物を占有することで債務者Sに対し債務の履行を心理的に強制しつつ（留置的効力），Sから最終的に貸金債権の弁済を受けない場合，Gは競売手続によるなどしてこれらのものの価値から優先弁済を受けることになる（優先弁済的効力）。

　上記のような事例の場合，実際には，債権担保の手段として，質権だけではなく譲渡担保（担保の目的で目的物を譲渡する）という方法を利用することもでき，質権は，動産，債権などを担保目的物とする場合の担保手段の1つと位置づけることができる。

2　質権の特色

　質権の特色は，質権者が目的物を占有する占有型担保であるという点である。

　このことから，次のような質権の特色が導かれる。第1に，抵当権は目的物の占有を移転せずに設定がなされるので，その目的は登記を公示手段とするものに限定されるが，質権では，その設定の公示は占有移転によりなされるので，譲渡可能物でさえあれば（民343条参照），動産，不動産，財産権のいずれをも

その目的とすることができる。

　第2に，質権者が目的物を占有するので（しかも，質権設定者の代理占有が禁ぜられているので〔民345条〕），債権回収について留置的効力が発揮できる（ただし，債権質ではこの効力は期待できない）。

　第3はいわば欠点というべきであるが，質物についての現実の占有移転が必要とされる結果，質権設定者がその物の占有・利用を保持しつつそれを担保の目的物としたいというものについては質権を設定することができない。したがって，事業者が，その営業に不可欠の財産（機械，器具，商品など）に質権を設定して資金の融資を受けることは不可能である。動産については，民法は，質権以外の約定担保権の設定を予定していないので，実務では，古くから，現実に占有を移転しないで担保を設定することができる譲渡担保という方法が広く行われてきた。判例も，譲渡担保は，担保権の設定方法として有効であると認めてきた。なおまた，特別法による農業動産，建設機械など生産手段を目的とする占有を移転しない動産抵当の制度は，この面での質権制度の不備を補うものと位置づけることもできる。

　第4に，逆に担保権の取得者（たとえば，銀行）が目的物の占有・管理（民357条）をしたくない場合も，質権は利用しづらい。不動産を目的とする質権がほとんど利用されず，抵当権が設定されるのは，このことが理由である。

3　質権は実際どれほど利用されているか

　上述のように，不動産質はほとんど利用がない。

　動産質であるが，事業用の動産については質権を利用できない。そこでは譲渡担保が活用される。他方，庶民金融の場面では動産質がかつて大いに利用された。物品を質に取り流質約款を付して金銭を貸し付けるいわゆる「質屋さん」（「質屋営業」質屋1条）がその最前線にあった。しかし，今日，庶民金融の大部分は銀行，貸金業者，信販会社によって担われており，そこでは無担保金融ないし担保が設定される場合も所有権留保などが利用され質権の出番はほとんどない。

　他方，金銭債権，有価証券，知的財産権など財産権に対する権利質は，換価が容易であること等から，事業者のための金融の場面ではその担保方法として

利用されている，という状況である。

4　担保物権としての通有性

質権には，付従性，随伴性，不可分性（民350条，296条），物上代位性（民350条，304条）が認められる。

5　叙述の順序

民法典の質権の章は，総則，動産質，不動産質，権利質の4節からなるが，以下では，動産質，権利質を中心に取り上げ，総則部分は主として動産質の中に組み込んで扱い（質権一般のルールについては「質権」と，動産質のみに関する記述については「動産質(権)」と書き分ける），不動産質については関連する箇所の注等により適宜扱うこととする。

II　動産質

1　動産質権の設定と対抗の問題

(1)　設定行為

(ア)　**当事者**　質権は，債権者と，債務者または第三者（物上保証人）とが当事者となって設定される。動産質権の設定者は動産の所有者である必要がある。ただし，設定者が動産の所有者でなかった場合であっても，質権者がそのことにつき善意・無過失であれば民法192条により質権が即時取得される。

物上保証人については，抵当権の場合の議論が当てはまる（⇨292頁・第12章II 1 (2)参照）。物上保証人は保証人と異なり債務は負担せず，被担保債権につき質権の目的物に限定した物的責任のみを負担する。もっとも，物上保証人は質権が実行されると質物の所有権を失う立場にあり，利害関係を有する第三者として債務を弁済することができる。物上保証人が，「債務を弁済し，又は質権の実行によって質物の所有権を失ったときは，保証債務に関する規定に従い，債務者に対して求償権を有する」（民351条）。

(イ)　**合意と引渡し**　質権の設定については，物権法の原則（民176条。意思主義）と異なり，質権設定の合意[1]に加え，「債権者にその目的物を引き渡

すことによって，その効力を生ずる」とされる（民344条）。引渡しがあってはじめて質権が成立するという意味でありいわゆる要物契約性を帯びている。

しかも，この引渡しは占有改定によることはできない。質権者は質権設定者に「自己に代わって質物の占有をさせることができない」（民345条）とされるからである。現実の引渡し，簡易の引渡し，および指図による占有移転（物を第三者に寄託したまま質権を設定をする場合など）のみが許される。その趣旨は，質権の公示の明確さを求めたこと，および質権設定者に現実の占有を留めないことで質権の留置的効力を確保しようとしたことにある*。

＊不動産質においては，加えて，民法177条による登記が第三者対抗要件である。なお，動産質権の設定については，動産債権譲渡特例法に基づく登記による公示は用意されていない。

動産質においては，同一の動産について数個の質権を設定することが許され（物を第三者に寄託している者が質権者に対して指図による占有移転の方法で質権を設定する場合などで可能），そのときは，その質権の順位が問題となるが，それは質権設定の先後によって定まる（民355条）。

(2) 質権設定者を占有代理人とする代理占有の禁止の意味

質権者に対する目的物の引渡しにより有効に質権が設定された後，質権者が民法345条に反して質物の占有を質権設定者に委託した場合，質権は消滅することになるのかという問題がある。

1）　不動産質（目的物は土地および家屋である）においては「存続期間」が定まっている。不動産質権者に用法に従った使用・収益権が認められている（民356条）ことの反面である。存続期間は当事者が合意で定めるが（不登95条1項1号），10年を超えることができず（民360条1項前段），これより長い期間を定めても10年とされる（民360条1項後段）。更新はできるが，更新時から10年を超えてはならない〔民360条2項〕。定めを置かなかった場合については，被担保債権の弁済期と同一の期間としたらどうかなどという議論もあるが，多数説は設定から10年の存続期間となると解釈する。存続期間の概念は農地を対象とする質に由来するものである。質権者は目的不動産を使用・収益する権能があるがいずれは質権設定者＝所有者に返還する地位にあるので，将来のことを考えず質にとっている期間に集中的に収益を手にしようとする。そこで，目的物の価値を保存するとの観点から長くは存続させないで，一定の存続期間に限定しておいた方がよいというものである（民法278条1項〔永小作権〕，581条1項〔買戻特約〕と趣旨は共通する）。存続期間の具体的な意味であるが，存続期間満了前に被担保債権が弁済等により消滅するともちろん不動産質権も消滅するが，他方，存続期間が更新なく満了すると不動産質権は消滅し被担保債権は無担保の状態となる。

学説においては，同条の留置的効力の確保という趣旨からして質権は消滅すると解するものが多い。他方，判例（大判大正5・12・25民録22輯2509頁）は，民法345条の違反は質権者の代理占有（間接占有）の不成立，つまり質権者の占有喪失にとどまり，効果としては，動産質では民法352条により質権を第三者に対抗できなくなるだけであるという（このように解する場合，不動産質の場合には登記が対抗要件であるので，不動産の占有を設定後に質権設定者に委託しても，第三者対抗力につき何の影響もないことになる）。そこで，質権設定者が仮に目的物を第三者に処分するようなことがあるとその第三者に対しては質権を対抗することはできないが，そうでない限り当事者である質権設定者に対してはなお質権を主張することができるというのである。実質的にみて，質権者が質権設定者に占有を委託する場合，質権者は質権の留置的効力，第三者対抗力を失うことは覚悟すべきであるとしても，占有を委託した相手方（質権設定者）に対する関係で質権の優先弁済的効力まで失わせる必要はどこにもないので，判例に賛成したい[2]。また，この場合，質権設定者において占有委託の趣旨に反する行為があった場合には，質権設定者に対して質権に基づき質物の返還請求をすることができるというべきであろう。

(3) **占有の継続（第三者対抗）**

動産質権者は，継続して質物を占有しなければ，その質権をもって第三者に対抗することができない（民352条）。第三者に賃貸，寄託等で占有を委託した場合には質権者には間接占有が残るので本条には該当しない。質物の占有を失うのは，占有が侵奪された，遺失，詐取されたなどの場合である（また，質権設定者に占有を委託した場合については上述のように質権者は占有を喪失し，本条により第三者対抗力がなくなる）。質権者に間接占有も残らないときには占有による質権公示の基礎が失われるので第三者対抗力がなくなるという趣旨である。

もっとも，占有の喪失が占有侵奪による場合は，占有回収の訴えにより質物の回復が可能とされ（民353条），回復されれば再び第三者対抗力を獲得する（遺失または詐取された場合のように侵奪には当たらず占有回収の訴えができない場合には，第三者対抗力回復の手段がない）。

---

2) 林良平編『注釈民法(8)』（有斐閣，1965）256頁以下［石田喜久夫］参照。

なお，ここで対抗できない第三者とは，質権設定者・債務者以外の者とされ（民法353条に「質物の占有を奪われたときは，占有回収の訴えによってのみ」とあるので無権原者，不法行為者も質権を対抗できない第三者である），他方，質権設定者・債務者に対する関係では質権者は継続して占有していなくとも質権を主張できるので，質権設定者・債務者が侵奪したとすれば質権に基づいて返還請求し得ると考えられる。

(4) 目的物

質権の目的物は，譲り渡すことができない物（禁制品など）であってはならないが，譲渡可能な物であれば広くその目的物とすることができる（民343条）。換価処分し優先弁済に充てるわけであるから譲渡可能性が必要となる。もちろんこれは動産質にも妥当する。なお，譲渡可能な動産ではあるが質権の設定が許されないものがある。登記・登録がなされ抵当権を設定することができる動産（登記船舶〔商849条〕，登録自動車〔自抵20条〕，既登記建設機械〔建抵25条〕など）がそれである。占有移転による質権の設定を許すと，動産ではあるが特別に登記・登録により権利関係を公示させた趣旨と矛盾することになるからである。

(5) 担保される債権

特に制限はない。将来債権についても設定できる。なお，根抵当（⇨404頁・第12章Ⅸ）と同様に，現在の，および将来発生する一群の不特定の債権を被担保債権とする根質の形態も認められる。

2 動産質権の効力

(1) 質権の効力の及ぶ目的物の範囲

民法370条（抵当権の効力の及ぶ範囲）に類する規定がないので，物権法一般の議論に従い，質権は所有権の及ぶ付合物，および民法87条2項により設定時の従物に効力が及ぶというべきであろう。もっとも，質権の設定には目的物の引渡しが必要なのでその効力が及ぶ目的物の範囲は明確である。

特色があるのは果実についてである。質権者には果実収取権が認められ，「他の債権者に先立って，これを自己の債権の弁済に充当することができ」る（民350条，297条1項）。果実は，まず利息に充当され，なお残余があるときは

元本に充当されることになる（民297条2項）。この質権者による果実の収取・弁済への充当は，担保権の実行の要件と無関係に規定されているので，履行期の到来は必要ないと解されている＊。

> ＊ もっとも，留置権の規定を準用するが，そこにおいては，被担保債権の弁済期は到来しており（民295条），質権において履行期には関わりがないと解釈してよいかには疑問がある（債権質についての利息については後述）。そもそも動産については，賃貸は質権設定者の許可事項であり果実が生ずる事態はあまり考えられない。関係がありそうな不動産質においては，もともとその効力内容として，質権者は目的不動産を用法に従い使用・収益できるとされており（民356条），この民法350条（民297条）に対する特則が用意されこの規定の適用はない。実質的に比較してみると，不動産質では履行期に関わりなく収益できることの反面として，質権者は留置する不動産の管理費用その他不動産に関する費用を負担し（民357条），また，被担保債権の利息を請求できない（民358条）とされ，収益と負担の均衡につき配慮がなされているが，動産，債権質においてはこのような配慮はなされていないといえる。

また，質権については物上代位が認められるが（民350条，304条），実際上問題となり得るのは，目的物の滅失または損傷によって質権設定者が受けるべき金銭ぐらいであろう（売買代金，賃料については抵当権での議論が参考になる。⇨318頁以下・第12章Ⅲ6(2)参照）。

(2) 被担保債権の範囲

被担保債権の範囲につき，質権においては，抵当権の場合のような制限（民375条）がない。設定行為に別段の定めがない限り，「元本，利息，違約金」，「質権の実行の費用，質物の保存の費用及び債務の不履行又は質物の隠れた瑕疵によって生じた損害の賠償を担保する」（民346条）。後順位者などの利害関係人が生ずる可能性が現実にはほとんどないので限定する意味がないとされる（動産質，権利質の場合に当てはまる）＊。

> ＊ 不動産質権では民法361条で375条が準用されているので，「利息，違約金」については，通算して最後の2年分に制限される（したがって，利息の定め，違約金または賠償額の定めは登記事項とされている〔不登95条1項2号・3号〕）。

3 動産質における実行前の効力

(1) 質権設定者による質物の処分

動産質においては，質権設定者は質権の目的物を占有しないので，質物の所有権を譲渡することはあまり考えられないが，仮に処分し，第三者（質権者を含む）が直接占有する動産を指図による占有移転の方法で譲受人に引き渡したとしても，質権はこの者に対抗できそのまま存続する（追及力）。譲受人が，質権を消滅させるためには，被担保債権全額を弁済する必要がある（不可分性）。抵当権と異なり，代価弁済，質権消滅請求の制度は用意されていない（ただし，不動産質においてはこれらの制度は準用される〔民361条〕）。

(2) 質権の侵害に対する救済手段

動産質において，質権者が占有を奪われまたは占有を妨害されることにより，質権を侵害された場合，質権者はどのような救済手段を行使することができるか。

まず，占有を奪われることによる質権侵害については，占有回収の訴えによってのみその質物を回復することができるとされる（民353条）。質権に基づく返還請求権が認められない理由は，占有を喪失し質権が公示されない状態となった以上第三者に対抗できず，物権的請求権という強力な権利を与えるべきではないという判断によるものであった[3]。もっとも，占有回収の訴えの方法による場合救済には制約があり，善意の特定承継人には返還請求ができず（民200条2項），また，侵奪時から1年以内という請求の期間制限がある（民201条3項）。さらに，そもそも占有回収の訴えは占有侵奪を要件とするので，侵奪ではなく質権者が遺失または被詐取により占有を失った場合，その後質物を第三者の手許で発見したとしても，質権者は質権を回復することができない。なお，質権設定者・債務者は第三者ではなく，質権者とは当事者の関係にあるので，前述のように，占有を失っても質権を主張でき，質物の返還も質権に基づいて請求（物権的返還請求）することができる。

質物に対する占有を妨害することによる質権の侵害，または侵害のおそれが

---

3) 不動産質権においては民法353条の制約がないので，質権に基づく返還請求権を行使できる（抵当権と異なり占有を権利内容とするから返還請求も可能）。

ある場合には，質権に基づく妨害排除請求，妨害予防の請求が認められることになる。

不法行為による質権の侵害に対する損害賠償請求，債務者による担保の滅失，損傷の場合における期限の利益喪失などについては，抵当権の場合の議論を参照されたい（⇨340頁・第12章Ⅳ2(3)参照）。

(3) 留置的効力

質権者は，被担保債権の弁済を受けるまでは，質物を占有し続け質権設定者に返還しない（留置する）ことができる（民347条）。これにより債務者に弁済を促すという意味がある。

なお，この質権の留置的効力の内容は，留置権の場合と異なる。留置権では，留置物の返還は被担保債権の支払と引換給付の関係と理解されているが，質権においては，質権設定者（債務者）の方がまず被担保債権の弁済をし，質権者はその後で質物の返還をすればよいものと解されている（大判大正9・3・29民録26輯411頁）。質権設定者の一般債権者等が当該動産を差し押さえて強制執行をする場合には（第三者の直接占有を通じて質権者が目的物を間接占有している場合にはあり得る），質権者は第三者異議の訴えを提起できる（民執38条1項）。

目的物を留置するに際しては，質権者は善良な管理者の注意をもって物を占有しなければならない。また，質権設定者の承諾を得なければ，質物を使用し，賃貸し，または担保に供することができない（保存に必要な使用については承諾はいらない）。違反行為があれば，質権設定者は，質権の消滅を請求することができる（以上につき，民350条，298条）。

もっとも，留置的効力は，当該質権に対して優先権を有する債権者（先順位の質権者〔民355条〕，動産について保存の先取特権を有する者〔民334条，330条1項2号，329条2項但書〕など）に対抗することができない（民347条但書）。したがって，それらの者が動産競売を申し立て（民執190条1項2号・3号），当該動産を差し押さえることに対して，質権者は質権（留置的効力）をもって対抗できない。当該質権者は，その競売手続においてその順位に従って優先弁済権を行使することになる。

(4) 転　質

(ア) 意　義　　民法348条は，「質権者は，その権利の存続期間内において，

自己の責任で，質物について，転質をすることができる」とし，転質を認める。たとえば，質権者GがSに対する200万円の貸金債権の担保として留置しているS所有の動産＝質物（たとえば，絵画）につき，自己のDからの150万円の債務の担保のため質権を設定して（転質として）Dに引き渡すというがごときである。

転質の趣旨は転抵当と同じで，原質権者Gが，自己の債権を回収する前に，自分の留置する質物（絵画）を担保として利用して第三者から融資等を受けようとする場合に利用できる制度である。なお，同様の目的は，質権者が被担保債権（200万円の貸金債権）に質権を設定する方法によっても達成できる（付従性によりこの債権質の効力が原質権にも及ぶ）。これは通常の債権質権（後述）の設定であり，本条の転質（「質物について，転質をする」）とは別のものである。

以下，転質の内容等を概説するが，転抵当と類似の制度であるのでそちらの記述も参照されたい（⇨378頁・第12章Ⅴ2）。

(イ) **転質権の設定** (a) **合意と引渡し** 転質権は，原質権者Gと転質権者Dとの合意および質物のGからDへの引渡し（占有改定は除かれる）により設定される。転質は「自己の責任で」することができる（民348条前段）ものだから，転質権の設定には原質権設定者Sの同意はいらないと解される（責任転質と呼ばれる*)[4])。

＊責任転質とは別に，債務者の同意がある転質（承諾転質）も認められるとされる。その場合，いわば，原質権者Gが第三者D（転質権者）に対し負担する債務につき，原質権設定者Sが物上保証人となって，自己所有物に質権を設定する（転質をする）関係が成立することになる。この転質権の内容は，Sがどのような内容の同意をしたかにかかるが，それが特に制約的なものでなければ，原債務が弁済され原質権が消滅した後もDの転質権は消滅しないし，DのGに対する債権の弁済期が到来すると，原債権の弁済期が未到来であっても，Dは質権を実行することができるという内容のものと解することができる。

(b) **原質権者の責任** そこで，Sの承諾なくSの所有動産が質権者Gの

---

[4] 民法350条で，留置権に関する民法298条2項（「留置権者は，債務者の承諾を得なければ，留置物を……担保に供することができない」）も準用されているが，民法348条は特に質権について転質の規定を置いているので，348条の適用が優先し，債務者の承諾は不要なものと理解されている。

責任でG以外の第三者D（転質権者）の占有に移されることになるので，仮に，その物がDの占有下で滅失・損傷などした場合は，Gの責任は重く，「転質をしたことによって生じた損失については，不可抗力によるものであっても，その責任を負う」（民348条後段）とされる。

　(c)　**転質権と原質権の被担保債権との関係**　　何が転質権の対象となっているか。条文には「質物」とあり，学説では，その文言どおり質物（厳密には，Gの質権で把握されている価値の限度で）と理解するものと（質物質入説），被担保債権も併せて転質権の対象になるとするものとがある（共同質入説。この説では，被担保債権の転質につき民法467条の通知・承諾が対抗要件となる〔民364条〕）。

　質物質入説が有力であるが，転質権者Dは原質権の被担保債権（およびその債務者S）を何ら支配してはおらず，したがって，Sにより弁済がなされると原質権が消滅し，転質権もまたその基礎を失って消滅し，まさに元も子もなくなってしまうとの批判がある（これを避けるために共同質入説が唱えられている）。この批判に対し，質物質入説の解釈においても，次のような反論がなされている。すなわち，転質権は質物に対し何らかの担保的支配をする権利であり，したがって，原質権の被担保債権の消滅により原質権，転質権の消滅を来さないように，原質権の被担保債権に間接的に拘束を加えることができるのは当然である。そのために，転抵当権に関する民法377条に準じて，GのDに対する質権の処分つまり転質権の設定については，原質権の被担保債権の債務者Sに対する通知またはSの承諾を必要とし，それがなされなければ，SがDの承諾を得ないでGに弁済するとその弁済はDに対抗できないものとする，と[5]。

　なお，責任転質が有効であるための要件として，転質権の被担保債権が，原質権の被担保債権と比較して，その額が少なく，また，履行期がその前に到来するものであることは必要ではないと解される（不動産質の場合は，民法360条で存続期間が定められているので，転質権は「その権利の存続期間内において」のみ設定できる〔民348条〕）。

　(ウ)　**転質の内容**　　転質権には留置的効力，優先弁済的効力がある。転質権を実行して優先弁済を受けるには，転質権の被担保債権（B債権）のみならず，

---

[5]　林編・前掲本章注2) 275頁，278頁〔林良平〕。

原質権の被担保債権（A債権）の弁済期も到来している必要がある。転質権者はB債権について優先弁済を受けることができるが，A債権につき原質権者が優先弁済を受けることができる金額を超えることはない。A債権の額＞B債権の額，であればB債権の額は転質権者に配当され，差額は原質権者に配当される。

A債権の額＞B債権の額，であって原質権者が原質権を実行した場合（民執190条）は，転質権者にまず配当され，次いで，原質権者に差額が配当される。

原質権の被担保債権を原質権設定者Sは弁済により消滅させてはならないという拘束がある（上記のように，Sに対する通知またはSの承諾が前提〔民377条2項参照〕）。しかし，弁済期が到来している場合には，Sは，債務を消滅させて担保目的物を回復するにつき利益を有する。そこで，Sには弁済供託を認めるべきで，供託がなされれば，転質権者は，価値代位物たる供託金還付請求権の上に転質権の効力を及ぼすべきことになる。

4 動産質における優先弁済権の実現

(1) 民事執行法の手続による方法

質権者は，質物から優先弁済を受ける権利を有している（民342条）。動産質の場合，原則として，民事執行法の手続に従って優先弁済権を行使することになる。質権者が執行官に対し質物を提出して（または，執行官に対し，質物の占有者が差押えを承諾することを証する文書を提出して），質権者自ら動産競売を開始して優先弁済を得る方法が典型である（民執190条）。ほかに，他の債権者が開始した担保権の実行としての動産競売または動産に対する強制執行において（質権者が目的物を占有しているのでこのような事態はあまり考えられないが），質権者が，その権利を有することを証する書面を提出して配当要求をすることで（民執133条），順位に従った配当を受けることができる。

(2) 動産質の特例

(ア) 果実収取 前述のように，質権者には質物について果実収取権が認められ，「他の債権者に先立って，これを自己の債権の弁済に充当することができる」（民350条，297条1項）。動産質に妥当する（なお，不動産質については，使用・収益が内容とされるので，この規定の適用はなく，民法358条〔「不動産質権者は，

その債権の利息を請求することができない。」）がこれに実質的に対応している〔不動産を使用・収益することで債権の一部である利息を回収したものと扱われるからである〕）。

　(イ)　**質物による弁済の請求**　　例外的方法として，動産質では，正当な理由があれば，質権者は「鑑定人の評価に従い質物をもって直ちに弁済に充てることを裁判所に請求することができる」（民354条）。手続として，この場合，動産質権者は，あらかじめ，債務者に対して，裁判所にその請求をする旨を通知しなければならない。

　(ウ)　**契約による質物の処分（流質契約）の禁止**　　流質契約は禁止されている。すなわち，設定行為または債務の弁済期前の契約において，質権者に弁済として質物の所有権を取得させ，その他法律に定める方法によらないで質物を処分させることを，設定当事者が合意することはできない（民349条）。強行規定であり，違反する契約は無効である。禁止の趣旨は，債権者が債務者の差し迫った金銭の必要に乗じて高価な物を質に入れさせるという弊害を取り除くことにある。なお，本条の反対解釈により，債務の弁済期後に当該質物でもって代物弁済に充てる契約をすることは許される。

　この禁止の適用が除外される質権がある。商行為によって生じた債権を担保するために設定した商事質権（商515条で民349条の適用除外），質屋営業の場合（質屋1条「当該質物をもってその弁済に充てる約款を附して，金銭を貸し付ける営業」）などである。

　(エ)　**破産などの倒産手続が開始した場合**　　破産，民事再生の手続では質権は別除権の扱いとなる（破2条9項，65条，民再53条）。ただし，民事再生においては，担保権消滅請求の対象となる（民再148条）。会社更生手続では更生担保権の扱いとなり（会更2条10項，47条1項），担保権消滅請求の対象となる（会更104条以下）。以上につき，詳しくは，抵当権に関する記述を参照されたい（⇨390頁・第12章Ⅶ1(2)(イ)）。

Ⅲ　権利質

1　序　説

　権利質は，質権の目的が財産権であるものをいう（民362条）。動産，不動産

以外の財産権が広く目的となり得る。たとえば、金銭債権、有価証券、地上権、永小作権、賃借権、知的財産権、ゴルフクラブ会員権などである。

特別法の中でそれぞれの権利質に応じた特別規定が置かれていることも少なくない。電子記録債権（電子債権 36 条～42 条），株式（会社 146 条～154 条），手形（手 19 条），特許権等（特許 95 条，96 条，98 条 1 項 3 号），著作権（著作 66 条）等を対象とするものである。

以下では、民法中の債権質について、特徴的な点に限って簡潔に触れておきたい（民 364 条，366 条）*。

  * なお、民法典中には、権利質に関し、債権（これまで指名債権と呼んでいたものをいまは単に債権と呼んでいる）を目的とする質権のほか、有価証券を目的とする質権の規定が置かれている。ここに規定されている有価証券とは、指図証券（民 520 条の 2 以下。証券に債権者の名前が記載されている証券であって、その人自身またはその人が指定した者に弁済しなくてはならないというもの）、記名式所持人払証券（民 520 条の 13 以下。「債権者を指名する記載がされている証券であって、その所持人に弁済をすべき旨が付記されているもの」）、その他の記名証券（民 520 条の 19）、無記名証券（民 520 条の 20。商品券、コンサートのチケットなど債権者の名前が記載されていない証券であって、その所持人に債務を弁済しなくてはならないというもの）である。質権の設定について、それぞれ特別規定が置かれ、指図証券に対する質権の設定については、その証券に質権設定の裏書をして質権者に交付しなければ、その効力を生じない（民 520 条の 2，520 条の 7）、記名式所持人払証券および無記名証券については、その証券を質権者に交付しなければその効力を生じない（民 520 条の 17，520 条の 20）などとされている。なお、無記名証券（＝無記名債権）は債権法改正前民法 86 条 3 項では、動産とみなされて、動産のルールに従っていたが、改正法では、有価証券の一種とされ、記名式所持人払証券の規定を準用することとされている（民 520 条の 20）。

2　債権質権の設定
(1)　債権質権の目的

(ア)　**譲渡可能性**　　質権を設定するためには、目的たる債権の譲渡可能性が必要である（民 343 条）。換価処分し優先弁済に充てることになるからである。債権は原則譲渡性があるが、しかし、性質上譲渡ができないものもある（民 466 条 1 項）。また、特別法である恩給法は、「恩給ヲ受クルノ権利」につき譲渡、および原則として担保の設定ができないとする（恩給 11 条）。これらには、質権の設定は認められない。

(イ) **譲渡制限特約付債権（一般）**　この関係で，当事者がその譲渡を禁止または制限する意思表示（以下では，「譲渡制限特約」と呼ぶ）をしている債権について質権の設定ができるのかが問題となる。債権法の改正前の条文解釈では，譲渡禁止特約の効力は絶対効で，譲渡および質権設定は無効と解され，ただし，債務者の同意がある場合および禁止特約の存在を知らずに設定された質権に限って，例外的に，質権を取得するものとされた。しかし，現在，民法466条2項には，このような譲渡制限特約があるときであっても，「債権の譲渡は，その効力を妨げられない」，と規定されている（ただし，預貯金債権は除かれる〔民466条の5〕）。そこで，譲渡制限特約の付いている債権に対する質権の設定についてもその効力を妨げられないこととなる。もっとも，466条3項には，「前項に規定する場合には，譲渡制限の意思表示がされたことを知り，又は重大な過失によって知らなかった譲受人その他の第三者に対しては，債務者は，その債務の履行を拒むことができ，かつ，譲渡人に対する弁済その他の債務を消滅させる事由をもってその第三者に対抗することができる」とされているので，債務者は，特約に対する質権者の悪意，重過失を主張立証して，質権の実行を拒むことができ，また，質権設定者に対する弁済その他の債務の消滅事由をもって質権者に対抗することができる。

このように債権譲渡制限特約の効力に関する理解が債権法改正により異なることになったので，そのような特約付債権を目的とする質権設定の有効性については，結論が逆転することになる。しかし，譲渡制限特約付債権に対する質権の実効性については規定が変わっても実際のところあまり異ならず，実効性に乏しいといえる。そこで，譲渡制限特約の付いた債権（たとえば，公共工事請負代金債権）を担保の目的として資金調達を考える場合には，これまでと同様，実務で利用されてきた「代理受領」，「振込指定」という方法を活用することになる*。

＊代理受領とは，債権者Bが債務者Cに対する公共工事請負代金債権についての弁済受領の権限を，自分に金銭を融資してくれる者Aに委託し（委託は撤回できない），債務者Cがその代理受領関係に対して承認を与えるという形式で，AからBに対する融資（債権）の担保の役割を果たさせるというものである。判例も，この代理受領につき承認を与えた第三債務者Cに対し，一定の担保的拘束を認めている（最判昭和44・3・4民集

23巻3号561頁は，Cが代理受領関係につき承認を与えたにもかかわらず，過失によってBに支払ってしまったという事案で，CのAに対する不法行為責任を認めて，実質的にAに代理受領によって得られる利益を承認した）。

　また，振込指定というのは，一般に，債権者（金融機関）Aが融資先（債務者）Bに対して有する債権の担保のため，Bが第三債務者Cに対して有する債権の弁済方法として，CにBがA銀行に有する預金口座に振り込ませ，その振込金でもってBに債務の弁済をさせることをいう。

　(ウ)　**預貯金債権について**　　民法466条の5は，預貯金債権について譲渡制限特約が付されている場合，民法466条2項は適用されず，悪意，重過失の譲受人には対抗できるとしており（譲渡は無効であり，債権は移転せず債権者は元の債権者のまま），したがって，質権の設定も無効とされる（ただし，善意・無重過失の質権取得者は例外的に質権を取得できる）。預貯金債権については，上に述べた，債権法の改正前の条文解釈（譲渡禁止特約の効力は絶対効）と同じ考えに立っている。このような特則が置かれたのは，預貯金債権につき譲渡，質権設定を禁ずる特約が置かれていることは周知の事実であり，また，特約に反する譲渡，質権設定を原則無効としておかないと金融機関の預貯金取扱業務に大きな負担となるからである。

　なお，銀行Gが，自行に対する定期預金を有する預金者Sに対して金銭の貸付けを行うに際して，SのGに対する当該預金（自行預金）債権に質権を取得することがある。預金債権の債務者である銀行自身により譲渡禁止が解かれるのでもちろん質権設定は有効である。もっとも，Sが貸付金債務につき債務不履行の場合には，差引計算の合意に基づいて，銀行は貸金債権と預金債権とを相殺するなどして優先的回収を図るので，被担保債権の回収の観点からは質権は実際上大きな意味をもたない。

　(エ)　**将来債権**　　将来債権も譲渡できることについては異論のないところであって，改正された債権法も，債権譲渡は，その意思表示の時に債権が現に発生していることを要しない，と明文で規定している（民466条の6）。したがって，将来債権を目的とする質権の設定も当然に可能である。

　(2)　**債権質権の設定**
　債権者（A）と，質権設定者である債務者または第三者（物上保証人）との間

で，質権設定者（B）の有する第三債務者（C）に対する債権を目的として質権が設定される。

　質権設定の要物性（民342条）との関係で，効力発生のため，債権証書（借用証など）があれば質権者にそれを交付することが必要か。借用証のような証書の場合は，質権者が交付を受けても，質権設定者によるその後の債権譲渡（質権が設定されていないものとして譲渡すること）を止めることはできないので，債権証書の交付は意味をもたない。そこで，債権法の改正前の民法363条は，証券的債権（譲り渡すために証書の交付を必要とするもの）についてだけ，証書交付をもって効力要件としていた。現在，この条文は削除され，有価証券に関する規定の中で，その趣旨の条文が置かれている（質権設定の効力要件として，指図証券については証券に質権設定の裏書をして質権者に交付すること〔520条の7（民520条の2）〕，記名式所持人払証券および無記名証券については証券を質権者に交付すること〔民520条の17，520条の20〕，とされる）。

(3) 債権質権の対抗要件

　対抗要件の具備については，債権の譲渡の場合と同様の公示手段が要求される。すなわち，債権[6]を質権の目的としたとき（現に発生していない債権を目的とするものを含む）は，債権譲渡の対抗要件に関する民法467条の規定に従い，第三債務者Cに質権の設定を通知し，または第三債務者Cがこれを承諾しなければ，これをもって第三債務者その他の第三者（第三者に対しては確定日付が必要）に対抗することができない（民364条）＊。その理由は，質権が設定されると，債権譲渡と類似の関係，すなわち，第三債務者Cに対しては，債権者（質権設定者）Bに対する支払が制限されることを公示する関係が生じ，また，第三者（たとえば，同一債権の譲受人）に対しては，質権者は自己の取得した質権がその者の権利に優先することを主張する関係が生ずるからである。

---

6) ここでいう債権とは，債権者が特定している債権であって，証券的債権（手形・小切手などのように証券と債権とが一体として取り扱われる債権）ではなく，普通一般の債権をいう（預金債権，貸金債権，売買代金債権など）。その成立・行使には証書の存在を必要としない。証書（預金通帳，借用証など）が作成されたとしても，それは，単に債権成立の証拠としての意味をもつにすぎない。

＊民法467条は、譲渡が真実なされたことを担保する趣旨から、通知は、債権の譲渡人から債務者に対して行うことを求めている。質権設定では、したがって、質権取得者Aからではなく質権設定者B（債権者）から第三債務者Cに対して行う必要がある。第三者に対抗するためには、譲渡があった日時を遡らせて第三者に損害を被らせることのないように、確定日付のある証書（民施5条〔内容証明郵便など〕）によってこれを行う必要がある（民467条2項）。また、民法467条の通知、承諾と密接に関連する民法468条も併せて準用されると考えるべきであろう。

なお、債権質においては、動産質の場合と異なり、特別法である動産債権譲渡特例法の要件を満たせば、債権譲渡登記ファイルに質権設定の登記をすることで対抗要件を具備することができる（動産債権譲渡特14条）。

3　債権質権の効力

債権質権の効力の及ぶ目的の範囲についての問題の1つとして、特に質権の設定された債権から生ずる利息についてふれておく。この利息（設定後に生ずる利息）については、すでにみたように、質権者には果実収取権が認められ、被担保債権の履行期の到来の有無にかかわりなく、「他の債権者に先立って、これを自己の債権の弁済に充当することができる」（民350条、297条1項）というルールが適用される。この果実は、まず被担保債権の利息に充当し、なお残余があるときは元本に充当する（民350条、297条2項）[7]。

優先弁済を受けることのできる被担保債権の範囲（民346条）については前述のところ（⇨427頁・Ⅱ2⑵）を参照されたい。

4　債権質における実行前の法律関係
⑴　序

債権質権の設定があると、その債権の有する交換価値は質権者Aにより物

---

[7]　不動産質のように質権者が目的物を占有し、また、履行期前において管理費等の一定の負担をする場合については、被担保債権の履行期到来のいかんにかかわらず果実の収取を認める特例にもそれなりの根拠がある（⇨426頁・Ⅱ2⑴、民371条参照）。しかし、そのような事情のない債権質においては、質権者が履行期前においても目的債権の利息のみを切り離して第三債務者に請求できるとするルールには違和感がある。

権的に把握された状態となり，質権設定者B，第三債務者C等はこれを害する行為をしてはならない。

(2) **質権設定者の地位**

質権設定者Bは依然として債権者ではあるが，質権の目的である債権の取立て，相殺，免除，放棄等，当該債権を消滅，変更させる処分をすることはできない。質権設定者は質権の目的債権の担保価値を維持すべき義務を負っているからである＊。そこで，この義務に違反してBが債権の取立て，相殺等をしても，それは，質権者Aには対抗できない。第三債務者Cは，それらはなかったものとして，質権者Aの優先弁済権の行使に服することとなる。もっとも，BとCとの間では免除等は有効であり，第三債務者Cからその債権者（質権設定者）Bに対して求償権を行使することができる（民481条2項類推適用）。

> ＊債権（敷金返還請求権）を目的とする質権の設定者が，債権の担保価値維持義務を負う旨判示した判例がある（最判平成18・12・21民集60巻10号3964頁【百選Ⅰ83】）。金融機関Aから融資を受けているBが，その担保として，自らが賃借している建物の賃貸人Cに対する敷金返還請求権に質権を設定していたところ，Bが破産してその破産管財人が，ほかに資産があるにもかかわらず，賃料を支払わないままの状態で賃貸借契約を解除し，敷金のほぼ全額をこの未払賃料等に充当する処理をした（敷金返還請求権を減少させた）という事案である。判旨は，一般的に，「債権が質権の目的とされた場合において，質権設定者は，質権者に対し，当該債権の担保価値を維持すべき義務を負い，債権の放棄，免除，相殺，更改等当該債権を消滅，変更させる一切の行為その他当該債権の担保価値を害するような行為を行うことは，同義務に違反するものとして許されないと解すべきである」と述べた上，本件に即して，「敷金返還請求権が質権の目的とされた場合において，質権設定者である賃借人が，正当な理由に基づくことなく賃貸人に対し未払債務を生じさせて敷金返還請求権の発生を阻害することは，質権者に対する上記義務に違反するものというべきである」，と判断し，本件破産財団（質権設定者）は，質権者の損失において破産宣告後の賃料等に相当する金額を利得したとして，不当利得返還義務を負うと判示している。

ただし，質権の目的たる債権が時効により消滅するということがあってはならないので，質権設定者Bは，時効中断のための権利行使（請求）をすることは許される（というよりはむしろしなくてはならない）。

なお，質権設定者は債権を第三者に譲渡することはでき，その場合，譲り受けた第三者は質権の負担付きの債権を取得したこととなる。

(3) 第三債務者の地位

第三債務者Cによる弁済は禁止される。弁済をしても民法481条1項（差押えを受けた債権の第三債務者は債権者に対する弁済をもって差押債権者に対抗できない）を類推適用して質権者には対抗できないというべきであろう。もっとも，質権の目的債権の履行期が到来している場合には，第三債務者としては不履行の責任を避けるため，自らのイニシアティブで弁済の目的物を供託してその債務を免れることができるというべきである（ただし，後述の質権者Aが第三債務者Cに対し直接取立てをするか，またはAが供託請求をする場合は除く〔366条参照〕）。債務者が供託をすることができる事由の1つである，「債権者が弁済を受領することができないとき」（民494条1項2号）に該当するといってよいからである[8]。供託がなされれば質権は供託物還付請求権の上に存続する。

第三債務者Cによる相殺であるが，それを質権者に対抗できない場合として，質権設定の対抗要件が具備された（通知の到達）後に第三債務者Cがその債権者Bに対して取得した反対債権を用いてなす相殺を挙げることができる（民468条1項類推適用）。

5　債権質における優先弁済的効力の実現

(1) 序

債権質においては，優先弁済権行使の方法として，質権者Aに，第三債務者Cに対する直接取立権が認められている（民366条）ほか，民事執行法193条による担保権の実行もできる。なお，また，前述のように，目的債権の果実たる利息については，それを収取し優先弁済に充てることができる。

(2) 質権者による債権の直接取立て等

被担保債権の期限が到来した場合，債権質権者Aは，質権の目的である債権を第三債務者Cに対して直接取り立てることができる（民366条1項。もちろん目的債権の弁済期も到来している必要がある）。債権質において認められた特有の優先弁済権の行使方法である。

この場合，債権の目的物が金銭であるときは，質権者Aは，自己の債権額

---

8) 林編・前掲本章注2) 361頁［林］。

に対応する部分に限り，これを取り立てることができる（民366条2項）。もっとも，取り立てられる第三債務者Cの立場からは，質権者Aの有する被担保債権の現在額がいくらであるかは分からない。被担保債権額が質権の目的である債権額より少額であった場合，第三債務者Cによる被担保債権額を超える支払は，質権設定者である目的債権の債権者Bに原則として対抗できない（民法478条の受領権者としての外観を有する者に対する弁済としての保護はあり得る）。そうだからといって，Cがその被担保債権額の確認ができるまでは，Bには支払わないとすると債務不履行の不利益を被るので，その危険を避ける手だてを考慮しておく必要がある。債権者不確知を理由とする弁済供託を認めるべきであろう[9]。

質権の目的たる債権の弁済期が質権者の被担保債権の弁済期前に到来したときは，質権者は，まだ優先弁済権を行使できないが，第三債務者に対してその弁済をすべき金額を供託させることができ，質権は，その供託金について存在する（民366条3項）。

この場合において，債権の目的物が金銭でないときは，質権者は，弁済として受けた物について質権を有する，とされる（民366条4項）。以後は，動産質または不動産質の扱いとなる。

(3) **民事執行法による担保権の実行**

質権者には債権の取立権があるからあまり意味がないが，民事執行法193条の債権等に対する担保権の実行によって優先弁済権を行使することもできる。

---

9) 道垣内弘人『担保物権法〔第4版〕』（有斐閣，2017）119頁。

第14章 譲渡担保

I 譲渡担保

1 序 説

(1) 意 義

(ア) 譲渡担保とは　譲渡担保とは，たとえば，事業者Sが金融業者Gと200万円の金銭の消費貸借契約を締結し，その担保の趣旨でS所有の建設機械甲（時価350万円）の所有権（というタイトル）をGに譲渡するというものである。その対抗要件としては，通常，Sが甲の直接占有を保持したまま，Gに対し占有改定による引渡しをするという方法がとられる。その後，Sが期限までにこの債務の返済をすれば甲の所有権はSに復帰し，逆に返済ができなければ所有権を確定的にGに帰属させ目的物の占有もGに（Sへの清算金の支払と引換えに）引き渡すことになる。譲渡担保の目的物は上の例のような動産に限らず，不動産，または債権等の権利も対象とされる。

譲渡担保は民法典中に規定されていない権利移転形式の担保であり，民事執行法による競売手続を経ることなく私的にかつ簡易に担保の実行が可能である。譲渡担保は取引実務において生成してきたわけであるが，判例・学説においてその内容が明確にされてきており，その有効性について特に異論はない。

(イ) 売渡担保の位置づけ　譲渡担保の典型例は，上記事例のように貸金債権など被担保債権が残るかたちのものである。しかし，買戻特約付売買契約（民579条以下）や再売買の予約（民556条）のように，経済的には借受金に相当する金銭を法形式的には売買代金として支払って目的物の所有権を移転させ（貸金債権は残らない），その後一定期間内に売主がその代金と契約の費用または再売買代金を支払えば目的物の所有権を復帰させることができるとする売渡形式によっても，同様に債権担保の目的を実現することができる（売渡担保と呼ぶ）。

この売渡担保の扱いであるが，法形式は異なるが，後述のように，これも譲渡担保と位置づけて合理性のある清算義務等に関するルールを適用すべきであろう（⇨446頁・2(1)(イ)参照）。

(2) **譲渡担保生成の理由・有用性**

譲渡担保という民法典に規定のない担保方法がなぜ実務で生成し，利用されているのか。

第1は，工場の機械・器具，在庫商品などの営業用動産を担保にして，事業者が融資を得ようとする場合，占有の現実的移転を要件とする民法の動産担保権（質権）は全く役に立たない。この場合，占有の現実的移転を必要としない譲渡担保形式によるほかはない。

第2は，不動産譲渡担保において特に指摘された点であるが，民法の規定する抵当権はその実行につき執行裁判所での担保不動産競売という手間，時間，費用のかかる方法が予定されているので，それを避け，簡易な方法による私的実行をすることができる譲渡担保に一定のメリットがあるとされる（ただし，今日では不動産競売の実務状況は大きく改善されており，その点の指摘は必ずしも当てはまらなくなっている）。なお，私的実行による債権回収の便宜という点は，動産，債権などの譲渡担保についてもある程度当てはまる[1]。

第3に，正規の担保の設定が難しい在庫商品などの流動集合動産，取引上発生・消滅する流動集合債権，ゴルフ会員権，さらには各種のソフトウェアに関する権利をも担保の目的とすることができる。

以上に指摘した理由・有用性から，譲渡担保は，取引実務上広く利用されている。

(3) **譲渡担保の法律構成**

(ア) **担保目的と所有権移転形式とのミスマッチ** もっとも，物の所有権（または債権という権利）を譲渡するが，その目的は債権担保であるので，その当事者（以下，譲渡担保設定者〔または設定者〕，および譲渡担保権者と呼ぶ）の法的

---

[1] 念のため述べておくが，被担保債権の額を上回る評価額の目的物（権利）の譲渡を受けておき，債務不履行があれば，その目的物を丸取りできる「メリット」があるというわけではない。上回る評価額については，目的物の所有権（権利）を債権者に確定的に帰属させる（実行）手続に際して，清算金として債務者に支払う必要があるとされているからである。

な地位をいかなるものと考えるかという困難な問題がある。譲渡担保権者は所有権を取得したのか単に所有権形式の担保的な権利を取得したにすぎないのか，反対に，設定者には所有権的な権利は何ら残っていないのか，所有権から担保的な権利を差し引いたものがなお残っているのか，という問題である。

この議論は，譲渡担保の当事者間については深刻ではない。いずれにしろ担保目的という合意による拘束が生きているからである。実行段階においても，今日の解釈論では，目的物の所有権を譲渡担保権者が丸々取得できるのではなく，債権担保の実質に合わせて，目的物の価額が被担保債権額を上回る場合には譲渡担保権者にその差額を清算金として支払う義務を負担させ，それを物の引渡請求と引換給付の関係に立たせている。

問題は，第三者が関わる場合である。たとえば，被担保債権の弁済期限前に，譲渡担保権者Ｇが第三者Ｄに目的不動産の所有権を譲渡し所有権移転登記を了したという場合，その第三者Ｄと不動産の譲渡担保設定者Ｓとはいかなる法律関係に立つのであろうか。法形式を重視し，担保目的による拘束は当事者間にとどまると考えると，Ｄは不動産所有権を取得し，ＳはＧに対して清算金支払請求権をもつのみということになる（所有権的構成）。他方，経済的実質を重視して，Ｇは担保目的に制限された所有権を取得したにすぎず，したがって，Ｄもそのような権利を取得しているのみと考えると，Ｓは被担保債権を（Ｇに）弁済することで，Ｄに対し当該不動産の返還を求めることができることになる（担保的構成）。これと同様な議論の対立がいろいろな場面で出てくるが（⇒453頁・5参照），結局，どの法律構成によることで，それぞれの場面における関係当事者間の利害調整としてより適切な結論が導けるのかをいちいち検討してはじめて答えが出せるという性質の問題であり，頭から結論が出せるものではない。ここでは，まず，意見の対立軸を示しておくこととする。

　(イ) 学説・判例での説明　　学説においては，所有権的構成と担保的構成とが対立してきたが，今日では，後者が支持されている。もっとも，譲渡担保を抵当権に準じて構成するのか，あるいは，法形式を尊重し，譲渡担保権者は所有権を取得しているがそれは担保目的に必要な範囲のものが移ったにとどまり，他方設定者も担保に必要なものを差し引いた所有権的な権利を留保していると構成するか，ニュアンスの違いがある[2]。

判例は，事案によっては，第三者との関係において譲渡担保権者が所有者と扱われるとする判断を示してはいる（動産譲渡担保設定者の一般債権者による強制執行に対して譲渡担保権者は第三者異議の訴えを提起できる〔最判昭和58・2・24判時1078号76頁，最判昭和56・12・17民集35巻9号1328頁〕）。しかしながら，総じて，債権担保の目的を達するのに必要な範囲内においてのみ目的不動産の所有権移転の効力が生ずるとして，譲渡担保設定者にも，（被担保債権を弁済して目的物件についての完全な所有権を回復することができる地位があるので）所有権的な権利の一部が留保されているとする立場であるとみることができる。

その例として，以下のような判例を挙げることができる。譲渡担保設定者は実行があるまでは被担保債務を弁済して完全な所有権を回復できるのだから，正当な権原なく目的物件を占有する者がある場合には，占有者に対してその返還を請求することができる（最判昭和57・9・28判時1062号81頁），譲渡担保設定者も目的不動産につき保険事故が発生することによる経済上の損害を受けるべき関係にあるので，火災保険において所有者としての被保険利益を有し有効に火災保険契約を締結することができる（最判平成5・2・26民集47巻2号1653頁）＊，あるいは，譲渡担保設定者につき会社更生手続が開始されたとき，譲渡担保権者は更生担保権者に準じて権利行使をすべきで所有権は主張できない（最判昭和41・4・28民集20巻4号900頁），などである。

＊この判決では，設定者も所有者としての被保険利益があるとの判断の前置きとして，ほかの近時の判例と同様，譲渡担保の趣旨および効力を次のように述べている。「譲渡担保が設定された場合には，債権担保の目的を達するのに必要な範囲内においてのみ目的不動産の所有権移転の効力が生じるにすぎず，譲渡担保権者が目的不動産を確定的に自己の所有に帰させるには，自己の債権額と目的不動産の価額との清算手続をすることを要し，他方，譲渡担保設定者は，譲渡担保権者が右の換価処分を完結するまでは，被担保債務を弁済して目的不動産を受け戻し，その完全な所有権を回復することができる」，と。

2) 違いは，後者は直線的に抵当権の規定を類推適用するような解釈をとらないという点にある（たとえば，道垣内弘人『担保物権法〔第4版〕』〔有斐閣，2017〕304頁以下など参照）。

2 譲渡担保の設定と対抗

(1) 設 定

(ア) 当事者，目的物および合意の内容 譲渡担保の設定は，他の約定担保と同様，債権者が譲渡担保権者となり，担保目的物を所有する債務者または第三者が譲渡担保設定者となり，その両当事者の合意によりなされる。

担保の目的物については，すでに述べたように，動産，不動産，債権等の権利など限定はない。将来発生する債権も譲渡が可能であり（民 466 条の 6），譲渡担保の目的とすることができる。ただし，債権によっては譲渡制限特約が付されていることがあり，そのような債権を譲渡担保の目的とすることは難しい（この点については，共通する問題をかかえる債権質権の項目の記述〔⇨434 頁・第 13 章Ⅲ2〕を参照）。特徴的なこととして，有用性（⇨443 頁・1 (2)）のところで紹介したように，在庫商品などの流動集合動産，あるいは取引上発生・消滅する流動集合債権を対象とできることを指摘できる。

被担保債権についても，他の担保の場合と異なる議論はない。一定の取引関係から生ずる増減変動する不特定の債権について根譲渡担保を設定することもできると解される。

合意の内容は，債権担保の目的で物の所有権（または権利）を債権者に移転すること，および，その債権が弁済された場合には担保目的物の所有権を設定者に復帰させること（弁済されない場合には清算の上，所有権等が債権者に確定的に移転すること）である。

(イ) 譲渡担保と売渡担保 前に述べたように，債権担保の目的で，不動産につき買戻特約付売買契約（民 579 条以下）や再売買の予約付売買契約（民 556 条）のような売渡形式をとることがある（⇨442 頁・1 (1)(イ)参照）。この場合被担保債権は残らないので買主（実質は金銭の貸主）は売主にその支払請求はできないが，売主（実質は金銭の借主）は，代金と契約の費用または再売買代金を一定期間内に支払えば買い戻すことができる点では譲渡担保と同じである（売渡担保と呼ぶ）。

買戻特約付売買契約や再売買の予約付売買契約は，本来の真正なもの[3]であれば，〔1〕売主が，一定の期間内に，売買代金および契約の費用または再売買代金を支払わなければもはや買い戻す権利はなくなる，また，〔2〕目的物の価

額が売買代金（別段の合意をした場合にあっては，その合意により定めた金額）および契約費用を上回っても，買主はその差額を清算金として支払う義務はない，というものである（民579条前段，580条，583条1項）。

　これらが担保目的でなされる場合（売渡担保）であってもこのような扱いとなるか，である。今日の判例・学説は，法形式こそ違え，債権担保の趣旨で所有権を移すという点では譲渡担保と同じであるので，これらを，権利移転型の担保として内容がより合理的に形成されている譲渡担保として扱うべきであると考えている。すなわち，〔1〕売主（実質は金銭の借主）は，期間を過ぎても売買代金および契約の費用を支払えば買い戻すことができるし，〔2〕買主は，清算金の支払義務を負うとする。近時の判例で，買戻特約付売買契約につき〔1〕の趣旨を認めたものがある（最判平成18・2・7民集60巻2号480頁【百選Ⅰ96】）。また，再売買の予約付売買契約の形式をとるが，債権担保の合意があるものにつき，その性質は譲渡担保と解するのが相当であるとするものがある（最判平成18・7・20民集60巻6号2499頁【百選Ⅰ99】）。そして，担保目的かどうかの判断基準については，これらの契約において目的不動産の占有の移転を伴わないものは，特段の事情のない限り，債権担保の目的で締結されたものと推認されるとする。

■最判平成18年2月7日民集60巻2号480頁
事実の概要　XがYに対して有する債権を回収する目的で，Y所有の甲不動産につき売主Y買主Xとする買戻特約付売買契約が締結された。ところが，その買戻期間が経過したにもかかわらずYが買い戻さないので，Xが，Yはもはや甲不動産を買い戻すことはできないとして，それを占有しているYに対して所有権に基づく明渡請求をした。原審は，これを真正の買戻特約付売買契約であるとして，Xの請求を認容。Y上告。

判旨　真正な買戻特約付売買契約においては，買戻しの期間が経過すれば，売主は目的不動産を取り戻すことができなくなり，目的不動産を適正に評価した金額が買主が支払った代金および契約の費用を上回る場合も，買主は清算金の支払義務を負わない。しかし，「このような効果は，当該契約が債権担保の目的を有する場合には認めることができず，買戻特約付売買契約の形式が採られていても，目的不動産を何らかの

3）　本来型の買戻特約付売買の例としては，たとえば住宅用土地分譲に際して一定の期間内に建物を建築しないと分譲側が土地を買い戻す旨の特約が付けられているものなど，売買契約上の附帯条件を確保する趣旨のものを挙げることができる。

債権の担保とする目的で締結された契約は，譲渡担保契約と解するのが相当である」。

そして，担保目的かどうかの判断基準については，「買戻特約付売買契約の形式が採られていても，目的不動産の占有の移転を伴わない契約は，特段の事情のない限り，債権担保の目的で締結されたものと推認され」るとする。その理由は，「真正な買戻特約付売買契約であれば，売主から買主への目的不動産の占有の移転を伴うのが通常であり，民法も，これを前提に，売主が売買契約を解除した場合，当事者が別段の意思を表示しなかったときは，不動産の果実と代金の利息とは相殺したものとみなしている（579条後段）」という（本件では甲不動産の占有は買主Xに移っておらず，かえって，この買戻特約付売買契約が債権回収の目的であることが窺われるので，担保目的のものであり，したがって，譲渡担保と解すべきで，Xの請求は認められない）。

(2) 対抗要件

(ア) 序 譲渡担保権者が目的（物）に対する譲渡担保権の取得を第三者（設定者からの譲受人，差押債権者など）に対抗するためには，対抗要件の具備が必要である。

(イ) 不動産譲渡担保の場合 不動産譲渡担保では，譲渡担保権設定登記という登記がなされるのではなく，あくまでも担保目的の所有権移転であるから，設定者から譲渡担保権者に対する所有権移転登記によりその公示がなされる（民177条）。ただし，その登記原因は，登記実務上，「譲渡担保」とすることとされている。不動産登記法61条は登記原因証明情報の提供を厳格に求めている関係で，真実でない登記原因（「売買」など）をもって登記申請することは許されず，譲渡担保を原因とする所有権移転登記がなされる[4]。これにより，担保目的の譲渡であること，その被担保債権の債権者が誰であるかも公示されることになる（所有権移転登記を受けた登記権利者が債権者である）が，ただ債権額等は登記事項ではないので不明であり，抵当権設定登記の場合にそれが登記事項とされているのとは異なる（⇨300頁・第12章**Ⅱ** 4(1)(イ)参照）。譲渡担保を原因とする登記は，同時に，譲渡担保権者からの譲受人に対しては，もし譲受けが弁済期前であったとすれば被担保債権の弁済により目的物が設定者に受け戻されることがあること（設定者が所有権的権利を留保していること）を不完全ながら公示しているともいえる（民法94条2項の類推適用を排除する）。

---

[4] 道垣内・前掲本章注2) 311頁，312頁参照。

(ウ) **動産譲渡担保の場合**　動産譲渡担保においては設定者に現実の占有が留められるのが普通であり，したがって，占有改定による引渡し＊により対抗要件が具備される（民178条）[5]。

> ＊輸入業者Yが輸入した商品に関して信用状（Yが外国の輸出業者に支払う代金債務を保証した証書）を発行した銀行Xが，その保証債務を実行し，Yに対して償還債務等に係る債権（求償権）を取得し，その担保として取得していた当該輸入商品に対する譲渡担保権を行使（YがそれをXの許諾〔貸渡し〕の下で第三者に転売した転売代金債権に対してXが物上代位権を行使）したところ，Y（再生手続開始の決定を受けている）から対抗要件（占有改定によるYからXへの引渡し）が具備されていないと抗弁された事案である。問題点は，Yはこの輸入商品を一度も直接占有することなく，Yの委託を受けた海運貨物取扱業者（海貨業者）Aが輸入商品を受け取り，かつ，Yの転売先に送付したので，Yは間接占有を取得したにすぎない。間接占有者であるYはXに対して占有改定による引渡しをなすことはできない，ということである。民法183条「代理人が自己の占有物を以後本人のために占有する意思を表示したとき」の解釈問題であるが，最決平成29年5月10日（民集71巻5号789頁）は，一般的に間接占有者による占有改定による引渡しを認めるとの判断をしないで，事例判断として対抗要件具備を肯定した。すなわち，輸入取引においては，輸入業者から委託を受けた海貨業者によって輸入商品の受領等が行われ，輸入業者が目的物を直接占有することなく転売を行うことは，一般的であるという実情の下で，X・Y間で譲渡担保権が設定され，XがYに対し輸入商品の受領等の権限を与え，Aは，Xが譲渡担保権者として当該商品の引渡しを占有改定の方法により受けることとされていることを当然の前提として，Yから当該商品の受領等の委託を受け，当該商品を受領したので，占有改定による引渡しがなされたといえるとした。

加えて，動産債権譲渡特例法により，設定者が法人である場合，その法人が所有する動産に譲渡担保を設定した場合には動産譲渡登記ファイルに登記することにより対抗要件を具備することができる（動産債権譲特3条1項「民法第178条の引渡しがあったものとみなす」）[6]。動産譲渡登記は物的編成ではないので

---

5) しかしこれだけでは，譲渡担保設定者Sが当該目的動産の現実の占有を続けるので，第三者対抗力は弱い。すなわち，Sからの譲受人Dが目的動産を即時取得する可能性があり，その場合譲渡担保権者Gは所有権を失う結果となる。そこで，これを排除する意味で，当該動産がGに対し譲渡担保に供されている旨のネームプレートを当該動産に取り付けることがある。しかし，営業用動産を担保に供していることをもって設定者＝債務者Sの信用悪化の徴憑ととらえる向きもあり，その意味で，この方法はあまり用いられてはいない。

(実質，譲渡人単位で編成），この登記においては，譲渡動産を特定する事項を記録することが重要である。なお，登記原因はここでも譲渡担保である（動産債権譲渡特7条2項）。後で述べる集合動産の譲渡担保においてもこの登記による公示は有用である（⇨470頁・Ⅱ1⑵(イ)）。

(エ)　**債権譲渡担保の場合**　　債権の譲渡担保は，債権の譲渡の形式で行われる（民466条）。その対抗要件は，たとえば，一般の債権であれば，譲渡担保設定者から担保目的債権の債務者への通知またはその者からの承諾により行う。第三者に対抗するためには通知または承諾につき確定日付ある証書によってなす必要がある（民467条2項）。また，譲渡担保権の設定者が法人である場合，その法人が有する債権を譲渡担保に供した場合には債権譲渡登記ファイルに登記する（登記原因は譲渡担保）ことで第三者対抗要件を具備することができる（動産債権譲渡特4条1項）。なお，集合債権譲渡担保の場合の対抗要件については後述する（⇨481頁・Ⅱ2⑵(イ)(c)）。

3　譲渡担保権の効力

⑴　効力の及ぶ目的物の範囲

(ア)　**付合物・従物**　　担保目的物の所有権が及ぶ範囲（付合物）に効力が及ぶ（民242条以下）。また，設定時の従物に対しても効力が及ぶ（民87条2項）。判例も，借地上の建物を譲渡担保の目的とした場合，借地権にもその効力が及ぶとする（最判昭和51・9・21判時833号69頁)[7]。

不動産の譲渡担保は，その実行までは通常は設定者に占有が留められ，その点で抵当権と共通するので，民法370条を類推適用して設定後の従物に対して

---

[6]　この動産譲渡登記ファイルによる対抗要件具備の制度は，法人企業に対してその保有する動産を活用した（動産譲渡担保を利用した）資金調達を行いやすくするため，譲渡担保権者に対し，占有改定という不安定な対抗要件手段のほかに，登記という確実な第三者対抗要件具備の手段を与えることをねらいとして創設されたものである（制度の趣旨，内容については，⇨109頁・第5章Ⅰ3参照）。

[7]　建物に譲渡担保を設定すると借地権（土地賃借権）にもその効力が及ぶということであれば，その譲渡担保の設定が土地の賃借権の無断譲渡に該当し解除可能となるのではないか（民612条）が問題となるが，現実の占有はいまだ設定者に留まっておりまた設定者は債務を弁済して所有権を取り戻すことができるのであるから，その限りではいまだ賃借権の無断譲渡には該当しないと解すべきである。

も効力が及ぶとするのが通説である（ただし，異論がある）[8]。

(イ) **物上代位** 物上代位の規定（民304条）が譲渡担保に類推適用されるか。動産の譲渡担保の事案でこれを肯定した判例がある（最決平成11・5・17民集53巻5号863頁。同旨，前掲最決平成29・5・10）。すなわち，信用状取引において銀行Gが輸入業者Sに輸入代金決済資金相当額を貸し付け，その担保として輸入商品に譲渡担保の設定を受けていたところ，SがGから与えられていた処分権限に基づき当該商品を第三者Dに転売した後破産の申立てをしたという事案について，Gは，譲渡担保権に基づきSのDに対する転売代金債権に対して物上代位ができるとした。この事案についての当該判断は妥当であろう。

これを超えて一般的に民法304条の類推適用を認めるべきかについては議論がある[9]。しかし，譲渡担保権設定者が目的物につき損害保険契約を締結しており，目的物の滅失により譲渡担保権設定者から保険会社に対してその保険金請求権を取得した場合など具体例で考えてみると，それを直接差し押さえることのできる物上代位権の行使を認めてもよいと考える（さらに賃料債権はどうかなどについて個別的に検討する必要がある）。

近時の判例で，流動集合動産譲渡担保の事案であるが，目的動産の滅失により取得した損害保険金請求権に対する物上代位権の行使を肯定したものがある（最決平成22・12・2民集64巻8号1990頁）。ただし，流動集合動産譲渡担保の場合には，後述のように（⇨471頁・**Ⅱ**1(3)）その性質上，譲渡担保設定者に目的動産を販売して営業を継続することを許しているのであるから，譲渡担保権設定者が通常の営業を継続している場合には，特段の事情がない限り，物上代位権の行使は許されないと考えるべきであろう。この場合に譲渡担保者が物上代位権を行使して損害保険金を取得することは，設定者に営業の継続を許可していることと相容れないからである。

---

8) 道垣内・前掲本章注2) 313頁。
9) 道垣内・前掲本章注2) 315頁は，当事者が所有権取得という法形式を採用した以上，譲渡担保権者にはその法形式以上の権利を認める必要がない，という。

■最決平成 22 年 12 月 2 日民集 64 巻 8 号 1990 頁

事実の概要 構成部分の変動する集合動産（養殖施設と施設内の養殖魚）を目的とする譲渡担保権が設定されていたところ，施設内の養殖魚多数が死滅し，設定者はその損害てん補につき漁業共済契約に基づく共済金請求権を取得した。譲渡担保権者が，被担保債権を回収するため，この共済金請求権に対し物上代位権を行使した。

判旨「構成部分の変動する集合動産を目的とする集合物譲渡担保権は，譲渡担保権者において譲渡担保の目的である集合動産を構成するに至った動産（以下「目的動産」という。）の価値を担保として把握するものであるから，その効力は，目的動産が滅失した場合にその損害をてん補するために譲渡担保権設定者に対して支払われる損害保険金に係る請求権に及ぶと解するのが相当である。」「もっとも……集合物譲渡担保契約は，譲渡担保権設定者が目的動産を販売して営業を継続することを前提とするものであるから，譲渡担保権設定者が通常の営業を継続している場合には，目的動産の滅失により上記請求権が発生したとしても，これに対して直ちに物上代位権を行使することができる旨が合意されているなどの特段の事情がない限り，譲渡担保権者が当該請求権に対して物上代位権を行使することは許されないというべきである。」（本件では，設定者は，養殖魚を用いた営業を廃止し，これらに対する譲渡担保権がすでに実行されており，譲渡担保権の目的動産を用いた営業を継続する余地はなかったので，物上代位権を行使することが許される）。

(2) 被担保債権の範囲

優先的に弁済を受けることのできる被担保債権の範囲について限定はあるか。問題となりそうなのは，不動産譲渡担保の場合に，抵当権に関する民法 375 条の利息等最後の 2 年分という制約が類推適用されるかである（清算金の計算の際に反映させるかどうかである）。抵当権の場合と同様に後順位担保権者等の立場を考慮すべき要請があるかどうかであるが，ここではその要請はあまり考えることができない。そこで，否定されるべきであろう。

4 譲渡担保における内部関係

(1) 目的物の占有・利用

譲渡担保設定者は通常目的物の占有を留保しており，無償でその利用を継続する。その法律関係の説明について，所有権的構成を採れば譲渡担保権者から利用権が設定されている等の技巧を必要とするが，ここは端的に，担保目的で譲渡しているのであるから，当該目的物の利用に関する権限は設定者がなお留

保していると解すれば足りる。なお，もちろん，合意により譲渡担保権者が占有・利用すると定めることを妨げない。

(2) 目的物の滅失等の場合における法律関係

譲渡担保設定者が，目的物を滅失・損傷し，または（動産譲渡担保において）第三者に処分し第三者がその所有権を即時取得した場合には，設定者は譲渡担保権者に対して，損害賠償義務を負担し，また，その者が債務者であれば期限の利益を喪失する。他方，譲渡担保権者が，目的物を滅失・損傷し，または第三者に処分し第三者が結果的に所有権を取得してしまった場合には（これは不動産譲渡担保においてあり得ることである），譲渡担保権者は設定者に対して損害賠償義務を負担する。

5 譲渡担保における対第三者関係

(1) 問題の所在

譲渡担保が設定され後述（⇨457頁・6）の実行が完了するまでの間に，譲渡担保の目的物の譲受人，目的物の差押債権者など当事者以外の第三者が現れた場合，当事者の一方とこれらの第三者との法律関係をどのように整理するかという問題である。当事者の一方につき倒産手続が開始した場合にもこれと同様の問題があるがその議論は省略する（なお，会社更生の場合につき，⇨445頁・1(3)(イ)参照）。

また，第三者が当該目的物を不法に占有している場合の返還請求権，および滅失，損傷した場合の損害賠償請求権についても検討が必要である。前者の返還請求権については，抵当権における議論からすると譲渡担保権者にも認められ，また，前述のように，被担保債権を弁済すれば所有権を回復できる地位を有する設定者にも認められるべきである（前掲最判昭和57・9・28〔⇨445頁〕参照）。また，後者の損害賠償請求権についても，その権利内容に応じて譲渡担保権者，設定者それぞれがそれを取得するとみることができる。以下，譲渡担保権者と「設定者からの譲受人等」との関係と，設定者と「譲渡担保権者からの譲受人等」との関係の2つに分けて検討する。

(2) 譲渡担保権者と「設定者からの譲受人等」との関係

(ア) 設定者から譲渡等がなされた場合　　(a) 譲渡　これは主に動産の譲

渡担保において生ずる。現実の占有を継続する設定者が目的動産を譲渡した場合，譲受人はいわば担保目的物の第三取得者の立場となる。履行期が来れば，譲渡担保権者は譲渡担保権を実行し目的物の引渡しを当該譲受人に対して求め得る。動産譲渡担保では，設定者が債務者である場合の譲渡行為は債務者による担保の損傷に該当すると解され，期限の利益を喪失し履行期が直ちに到来する（民137条2号）。他方，譲受人は債務を第三者弁済することでこれを防ぐことができる。

　　(b)　即時取得の可能性とそれを阻止する工夫　　もっとも，設定者は自分の所有物として譲渡をするので，譲受人が，目的物に譲渡担保の負担があることに善意・無過失であることが考えられ，その場合はその譲受人は担保の負担のない動産所有権を取得することができる（民192条）。動産譲渡担保において譲渡担保権者が最も頭を悩ます問題である。

　これを阻止するためには，譲渡担保の対象物であることを対外的に明確に公示し，譲渡に際し譲受人が譲渡担保の対象物となっていることを知らないことにつき少なくとも過失があるとすることである。これまで考えられてきたそのための手段は目的物にネームプレートを取り付けることであり，動産債権譲渡特例法による登記ファイルへの登記にも同様の働きが期待されている。譲渡担保に供されていそうな動産（たとえば工場の機械器具など）を法人から譲り受けようとする者は，登記ファイルを調査しないと民法192条の過失ありとされる可能性が高くなるということである（⇨116頁・第5章**Ⅱ**2⑵(イ)(b)，449頁・2⑵(ウ)参照）。

　　(c)　後順位の譲渡担保権　　第2の譲渡も担保目的の譲渡である場合はどうか。まず，ここでも民法192条が適用され（第1の譲渡担保権がないものとしての）譲渡担保権の即時取得が考えられるが，通常，第2の譲渡担保設定についての引渡しは占有改定によることになるから，判例によればこの即時取得は否定される（⇨119頁・第5章**Ⅱ**2⑹(ウ)）。なお，この場合，譲渡担保権が順位をつけて成立するということが認められれば，もちろん，この場合，第2順位の譲渡担保権が成立することになる。譲渡担保が担保であるとの実質を直視すると認めてよさそうであり，判例にも後順位の譲渡担保権の成立を肯定すると理解できるものが現れた（後掲最判平成18・7・20〔473頁〕）。

(イ)　**設定者の債権者による差押えがなされた場合**　動産の譲渡担保において，設定者の債権者が担保目的物を差し押さえて強制執行を開始した場合，譲渡担保権者は所有権を主張して第三者異議の訴えを提起することができるか。担保的構成を強調すると，一般債権者の強制執行手続の中で譲渡担保権者に優先弁済の主張を認めることで足るというべきであろう。しかしながら，民事執行法においては譲渡担保権者にそのような権利を認めていないので（民執133条参照），第三者異議の訴えによって一般債権者の執行を阻止するほかない，と解されている（前掲最判昭和58・2・24および前掲最判昭和56・12・17〔ともに445頁〕）。

(3)　**設定者と「譲渡担保権者からの譲受人等」との関係**

(ア)　**譲渡担保権者から譲渡がなされた場合**　不動産の譲渡担保では，占有は設定者に留保されるが，所有権移転登記が譲渡担保権者に対しなされているので，譲渡担保権者は事実上目的不動産を第三者に譲渡することができる*。なお，譲渡担保権者から第三者への譲渡といっても，それが被担保債権の弁済期後になされた場合については，譲渡担保権の実行段階となっているので別に論ずることとする（⇨463頁・6(2)(イ)参照）。そこで，ここでは弁済期の前に第三者に譲渡がなされた場合を問題とする。

> ＊動産の場合には，現実の占有が譲渡担保権者に移っているとか，受寄者等が直接占有しており設定者（寄託者）から譲渡担保権者に指図による占有移転がなされているような例外的場合に，譲渡担保権者からの譲渡があり得る。この場合も，設定者は被担保債権を弁済することで目的物の返還を請求できる。また，譲受人につき民法192条の適用があり得る。なお動産譲渡登記がなされている場合については，不動産の場合と同じである。

さて，設定者は，被担保債権が期限に弁済されれば目的不動産の所有権を回復できる地位にあるのであるから，弁済期前に譲り受けた第三者から引渡請求がなされた場合は，そのことを理由に引渡しを拒絶することができ，反対に，被担保債権を弁済することで，この譲り受けた第三者に対して所有権に基づく返還請求をすることができる*。

＊譲り受けた第三者の側は，少なくとも譲渡担保権者の地位（実行されれば確定的に所有権を取得する地位）を承継したということができるので，弁済期が来ても被担保債権が弁済されず，譲渡担保権者または譲受人が清算金の提供をすると，設定者は譲受人の引渡請求を拒絶できないと考えられる。

　もっとも，譲受人が登記の記載から譲渡人（譲渡担保権者）を真の所有者であると信じた場合には，民法 94 条 2 項の類推適用により所有権を取得することがあり得る。所有権取得が認められるためには，所有者であるとの外観につき設定者が明示または黙示に承認していると評価されること（帰責性）が必要である。もしも譲渡担保を登記原因とする所有権移転登記がなされておれば，譲受人の善意，および設定者の帰責性のいずれも原則として否定されることになる。
　なお，譲渡が実際には弁済期前になされたのであるが，それが弁済期後である（後述の換価処分権が譲渡担保権者に生じている）と信じてもよい客観的事情がある場合は[10]，登記上譲渡担保を原因とする所有権移転登記が残っていても，譲受人は譲渡担保権者の（清算の一環としての）処分権を信じたといえるので，その信頼を保護して所有権を取得させることはあり得るであろう。

　(イ)　**譲渡担保権者の債権者による差押えがなされた場合**　　被担保債権の弁済期前に譲渡担保権者の債権者が目的不動産を差し押さえた場合はどうか。最判平成 18 年 10 月 20 日（民集 60 巻 8 号 3098 頁）は，弁済期前においては，譲渡担保権者は，債権担保の目的を達成するのに必要な範囲内で目的不動産の所有権を有するにすぎず，目的不動産を処分する権能を有しないから，少なくとも，設定者が弁済期までに債務の全額を弁済して目的不動産を受け戻したときは，設定者は，第三者異議の訴えにより強制執行の不許を求めることができると解するのが相当である，という。この判断自体は妥当であるが，受戻しをしていない場合であっても，弁済期前であれば，所有権を回復する可能性を理由に第三者異議が可能と解すべきであろう（ただし，弁済期が来て譲渡担保権の実行がなされてしまえば第三者異議はその理由を失う。最判平成 18・10・20 も同旨である）。

---

10) もともとの弁済期はすでに過ぎているが，債権者・債務者間で弁済の猶予がなされているような場合に，それに反して，債権者が弁済期の徒過を理由に譲渡担保権の実行として目的不動産を第三者に譲渡するというような事例である。

なお，この場合にも，差押債権者につき民法94条2項の類推適用はあり得る。

6 譲渡担保権の実行
(1) 実行の手続と清算義務
(ア) 譲渡担保権の私的実行のメカニズム 弁済期が到来したにもかかわらず債務者が被担保債務を履行しない場合，債権者は譲渡担保の目的物による債権回収（実行）を行うことになる。この場合，譲渡担保権の実行はどのような権限に基づき，どのような手続を経て行われるのか，また，担保権の実行であるからには，担保目的物の評価額と被担保債権額の間に存する差額（主として余剰金）をどのように調整するのか，という問題が重要である。これらの諸点については，判例により，以下のように整理されており，学説においても特に異論はない。

すなわち，「債務者がその所有不動産に譲渡担保権を設定した場合において，債務者が債務の履行を遅滞したときは，債権者は，目的不動産を処分する権能を取得し，この権能に基づき，目的不動産を適正に評価された価額で確定的に自己の所有に帰せしめるか又は第三者に売却等をすることによって，これを換価処分し，その評価額又は売却代金等をもって自己の債権（換価に要した相当費用額を含む。）の弁済に充てることができ，その結果剰余が生じるときは，これを清算金として債務者に支払うことを要するものと解すべきである」*，と（最判昭和62・2・12民集41巻1号67頁）。

> ＊ 判決は，ここで，譲渡担保権者に清算金支払義務を負わせることを判示した先例（最判昭和46・3・25民集25巻2号208頁【百選Ⅰ97】）を引用する。同判決は，246万円の債務の担保として時価349万余円の不動産が譲渡された事案についてのものであり，「譲渡担保形式の契約を締結し……弁済をしないときは右不動産を債務の弁済の代わりに確定的に自己の所有に帰せしめるとの合意のもとに，自己のため所有権移転登記を経由した債権者は，債務者が弁済期に債務の弁済をしない場合においては，目的不動産を換価処分し，またはこれを適正に評価することによって具体化する右物件の価額から，自己の債権額を差し引き，なお残額があるときは，これに相当する金銭を清算金として債務者に支払うことを要するのである」，と述べている。それ以前の判例では，譲渡担保設定契約の文言解釈から，民法90条に反しない限り，譲渡担保権者は担保目的物の所有権を丸取りできるとされていたのである[11]。

この判決が述べるところは、すなわち、譲渡担保権の実行は、民事執行法によることはできず、私的な方法で行うのであるが、それを行う権限は、譲渡担保設定契約に由来する（債務不履行を条件として発生する）目的物の処分権能である。譲渡担保権者はその権能に基づいて、帰属方式か、処分方式かに応じて目的物を換価処分し、それにより得られる金銭的価値をもって自分で被担保債権の弁済に充当する。手元に剰余金が出た場合には、譲渡担保権者は設定者に対して清算金支払債務を負担するかたちで清算する、と。譲渡担保権の私的実行におけるキーワードは、処分権限、換価処分、弁済充当、清算金支払義務ということになる。

(イ)　**帰属清算・処分清算**　　換価処分として帰属方式と処分方式とがあり得る。これを譲渡担保権者の清算義務と組み合わせて整理、敷衍すると、以下のようになる。

(a)　**帰属清算方式**　　譲渡担保権者が目的物を適正に評価し、その額で確定的に自己にその所有権を帰属せしめる旨の意思表示をし、その評価額を債権の弁済に充当して実行する方式である。その評価額が被担保債権の額を上回れば、差額を清算金として設定者に支払う義務を負い[12]、逆に下回る場合には、差額につき債権が無担保で残存する（(b)でも同じ）。もっとも、譲渡担保権者が確定的に自己に目的物の所有権を帰属せしめる旨の意思表示をするだけで譲渡担保権の実行が終わる（所有権の確定的帰属、債務の消滅）わけではなく、譲渡担保権者が債務者に対して清算金の支払もしくはその提供または目的物の適正

---

11)　同じ所有権移転型の担保である代物弁済予約については、すでに最判昭和42年11月16日（民集21巻9号2430頁）が清算を必要とする旨判示していた。

12)　なお、譲渡担保権の実行がない段階で、設定者の側で目的物の受戻権を放棄して、譲渡担保権者に対して清算金の支払を請求することはできるか。判例はこれを否定する（最判平成8・11・22民集50巻10号2702頁）。この判決は、理由として次のように述べる。清算金支払請求権は、譲渡担保権の実行の場合に発生する権利であり、他方、受戻権は、弁済等によって被担保債務を消滅させることにより担保目的物の所有権を回復する権利であって、両者はその発生原因を異にする別個の権利である。だから、「設定者において受戻権を放棄したとしても、その効果は受戻権が放棄されたという状況を現出するにとどまり、右受戻権の放棄により譲渡担保権設定者が清算金支払請求権を取得することとなると解することはできない」、「また、このように解さないと、譲渡担保権設定者が、受戻権を放棄することにより、本来譲渡担保権者が有している譲渡担保権の実行の時期を自ら決定する自由を制約し得ることとなり、相当でない」、と。

評価額が債務の額を上回らない旨の通知がなされるまでは完了しない。なぜなら，後述のように（⇨462頁・(2)(ア)），譲渡担保権者による上記清算金の支払・提供，清算金のない旨の通知がなされるまでは債務者は受戻権を有し，債務の全額を弁済して譲渡担保権を消滅させることができるので，債権者が単に右の意思表示をしただけでは，いまだ債務消滅の効果を生じないからである。

(b) **処分清算方式**　担保の目的物を第三者に売却するなどして換価処分し，その代金等を債権の優先的弁済に充てるかたちで実行する方式である。目的物の処分額が被担保債権の額を上回れば，差額を清算金として設定者に支払うことになる。この場合，目的物が第三者に処分された段階で所有権が確定的に移転し，譲渡担保権者が設定者に支払うべき清算金の有無，その額がその時点で確定する。

(c) **両方式の選択**　上の2つの方式は，譲渡担保設定の合意の中で決められていることが多い。問題は，実際に譲渡担保権を実行するに際して，合意により決められている方式に従わない場合，その実行は無効と評価されるかである。前掲最判昭和62年2月12日は，帰属清算の合意がある事例で，清算金の支払等の手続をしないまま譲渡担保権者がなした第三者への処分を有効と扱っており，また，後掲最判平成6年2月22日（⇨463頁）は，「債権者は，右譲渡担保契約がいわゆる帰属清算型であると処分清算型であるとを問わず，目的物を処分する権能を取得するから，債権者がこの権能に基づいて目的物を第三者に譲渡したとき……」と述べ，取得した処分権による換価処分の方法は，その時点で自由に選択できることを明らかにしている。設定者はいずれにしろ目的物を処分されその所有権を失うのであるから，実際の換価処分の方法がいずれであるかについては特別な利害関係は持ち得ないというべきであろう。

(ウ) **清算金を確保する方法**　(a) **序説**　以上の手続の中で，特に重要な問題は，設定者の側で，清算金の存否，その額を争う手段，および清算金がある場合にその現実の確保の方法である。譲渡担保が設定された場合，担保目的物の現実の占有は，前に述べたように，通常その設定者にそのまま留保されている（不動産の場合も登記名義は譲渡担保権者に移転するが占有は設定者に留保されている）。そこで，譲渡担保権の実行手続の最終段階では，必ず，設定者に対して目的物の引渡しが求められることになる。設定者としては，この引渡義務の

履行に際してその抗弁として清算金の支払を求めることが考えられる（民法533条の同時履行の抗弁ないし民法295条の留置権の行使）。

(b) **帰属清算の場合**　帰属清算の場合には，清算金の支払は，譲渡担保権者の引渡請求と清算金の支払とを引換給付の関係に立たせることで，確保することができる。譲渡担保権者の清算義務を認めた前掲最判昭和46年3月25日は，その判旨の中で，「この担保目的実現の手段として，債務者に対し右不動産の引渡ないし明渡を求める訴を提起した場合に，債務者が右清算金の支払と引換えにその履行をなすべき旨を主張したときは，特段の事情のある場合を除き，債権者の右請求は，債務者への清算金の支払と引換えにのみ認容されるべきものと解するのが相当である」と述べて，このことを確認している。なお，清算金の存否，その額についての争いも，このやりとりの中で決着がつけられることになる。

(c) **処分清算の場合**　この場合は，担保の目的物は譲渡担保権者（A）から第三者（C）に処分されその者が所有者となるので，その引渡請求は第三者CからBに譲渡担保設定者（B）に対して生じ，他方，清算金の支払請求は，設定者Bから譲渡担保権者Aに対してなされることとなる。そこで，目的物の引渡しと清算金支払は引換給付（同時履行）の関係には立たず，同時履行によっては清算金の支払を確保することができない。

あり得ることは，Cの目的物引渡請求に対して，Bが，Aに対して有する清算金支払請求権を被担保債権とする目的物の留置権を主張することであり，それが認められれば清算金の支払を確保する有力な手段となる。このような関係でのBの留置権の成立を認めた最高裁判決がある（最判平成11・2・26判時1671号67頁。Cの引渡請求に対するBの留置権の抗弁を認めた上で，そうであるゆえにCはその被担保債権〔清算金支払請求権〕の消滅につき直接の利益を有するので，CにはBのAに対する清算金支払請求権の消滅時効の援用〔民145条〕が認められるとした）。

ここでの理論的な問題は，留置権の成立要件である清算金支払請求権と当該目的物との間の牽連関係の存否である（民295条1項本文。以下の問題については，⇨513頁以下・第17章Ⅱ4(3)を参照）。仮登記担保の場合のように（⇨498頁・第16章Ⅲ2(3)），担保権の実行により担保目的物の所有権が担保権者に移転し，それと同時に担保設定者が担保権者に対して清算金支払請求権を取得した場合

は（仮登記担保2条1項，3条1項），その目的物を占有する設定者がその時点でその目的物に対し留置権を取得するので，その後，当該目的物を譲り受ける者は担保目的物の第三取得者となり，設定者はその者に対しても留置権を主張することができる（目的物の譲受人は留置権の対抗を受けることを予期することができた）。しかし，譲渡担保においては，処分清算方式の場合，設定者Bから譲渡担保権者Aに対する清算金支払請求権は，Aから第三者Cへの目的物の譲渡（処分）によってその時にはじめて発生する。清算金の支払債務者（担保権者A）は，Bにより担保目的物を留置されても，所有者ではない以上その物の引渡しを求める権利がないので痛くもかゆくもなく，担保目的物の留置が支払に対する何らのインセンティブにもならない。また，一般的に考えると，所有者Aから不動産を譲り受けた者Cが，その不動産を占有する者Bに引渡しを求めたとき，まさにその譲受けの時点で新たに発生した（それまでは存在していない）当該不動産に関するBのAに対する債権（ここでは，清算金支払請求権）について，当該目的物の留置権でもって対抗されるいわれもない（513頁〔⇨第17章 II 4(3)(ア)〕に掲げる二重譲渡事例がまさにそういう関係である）。Cにとって不意打ちとなるからである。ということで，学説にも，この関係では留置権は根拠づけられないとの否定的見解がある[13]。しかし，他方で，本事例のような処分清算方式における清算金請求の場合に限っては，利益の考量の結果，牽連関係の存在を肯定する見解も少なくなく，私も結論としてここでは留置権の成立を認めるべきであると考える*。

> ＊実質的に考察すると，仮に，AがBに対して清算金の提供をした後に（しかし支払わないで）目的物をCに譲渡した場合，帰属清算となり得るので，いったんA・B間で留置権が発生しその発生した留置権を第三取得者Cに対抗するという問題になる。それと比べて，Bが債務不履行に陥るや直ちにAが第三者に譲渡する場合には，清算金が譲渡の結果生ずることがCにとって客観的に予測できるときでも（譲渡担保権の実行であることは登記の記載その他の状況から通常当事者には明らかである），Cに対して留置権を行使できないことになるのは不均衡ともいえる。思うに，譲渡担保権者Aが第三者Cに担保目的物を譲渡した場合，「〔その〕時点を基準時として清算金の有無及びその額が確定される」（前掲最判昭和62・2・12〔457頁〕）のではあるが，被担保債権の履行期後は，

---

[13] 道垣内弘人「判批」私法判例リマークス2000〈上〉14頁。

仮にAの引渡請求があれば当然Bの清算金請求が対立する関係にあったのであるから，A・B間で潜在的に留置権の関係が生じていたともいえるので，その関係が譲渡により顕在化しBはCの引渡請求に対して留置権を対抗できると構成することもできるのではないだろうか。

(2) 譲渡担保設定者の受戻し

(ア) 問題の所在　受戻しというのは，弁済期が過ぎても，譲渡担保設定者は，被担保債権の全額（売渡担保では，買い戻すべき金額）を弁済すれば，担保目的物の所有権を取り戻す（受け戻す）ことができるのか，できるとしていったいどの時点までかという問題である。譲渡担保は，債権の担保が目的であり，担保目的物の所有権取得それ自体が目的というわけではないので，弁済期が過ぎても譲渡担保権者において被担保債権の満足が得られるのであれば，なお一定の時期までは，この受戻しができると考えるべきであろう。では，いったいいつまでか。

前掲最判昭和62年2月12日〔457頁〕は受戻しの時間的限界につき次のような整理をしている。すなわち，設定者は，弁済期の経過後であっても，譲渡担保権者が「担保権の実行を完了するまでの間」は，債務の全額を弁済して譲渡担保権を消滅させ，目的不動産の所有権を回復すること（この権能を「受戻権」と呼んでいる）ができる。そして，この担保権の実行が完了するまでの間とは，〔1〕帰属清算型においては，譲渡担保権者が設定者に対し，目的不動産の適正評価額が債務の額を上回る場合にあっては清算金の支払またはその提供をするまでの間，目的不動産の適正評価額が債務の額を上回らない場合にあってはその旨の通知をするまでの間，〔2〕処分清算型においては，その処分の時までの間をいうとする[14]。

これによれば，担保権の実行の完了は，所有権の確定的移転，被担保債権の

---

14) この判決は，さらに，譲渡担保設定の合意で帰属清算としていたとしても，弁済期後に，譲渡担保権者が「目的不動産を第三者に売却等をしたときは，債務者はその時点で受戻権ひいては目的不動産の所有権を終局的に失い，同時に被担保債権消滅の効果が発生するとともに，右時点を基準時として清算金の有無及びその額が確定されるものと解するのが相当である」，とする。

消滅，および受戻権の消滅の効果と同時的に生ずることになる（処分清算の場合には，その時点で，清算金の有無，その額が確定する）。

(イ) **第三者に処分された場合の受戻し**　処分清算の合意である場合，まず第三者への処分がありその後清算するというのが通常の経過である。譲渡担保権者の処分はもともと与えられた処分権能に基づくものであるから，それに基づく処分により第三者には確定的に所有権が移転するので，設定者には受戻しの余地はない。他方，帰属清算の合意であるにもかかわらず，譲渡担保権者が，弁済期経過後，清算金の支払またはその提供をしないまま第三者に目的物を譲渡してしまった場合，第三者が清算未了につき悪意であれば設定者は受戻しができる，と考える余地はないか。

判例は，第三者がたとえ背信的悪意者に当たる場合であっても受戻しの余地はないという。そして，その理由を譲渡担保権者の処分権能に求める。すなわち，債務者が弁済期に債務の弁済をしない場合，不動産譲渡担保権者は，帰属清算型であっても目的物を処分する権能を取得し，これに基づいて譲り受けた第三者は目的物の所有権を確定的に取得するから，という（最判平成6・2・22民集48巻2号414頁【百選Ⅰ98】）。

■**最判平成6年2月22日民集48巻2号414頁**

事実の概要　Yは甲不動産を取得するに際してGから金銭52万円を借入れし，その担保として，甲不動産の所有権をGに譲渡し所有権移転登記を経由した。Yは37万円は返済したがその後債務の返済を滞り弁済期を徒過した。その後GはX（Gの妻の兄，Yの元妻の兄でもある。一時甲不動産に居住していたが，Yによる明渡請求訴訟に敗訴して甲不動産を明け渡した）に甲不動産を贈与し所有権移転登記を了し，XはYに明渡しを求めた。これに対し，Yは債務の元本残額，利息等を弁済供託し，Xの背信的悪意（Xは，甲不動産がGに対して譲渡担保に供されたものにすぎないことを知りながら，Gと通じて，Yを困らせることおよび暴利を得ることのみを目的として贈与を受けたもの）を理由に不動産の受戻しを求めた。

判旨　「不動産を目的とする譲渡担保契約において，債務者が弁済期に債務の弁済をしない場合には，債権者は，右譲渡担保契約がいわゆる帰属清算型であると処分清算型であるとを問わず，目的物を処分する権能を取得するから，債権者がこの権能に基づいて目的物を第三者に譲渡したときは，原則として，譲受人は目的物の所有権を確定的に取得し，債務者は，清算金がある場合に債権者に対してその支払を求めることができるにとどまり，残債務を弁済して目的物を受け戻すことはできなくなるものと解

するのが相当である」「この理は，譲渡を受けた第三者がいわゆる背信的悪意者に当たる場合であっても異なるところはない。」「けだし，そのように解さないと，権利関係の確定しない状態が続くばかりでなく，譲受人が背信的悪意者に当たるかどうかを確知し得る立場にあるとは限らない債権者に，不測の損害を被らせるおそれを生ずるからである。」

㈦　**弁済期後に目的物の差押えがあった場合の受戻し・第三者異議**　不動産を目的とする譲渡担保において，被担保債権の弁済期後に，譲渡担保権者Gに対する債権者Dが当該目的不動産を差し押さえその旨の登記がされた場合，設定者＝第三債務者Sは被担保債権をGに対し弁済し目的不動産の所有権を受け戻すことはできると解すべきだが，これによる所有権の回復を差押債権者Dに対して主張すること（第三者異議の訴え）が許されるかは問題である。

前掲最判平成18年10月20日（456頁）は，これを否定して，弁済期後は譲渡担保権者Gは目的不動産の処分権能を取得するから，設定者Sは，目的不動産が換価処分されることを受忍すべき立場にあり，譲渡担保権者の債権者Dによる目的不動産の強制競売による換価も，同様に受忍すべきであり，差押え後の受戻しによる目的不動産の所有権の回復を主張することができなくてもやむを得ないとした（Sの第三者異議の訴えは認められない）。この考えでは，弁済期後にGの債権者Dの差押えがあれば，SのGに対する債務弁済による受戻しは全くの無駄骨になる。

(3)　**倒産時の扱い**

譲渡担保設定者について倒産手続が開始した場合，譲渡担保権者は，破産・民事再生の手続においては別除権者（破2条9項・10項，65条，民再53条），会社更生手続においては更生担保権者（会更2条10項・11項）として扱われる[15]。

---

15)　最判昭和41年4月28日（民集20巻4号900頁）は，譲渡担保権を設定している会社について会社更生手続が開始された場合，「譲渡担保権者は，更生担保権者に準じてその権利の届出をなし，更生手続によってのみ権利行使をなすべきものであり，目的物に対する所有権を主張して，その引渡を求めることはできないものというべく，すなわち取戻権を有しないと解するのが相当である」という。

II 流動する集合動産・集合債権の譲渡担保

　譲渡担保は，民法典に定められた担保権と比較すると，何を担保目的にできるかについてその自由度が高い。流動する集合動産および集合債権の譲渡担保が適例である。以下では，Ⅰで得た基本的な譲渡担保法の知識を前提に，流動する集合動産，集合債権を対象とする譲渡担保において特徴的な問題点を検討する。

1 （流動）集合動産譲渡担保
(1) 意　義
(ア) 流動する集合動産という特徴　　たとえば，金融機関Gは，その取引先事業者Sに対し継続的に信用を供与する関係にあり，その担保として，「Sの特定倉庫（あるいは特定店舗）にある取扱商品全部」の所有権を一括して譲り受ける合意をし，その旨の対抗要件を具備するという事例が集合動産譲渡担保の典型例である（あるいは，Gが商社でSがメーカーであれば「Sの特定工場にある原材料，半製品，完成品など一切」の所有権を，ということになる）。

　この場合の特徴は，担保の中身が「集合動産」であるだけではなくそれが「流動」していることである＊。すなわち，Sが事業を継続することは当然の前提なので，担保の中身は一方で売却譲渡により集合動産から離脱し，他方で仕入れにより新たな動産が加入する（Sがメーカーの例では，原材料から製品に姿を変えるということもある）。そこで，「流動集合動産」と呼ぶ方が正確である（以下，「流動動産」と呼ぶこともある）。

＊ある工場内にある多数の機械・器具・備品類をそっくり譲渡担保に供するという事例も集合動産の譲渡担保といってよい。しかし，この事例は担保の中身が「流動」せず，設備更新などで多少の入替えはあっても，本来的に目的物は固定している点で，「流動集合動産」の事例と異なる。そこで，集合動産について1個の譲渡担保設定合意がなされてはいるが，個別の動産に譲渡担保が設定された場合に関する規律を適用することで法的問題の処理ができる。すなわち，事後に償却された機械等は担保から当然外れ，交換で設置した機械等については個別にその時点で譲渡担保が追加的に設定される（最初に停止条件付きで設定の合意をしておくことでも同じ）。もっとも，入れ替えられた機械等

の動産についても，当初の譲渡担保権の効力，対抗力を自動的に及ぼしたいのであれば，ここで取り上げる流動集合動産譲渡担保形式の合意をしておく必要がある。

　Gがこのかたちの譲渡担保で期待しているのは，Sが債務を履行できなくなった時点で存在する被担保債権総額を（被担保債権は根担保の形態となることが普通である），構成に変動はあるがその時点で存在する集合動産（および，その後に加わる動産も含まれる）の価値で担保させるということである。したがって，Gは，Sが通常の営業により集合物を構成する動産を売却譲渡することは性質上当然のこととして認めつつ，Sに対しては構成動産を補充して集合動産の総額を維持することを義務づけることになる[16]。

　(イ)　**法的問題点**　GとSとの間で，GがSに対して有する債権の担保のため，S所有の流動する集合動産に譲渡担保を設定する旨の合意は，継続的取引の開始時点で1度なされるだけである。集合動産の中身が新たに追加加入する度に合意も追加的に繰り返すということは当然のことながらしない。そこで，新規に集合物に加わった動産についても，譲渡担保の合意の効力が及んでいること，および第三者対抗要件も具備されていることがうまく説明でき，しかも，それにより設定当事者の担保に対する期待もかなえられるような理論構成が提示される必要がある。

　(ウ)　**理論構成（集合物論と分析論）**　(a)　**集合物論**　判例・多数説は，動産の集合体それ自体に着目し，その構成動産は流動するがそれは1個の統一体として同一性をもって存続しており，譲渡担保は，それを1個の「集合物」なるものとしてそれを対象に成立するという理論構成をする（集合物論）*。すなわち，「構成部分の変動する集合動産についても，その種類，所在場所及び量的範囲を指定するなどなんらかの方法で目的物の範囲が特定される場合には，

---

16) 金銭の貸付け等の信用取引では物的担保（人的保証も）が重要であり，それなしでは融資等は望めない。企業の設定する担保としては不動産に対する根抵当権が中心であるが，近時は，上記のように企業の在庫商品，あるいは取引によって将来発生する一群の債権の担保化などが拡大してきた。背景としては，経済状況の変化（不動産バブルの崩壊，流動資産の活用），事業者の意識の改善（このようなものまで担保とするのは事業者が危ない証拠だという意識が薄らぐ），法制度の整備（譲渡担保に関する判例の展開，および，動産債権譲渡特例法の制定〔対抗要件の整備〕）等を挙げることができる。

1個の集合物として譲渡担保の目的となりうる」，という（最判昭和54・2・15民集33巻1号51頁，最判昭和62・11・10民集41巻8号1559頁）。そして，その対抗要件は，譲渡担保設定時に，その集合物について占有改定による引渡しをすることによって具備されると考える（前掲最判昭和62・11・10）[17]。

> ＊ただし，この集合物論にも大きく分けて2つの立場があり，それらには，集合物を構成する個々の動産に対して譲渡担保の効力が及ぶかどうかを巡って考え方の相違がある（⇨471頁・(3)）。1つは判例の採る立場であり，それは，個々の構成部分に対しても譲渡担保権の効力が及ぶと考えるものであり，他は，譲渡担保権者は集合物という枠を担保に取っているだけで，個々の構成動産に対しては効力は及んでいない（譲渡担保権の実行通知があってはじめて構成動産に対して効力が及ぶ）と考える立場である（集合物論徹底説）。

■最判昭和62年11月10日民集41巻8号1559頁

事実の概要　鋼材問屋Sに鋼材甲を売却したY会社が，その売却代金の回収を図るため動産売買先取特権に基づきSの倉庫に搬入済みであった鋼材甲につき競売の申立てをしたところ，X会社が第三者異議の訴えを提起した。その理由とするところは，X会社は，Sに対する現在の債権および将来取得する債権を担保（根担保）するため，(1)「Sの第1ないし第4倉庫内及び同敷地・ヤード内を保管場所とし，現にこの保管場所内に存在する普通棒鋼，異形棒鋼等一切の在庫商品」を対象として集合動産譲渡担保を設定し，占有改定の方法により引渡しを完了しており，(2)Sが将来これと同種物件を取得したときには，そのすべてを前記保管場所に搬入するものとし，これら物件も当然に譲渡担保の目的となることをあらかじめ承諾しているということである。X会社のこのような合意による集合動産譲渡担保権の取得が有効であるかどうかがまず問題とされ，有効である場合，後にこの集合物の構成動産となった鋼材甲につき譲渡担保権を主張でき，X会社が動産の引渡しを得た第三取得者に該当するかどうかが争点となった（民333条参照〔該当すれば，Y会社は先取特権を行使できない〕）。

判旨　「構成部分の変動する集合動産であっても，その種類，所在場所及び量的範囲を指定するなどの方法によって目的物の範囲が特定される場合には，1個の集合物として譲渡担保の目的とすることができるものと解すべきである」。「そして，債権者と債務者との間に，右のような集合物を目的とする譲渡担保権設定契約が締結され，債務者がその構成部分である動産の占有を取得したときは債権者が占有改定の方法によってその占有権を取得する旨の合意に基づき，債務者が右集合物の構成部分として現に

---

17)　田中壯太「判解」『最高裁判所判例解説（民事篇）昭和62年度』（法曹会，1990）674頁以下参照。

存在する動産の占有を取得した場合には，債権者は，当該集合物を目的とする譲渡担保権につき対抗要件を具備するに至ったものということができ，この対抗要件具備の効力は，その後構成部分が変動したとしても，集合物としての同一性が損なわれない限り，新たにその構成部分となった動産を包含する集合物について及ぶものと解すべきである。」「したがって，動産売買の先取特権の存在する動産が右譲渡担保権の目的である集合物の構成部分となった場合においては，債権者は，右動産についても引渡を受けたものとして譲渡担保権を主張することができ，当該先取特権者が右先取特権に基づいて動産競売の申立をしたときは，特段の事情のない限り，民法333条所定の第三取得者に該当するものとして，訴えをもって，右動産競売の不許を求めることができるものというべきである。」）

(b) **分析論** 他方，このことにつき，個別動産に着目した理論構成ができないわけではない（分析論）。GとSとの間で，現在の集合動産について譲渡担保を設定し，その対抗要件はこの全動産につき一括して占有改定による引渡しをすることにより具備し，加えて，〔1〕個々の動産につき通常処分による離脱を解除条件として譲渡担保からの解放を認め，〔2〕将来新規にこの集合動産に加入する個別動産はそのことを停止条件として譲渡担保の対象にし，併せて，その際には占有改定による引渡しにより対抗要件を具備するとの合意をあらかじめしている，と理論構成するわけである。技巧的ではあるが説明としてはもちろん成り立つ。

(c) **分析論の問題点** しかし，上記の2つの考え方においては，譲渡担保の成立の時点につき大きな相違がある。すなわち，集合物論では，譲渡担保は最初の1個の集合物を対象とする設定の合意の時点で成立する。これに対して，分析論では，個々の動産が集合物に加入する時点でその停止条件が満たされて順次譲渡担保が成立していくことになる（第三者対抗力もその時点で取得される）。

この違いは，詐害行為取消権（民424条）や倒産における否認権（破160条以下等）の行使においては無視できない。要するに，債務者が無資力状態となっているにもかかわらず，一部の債権者だけに対して担保権を設定することは他の一般債権者を害するので許されない（担保権設定行為が取り消される）というルールが適用されるかどうかという問題である。集合動産譲渡担保が設定されその後に債務者が無資力状態となったという例で考えると，集合物論では，譲

渡担保は（後に加入した動産を含め）無資力になる前に設定しているとされるのでこのルールの適用問題は生じない。他方，分析論では，個々の動産の加入時に譲渡担保が成立するので，無資力後に加入した動産分については，詐害行為として取消しの対象となってしまう。債務者が無資力となったときに債権回収について機能してもらいたくて流動集合動産に譲渡担保権を取得しているにもかかわらず，分析論によれば，まさにその時点では担保としてあまり機能しなくなってしまう。この点を考慮すると，分析論を採用することは難しい[18)][19)]。

(2) 集合動産譲渡担保の成立

(ア) **目的物の範囲の特定**　成立について重要な点は，目的物の範囲（集合物）の特定である。1個の集合物が譲渡担保の目的だといっても，その集合物が具体的にどのような動産＊によって構成されることになるのか，それを特定する基準を明確にしておく必要がある。

> ＊ その特定された範囲に属する動産の所有権は，設定者に属するものであることが当然の前提である。設定者以外の者が所有する動産が紛れ込んでいる場合には，その動産には集合動産譲渡担保の効力は及ばない（なお，譲渡担保権の即時取得は引渡しが占有改定によっているので認められない）。設定者がある者（A）から購入した動産で，その者（A）が担保の目的で当該動産の所有権を代金完済まで留保している場合（対抗要件は不要）も，同様である（最判平成30・12・7金法2105号6頁。⇒488頁・第15章**Ⅱ2**）。

その趣旨は，第1に，譲渡担保権を実行する際，譲渡担保権者が設定者に対して対象動産の引渡しを求めることになるが，その対象動産の範囲を特定できる基準が当然必要である。また，第2に，対象動産につき一般債権者の差押え，あるいは設定者による譲渡等があり，対象動産をめぐって第三者との競合が生じた場合，譲渡担保権者が優先権を主張するためには，目的物の範囲を特定できる基準が必要であり，逆に，その基準が公示されることにより第三者に生じ

---

18) 国税徴収法24条に規定されている，国税の法定納期限後に譲渡担保の設定を受けた譲渡担保権者が負う物的納税責任（設定者が滞納した国税を負担）との関係でも，分析論による担保成立時点のとらえ方によれば，譲渡担保権者にとって不利となる。

19) 集合物論，分析論のほかにも学説では理論構成の可能性が提案されているが，本書では省略する。参考文献として，松井宏興「集合物の譲渡担保」米倉明ほか編『金融担保法講座Ⅲ』（筑摩書房，1986）75頁参照。

得る不測の損害を未然に防止することができることにもなる。

　判例は,「その種類,所在場所及び量的範囲を指定するなどなんらかの方法で目的物の範囲が特定される」ことを求めている（前掲最判昭和54・2・15参照）。目的物の範囲の特定があるかどうかは,それぞれの譲渡担保設定合意の解釈問題であるが,この3つの要素（種類,所在場所,数量）に関する当事者の合意を手がかりとして特定がなされているかどうか総合的に判断することになる。前掲最判昭和54年2月15日は,「M倉庫業者に寄託中の乾燥ネギ44トンのうちの28トン」という指定がされた事案について,特定性を否定している。また,前掲最判昭和62年11月10日は,「Sの第1ないし第4倉庫内及び同敷地・ヤード内を保管場所とし,現にこの保管場所内に存在する普通棒鋼,異形棒鋼等一切の在庫商品」という指定がされた事案で,特定性を認めた。

　種類の指定は,電気製品とか,鋼材とか,コーヒー豆とかというかたちでなされる。種類の指定がなく「Sのある特定店舗内の商品全部」というのでも,ある特定店舗内という所在場所の指定で補えるので特定がある。しかし,「家財道具一切」という指定の場合,何が家財道具に当たるのかという識別が必要であり,特定されていないとされる。量的範囲は,「ある特定場所の全部」というのでもよいが,「M倉庫内にある品物の中の50個」などというのではどの50個か特定できないので認められない。所在場所基準は重要であり,「N店舗」,「L倉庫」,「L倉庫の中央通路の東側」などとして特定する（場所で特定された動産のうち「一定の標識がついたもの」といえば,種類,数量の指定がなくても特定されている）。

　(イ)　**対抗要件の具備方法**　　次に重要な問題は,集合動産譲渡担保権の対抗要件の具備方法である。この点,前述のように集合物論では,譲渡担保権設定時に1個の集合物につき占有改定による引渡しがなされ,譲渡担保権者がそれにつきいわゆる間接占有を取得することにより対抗要件が具備されるとする[20]。そして,その後,集合物を構成する個々の動産に離脱・加入または変容があっても,集合物に譲渡担保が設定されそれについて対抗要件が具備されているので,何らの問題は生じないということになる。

　加えて,法人が譲渡担保設定者である場合には,動産譲渡登記ファイルへの登記によることもできる（動産債権譲渡特3条1項）。この場合,動産を特定す

るために必要な事項を記録することになるが（動産債権譲渡特7条2項5号），集合動産譲渡担保では，「動産の種類」，「動産の保管場所の所在地」の記録が要求され（動産・債権譲渡登記規則8条1項2号），その要求が満たされる場合に登記ができる。

(ウ) **後順位の譲渡担保の設定**　範囲が重なる流動集合動産について重複して譲渡担保が設定できるかが問題となるが，これを認めることができるとする判例がある（後掲最判平成18・7・20〔472頁，473頁〕）。後順位の譲渡担保権者を認めたとしても関係者にとって特別な利害関係は生じないのでこれを認めるべきであろう（ただしその実行に関し，同判例は，後順位譲渡担保権者による私的実行は認められないという。⇨473頁・(4)参照）。

(3) **集合物を構成する動産の処分等をめぐる法律関係**

(ア) **通常の営業の範囲での処分**　流動集合動産譲渡担保においては，設定者は事業を継続しているわけで，集合物を構成する個々の動産はその通常の営業の中で第三者に売却譲渡できることが当然の前提となっている。そこで，そのようにして離脱する個別動産はいかなる意味でもこの集合動産譲渡担保の拘束から解放されると扱われる。

そのことを理論的にどのように説明するか。分析論ではこれを設定者に事前に付与された処分権により第三者に完全な所有権が移転するから，と説明する。他方，集合物論徹底説では，担保に取っているのは集合物という枠にすぎず，それを構成する個々の動産には実行通知による固定化までは譲渡担保の効力が及んでいない（設定者の所有物である）ので，譲渡できるのは当然と説明することになる[21]。判例は，集合物論を採用するが，徹底説と異なり，個々の構成動産にも譲渡担保の効力が及ぶと考えているので（前掲最判昭和62・11・10），離

---

[20] 譲渡担保の設定を含め単なる当事者の合意があるにすぎず，集合物につき担保が設定されたことについて外部から認識することは困難である。それにもかかわらず大量の集合動産を担保として一挙に取得できかつ第三者対抗力があることについては，批判がある。公示方法として，「明認方法」（ネームプレートなどの標識設置）によるべきである（それがなければ対抗できない）などとの主張につながる（もっとも，動産譲渡登記制度ができた今日では，方向としては，対抗するためにはこの動産譲渡登記制度を利用すべきであると主張することになろう）。

[21] 個々の動産処分は「集合物の利用」と位置づける（道垣内・前掲本章注2) 343頁）。

脱はやはり設定者に付与された処分権の効果と説明することになる*。

＊ 後掲最判平成 18 年 7 月 20 日は「構成部分の変動する集合動産を目的とする譲渡担保においては，集合物の内容が譲渡担保設定者の営業活動を通じて当然に変動することが予定されているのであるから，譲渡担保設定者には，その通常の営業の範囲内で，譲渡担保の目的を構成する動産を処分する権限が付与されており，この権限内でされた処分の相手方は，当該動産について，譲渡担保の拘束を受けることなく確定的に所有権を取得することができると解するのが相当である」と述べる。

(イ) **通常の営業の範囲を超える処分**　問題は，通常の営業の範囲を超えて処分され（その後集合物の所在場所から搬出され）た場合はどうかである。集合物論を徹底する立場では，個々の動産には譲渡担保権が及んでいないので，設定者＝所有者が処分すれば第三者は当然に所有権を取得すると考えることになる（ただし，譲渡担保の当事者間では債権的拘束があるので集合物の侵害として損害賠償請求の問題が残る。第三者に対しても集合物に対する譲渡担保の侵害と評価される場合には，損害賠償を請求できる）。

個々の構成動産にも譲渡担保権の効力が及んでいると考える前記判例の集合物論では，処分権限外の処分なので，譲り受けた第三者は担保権の負担が付いた動産所有権を取得し，集合物の所在場所から搬出したとしても，その後譲渡担保権を実行されるとそれに対抗できず実行により所有権を取得した者の動産引渡請求に応ずべきことになろう（ただし，第三者が担保の負担につき善意・無過失であれば負担のない所有権を即時取得する〔民 192 条〕）。

なお，設定者により所在場所から勝手に（通常の営業の範囲を超えて）搬出された後，第三者に処分された場合はどうか。担保の効力が及ばなくなった動産の処分とみるか，所在場所から離れた以上対抗力が失われ動産の引渡しを受けた第三者には対抗できないとみるか（ただし，第三者が背信的悪意であれば別である），であろう。後者に従いたい。

最判平成 18 年 7 月 20 日（民集 60 巻 6 号 2499 頁【百選 I 99】）は，通常の営業の範囲を超える処分がなされた事案について，「譲渡担保契約に定められた保管場所から搬出されるなどして当該譲渡担保の目的である集合物から離脱したと認められる場合でない限り，当該処分の相手方は目的物の所有権を承継取得することはできない」と述べている。

Ⅱ 流動する集合動産・集合債権の譲渡担保 1　473

■最判平成 18 年 7 月 20 日民集 60 巻 6 号 2499 頁

事実の概要　養殖業者 Y は，所有する生簀内の養殖魚を対象として，取引業者（A，B，C）に対する債務を担保するため，A，B，C に対して重複して流動集合動産譲渡担保を設定した。その後，Y は X に対してそれに属する物件甲（ブリ 13 万匹）について原魚の売買，預託，買戻しを内容とする契約〔1〕を締結，また，物件乙（ハマチ 27 万匹）を売却し，転売のための搬出まで Y が管理する旨の契約〔2〕を締結した。X は Y に，物件甲および乙の引渡しを求めた。後者の物件乙の売却（契約〔2〕）が上の問題に関係する（なお，契約〔1〕については，⇨後述(4)参照）。

判旨　契約〔2〕は売買契約であるとした上で，設定者により譲渡された構成動産が集合物（ある生簀の中の養殖魚）の中から外部に搬出されていない事例について，「対抗要件を備えた集合動産譲渡担保の設定者がその目的物である動産につき通常の営業の範囲を超える売却処分をした場合，当該処分は上記〔処分〕権限に基づかないものである以上，譲渡担保契約に定められた保管場所から搬出されるなどして当該譲渡担保の目的である集合物から離脱したと認められる場合でない限り，当該処分の相手方は目的物の所有権を承継取得することはできないというべきである」*，と述べる。

> ＊この判決は，第三者により搬出された場合については何も述べていないので（事案との対応では述べる必要がなかった），この判決の読み方としては，集合物譲渡担保における不当処分につき，少なくとも集合物から離脱していない場合は第三者の（担保権の負担付き）所有権取得は認められないというにとどまる（離脱した場合には所有権〔担保権の負担付きにしろそうでないにしろ〕を取得すると述べているわけではない）。これだけではいかなる法律構成に立つかは不明である。

(ウ)　**設定者の債権者の差押え**　集合物論を徹底すれば，譲渡担保権者は第三者異議の訴えを提起できない。他方，個別動産にも効力が及んでいると考えると通常の譲渡担保の場合と同じく第三者異議の訴えで差押えを阻止できる[22]。

(4)　**実　行**

実行は私的実行となる。債務不履行があり譲渡担保権者が実行の通知をするその時点で特定基準内に存在するすべての動産が実行の対象たる動産となる。したがって，これ以降は，これらの動産の処分をすることはできなくなる。なお，通知が設定者のもとに到達した後に集合物に新たに加入した動産は，実行の対象たる動産とはならない。

集合動産譲渡担保では対象動産の数が多くなるだけで，実行の手続，清算金支払義務，受戻し等の関係は，通常の動産譲渡担保の場合の議論が参考になる。

なお，前掲最判平成18年7月20日（473頁）は，**事実の概要**でふれた契約〔1〕（物件甲についての原魚の売買，預託，買戻し）を譲渡担保契約と解し，Xを先順位の譲渡担保権者であるA，B，Cに後れる養殖魚中の甲物件についての後順位譲渡担保権者と位置づけた上，このようなXに甲物件の引渡請求（つまり，私的実行）が認められるのかという問題設定をし，これを否定している。

■最判平成18年7月20日民集60巻6号2499頁

判旨　「本件物件甲については，本件契約〔1〕に先立って，A，B及びCのために本件各譲渡担保が設定され，占有改定の方法による引渡しをもってその対抗要件が具備されているのであるから，これに劣後する譲渡担保が，Xのために重複して設定されたということになる。このように重複して譲渡担保を設定すること自体は許されるとしても，劣後する譲渡担保に独自の私的実行の権限を認めた場合，配当の手続が整備されている民事執行法上の執行手続が行われる場合と異なり，先行する譲渡担保権者には優先権を行使する機会が与えられず，その譲渡担保は有名無実のものとなりかねない。このような結果を招来する後順位譲渡担保権者による私的実行を認めることはできないというべきである。」

22)　集合物論を徹底する代表的論者（道垣内・前掲本章注2）335頁以下）は，上述のように，実行の通知（固定化）前においては個々の構成動産には譲渡担保権の効力が及ばないとし，構成動産の不当譲受人，差押債権者等に対しては構成動産に対する権利を主張できる関係にないという。論者の価値判断は，流動動産譲渡担保が包括的な担保であること，公示方法が不十分であることを挙げ，実行の通知前はその効力を第三者関係では弱めていくのが妥当であるというところにある（動産売買先取特権の目的たる動産が集合動産譲渡担保が設定されている集合物に加わった場合の双方の優劣関係についても，同じ理由で譲渡担保権者を劣後させる〔この問題につき，前掲最判昭和62・11・10は，個々の構成動産にも集合動産譲渡担保権の効力が及ぶことを前提に，譲渡担保権者は民法333条の「第三取得者」に当たるとして，譲渡担保権を優先させる〕）。しかし，この固定化前は個々の構成動産には譲渡担保の効力が及ばないとする結論およびその理由については次のような問題点を指摘できよう。〔1〕動産譲渡担保につき公示方法として登記制度が導入されたので，公示が不十分という理由で効力を弱める必要性は減少したこと，〔2〕実質的な状況が類似する流動しない集合動産譲渡担保および集合債権譲渡担保の場合の扱いとの差が大きすぎること，〔3〕譲渡担保が設定されている集合動産を構成する個々の動産にも，併せて譲渡担保の効力が及んでいると考えることは素直なとらえ方であり，背理ではないこと，〔4〕債務者が債務不履行の直前に集合物を構成する動産を大量に悪意の第三者に譲渡（または，譲渡担保に供）したとしても，譲渡担保権者はその第三者に対し損害賠償を請求できるにとどまり，当該動産を追及できないのは妥当ではないこと，などである。

2 (流動)集合債権譲渡担保

(1) 意 義

㋐ **流動する集合債権という特徴**　議論に際して念頭に置く典型的な集合債権譲渡担保とは以下のような事例である。

すなわち，金融機関，あるいは商社等（G）がその取引先事業者（S）との間で融資または売買取引等を行い継続的に信用を供与する（債権を取得する）関係にあり，その担保として，「Sがその営業活動から取得する現在及び将来の債権の全部」（あるいは「特定の取引先〔D〕に対し取得する債権全部」）を一括して譲り受ける（譲渡担保の）合意をし，その旨の対抗要件を具備するというような事例である。

Sが取引上取得する債権の全部を一括して担保に取るといっても発生し累積する債権すべてを固定的に担保目的とするという趣旨ではない。Sの事業継続は当然認められているので，Sが不履行に陥り担保権が実行されるという事態が生じるまでは，担保目的たる集合債権の中身は，一方で，Sの取引により具体的に発生した債権が担保に加わるが，他方で，Sが通常の営業の過程で第三債務者Dから債権を取り立てること（Gは許諾している）により消滅していくということで，担保の目的債権は発生・消滅する流動状態にある。したがって，担保の目的は流動する集合債権であり，ある時点をとってみればSの事業の規模に応じてほぼ一定量の債権群，債権総額ということになる[23]。

㋑ **理論構成**　集合動産譲渡担保と同様にここでも集合物論を採用することが必要かつ適当であるかという問題がある。動産の場合には，集合物論による方が譲渡担保設定・対抗の説明が簡明であり，また，何より分析論によると譲渡担保設定行為が詐害行為取消しの対象になるおそれがあるという不都合があった。

---

[23] なお，GがSから譲り受けた集合債権を，GのSに対する債権の弁済として最初から継続して取り立てる形態のものがある。たとえば，S（たとえば医者）が営業により将来継続して取得する債権（社会保険診療報酬支払基金〔D〕に対し毎月取得する診療報酬債権）の各一定額をG（医療機器リース会社）に一括して譲渡し，Gが第三債務者Dから各債権の期限毎に支払を受けるというような事例である（後掲最判平成11・1・29〔477頁〕の事案）。これは，法的には債権の譲渡担保というよりは債権譲渡そのものというべきである（将来債権による代物弁済である）。

集合債権譲渡担保にあっては，〔1〕対抗要件具備を民法467条による場合，確定日付のある通知・承諾は債務者ごとになされる必要があり（ただし，債権譲渡登記による場合には債務者複数であっても一括で対抗要件を具備できる），担保の目的債権の債務者が多数にわたる集合債権については集合物論は採用しづらい。また，〔2〕集合動産譲渡担保の場合は集合物論（最初の設定契約の効力がその後に集合物を構成する動産に対しても及ぶ）を採用しないと，債務者が無資力になった後に担保の目的を構成するに至った個別動産については，その時点で譲渡担保が成立したと扱われ，他の一般債権者による詐害行為取消しの対象となるおそれがあると指摘されているのに対して，将来債権譲渡担保の場合は，担保目的で譲渡したその時点で確定的に譲渡され，またその第三者対抗要件も同時に具備されたものと扱われるから，集合物論を採らなくても詐害行為ルールの適用のおそれがない（⇒468頁・1(1)(ウ)(c)参照）。そこで，学説の多数は債権の場合は集合物論による必要はないと述べている[24]。

(ウ) **集合債権譲渡予約または停止条件付集合債権譲渡**　上述のような集合債権譲渡担保と同じ目的を，集合債権譲渡予約方式（停止条件付集合債権譲渡でも同じ〔以下略〕）を使って達成することができる。債務者が不履行となったときに，債権者は予約完結権を行使してその時点での集合債権を一括して取得して，それを行使することで自己の債権の満足を得ようとするのである。ただし，この予約方式では，譲渡予約時点で第三債務者に確定日付ある通知（民467条）をしたとしても，その時点では債権の帰属が確定的に移転してはいないので，第三者対抗要件を具備したことにはならず*，予約を完結し債権の移転が確定した時点で改めて確定日付ある通知をする必要がある。第三者対抗要件の具備が予約完結時点まで後れることになり，このことは集合債権を担保として利用する方式としては致命的な欠点といえる。

＊最判平成13年11月27日（民集55巻6号1090頁）は，その理由を，債権譲渡についての第三者対抗要件制度の根幹は，債権の帰属に変更が生じた事実を債務者が認識し，第三者に対して表示されうるものであるところに存するが，「指名債権譲渡の予約につき

---

[24] なお，角紀代恵「流動債権譲渡担保をめぐる混迷」椿寿夫編『担保法理の現状と課題（別冊NBL31号）』（商事法務研究会，1995）202頁参照。

> 確定日付のある証書により債務者に対する通知またはその承諾がされても，債務者は，これによって予約完結権の行使により当該債権の帰属が将来変更される可能性を了知するに止まり，当該債権の帰属に変更が生じた事実を認識するものではないから，上記予約の完結による債権譲渡の効力は，当該予約についてされた上記の通知又は承諾をもって，第三者に対抗することはできないと解すべきである」と述べている。

(2) 集合債権譲渡担保の成立

(ア) **将来債権譲渡担保設定が有効であるための要件**　集合債権譲渡担保の対象たる債権は，冒頭の事例からも分かるように，現在のものも含まれるが，多くはまだ発生してはいない，将来，設定者が取得する債権（将来債権）である。そこで，この将来債権の（現在における）譲渡担保の設定が有効であるための要件は何か，また，何年先のものまで有効に譲渡できるのか，という問題が検討されてきた。

この問題について，最判平成 11 年 1 月 29 日（民集 53 巻 1 号 151 頁【百選 II 26】）は[25]，将来 8 年 3 か月分の将来債権譲渡を有効とし[26]，何年先までかという年数の限定については特に問題とせず，あまり長期間のものについては公序良俗則による制限の問題となるという認識を示した。すなわち，「譲渡人の営業活動等に対して社会通念に照らし相当とされる範囲を著しく逸脱する制限

---

25) この判決の事実関係の概要は以下の通りである。医師 A が医療器具の販売業者 B に対して，その代金支払のため，自分が月々社会保険診療報酬支払基金から支払を受けるべき診療報酬債権（の一定割合）を将来 8 年 3 か月にわたって譲渡しその対抗要件を具備した（譲渡担保ではなく譲渡の事例だが問題性は同一）。他方，国は，国税徴収の目的で，A が基金に対し有するこの同一診療報酬債権の 1 年分を差し押さえたので，上記販売業者 B への譲渡のあった診療報酬債権のうちその譲渡後 6 年 8 か月目から 1 年分につき，譲受人 B と差し押さえた国とが競合することになり，その優劣が争われた。B への長期間にわたる将来債権の譲渡が有効であれば，国の差押えは B に対抗できないこととなるということであった。

26) この問題についてそれまでは，最判昭和 53 年 12 月 15 日（判時 916 号 25 頁）が，将来 1 年間分の診療報酬債権（社会保険診療報酬支払基金などに対し医療機関が毎月取得するもの）の譲渡がなされた事案につき，〔1〕譲渡される債権の特定と，〔2〕債権発生の可能性を考慮して「それほど遠い将来のものでなければ」有効であると判断した。この判決が出た後は，1 年間分程度の将来債権を目安として，取引実務（将来債権の譲渡），執行実務（将来債権の差押え）がなされることとなった。要件のうち，〔1〕は，債権譲渡が債権の帰属を変更するという物権的効力があるので当然必要なものであるが，この〔2〕債権発生の可能性を要件とする考えは学説によって批判され（高木多喜男『担保物権法〔第 4 版〕』〔有斐閣，2005〕375 頁），上記最判平成 11 年 1 月 29 日では，これは要件ではないとされた。

を加え」，または「他の債権者に不当な不利益を与えるものであると見られる」場合には無効になるとした。

　そして，有効要件については，特定可能性のみが必要であるとする。すなわち，〔1〕譲渡の目的とされる債権の特定については，「発生原因や譲渡に係る額等をもって特定」することは当然，将来の一定期間内に発生する債権の場合には，「適宜の方法により右期間の始期と終期を明確にするなどして」なされるべきであるとする[27]。他方，〔2〕債権発生の確実性は一切要件とはならないとした（発生しない場合には，債権の譲渡人が譲受人に対して債務不履行の責任を負うべき問題となる）。将来債権譲渡（担保）の有効性に関する上記の結論について今日学説には特に異論はない。

　これらを受けて改正された債権法（民466条の6第1項）では，「債権の譲渡は，その意思表示の時に債権が現に発生していることを要しない」と規定された。

　なお，将来債権の譲渡による債権移転の時期はいつか（譲渡契約時か，債権発生時か）という議論がある（国税徴収法24条との関係で問題とされた〔最判平成19・2・15民集61巻1号243頁〕）。しかし，ここで取り上げる範囲の問題を解決するにあたっては関係がない。譲渡の契約時にすでに債権は移転するといっても後において現実に債権が発生しない限り担保としては無意味だし，債権発生時にはじめて債権は移転するといっても債権譲渡時において第三者対抗力が発生していることが認められれば（後述）特に問題は生じないからである＊。

＊債権そのものがまだ存在しないのに，契約時に債権が移転したとする考えは論理的に成り立たないように思う。上記最判平成19年2月15日は以下のように述べている。すなわち，「将来発生すべき債権〔は〕……譲渡担保契約によって……確定的に譲渡されているのであり……債権が将来発生したときには，譲渡担保権者は譲渡担保設定者の特段の行為を要することなく当然に，当該債権を担保の目的で取得することができる」，と。将来債権が確定的に「譲渡」されたこと（しかし，譲渡担保権者の「取得」は債権発生時），つまり設定者が将来発生（獲得）する債権に関する地位を確定的に変更した点に重要な意味があるというのである。

---

27) その後，最判平成12年4月21日（民集54巻4号1562頁）は，より一般的に，「予約完結時において譲渡の目的となるべき債権を譲渡人が有する他の債権から識別することができる程度に特定されていれば足りる」とした（集合債権譲渡予約の事案であるが，集合債権譲渡担保では「予約完結時」を「担保実行の時」と読み替えればよい）。

改正された債権法ではこの点,「債権が譲渡された場合において,その意思表示の時に債権が現に発生していないときは,譲受人は,発生した債権を当然に取得する」と規定された（民466条の6第2項）。

(イ) **対抗要件具備と対抗力取得の時点** (a) 序 集合債権譲渡担保設定に係る対抗要件の具備は,民法467条によるか（1項は明文で将来債権を含む債権譲渡の対抗要件であると規定している),または,設定者が法人の場合には,動産債権譲渡特例法4条の登記によることもできる。

(b) **民法467条の対抗要件** (i) 確定日付ある通知または承諾 民法467条による場合には,譲渡担保権者に対する現在および将来の債権の譲渡につき,第三債務者ごとに一括して,譲渡担保設定者が第三債務者に確定日付ある通知をするか,または第三債務者が確定日付ある承諾をするかである[28]。その際,もちろん,どの債権が譲渡されたのか第三債務者において判別できるに足る特定をする必要がある[29]。この確定日付ある通知,または承諾による第三者対抗力は通知の到達または承諾がなされたその時点で取得されると考えられる。

(ii) **対抗力の取得** この対抗力の取得については次のように説明できる。すなわち,通知・承諾は,譲渡の結果をではなく債権が譲渡されたという事実を通知・承諾するので,仮にまだ移転の結果が未発生であってもこれをなすことができ（他人帰属の債権の譲渡の場合と同じ),通知・承諾後債権の具体的移転までの間に同じ譲渡人を起点とする同一債権の譲渡があってもその譲受人には

---

28) したがって,民法467条の通知・承諾という方法は第三債務者の数が多い場合には費用・手間の負担が大きい。なお,以前は,集合債権譲渡担保設定について,この対抗要件をすぐに具備することは少なかった。将来債権をまとめて譲渡する事業者はその事業が危ない状況にあるとの「常識」が取引社会にあったので,設定者が第三債務者（取引先）に譲渡の通知をするなどは論外であったからである。この場合,一般的には,譲渡担保権者はいつでも対抗要件たる第三債務者への通知（譲渡人＝設定者からの）ができるようあらかじめ必要な書類（債権譲渡通知書など）を設定者から預かっておき,譲渡担保を実行しようとする時になって,すぐにこの通知を行うという方法がとられた。しかし,これでは対抗力（通知の到達の先後で決まる）で後れをとることになり,そのような関係で集合債権譲渡担保はあまり実効性のない気休めの担保と評されることもあった。
29) 債権譲渡の対抗要件は債務者がインフォメーションセンターとして機能する（ある債権について譲渡があったかどうかの問い合わせに回答する）ことを前提として成り立っているからである。

優先(対抗)することができる，と。

　(iii) **取立権留保文言**　集合債権の譲渡担保が設定された場合，形式的には債権が譲渡担保権者に移転するが，担保設定者はその後も事業を継続するわけであるから，担保目的に従って，通常の営業の範囲内ではその債権の取立ては当然のことながら担保設定者に委ねられる(被担保債権の債務者が債務不履行になってはじめて担保権の実行として譲渡担保権者が譲渡を受けた債権を自ら取り立てて被担保債権の回収を図ることになる)。ところで，対抗要件を具備するため第三債務者に対して債権譲渡の通知がなされたのみでは，これが担保のための譲渡である趣旨，つまり担保権が実行されるまでは設定者Sに債権を取り立てる権限が与えられていることが，第三債務者Dに伝わらない。そこで，通常は，この通知に次のような文言が付加される。すなわち，債権譲渡はなされたが，譲受人G(譲渡担保権者)はSに取立権限を付与したのでDはそれに協力してもらいたいこと，後にGがDに対し直接取り立てる旨の通知(民法467条にいう「通知」ではない)をしたときはGに支払うべきこと，という文言である。もっとも，このような取立権留保文言があることにより，後になされるGからDへの通知の時点ではじめて債権がGに移転するかのごとき印象をDに与える可能性のあることは否定できないが，全体として譲渡担保であることが明らかであれば，確定日付ある通知により得ている第三者対抗力の効果を妨げるものではないと解すべきである(最判平成13・11・22民集55巻6号1056頁【百選Ⅰ100】)。

■最判平成13年11月22日民集55巻6号1056頁

判旨　「甲が乙に対する金銭債務の担保として，発生原因となる取引の種類，発生期間等で特定される甲の丙に対する既に生じ，又は将来生ずべき債権を一括して乙に譲渡することとし，乙が丙に対し担保権実行として取立ての通知をするまでは，譲渡債権の取立てを甲に許諾し，甲が取り立てた金銭について乙への引渡しを要しないこととした甲，乙間の債権譲渡契約は，いわゆる集合債権を対象とした譲渡担保契約といわれるものの1つと解される。この場合は，既に生じ，又は将来生ずべき債権は，甲から乙に確定的に譲渡されており，ただ，甲，乙間において，乙に帰属した債権の一部について，甲に取立権限を付与し，取り立てた金銭の乙への引渡しを要しないとの合意が付加されているものと解すべきである。したがって，上記債権譲渡について第三者対抗要件を具備するためには，指名債権譲渡の対抗要件(民法467条2項)の方法によることができるのであり，その際に，丙に対し，甲に付与された取立権限の行使への協力

を依頼したとしても，第三者対抗要件の効果を妨げるものではない。」

(c) **債権譲渡登記**　設定者が「法人」である場合には債権譲渡登記ファイルへの登記によることができる（動産債権譲渡特4条）。大量の債権を一括して譲渡する場合には，コスト・手間において民法467条によるよりははるかに便利である。また，将来債権譲渡につき債務者不特定の場合（リース・クレジット債権，入居者未定の不動産賃料債権など）についても第三者対抗要件を具備することができ（動産債権譲渡特8条2項4号参照），集合債権譲渡の対抗要件具備について利便性が増大した。

民法467条と債権譲渡登記とが対抗要件の具備に関して大きく異なる点は，後者では，第三者対抗要件と債務者対抗要件とが分離されていることである。債権譲渡登記ファイルへの譲渡の登記によって取得できるのは「債務者以外の第三者」に対する対抗力のみである（動産債権譲渡特4条1項）。債務者対抗要件は，譲渡担保権者（または設定者）から債務者に対して「登記事項証明書」（債権譲渡登記ファイルに記録されている事項を証明した書面）を交付して通知する（または当該債務者が承諾をする）という方法がとられる（同条2項）。第三者対抗要件が具備されても債務者対抗要件が具備されるまでは，第三債務者Dにとってはそれまでの債権者（設定者）Sがそのまま債権者であり（譲受人＝譲渡担保権者Gは債務者Dに譲渡の事実を対抗できないから），SがDに対して債権を行使する。担保設定者Sは債務者であるDに譲渡の事実を知られないのでSの信用についての風聞の問題もクリアーできるため，この対抗要件具備の方法は集合債権譲渡担保の趣旨に合致している。譲渡担保権者は，いざという時（被担保債権についての債務不履行状態）になって，第三債務者に上記の「登記事項証明書」を交付して通知をすることで債務者対抗要件を具備し，譲渡された債権を行使して被担保債権の回収を図ることができるのである。

(3) **実行までの法律関係**

(ア) **序**　特徴的なのは，集合債権譲渡担保の設定者は事業を継続するのであるから，担保権が実行されるまでは，特定基準に従って集合債権の枠内に入ってくる債権について，通常の営業の過程に従ってその取立てが認められることである。実体法的には，発生した目的債権は譲渡担保権者に移転はするが，

その取立権限が設定者に付与されており，かつ取り立てた金銭を譲渡担保権者に引き渡すことを要しない旨の合意が付加されていると理論構成することになる（対抗要件レベルでは民法467条による場合と債権譲渡登記による場合とでは上で述べたように異なる法律構成となる〔後者では，譲渡されているが債務者に対抗できない〕）。

(イ)　実行までに個別債権につき譲渡，差押えがあった場合　　設定者に対しては取立権限が付与されているので，通常の営業の過程に従ったものであれば譲渡は自由というべきであろう。個別の債権が差し押さえられた場合はどうか。譲渡の場合と同様と見る見解もあるが[30]，差押債権者が取り立てる前に集合債権譲渡担保権者がその担保権を実行する場合は，第三者対抗要件を先に具備している集合債権譲渡担保権者が優先すると考えるべきではないか。

(4)　実　行

債務者が債務不履行に陥ると譲渡担保権を実行できる。実行は，譲渡担保権者が第三債務者に対して自ら取り立てる旨の通知（担保権実行の通知）をし，あるいは，債権譲渡登記がされている場合には，第三債務者に対して動産債権譲渡特例法4条2項の通知（債務者対抗要件具備の通知）をして，いずれにしろ第三債務者から債権の取立てをすることで，自己の債権の優先的な満足を得ることになる。

---

30)　角・前掲本章注24) 204頁。

第15章 所有権留保

I 序説

1 所有権留保とは

　所有権留保は，物の売買取引で売主の買主に対する代金債権の担保方法として使われる。商品（たとえば，自動車，機械，家具など）を先に買主に引き渡し買主が占有・利用を始めるが，その代金については割賦払い等により後払いとするという売買の形態がある。この場合，売主は買主に対して売買代金について信用を供与しており（信用販売），売主の有する残代金債権の支払を確保する手だてが必要となる。そのために利用される担保方法が所有権留保である。これは，売買契約中の特約として，買主が代金を完済するまでは，売主に売買目的物の所有権を留保するという条項を入れるものである。

　この特約により，売主は，買主が残代金の支払を怠った場合，留保所有権に基づいて当該目的物を買主またはそれを占有する第三者から引き揚げ，換価するなどしてその換価金を，他の債権者に優先して残代金債権に充当することができるのである（仮に目的物の価額が残代金の額を上回ることがあれば清算する）。

　債権者が債権担保の目的で物件を所有するという形態をとらえれば，譲渡担保と同じ法形式であるが，譲渡担保では債権者に物件の所有権が譲渡されるのに対して，ここでは，物件の所有者である債権者がそのまま所有権を留保している。

2 所有権留保の担保としての有用性

(1) 先取特権との対比

　動産売買によって生じた代金債権およびその利息に関して，売主は，法律上当然に売買の目的動産について先取特権を有している（民311条5号，321条）。そこで，それが主張できる場合には，所有権を留保した動産売主は，所有権留

保または先取特権のいずれを行使してもよい。ただし，双方を比較してみて先取特権の方はあまり実効性がない。その理由は，先取特権においては，優先順位につき絶対性がない（民330条1項），目的物が第三者取得者に引き渡されると行使することができない（民333条），その転売代金に物上代位することはできるが現実にはその代金を支払前に差し押さえること（民304条1項但書）は事実上困難である。また，実行は動産競売の方法による必要がありコストも手間もかかる（民執190条），という事情があるからである。

これに対して，所有権留保は特約で簡単に設定でき，しかも，不履行の場合には第三者に対してでも目的物の返還を求めること（私的な実行）ができ，残代金の回収について簡易かつ強力な担保手段である。

(2) 解除との対比

買主が残代金債務を履行しない場合，売主は，売買契約を解除して売買目的物の所有権を買主から復帰させることができ，併せて損害賠償を請求することができる（民541条，545条）。所有権留保と同じ効力を持つようであるが，しかし，解除は「第三者の権利を害することはできない」ので（民545条1項但書），第三取得者が出てくる場合には，所有権留保を付けておかないと目的物の回収はできない。

3　所有権留保の法律構成

所有権留保特約は，法形式的には，売主が「所有権」を留保し，買主には代金完済による所有権取得の権利（条件付権利）を付与するものである（民127条，128条）。しかし，実質的な目的は，売主に売買代金債権の担保権を与えることである。

そこで，学説は，売主の留保する所有権は完全なものではなく担保目的に制限された内容のものであり，他方，買主には，単なる条件付権利ではなくある種の物権的な地位が帰属していると担保的に構成している[1]。所有権留保者には内部的には清算義務があり，外部的関係においては，可能な限り担保として

---

1) 買主の地位の具体的な内容につき，ドイツ法を参考に物権的期待権と位置づけるもの，所有権が売主と買主とに分属しているとするもの，あるいは抵当権の負担のある所有権が帰属すると論ずるものがある。

の実質に即して法律関係を処理することとなる。そこで、譲渡担保で論じたことと議論が重なることが多いので、ここでは、所有権留保に特徴的な問題について重点的に扱うこととする。

4 信販会社等による所有権留保の形態

今日の物の売買取引における信用供与の形態は、上記のような売主自身が買主に対して信用を供与するものより、買主がクレジット・カード等を利用して（包括ないし個別信用購入あっせん）、売買代金を信販会社から販売業者に一括立替払いしてもらい、債権の関係は信販会社と買主との間の立替金債権（残代金相当額＋手数料）として残るものがむしろ一般的である*。ここでは、売買の目的物に対する所有権はこの立替金債権を担保するものとして売主・信販会社・買主三者の契約で売主から信販会社に移転し[2]、「所有権留保」される**。こ

---

2) 最判平成22年6月4日（民集64巻4号1107頁）は、事例判例であるが、販売会社A、買主B、信販会社Cの関係を以下のように理解する。A、B、Cの三者契約は、Cが、立替金等債権（残代金相当額に手数料額を加算したもの）を担保するために、Aから目的物（自動車）の所有権の移転を受け、これを留保することを合意したものである。BのAに対する代金債務をCが立替払いした結果、弁済による代位によりCがAの債権およびAが留保する所有権（担保権）を代位行使する（民501条）というのではない（これでは被担保債権額が残代金債権相当額に限定される。したがって、Bに係る再生手続で、Cが留保所有権を別除権として行使する場合、手続開始時点で、自動車につきC名義で所有者としての登録を受けている必要がある〔民再45条。弁済による代位権の行使であると構成しA名義登録のままで別除権の行使をしようとしたCの主張を認めなかった〕）。

この判例によれば、所有権は三者合意によりAからCに直接移転するのであり、Cの立替払いにより所有権がいったんAからBに移転しその所有権が担保の目的でCに移転するとは構成しないので、譲渡担保そのものではなく、「所有権留保」と位置づけることになる。

なお、この判例が出された後、自動車販売における信用供与の実務においては、信販会社による立替払方式ではなく、保証委託方式が採用されるようになっている。すなわち、販売会社が買主に対して自動車を割賦払いの約定で販売し、その売買代金債権を担保するため当該自動車の所有権を留保し、信販会社は、買主の保証委託を受けて、その売買代金債務を連帯保証するという方式である。この方式では、買主が売買代金の支払を怠り、信販会社が販売会社に対し保証債務の履行として売買代金残額を支払った場合には、信販会社は、民法499条以下の規定により、販売会社に法定代位して、売買代金債権および自動車に対する留保所有権を行使できることになる（最判平成29・12・7民集71巻10号1925頁は、買主の破産手続において信販会社が留保所有権を別除権として行使した事案で、要件として、破産手続開始の時点で販売会社を所有者とする登録があればよく、信販会社を所有者とする登録は不要である、とした）。

の形態は,担保権の当事者間(信販会社と物品の買主)に売買契約関係がなく,担保としては譲渡担保により近い関係といえよう。

> ＊ また,このような販売信用の形態として,買主がいわゆる提携ローンとして金融機関から代金相当額を借り入れ,売主(販売会社)が買主のためこの金融機関からのローンについて連帯保証人となるかたちのものがある。その場合は,販売会社がそのまま売買目的物の所有権を留保しておき,万一買主(主たる債務者)が金融機関に対する債務を履行しない場合,保証人たる販売会社がその保証債務を履行することにより買主に対し取得する求償債権の担保としている。
>
> ＊＊ 動産のファイナンス・リースの関係も権利留保型の担保を内包しているといってよい。ファイナンス・リースとは,法形式的にはリース会社Lが販売業者Sからリース目的物(事務機器など)の所有権を取得し,それをユーザーUにリースしリース料を請求する関係である。しかし,これは単なる賃貸借ではなく,実質は,UがSから当該目的物の所有権(リース期間における利用権)を取得するための代金相当額を,LがUに融資し,手数料を加算してリース料として回収する関係と整理できる。そこで,LがUに対して有するリース料債権は信販会社の買主に対する立替金債権と類似する性質のものであり,Lは実質はUが占有するリース目的物を残リース料債権の担保として所有している関係にあるといってよい。

II 所有権留保の成立・公示

1 合　意

(1) 所有権留保の特約

所有権留保は,売買契約に際して売主・買主間でその旨を特約することによって物的担保として成立する(設定される)[3]。なお,割賦販売法の適用を受ける割賦販売においては,割賦販売業者に所有権が留保されたものと推定されている(割賦7条)。信販会社等による所有権留保の場合には,一般に,関係3当事者の契約により成立する。

---

3) 所有権留保特約の合意においては,その実効性を高めるため,買主との間で,目的物の保管についての善管注意義務,譲渡・質入れ・賃貸などの処分禁止,債務不履行時の期限の利益喪失,無催告解除などの特約が併せて取り決められる。

(2) 目的物

所有権留保が特約される売買の目的物は、普通は、動産、その中でも機械・器具、電気製品のような耐久性のあるものが中心である[4]。担保が目的だから、時が経過してもなお一定の交換価値が維持できるものである必要があるからである。

不動産の売買においても所有権留保はあり得る。しかし、宅地建物取引業者が売主として宅地または建物の割賦販売（提携ローンの場合を含む）を行う場合には、購入者保護の趣旨で、原則として所有権留保は禁じられている（宅建業43条）。ここでは、代金債権（提携ローンでは求償権）確保のためには抵当権を設定することになる（本書では、動産に対する所有権留保を念頭に議論する）。

(3) 被担保債権

被担保債権は、当該目的物の売買代金債権それ自体である。特別の合意により、被担保債権の範囲が拡大されることがある。〔1〕当該目的物の代金債権のほか、これに関連して買主が売主に対して負担することがあり得る部品代金、修理代金なども被担保債権とする、あるいは、〔2〕当事者が継続的な売買関係にある場合に、買主が負担する売買代金債務、および付随する部品代金債務等のすべてについて、それを完済しない限り、買主に逐次引き渡されている目的物すべての所有権を留保するというものである（〔2〕は「拡大された所有権留保」と呼ばれる）[5]。

信販会社等による所有権留保の場合には、被担保債権は信販会社の買主（信販会社により売主に立替払いをしてもらった者）に対する立替金等債権（残代金相当

---

4) なお、原材料も所有権留保の対象となり得ないわけではない。しかし、買主（製造業者など）の下で加工等がなされて加工物等に対する所有権が買主に帰属することになれば（民246条）、原材料に対する売主の所有権留保は意味をなさない。この場合、ドイツでなされているような将来の加工物等を譲渡担保の目的物とする、さらには加工物等の第三者への売却代金を譲渡担保の対象とする合意をセットにしておくなどの工夫が必要となる（「延長された所有権留保」と呼ばれる）。

5) 売主には有利であるが、買主にとってはわずかの残代金債務のためそれをはるかに超える価値ある目的物群に担保の拘束が及ぶ危険があり（特に〔2〕の拡大された所有権留保の場合）、担保のあり方として問題がある。また有効であるとしても、目的物に対応する売買代金債権以外の代金債権の担保として流用しているのであるから、担保としては（根）集合動産譲渡担保に近く、対抗要件具備についても通常の例とは別に考える必要がある。

額に手数料額を加算したもの）である。

2 公 示

　譲渡担保と違って，所有権留保においては所有権の移転（物権変動）はなく留保されるだけであるから，理屈の上では，物権変動の対抗要件（民178条）というものは観念できない（それゆえ，動産譲渡登記制度も利用できない）。判例もこの考えに立っている（最判平成30・12・7民集72巻6号1044頁）*。

> ＊事案は，売買契約において買主Aの代金完済まで売主Yに目的物（金属スクラップ）の所有権が留保される旨の特約が結ばれ，他方，買主Aは，自ら保管する当該目的物を含む在庫商品について金融機関Xに対して集合動産譲渡担保権を設定していたところ，買主Aが代金の支払を怠り，Yが留保所有権に基づいて当該目的物を引き揚げたので，XがYに対して，本件所有権留保には対抗要件の具備がないことを理由に，譲渡担保権が優先するとして損害賠償を求めたものである。判決は，「本件動産の所有権は……その売買代金が完済されるまでYからAに移転しないものと解するのが相当である。したがって，本件動産につき，Xは，Yに対して本件譲渡担保権を主張することができない」，として，所有権留保には対抗要件は不要であるとした。

　ただし，不動産，自動車などの所有権留保では，売主の所有名義での登記，登録（あるいは，新規登録）がそのまま担保としての留保所有権を公示しているといえる（なお，立木の所有権留保売買において「明認方法」の具備をもって対抗要件とした判例がある〔最判昭和34・8・7民集13巻10号1223頁〕。⇨132頁）。また，不動産の所有権留保では，買主が条件付きの所有権移転の権利を仮登記で公示することによって，売主の所有権留保自体が結果的に公示されることもある（民129条，不登105条2号）。

　一般の動産の場合は，目的物の現実の占有が買主に移ることで，売主が所有権を留保していることが外部に対して明らかでなくなってしまう。そこで，機械などの動産においては，実務上は，目的物にネームプレートを付け所有権留保物件であることを表示して，第三者による即時取得，差押え等を防ぐということがなされる。この場合，事実上，それが公示としての機能を果たしている。

Ⅲ 所有権留保当事者の法的地位

1 買主の占有・利用および処分

　上述のように，所有権留保も担保的に構成して，実質においては売主には担保的権利が，買主には所有権に対する物権的期待権が帰属するとされるが，具体的な検討が必要である。

　まず，目的物に対する占有・利用については，原則として，買主がそれを無償で行うことができる。無償の根拠は，売主所有という法形式からは，買主との使用貸借の合意が必要となるが，売主は担保的権利のみを留保しているとの実質からは，買主の有する物権的な地位そのものの中に無償利用の権利を基礎づけることになる。

　買主は，所有者ではないから，第三者に対し目的物を譲渡したり，譲渡担保や質に供したりすることはできない。それにもかかわらず譲渡等がなされた場合における第三者の保護は，民法192条の即時取得によることとなるが，所有権留保がなされることが通常であるような動産の場合には，前主（買主）の無権利につき善意・無過失の要件が満たされないことが多いであろう。

　もっとも，買主は少なくとも固有の権利としての条件付権利を処分することは許される（民129条）。ただし，将来の担保権の実行，すなわち，留保所有権に基づく目的物の引揚げを阻害することは，通常，合意により禁じられているので，かかる特約がある場合は，第三者への占有移転を伴う条件付権利の処分は許されないことになろう。

　買主は，善良なる管理者の注意をもって，目的物の担保価値を保存するよう義務づけられる。義務に違反して，目的物を第三者に処分したり，滅失・毀損したときは，不法行為ないし債務不履行に基づく損害賠償義務を負担し，さらに，法律上のおよび約定の期限の利益喪失事由に該当するかどうかが問題となる。また，買主は，公租公課，保存のための費用を負担する。

　なお，買主の債権者が当該目的物を差し押さえることがあり得るが，この場合，留保売主は，これに対して第三者異議を申し立てることができる。

2 留保売主による目的物の処分等

売主は、代金の完済までは目的物の所有権を留保するが、担保目的に限定されており、代金完済により所有権を取得するという買主の条件付権利を害してはならない（民128条）。もっとも、売主は目的物を直接に占有していないので、売主から第三者への譲渡等は考えにくい。ただし、売主名義で登記、登録された不動産、または動産の場合には譲渡されることがあり得るが、その場合、買主は売買代金を完済することで、その譲受人に対し自分の名義への移転を請求することができる。ただし、この譲受人は民法94条2項の類推適用により所有権を取得することがあり得る。

売主が代金債権を第三者に譲渡する場合は、担保である留保所有権はこれに随伴して移転する。

Ⅳ 所有権留保の実行

代金債務が不払いとなったとき、売主は留保している所有権に基づいて目的物を引き揚げて、換価するなどして、他の債権者に優先してその代金債権に充当することができる。

この場合、目的物件の価額が残代金債権を上回る場合には売主に清算義務が生じ、その清算義務が履行されるまでは買主はなお残代金を支払うことで所有権を取得する（受け戻す）ことができると考えられる。もっとも、動産の所有権留保の場合には、物の減価のスピードが速いので、目的物件の価額が残代金債権額を上回り清算が問題となることはあまりないといわれる。

目的物を引き揚げる前提として、売主は売買契約を解除する必要があるかが議論されている。所有権留保を定める実際の約定書例にも解除についての定めは2通りのものがある。契約法からみると、契約に基づき引き渡した目的物の返還を根拠づけるのは解除であるが、他方、所有権留保は担保であることを前面に出すと、被担保債権の不履行があれば、直截に、実行（すなわち引渡請求）ができてもよい。近時は、後者の見解が有力である。

なお、信販会社等による所有権留保形態では、売買契約と切り離された立替金等債権の担保と構成できるから、売買契約の解除ということは問題となりよ

うがない。

　買主につき倒産手続が開始した場合は，破産・民事再生では別除権者として，会社更生にあっては更生担保権者として扱うとするのが判例・通説である（民事再生につき，最判平成22・6・4民集64巻4号1107頁参照）。

V　いわゆる「流通過程における所有権留保」

　所有権が留保される売買においては，買主がその目的物の最終消費者であることが普通である。この場合，目的物が仮に第三者に転譲渡されても，売主は代金が完済されるまでは当然その者に対して留保所有権を主張できる。

　ところで，所有権留保という担保方法は，売主Aが買主Bに対し，Bの通常の営業過程で当該目的物を第三者に転売することを認めているような売買取引においても使われることがある（「流通過程における所有権留保」と呼ばれる）。このような所有権留保がなされている事例において，Bが不履行のとき，Aは留保している所有権に基づいて，Bから目的物の転売を受けている第三者Cに対して返還を請求することができるかは1つの問題である。この場合，返還請求は許されないと解すべきであろう。Cはほかならぬ Aの容認の下で必然的に出現した者であり，AがCに対して所有権留保の効力を主張するのは矛盾的態度というべきだからである。

　しかし，その結論をどのような法律構成によって導くか。判例（最判昭和50・2・28民集29巻2号193頁）には，登録自動車が売買目的物であり，売主Aが，サブディーラーBを経由してそれを取得し代金を支払っているユーザーCに対して，Bの不履行を理由に留保所有権に基づいてその自動車の返還を求めた事案について，返還請求は権利の濫用であるとしてそれを退けたものがある。権利濫用に当たると判断した考慮要素は，〔1〕Aによる転売容認の存在，およびBが通常の営業経過で目的物をCに転売していること，〔2〕Cが，A・B間に所有権留保特約があること，およびその特約によるとBの不履行の場合はAは転買人Cに対しても目的物の返還を請求できるとされていることを，知らずまたこれを知るべきであったという特段の事情がないこと，〔3〕Cは売買代金を完済し目的物の引渡しを受けていること，である。

この判決には2点問題がある。第1は，権利濫用禁止法理による場合，CはAからの返還請求を拒めるのみで所有権を取得したと結論づけるわけにはいかず，したがって自動車の登録名義をAからCに移せないので，Cが自動者を他へ転売しようとしてもそれができないという点である。Cが所有権を取得したとの結論を導くことができる構成が必要である。あり得る構成としては，1つは民法192条によるCの即時取得であるが，目的物が登録自動車である場合にはこれによることができない。他の1つは，AのBに対する転売容認をもって，Aが非権利者Bに対しA所有物をBの名義で処分（所有権譲渡）することにつき授権をしていると構成することである[6]。この処分授権構成によれば，BがA所有物をCに（Bの名義で）他人物売買すれば，AのBに対する処分授権に基づいて，目的物の所有権はAからCに直接移転すると説明できる。そしてこれによると，前記の判例分析の中で挙げた[1]と[3]の考慮要素が決定的であり，[2]の考慮要素は重要ではない。そもそも転売容認があればCは悪意であっても保護されるべきであり，その意味でも，この構成が妥当である[7]。

第2の問題点は，一般の動産の場合には，転売容認の事例であっても，民法192条の即時取得によって保護すべきことになるかである。しかし，それだと転売容認のない場合と何ら異ならない。転売容認がある場合には転買人はより強く保護するに値する（所有権留保を知っていても所有権の取得が守られる）。そこで，この場合にも処分授権で説明するのがよいと考える。

---

[6] 判例（最判昭和37・8・10民集16巻8号1700頁【百選I 38】）もこの概念を認め，「或る物件につき，なんら権利を有しない者が，これを自己の権利に属するものとして処分した場合において真実の権利者が後日これを追認したときは，無権代理行為の追認に関する民法116条の類推適用により，処分の時に遡って効力を生ずるものと解するのを相当とする」と述べる。

[7] 柚木馨＝高木多喜男編『新版注釈民法(9)〔改訂版〕』（有斐閣，2015）754頁以下〔安永正昭〕。

第16章 仮登記担保

I 序　説

1 意　義
(1) 仮登記担保とは

仮登記担保とは，債務者 S が債権者 G からの債務（金銭の借入れ等）の担保として，その不履行があるときは，S（または物上保証人 D）が所有する甲不動産でもって代物弁済をする（民 482 条）という予約をし（または，停止条件付代物弁済契約をし），この甲不動産についての G の予約上の権利（または，条件付権利）を保全するため所有権移転請求権保全の仮登記をしておく，というものである（仮登記をするから「仮登記担保」である）。

担保の実行は私的実行によることとされ，民事執行法による競売手続を経ることは予定されていない。

(2) 仮登記担保に関する規律

仮登記担保に関する法律関係は，現在は「仮登記担保契約に関する法律」（仮登記担保法）という特別法で規律されている。以前は，譲渡担保などと同様に判例でその法理が形成されてきたが（最大判昭和 49・10・23 民集 28 巻 7 号 1473 頁がその集大成），それを受けて昭和 53（1978）年に立法された。以下では，その規律の内容についてその大枠のみを紹介する。

2 仮登記担保の利用の実情

仮登記担保は不動産を目的とする担保方法として仮登記担保法が制定される前は多用された。単独で，または，抵当権の設定と併用された。不動産担保の手段である抵当権がその当時抱えていた問題が，仮登記担保により解消できると期待されたからである。

すなわち，〔1〕不動産競売による担保権実行は手間，時間，費用がかかるが，

仮登記担保では簡易，迅速，安価で私的実行ができる上に，〔2〕あわよくば被担保債権額を超える価値のある不動産を丸取りできる，〔3〕当時，抵当権は短期賃貸借保護の制度や滌除の制度の存在により債権回収につき脆弱性を抱えていたなどである。

しかし，〔2〕の「うまみ」は，仮登記担保の合意の効力を担保目的に制限し担保権者に清算義務を課すとの判例の展開で消滅した[1]。〔1〕については，仮登記担保法で私的実行が認められているが，清算金が支払われる前に他の担保権者・一般債権者が競売を申し立てると，競売手続が優先され（仮登記担保権はその中で抵当権として遇される），その意味での便宜さが大きく減じられている。〔3〕については，平成15年の担保法の改正により短期賃貸借保護の制度が廃止され，滌除も抵当権消滅請求の制度へと大きく修正され，抵当権の側で障害事情が除去された。

以上に加え，仮登記担保法が，根仮登記担保の効力を限定するとか（仮登記担保14条），私的実行の手続を厳格に規律するとか，あるいは，外的な事情であるが，代替的に利用し得る譲渡担保の設定の際の登記費用が下がり仮登記担保設定の際の登記費用との差が小さくなったため，利用者が譲渡担保の利用に流れたなど，いろいろな理由で，今日，仮登記担保は実務上あまり利用されなくなっている。

3　法律構成

仮登記担保も担保目的で設定されるので可能な限り担保的に構成しなくてはならない。仮登記担保法でも仮登記担保を担保として扱っており，法律構成の議論が表面に出てくることはあまり多くはない（物上代位が認められるかどうかなどの議論が残る）。

1）　最判昭和42年11月16日（民集21巻9号2430頁）がリーディング・ケースであり，これは譲渡担保も含め権利移転型の担保ではじめて担保権者の清算義務を明言し，その後の流れを決定づけた判例として高く評価されるべきものである。

II 仮登記担保の設定・公示

1 仮登記担保契約

仮登記担保の設定は，以下の仮登記担保契約による[2]。

ⅰ) 仮登記担保契約の当事者は，債権者[3]と，債務者または物上保証人たる第三者（条文ではまとめて「債務者等」と呼ばれるが〔仮登記担保2条1項〕，以下では，「設定者」と呼ぶこととする）である（仮登記担保1条）。

ⅱ) 被担保債権は，金銭債権に限定される（仮登記担保1条）。

ⅲ) 契約内容は，担保目的でなされる，目的物（土地等）の代物弁済の予約，停止条件付代物弁済契約，その他の契約（売買の予約など）である（仮登記担保1条）。

ⅳ) 目的物の典型は，土地または建物（「土地等」と呼ばれる〔仮登記担保2条1項〕）である[4]。

2 公 示

仮登記担保は，もちろん仮登記（「担保仮登記」と呼ばれる〔仮登記担保4条〕）をもって公示することになる。

私的実行により仮登記担保権者がこの目的物の所有権を取得し，仮登記に基づき本登記にする場合，仮登記には本登記の順位を保全する効力があるので（不登106条），仮登記後に当該目的物について権利を取得した第三者に対抗することができる（なお，仮登記担保法18条は本登記申請についての特則を規定する）。

競売手続により配当がなされる場合には，仮登記担保権を抵当権とみなして

---

2) なお，「仮登記担保」「仮登記担保権」は法律上の用語ではなく，仮登記担保法では「仮登記担保契約」（1条），「担保仮登記に係る権利」（13条1項）と呼ばれている。

3) 契約の成立後は，法律上，「担保仮登記の権利者」と呼ばれる（仮登記担保13条2項。以下，本書では，条文文言に合わせて「債権者」，または，便宜上「仮登記担保権者」と呼ぶことにする）。

4) 条文上は，「その契約による権利について仮登記又は仮登録のできるもの」（仮登記担保1条）であればよいとされるので，地上権，採石権などもあり得るが，実務ではほとんどそのような例はない。

優先弁済権を認めるが，その順位は担保仮登記のされた時を基準としている（仮登記担保13条1項）。このことは，仮登記のままで（順位保全効ではなく）仮登記担保権の対抗力そのものを承認していることを意味する。

Ⅲ 仮登記担保の実行

1 序　説

債務が履行されない場合，債権者は仮登記担保権を実行して金銭債権につき優先弁済を受けることになる。仮登記担保法はそれにつき2つの方法を予定しており，第1は，仮登記担保契約のとおり，債権者が自分に対して目的物である土地等の所有権の移転を受ける方法（私的実行）であり，第2は，一般債権者または他の担保権者の申立てによる競売手続に仮登記担保権者が参加して仮登記担保権を抵当権とみなしてもらって優先弁済を受ける方法である。なお，倒産手続においては，仮登記担保権者は抵当権者として処遇される（仮登記担保19条参照）。

2 私的実行
(1) 手続概観

仮登記担保契約の定めそのものからは，債務不履行があると，債権者が予約完結の意思表示をするかまたは停止条件が成就し，目的物の所有権は代物弁済として債権者に移転し，それにより被担保債権が弁済されたことになる。しかし，仮登記担保はあくまで金銭債権の担保であり，私的実行においても担保にふさわしい処理が求められる。

すなわち，目的物の所有権の移転は担保目的を実現できればそれで十分であるので，土地等の目的物の価額が被担保債権額を超える場合には，仮登記担保権者は設定者に対してその超過額を清算金として支払う義務がある。他方，清算金がある場合，設定者に対しては，その清算金の受領を確保する手段を与えなくてはならない。

また，清算金が生ずる場合，仮に土地等につき仮登記担保設定後に抵当権等の（後順位）担保権の設定を受けた者があれば，その者は清算金に対して一定

の権利を有すると考えられるが、その権利を実現させるための手順をどうするかという問題がある。

さらに、担保であるから、設定者には受戻しの権利、つまり、清算金の支払が完了するまでは被担保債権の全額を提供することで担保の目的物である土地等の所有権を取り戻すことができることを認めておく必要がある。

以上のことを実現するため、仮登記担保法は次のような規定を置いている。

(2) **設定者への通知と所有権の移転等**

(ア) **清算金見積額の通知** 実行手続として、まず、仮登記担保権者から設定者に対し、計算根拠を示して「清算金の見積額（清算金がないと認めるときは、その旨）」を通知する必要がある（仮登記担保2条1項）。いわば私的実行開始の通知である。この通知を発することができる時期は、当該仮登記担保契約で「所有権を移転するものとされている日」（予約を完結する意思を表示した日、または、停止条件が成就した日）以後である（仮登記担保2条1項）。設定者はこの通知を受けて、このままこの土地等で代物弁済をして清算金を受け取るか、債務を弁済して土地等の所有権の移転を阻止するかの選択をすることになる。

清算金の見積額は、清算金が発生するとされる清算期間が経過する時（通知が設定者に到達した日から2か月経過時）の、「土地等の見積価額」並びに「債権等の額」[5]を明らかにして示す（差額が清算金となる。仮登記担保2条2項）。

(イ) **所有権の移転および被担保債権の消滅** 以上の通知がなされ、かつ、通知到達日から2か月の清算期間が経過してはじめて、設定者から仮登記担保権者に所有権が移転する（仮登記担保2条1項。仮登記担保契約により定められた所有権移転の効力発生時点が制限され、2か月の清算期間の経過時点にまで延ばされている）。

また、所有権が移転する（代物弁済がなされた〔民482条〕）のであるから、その時点で被担保債権も消滅する。消滅する債権の額であるが、土地等の価額が被担保債権額以上であれば全額消滅する。土地等の価額が被担保債権額に満た

---

5) 抵当権のような利息、遅延損害金等につき最後の2年分という制限（民375条）はない。担保仮登記では被担保債権に関する事柄は登記事項でないから後順位担保権者に対する配慮は問題となり得ないからである。

ない場合はどうか。本来の代物弁済であれば代物の価額が債権額に満たない場合でも原則として合意により債権は消滅するが，ここではそれと異なり，担保という趣旨を貫いて反対の特約がない限りその価額の限度においてのみ消滅する，とされる（仮登記担保9条）。消滅しなかった債権の残額は担保の付いていない一般債権として残存することになる。

(3) 清算金の支払義務とその確保

(ア) 設定当事者間　清算期間が経過した時の土地等の価額が逆にその時点での債権等の額を超えるときは，仮登記担保権者はその超える額に相当する金銭（清算金）を設定者に支払わなければならない（仮登記担保3条1項）。この清算金の支払を確保する趣旨で，清算金の支払債務と設定者が負っている土地等の所有権移転の本登記および引渡しの債務とを同時履行の関係（民533条）に立たせている（仮登記担保3条2項）[6]。上記の清算金の支払債務が生じること，および清算金支払債務と土地等の所有権移転の本登記等の債務とを同時履行の関係とすることについて，これに反する特約で設定者に不利なものは無効である。ただし，清算期間の経過後であればそのような特約も許される（仮登記担保3条3項）。清算金の支払を受けるまで，担保目的土地等に対し留置権を主張することもできる。

この場合，仮登記担保権者が提供する清算金の額は，実際上は，当初実行にあたって通知した清算金の見積額となる。仮登記担保権者は，清算金が見積額より低い金額であったとの主張をすることができないからである（仮登記担保8条1項）。他方，担保設定者が，仮登記担保権者の提供する清算金の額に不満である場合はどうするか。もちろん，その額を争うことができる。仮登記担保権者による土地等の所有権移転の本登記等請求に対抗して清算金の支払請求をする場（訴訟等）でその額が決められることになる。

(イ) 第三者に譲渡された場合　清算金が支払われない間に，担保目的土地等が第三者Cに譲渡された場合の清算金支払の関係はどうなるか。清算金支

---

[6] この清算金支払請求権は仮登記担保の目的物である土地等に関して生じた債権であるので，設定者はその弁済を受けるまで土地等を留置することができ，この留置権は，その後土地等を譲り受けた第三者に対しても主張することができる（最判昭和58・3・31民集37巻2号152頁）。

払義務はいぜん仮登記担保権者Gが設定者Sに対して負担している。しかし，目的物の引渡請求は，所有権を取得した譲受人Cから設定者Sに対してなされることになる。Sはどのようにして清算金の支払を確保するか。2つの場合に分けて検討が必要である。第1は，通常の場合であるが，譲受人Cは所有権を譲り受けても所有権移転の本登記をすることができず仮登記のままである（移転の付記登記による）ので，この場合には，所有権移転の本登記義務（および留置権）でもって対抗することができる。第2は，仮に何らかの理由で譲受人が所有権移転の本登記を経由している場合であるが，この場合，SはCに対して，Gから清算金が支払われるまでは，目的不動産を留置するとして留置権を主張することができる。SはGに対する関係で，清算金の支払を受けるまでは担保目的土地等に対し留置権を主張することもできる関係にあり，Gがその目的物を第三者Cに譲渡しても，Sが物権である留置権を第三取得者であるCに対して主張できるのは当然のことだからである（最判昭和58・3・31民集37巻2号152頁は債務者によるこの関係での留置権の主張を認めている）。

(4) 受戻権

(ア) 清算金未払いの間の受戻権　　清算期間（2か月）経過後であっても[7]，設定者が現実に清算金の支払を受けるまでは，設定者は，「債権等の額……に相当する金銭」[8]を仮登記担保権者に提供して，土地等の所有権の受戻しを請求することができる（仮登記担保11条本文）。清算期間が経過すると，土地等の所有権は仮登記担保権者に移転し（仮登記担保2条1項），債権も消滅している。それにもかかわらず，「債権等の額に相当する金銭」を提供することで，この受戻権を認めた理由は，仮登記担保は担保であるからその趣旨に則り，実行手続（清算金の支払）が完了するまでは，実行中の担保権を消滅させて完全な所有権を受け戻す機会を保障したのである（だから，清算金のない場合には実行手続

---

7) 清算期間が経過するまでは，もちろんいまだ債務は消滅していないので，それ以前と同様に債権等の額を弁済すれば，仮登記担保は消滅することはいうまでもない。受戻権以前の問題である。
8) 清算期間が経過しているので債権は消滅しており，したがって，提供する金銭を「債権等の額（債権が消滅しなかったものとすれば，債務者が支払うべき債権等の額をいう。）に相当する金銭」と持って回った表現となっている。

は終了しており、受戻権はない)。

　この受戻権は形成権と理解されており、上記金銭の提供により所有権受戻しの効果 (所有権が設定者に復帰的に移転する) が発生する。

　(イ) **受戻しの限界**　ただし、〔1〕清算期間が経過した時から5年が経過したとき、または〔2〕第三者が所有権を取得したときは、もはや受戻しはできない (仮登記担保11条但書)。〔1〕は、清算金の支払がない限りいつまでも受戻しの権利が存続するとすると、権利関係がいつまでも不安定のままであり、それは適当ではないので、それを避ける意味で5年の除斥期間を設けたものである。

　〔2〕は、第三者の取引の安全を顧慮したものである[9]。仮登記担保権者Gが、2か月の清算期間満了により所有権を取得した後、まだ設定者Sに対し清算金を支払わない状態である間に、第三者Cが所有権を取得したときという意味である[10]。その後は、設定者SはGに「債権等の額に相当する金銭」を提供しても、所有権を受け戻すことはできない。もっとも、「所有権を取得した」Cとは、所有権移転の本登記を経由した者であると解されている。そうすると、GがSに対して清算金の支払を了していなければ、普通はGの登記は仮登記のままであり、その状態では、GがCに所有権を譲渡したとしてもCに対して所有権移転の本登記ができないので (仮登記上の権利の移転を付記登記するだけ)、その間になおSはGに対して債権等の額に相当する金銭を支払って受戻しをすることができるのである (その上で仮登記を抹消する)。したがって、11条但書後段の適用があり得るのは、何らかの関係で、清算金支払前にGからCに所有権移転の本登記がなされてしまっている場合に限られよう[11]。なお、条文には書かれていないが、仮登記担保法が制定される前の判例は、GがSに

---

9) 清算期間が経過するまでの間については、仮登記担保権者は被担保債権とともに仮登記担保権を譲渡することはできるが、所有者ではないので、仮に、仮登記を本登記にした上、所有者として第三者に譲渡したとしても、第三者は所有権を取得し得ない (ただし、民法94条2項類推適用が考えられる)。

10) 受戻権を設定者Sが正当に行使し仮登記担保権者Gから所有権を取り戻した後に、仮登記担保権者Gが、第三者Cに目的不動産を譲渡した場合には、SとCとは単なる民法177条の対抗問題であり (所有者であったGからの二重譲渡)、登記を先に得た者が勝つ。通常は、Gは仮登記のままであるから、所有権の登記を有するSが優先する。

対し清算を済ませてはいないことにつきCが悪意である場合には，仮に，Cが所有権を取得していても，Sは受け戻せるとしていたところから，そのように解釈する学説が有力である[12]。

(5) 後順位担保権者の扱い

(ア) **概観** 仮登記担保が設定された土地等につき，設定者がさらに後順位の担保権を設定している場合，後順位の担保権者には，土地等の価値のうち仮登記担保で把握された価値の残余部分について優先弁済権を行使できる手段が与えられる必要がある。

仮登記担保法は，2つの方法を用意した。第1は，私的実行の中で設定者が仮登記担保権者に対して取得する清算金について後順位担保権者が物上代位権を行使する方法であり（仮登記担保4条以下），第2は，自らの申立てによる等で競売の手続が進行している場合に後順位担保権者がその手続内で配当を受ける方法である（仮登記担保12条以下）。ここでは，まず，前者について紹介する。

(イ) **物上代位権の行使** (a) **物上代位権** 後順位担保権者は，その順位により，設定者が支払を受けるべき清算金に対しても，その権利を行うことができ，そのためには清算金の払渡し前に差押えをしなければならない，とされる（仮登記担保4条1項）。

ここで後順位担保権者とは，登記がされた抵当権，質権，先取特権を有する者であり（仮登記担保4条1項），後順位の担保仮登記の権利者はこれに準ずる（同条3項）。なお，清算金額につき，法2条で通知された清算金の見積額を超えることを主張することはできない（仮登記担保8条2項参照）。

(b) **物上代位権者に対する通知** これらの者の物上代位権の行使を確保するため，仮登記担保権者は，物上代位権者に対し，設定者に対して私的実行開始の通知をした旨，および清算金の見積額について通知をしなければならない（仮登記担保5条1項）。

---

11) その例としては，本登記申請のできる諸書類があらかじめ仮登記担保権者Gの手に渡されており，それを承諾なく利用して本登記が経由される例（この登記は所有権が仮登記権利者Gに移転しているという実体に合致しているので有効と見られる），または清算期間経過後の合意に従い本登記が先履行されている例などが考えられる。

12) 高木多喜男『担保物権法〔第4版〕』（有斐閣，2005）326頁以下。

この通知を受けて，後順位担保権者は物上代位権を行使することになる。そして，この権利の行使を確保する趣旨で，清算期間が経過するまでは清算金支払請求権の譲渡その他の処分（質入れ，免除等）は禁止され，これに反してなされた処分は無効と扱われ（仮登記担保6条1項），また，清算期間経過前の清算金の弁済はこれらの者に対抗できない（同条2項前段）。また，そもそも物上代位権者に対する通知がなされていないのに清算金の弁済がなされた場合は，それは清算期間の経過の前後を問わず物上代位権者に対抗できない（同条2項後段）。

 (c) 清算金の供託　物上代位権の行使として，清算金の支払を目的とする債権につき後順位担保権者による差押え等の執行があったときは，仮登記担保権者は，清算期間の経過後は，清算金を供託してその債務を免れることができる（仮登記担保7条1項。以後，物上代位権は供託金還付請求権に対して行使される）。これにより，仮登記担保権者は設定者に対して土地等についての本登記，目的物引渡しの請求をすることが可能となる。

(6)　第三取得者の保護

　仮登記担保の設定された土地等につき設定者からの譲受人等（第三取得者）がいる場合，私的実行が完了すると，いわゆる中間処分として，この者は権利を失ってしまう。そこで，かかる利害関係ある第三取得者に対して私的実行が開始したことを知らせることを，法は仮登記担保権者に義務づけている（仮登記担保5条2項）。第三取得者はこれにより，第三者弁済をして仮登記担保を消滅させるとか，あるいは，清算期間経過後であれば設定者の有する受戻権を代位行使する機会が与えられる。

3　競売手続における仮登記担保権の実現

(1)　競売手続は私的実行手続に優先する

　ところで，一般債権者あるいは担保権者の申立てにより，仮登記担保の目的たる土地等につき競売手続が開始することがある[13]。この場合仮登記担保権は

---

13)　なお，仮登記担保権者自身は，私的実行はできるが，担保不動産競売の申立てをすることはできない。

どのような扱いを受けることになるのか。

まず, 最初に, 交通整理として, これらの競売手続と仮登記担保権の私的実行手続との優劣関係はどうなるのかはっきりさせておく必要がある。考え方として, 競売手続と私的実行手続とは先に着手した方が優先するという考えもあり得るが (前掲最大判昭和49・10・23 〔493頁〕), 仮登記担保法は, 私的実行手続が開始していてもなお競売の申立てが許され, その場合仮登記担保権は競売手続の中で抵当権とみなされるとし, 仮登記担保権者は優先弁済を受ける権利を行使すべきであるとした (仮登記担保15条, 13条)。

競売手続に移行することができる時間的限界は, 申立てが, 私的実行における「清算金の支払の債務の弁済前 (清算金がないときは, 清算期間の経過前)」になされ[14], それに基づいて競売手続が開始する旨の決定があった場合である。この場合には, 私的実行は中止される (仮登記担保15条1項)。

(2) 競売手続内での仮登記担保権の処遇

仮登記担保権 (後順位の仮登記担保権を含む) は, 競売手続の中で, その趣旨どおり担保権としての処遇が認められる。すなわち,「その担保仮登記の権利者は, 他の債権者に先立って, その債権の弁済を受けることができる。この場合における順位に関しては, その担保仮登記に係る権利を抵当権とみなし, その担保仮登記のされた時にその抵当権の設定の登記がされたものとみなす」とされる (仮登記担保13条1項)。被担保債権の範囲については, ここでは, 利息その他の定期金, および遅延賠償につき最後の (通算) 2年分のルールが適用される (仮登記担保13条2項・3項)。

なお, 実際に配当を受けるためには, 仮登記担保権者は, 手続として, 配当要求の終期までに執行裁判所に債権の原因および額等の届出をしておく必要がある (仮登記担保17条)。

仮登記担保権は, 競売による土地等の売却で消滅する (仮登記担保16条1項)。

---

14) 物上代位権を行使できる後順位担保権者には, 清算期間内は, その者の有する被担保債権の弁済期が未到来であっても, 特別に競売申立てを許して競売手続の選択を認めている (仮登記担保12条)。

4　仮登記担保と不動産利用の関係

　仮登記担保が設定された場合，実行前の目的不動産の占有・利用関係については，それを設定した設定者に委ねられるのが普通である。

　ところで，土地およびその地上建物が同一所有者に属する場合に，その一方について仮登記担保が設定され，仮登記担保権の私的実行により仮登記に基づく本登記がされたときは，不動産の一方は設定者，他方は仮登記担保権者の所有となり土地利用の関係で民法388条におけると同様の不都合が生ずる。

　そこで，法は，その土地につき担保仮登記がされたときについて，設定者のためにその建物の所有を目的として土地の賃貸借がされたものとみなすとした（仮登記担保10条。法定借地権）。建物が目的とされる場合を除外したのは，その場合には仮登記担保権者は将来実行により建物を所有することを見越して設定者との間であらかじめその敷地につき停止条件付賃貸借契約を締結するであろうと考えたからである。

第17章 留置権

I 序説

1 留置権とは

(1) 民法に規定された留置権

(ア) 典型的事例 民法295条は「他人の物の占有者は、その物に関して生じた債権を有するときは、その債権の弁済を受けるまで、その物を留置することができる」と規定する。典型的な適用事例を挙げると以下のようなものである（【図表17-1】）。

[事例1] 建設機械のメーカーG（修理部門）が、建設業者Sから持ち込まれたS所有の建設機械（甲）を有償（20万円）で修理した場合、Gは、Sからその修理代金（被担保債権）の弁済を受けるまではその機械甲を留置できる。

[事例2] 建物（乙）の賃借人Gが、賃貸人Sが負担すべき賃借建物の修理費用（70万円）を支出し、Sに対してその修理費用（必要費）の償還債権を有する場合（民608条）、賃貸借契約が終了したとしても、Sからその債権の弁済を受けるまでは乙建物を留置できる。

(イ) 留置権の意義 留置権は、

【図表17-1】
[事例1]

[事例2]

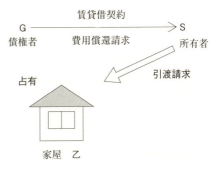

その物に関して生じた債権を有する者がその債権の弁済を受けるまではその物を留置できるとすることによって，その物の引渡しを欲する債務者に心理的圧力を加え，弁済を間接的に強制するという性質の担保物権である。

このような留置権は，その発生につき当事者間での合意は必要でなく，法が規定する要件に該当すれば当然に発生する担保物権である（法定担保物権と呼ばれる）。法定の担保物権として留置権が認められる理由は，被担保債権が「その物に関して生じた債権」であるから，「その物を留置」する権利を債権者に認め，債権者にその債権の弁済を確保させてやることが債務者との関係で公平であると考えられるからである。また，留置される物が債務者以外の者の所有である場合（たとえば，[事例 1]でSが建設機械をその所有者Aから賃借している場合）も留置権が成立するが，その場合の説明としては，物と債権とが牽連関係にあることが要件とされているので，その債権のため当該物が留置されることによるある種の負担を，その物の所有者である第三者も甘受しなくてはならない，ということになろうか。

(2) 商事留置権

留置権には，民事留置権とは沿革を異にする商事留置権がある。商人間の営業上の取引によって生じた債権のための留置権である（商521条）[1]。これは，民法上の留置権と比べると成立の範囲が広く，債権と留置物との間に個別的な対応関係がなくても，商人Gと商人Sとの間での営業上の取引から生じた一群の債権の担保として，その取引上占有することになった相手方所有の物または有価証券のすべてを留置することができるというものである（なお，第三者所有の物には成立しない点で民事留置権と差異がある）＊。

＊ 商事留置権に関して，債権者G（商人）が占有している債務者S（商人）所有の物が不動産であっても留置権が成立するかが問題とされてきた。たとえば，S所有の土地に対して債権者Aのため抵当権が設定，登記された後，その土地上に建物を建築した建設業者GがSに対する請負代金債権の担保として，Gが占有するS所有の敷地（被担保債権とは牽連関係にない）につき商事の留置権を主張できるか。商事の留置権が主張できるとすれば，仮にAが抵当権に基づいて土地を競売したとして，その競売代価につき時

---

1) 他に，代理商・問屋の留置権（商31条，557条，会社20条），運送取扱人・運送人・海上物品運送における運送人の留置権（商562条，574条，741条2項）も商事留置権である。

> 間的に後れるGの留置権が事実上優先し（占有する留置権者に退いてもらうため，その被担保債権の弁済が優先する），抵当権者が害されることになり，その妥当性が問題とされる。この問題については，一方で，ヨーロッパで生成されてきた商事留置権は，その沿革上，不動産は対象としてこなかったので，わが国の解釈としても，不動産は対象とならないという見解が有力であったが，判例（最判平成29・12・14民集71巻10号2184頁。上記のような抵当権者Aが登場していない単純な事例）は，「不動産は，商法521条が商人間の留置権の目的物として定める『物』に当たると解するのが相当である」，とした。理由を以下のように述べる。商法521条は，商事留置権の目的物につき動産，不動産を含む「物」と定め，不動産を除外していないし，ほかに同条が定める「物」を民法における「物」と別異に解すべき根拠は見当たらない。また，同条の「趣旨は，商人間における信用取引の維持と安全を図る目的で，双方のために商行為となる行為によって生じた債権を担保するため，商行為によって債権者の占有に属した債務者所有の物等を目的物とする留置権を特に認めたものと解される。不動産を対象とする商人間の取引が広く行われている実情からすると，不動産が同条の留置権の目的物となり得ると解することは，上記の趣旨にかなうものである」，と。

商事留置権の効力は，「留置することができる」ということで民事留置権と同じである。ただ，破産手続においては，その効力を全く失ってしまう民事留置権とは異なり，商事留置権は優先弁済権のある先取特権として処遇される（破66条。民再53条では別除権，会更2条10項では更生担保権とされる）。

以下では，留置権とは，特に断らない限り民事留置権を指すものとして叙述する。

2 留置権の担保としての有用性

(1) 担保としての作用

留置権は単に「留置」する権利であり，民法に規定された4種類の担保物権の中で唯一優先弁済的効力が与えられていない。優先弁済的効力は，担保の目的物の交換価値を直接把握して，それを競売等の手続により現実化させ，配当を受けることで債権の満足を得るという効力である（物上代位的効力がこれに結びつく）。担保物権の中核的効力であるそれをもたない留置権は，いわば攻撃の手段をもたない弱い担保物権という印象である。

しかし，後述のように，留置権は確かに攻めるには弱い権利であるが，これに対して，守るには強く，第三者が留置物を競売する場合においては，抵当権

など留置物上の他の担保物権に対しても事実上優先してその被担保債権の弁済を受けることができる強力な権利である（ただし，前述のように破産手続においては民事留置権はその効力を失う〔破66条3項〕）。また，ごく例外的にではあるが形式競売が許されることがあり（民執195条），この場合受領した換価金と被担保債権とを相殺することで事実上優先弁済を受けることになる。

(2) 同時履行の抗弁権との関係

留置権が発生するとした冒頭の［事例1］［事例2］のいずれにおいても，契約上の同時履行の関係（または，それに準ずる関係）が生じている。たとえば，［事例1］でのGとSとの間では請負契約があり，GはSが請負代金の支払をするまでは目的物を引き渡さないとする同時履行の抗弁を主張できる。このように留置権と同時履行の抗弁権とが重複する事例は多い。

この2つの制度は，当事者間に限っては果たす作用が同じである。判例（最判昭和33・3・13民集12巻3号524頁）は，Gが留置権をもって抗弁する場合も，引渡しを求めているSの敗訴とするのではなく，同時履行の抗弁の場合と同様に，Gに対し，その物に関して生じた債権の弁済を受けるのと引換えに，留置している物のSへの引渡しを命ずべきであるとする（S勝訴の引換給付判決となる）。

しかし，双方には相違点がある。すなわち，〔1〕留置権は所有権に基づく引渡請求権に対抗するものであり，契約上の債務の履行請求に対して行使される同時履行の抗弁権とは利用の局面が異なる。〔2〕同時履行の抗弁の主張が双務契約の当事者間に限定されるのと比べると，留置権では物に関して債権が生ずることで足る。たとえば，S所有のボールがGの家に飛び込んで窓ガラスを壊し，GのSに対する損害賠償請求権が生ずる場合，Gにはボールの留置権が生ずるが，同時履行の抗弁の関係は生じない。さらに，〔3〕留置権は物権であるので，留置権者は契約の当事者ではない留置物の第三取得者（たとえば，［事例1］でSから建設機械甲を譲り受けた者）に対しても行使することができる。また，〔4〕同時履行の抗弁権とは異なり，留置権においては，留置物から生ずる果実の収取ができる（民297条），競売権がある（民執195条）など，効果の点でも相違がある[2]。

II 留置権の成立

1 序説

留置権の実体法上の成立要件（民295条）は，第1に被担保債権に関し，〔1〕「他人の物の占有者〔が〕……債権を有する」こと（被担保債権の存在），〔2〕「その債権が弁済期にないとき」ではないこと（弁済期にあること），第2は担保目的物に関し，「他人の物」であること，第3は「その物に関して生じた債権を有する」こと（物と債権との牽連関係），第4は占有に関し，〔1〕「他人の物の占有者は……その物を留置することができる」（つまり，占有をしていること）（以上，同条1項），および，〔2〕「占有が不法行為によって始まった場合」ではないことである（同条2項）。以下，順次，検討する。

2 被担保債権

(1) 被担保債権の存在

当然であるが，まず，被担保債権が存在することが必要である。その被担保債権は，後述のように，債権者が留置しようとしている物に関して生じたものであることが特徴的である。

(2) 弁済期にあること

占有する物を留置することができる（留置権の成立の）ためには，この被担保債権についてその弁済期が到来していることが必要である（民295条1項但書）。なぜならば，債権につき弁済期が来てはいないのに，弁済を受けるまでその物を留置できるとすると，弁済期の前に債務者に対して弁済を強制できることになり，不当だからである。争い方としては，物の引渡しを請求する者が，支払を求められている債務が「弁済期にない」ことを挙げて，留置権の抗弁を封ずることになる。

以上の点に関して例を挙げると，たとえば，賃借人が賃借物（たとえば建物）

---

2) 同時履行の抗弁権と留置権との領域ごとの棲み分けの議論もあるが，学説の大多数は，民法295条と533条のそれぞれの要件を満たせば，双方の権利が発生することを認めている。

について有益費を支出したとして、その有益費償還請求権の弁済期は「賃貸借の終了の時」であるので（民608条2項本文）、賃貸借終了後はその有益費の支払を受けるまでは賃借物を留置することができる。ただし、その償還について裁判所により相当の期限が許与されると（民608条2項但書）、被担保債権についての弁済期が未到来の状態になるので、留置権は成立せず、賃借物を直ちに返還しなくてはならないこととなる。

また、建物賃貸借契約終了時における敷金返還請求権の支払を確保するため、賃借人が、建物に対し留置権を取得できないかが論じられるが、判例は、敷金返還請求権は賃借人が目的建物を明け渡すことではじめて確定する敷金残額につき賃貸人が負担することになるものであり（明渡しが先履行）、留置権を取得する余地はないという（最判昭和49・9・2民集28巻6号1152頁）。

3 担保の目的物
(1) 物であること
民法の規定上、担保の目的物は「物」とされるので（民295条1項）、動産、または不動産に限定される。それ以外の、たとえば商事留置権の対象とされる有価証券などは、証券があれば留置する意味はありそうだが、民事留置権の目的とはできないことになる。

(2) 他人の物
(ア) **債務者所有の物である必要はない** 物は債権者が占有する「他人の物」であればよく、債務者所有の物に限られてはいない。したがって、たとえば、［事例1］でメーカーGに修理に出した建設機械甲が建設業者Sの所有物ではなく、重機レンタル会社Aから賃借している物であった場合にも、Gは修理代金の支払を受けるまでは甲を留置できる。すなわち、Sが引渡しを請求する場合はもちろん、Aが所有権に基づいて返還を請求する場合にも、Gは留置権をもって抗弁できる。Aは支払の義務を負っていない修理代金の支払を間接的に強制されるが、民法は、自分の占有する物に関して生じた債権の債権者保護を重視したということになろう[3]。

(イ) **留置権の目的物が第三者に譲渡された場合** ［事例1］で、メーカーGがSに対し、建設機械甲の修理代金債権を取得し、その担保としてS所有

の甲につき留置権を取得した後，SがDに甲を譲渡した場合，Gは当該修理代金が弁済されるまで，Dの引渡請求に対しても甲の留置を主張できるかという問題がある。これは，いわば留置権の第三者対抗問題であるが，留置権については（目的物が不動産であっても）占有をもって当該目的物の譲受人に対抗することができる，というべきである（結果的に債務者以外の者の所有物に対する留置権となる）。

この類型には，物の転々譲渡の事例，すなわち，GがSに乙不動産を譲渡し，Gへの代金の完済前にSがDにさらにこの乙不動産を譲渡し，それぞれその旨の登記が了され，DがGに対し乙不動産の引渡請求をしたという事例も含まれる。この場合，Gは，Sに対して抗弁し得た，残代金債権を被担保債権とする乙不動産の留置権でもって，Dに対抗することができる（最判昭和47・11・16民集26巻9号1619頁【百選I 79】）。

4　被担保債権と物との牽連関係

(1)　序

被担保債権は，債権者が占有している「その物に関して生じた」債権であることが必要である。この要件は，債権者による占有物の留置を正当化する最も重要なものであり，債権の属性として，この債権とその占有物との間に牽連関係が認められるからこそ，この債権が弁済されるまでその物を留置することが

---

3) もっとも，この事例では，建設機械甲は修理により価値が上がっているので，修理をしたGは，所有権に基づいて返還請求をするA（この場合Sとのレンタル契約を解除しているであろう）に対しては，必要費償還請求ができる関係にある（民196条1項）。そのため，修理はAにとっても特に不利益ではない（ただし，SとAの間で修理費相当の負担をAがしている場合は別である）。しかし，B所有のボールを借りているSが，それを使って遊んでいたところ，誤ってGの建物の窓を壊してしまい，そのボールがGのSに対する損害賠償債権の担保としてGにより留置されているという事例では，留置権を主張されるBには気の毒ではある（高木多喜男『担保物権法〔第4版〕』〔有斐閣，2005〕27頁は，Gが別に存在する物の所有者〔上の例で，A・B〕に不当利得等の債権を取得しない場合は留置権の成立を否定する〔後者の事例がこれに当たる〕。なお，後者の事例では，GがSに対して留置権を主張する前提として，SがGに対して物の返還請求権を有するかが問題であるが，信義則上，物の引取りについての忍容請求は認められる関係にあるといってよいであろう。⇒514頁・4(3)(ウ)参照）。

できるのである。

　では、どのような場合にこの牽連関係が認められるのか。条文の「その物に関して」という文言があいまいで、より具体的な基準を立てる必要がある。これまでの学説においては、第1に、債権がその物自体から発生した場合（第1基準）、または第2に、債権が物の返還請求権と同一の法律関係または同一の事実関係から発生した場合（第2基準）、という2基準が提案されている。

　それによると、以下の通りである。

　(2) 基準適用の基本的事例

　(ア) 債権がその物自体から発生した場合（第1基準）　　[事例2]のように、賃借人が賃借期間中に賃借建物について必要費、有益費を支出して賃貸人に対してその償還請求権を取得した場合がこれに当たる。賃借建物自体から発生したこれらの債権の支払を確保させる意味で、賃借人に建物を留置する権利を認めることは妥当であるという判断である[4]。ほかに、目的物（たとえば賃借目的物）の瑕疵から占有者（賃借人）Gに損害が生じ、引渡しの請求権を有する者（賃貸人）Sに対して、損害賠償請求権が発生するような関係も、その物自体から債権が発生した例といえる。

　(イ) 債権が物の返還請求権と同一の法律関係または同一の事実関係から発生した場合（第2基準）　　[事例1]の物の修理代金の例は、請負契約という法律関係から、一方で修理代金債権が、他方で目的物の返還請求権が発生している関係にある。このような、同一の法律関係（請負契約）から債権（修理代金）と物の返還請求権とが生じている場合においては、その物の占有者に留置権を認めることが妥当であるとされる。

　この第2基準に該当して留置権が発生すると考えられる例としてさらに以下のようなものを挙げることができる。

4）　なお、必要費は直ちに償還請求でき（損害賠償債権も同様）、有益費は賃貸借終了時に償還請求できる。前者については、留置権は賃貸借継続中であっても発生しているのか（果実収取権、競売権がすでに存在することになる）、賃貸人に賃貸借契約終了後、引渡請求権が生じた時にはじめて発生することになるのか。条文上限定はないが、本来、物の引渡請求に対し抗弁的に用いられるものであるので、賃貸借契約存続中は生じていないと考えるべきである（継続中は物の留置による債務の支払の強制力もない）。

〔1〕売買契約の当事者間で、買主Sが代金未払の状態であれば、Sの目的物引渡請求に対して売主Gは留置権を行使できる。〔2〕債務不履行により仮登記担保権の私的実行手続が開始し、仮登記担保設定者Gが仮登記担保権者Sに対して清算金支払請求権を有する場合（仮登記担保3条）、Sが設定者Gに対して目的不動産の引渡しを請求すれば、Gは清算金の支払を確保するため当該不動産を留置することができる。〔3〕これは譲渡担保の設定当事者間でも同様である。〔4〕同一場所で傘を取り違えた2人の関係で、一方の者は、他方の者に対する傘の引渡請求権を確保する意味で、他方の者の傘を留置できる。

(3) **基準を適用することでは解決困難な事例群**

(ｱ) **問題の所在——二重譲渡等の事例（【図表17-2】）** GはS所有の甲不動産を譲り受け、代金を支払い引渡しを受けたが、所有権移転登記をしていなかったところ、SがDに二重に甲不動産を譲渡し所有権移転登記が了された。この場合、対抗関係で優先するDが占有者Gに甲不動産の引渡請求をするのに対して、GはSに対する損害賠償債権（履行不能による）を被担保債権とする甲不動産の留置を主張できるか。この事例では、債権（GからSに対する損害賠償債権）もDからGへの甲不動産の引渡請求権も、同一の法律関係（SからDへの甲不動産の譲渡）から発生しているといえるので、上述の第2基準を適用すると、甲不動産の引渡しを請求されているGは「その物（甲不動産）に関して生じた債権を有する」として留置権が認められそうである*。しかし、この事例は、典型的な二重譲渡対抗の問題であり、第1の譲受人Gが対抗関係で第2

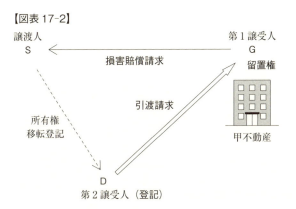

【図表17-2】

の譲受人Dに負ける以上、民法177条の趣旨からは、GはDに当該不動産をそのまま引き渡さなくてはならないはずである。留置権をもって抗弁できるとすると、民法内部で価値判断が矛盾することになり、到底受け入れ難い結論となる。

＊同様な事例を挙げると、〔1〕S所有の甲土地をGが賃借し占有・利用していたが、その対抗要件を具備しない間に、Sが甲土地をDに譲渡し所有権移転登記が了され、DがGに土地明渡しを求めた場合に、GがSに対する損害賠償債権（履行不能による）を被担保債権とする甲土地の留置を主張する事例（大判大正9・10・16民録26輯1530頁は「其物ニ関シテ生シタル債権ニ非ス」として留置権の成立を否定）、〔2〕GがSに乙不動産を売却し登記を了したが、Sの代金不払によりこの契約が解除され、その後、SがDに乙不動産を売却譲渡し登記も了し、DがGに対して乙の引渡しを請求したのに対して、G（対抗関係でDに劣後する）はSに対する代償請求権（Sの返還債務の履行不能により発生する）を被担保債権として留置権を主張した事例（この事例につき、最判昭和62・7・10金法1180号36頁は、後掲最判昭和43・11・21を引用して留置権の成立を否定した）、〔3〕不動産譲渡担保権が目的不動産を第三者Dに譲渡処分するかたちで実行され、その登記を経由したDが目的物を占有する譲渡担保設定者Gに対して不動産の引渡しを求めたのに対して、Gが譲渡担保権者Sに対して有する清算金支払請求権（譲渡処分によりはじめて発生する）を被担保債権として、留置権を主張する事例（⇨460頁・第14章Ⅰ6(1)(ウ)(c)参照。最判平成11・2・26判時1671号67頁は留置権成立を肯定）、などである。

(イ)　**判例**　判例は、「上告人〔G〕ら主張の債権はいずれもその物自体を目的とする債権がその態様を変じたものであり、このような債権はその物に関し生じた債権とはいえない」として、留置権の成立を否定している（最判昭和43・11・21民集22巻12号2765頁）。「その物自体を目的とする債権がその態様を変じた」とは、つまり、第1譲受人Gの譲渡人Sに対する目的物の引渡請求権が損害賠償請求権に態様を変えたものだから、「関して」生じたとはいえないということだが、条文の文言にこだわった解決で、なぜ不成立となるかの実質的な説明がない。

(ウ)　**検討**　すでに述べたように学説の第2基準によると留置権の成立範囲が広くなりすぎて、この二重譲渡等の事例について留置権の成否を判断（否定）する役には立たない。第2基準の適用から外れ留置権が成立しないとする根拠が必要であるが、以下のように考えたらどうか[5]。

これらの事例の特徴は，Gの占有する目的物が所有者Sから第三者Dに譲渡され登記が経由され，それにより一方で所有者Dから占有者Gに対する引渡請求権が発生し，他方で，同時的に占有者Gが譲渡人Sに対し損害賠償請求権などの債権を取得するということである。つまり，これらの事例では，被担保債権の債務者（S）と目的物の引渡請求権者（D）とが当初から一致せず，債務者は目的物の引渡しを求める権利を一度も有していないことが指摘できる（ここでは債務者は債務を弁済して目的物を取り戻すという関係に立たない）。債務者Sが損害賠償債務を支払ってでも目的物を取り戻そうという関係にないのであれば，Gが物を留置したとしてもSの債務弁済を動機づけはしないので，留置権を認める前提が欠落している。また，譲渡によりはじめて被担保債権が生じる（すなわち留置権が発生する）関係なので，目的物の譲受人Dは留置権（の発生）を事前には予測できず，目的物の引渡請求に対してGから留置権でもって対抗されるというのではいわば不意打ちとなり，不利益が大きい。以上の点で，譲渡前から被担保債権がG・S間に存在し，所有者Sからの目的物引渡請求に対して占有者Gが留置権で対抗できる関係にあり，その後にSから目的物の所有権がDに譲渡された場合とは異なる（ここではDは留置権の負担付きの所有権を譲り受けており，GはDに対して留置権を対抗できてよい。⇨510頁・**3**(2)(イ)）。

以上説明したような関係が存在する事例では，債権が物の返還請求権と同一の法律関係から生ずる場合ではあっても留置権の成立は認められないというべきである[6)][7)]。

---

5) 荒木新五「判批」椿寿夫編集代表『担保法の判例Ⅱ』（有斐閣，1994）141頁，道垣内弘人『担保物権法〔第4版〕』（有斐閣，2017）31頁，山本敬三『民法講義ノートⅡ・物権（下）』（有斐閣，2000）215頁など参照。
6) なお，このように要件を定式化することとの関係で，他人Aの所有物をSが修理に出した場合に修理代金確保のためGに留置権が認められる事例の説明に問題は生じないか，念のため注記しておく。物の所有者が債務を負担しない（物上保証的）という意味においてはここで取り上げる事例と類似する。しかし，指摘できる重要な相違点として，他人Aの所有物をSが修理に出した事例では，債務者Sは請負契約の当事者としてG（修理代金の債権者）に対してまさに引渡請求権を有しており，Gによる目的物の留置はSに対する関係においても意味があり（Sは引渡請求をして物を受け取って所有者Aに返還する義務を果たさなくてはならない），担保の機能を果たしているので，留置権成立の前提が欠けているということはない，ということである。

(4) 牽連関係にある物に対する留置権を全うするための留置対象物の拡大

被担保債権と物との牽連関係の存否に関連して以下のような問題がある。

(ア) 造作買取代金債権と建物の留置

建物の賃貸借が期間の満了または解約の申入れによって終了するときに、建物賃借人は賃貸人に対して、「賃貸人の同意を得て建物に付加した畳、建具その他の造作」がある場合には、その造作を時価で買い取るべきことを請求することができる（造作買取請求権。借地借家33条）＊。請求がなされれば造作の売買契約が成立し（形成的効果）、代金債権が発生する。

> ＊ 建物の「造作」とは、畳、建具のような独立の動産であって、賃借人が造作工事をした場合には、それは賃借人の所有物になるものである。ほかには、空調設備、システムキッチン、システムバスなどが造作に当たるといえよう（家具は据付け型のものを別として、建物に付加したものではなく独立動産であって造作ではない）。なお、比較して、賃借人が必要費、有益費を支出しその費用償還請求が問題となる場合は、工事の結果は本体たる建物に付合し所有権は賃貸人に帰属している。

この代金債権の支払確保のため牽連関係にある造作それ自体を留置できるのは当然である。問題は、建物全体を留置の対象とすることができるかである。判例は、「造作買取代金債権は造作に関して生じた債権で、建物に関して生じた債権ではない」として否定する（最判昭和29・1・14民集8巻1号16頁、前掲最判昭和49・9・2〔⇨510頁〕）。

しかし、学説は、肯定するものが多数である。その実質的理由は、造作についてのみ留置を認めても何ら実効性がないということである。建物から造作を取り外して留置することになるがそれは非現実的であり、仮に留置をしても造

---

7) なお、この議論との関係で、514頁＊に掲げた事例〔3〕の、不動産を目的とする譲渡担保において、担保設定者（G）が債務不履行となり、譲渡担保権者（S）が処分清算のかたちで担保権を実行し、その結果第三者Dが当該不動産の所有権を取得した場合、DがGに対してなす引渡請求に対して、GはSに対する清算金支払請求権を被担保債権として、担保不動産に留置権を取得することができるか、が問題とされる。判例（最判平成11・2・26判時1671号67頁）はこれを認めるが、譲渡担保においては、GからSへの清算金支払請求権はSからDへの目的物譲渡およびDからGへの引渡請求権と同時に発生するとされており、その関係が上記の二重譲渡事例と同じであるので、留置権の成立が否定されるのではないかというわけである。学説でも議論があるが、この問題については譲渡担保の章を参照のこと（⇨460頁・第14章■6(1)(ウ)(c)。私見は留置権の成立を肯定する）。

作の買取りを必ずしも欲してはいない賃貸人に対してはその代金の支払を強制する力は全くないからである。そこで，牽連性がないのに建物を留置できるとする理論的な説明が必要であるが，それは，留置権の効力の及ぶ目的物の範囲の問題として考えることができ，〔1〕目的物の留置に必要不可欠な他の物，あるいは，〔2〕目的物との結合が被担保債権発生の前提となっている他の物に対しては，留置権の効力が拡大して及ぶと説明することになろう（造作買取請求の事例はこの〔2〕の例）[8]。

(イ) **建物買取代金債権と敷地の留置**　借地権者が借地権の存続期間の満了時に建物買取請求権を行使した場合（借地借家13条），建物の所有権はその時点で当然に土地賃貸人に移転し，借地権者は土地賃貸人に対して建物買取代金請求権を取得する。判例および学説は，この場合，借地権者は，その買取代金債権を被担保債権として，建物に対する留置権を取得するのみならず，その建物の敷地をも留置できるとする（大判昭和14・8・24民集18巻877頁ほか。趣旨として「建物留置の反射的効果として敷地の引渡しをも拒絶することができる」と述べる）。敷地の留置を認めなければ建物の留置権を有効に行使することはできないのであるから，この結論は妥当である。上記の〔1〕目的物の留置に必要不可欠な他の物に留置権が及ぶ場合と説明することになろう。

(ウ) **建物に関する費用償還請求権と建物敷地の留置**　建物賃借人は，賃借建物につき必要費・有益費を支出した場合，賃貸借終了時に，その費用償還請求権を被担保債権とする建物の留置権を行使できる。この場合，建物賃借人は，この建物に関する費用償還請求権を確保するために，建物のみならず，その建物の敷地に対する留置権をも主張できるか。

建物買取代金債権を被担保債権として，建物のみならず，敷地をも留置できるとする上記の考え方が参考になる。建物賃借人が賃借建物につき投下した費用の償還請求権を被担保債権とする建物の留置権においても事情は同じであるので，ここでも当該建物の敷地の留置権が是認されよう。なお，留置できる敷地の範囲は，建物を留置するのに必要な範囲に限定される。

なお，建物に関する費用償還請求権と敷地との直接の牽連関係は認められな

---

8) 道垣内・前掲本章注5) 31頁参照。

いので，留置権の効力が拡大して敷地に及ぶ根拠が必要であるが，上で挙げた2つの説明のうちの，〔1〕目的物の留置に必要不可欠な他の物にも留置権の効力が及ぶ，を援用することになる。

　もっとも，敷地の所有者Dが建物の所有者S（建物賃貸人）とは別の所有者であり，DとSとの間での土地賃貸借契約が解除されDが建物賃借人Gに対し建物退去を求めているという場合にも同様に，Gが，Sに対する費用償還請求権を被担保債権とするS所有の建物についての留置権を行使するために必要不可欠だとして，D所有の敷地の留置までも抗弁できるかは疑問である。建物所有者S自身が敷地利用権を喪失して建物の収去を求められているのであるからこの場合には敷地の留置は認められないというべきである（最判昭和44・11・6判時579号52頁）。

5　占　有
(1)　目的物の占有

　留置権を行使するには，目的物を占有していることが必要である。占有を失うと留置権は消滅する（民302条，203条）。いったん占有を失った後，再び，同一物の占有を始めた場合，同一の被担保債権が未払いであるときは留置権が復活するのか。民法295条1項の文言は特にそれを許さないとするものではないので肯定されよう。もっとも，占有を失うに際して留置権を放棄するとの意思があった場合には，復活しないというべきであろう。

　占有の形態は，留置による債権担保機能が働いているのであれば，債権者自身によるものに限られず，債権者が間接占有を有するものでもよい。

(2)　不法行為によって占有が始まった場合の不成立

　㋐　序　　「占有が不法行為によって始まった場合」には，留置権は発生しない（民295条2項）。たとえば，他人S所有の建物と知りつつ無断で占有する者Gが，所有者Sの建物返還請求に対して，必要費償還請求権（民196条）の担保として留置権を主張することは許されない。物の占有者に留置権を認めた趣旨は前にも述べたように公平の観点からであり，占有の始まりが胸を張れない事情（不法行為）によっている場合にまで留置権を認めることはできないということである。

(イ) **権原ある占有者が後に権原喪失した場合**　判例は，この条文の依る公平の理念からして以下の事例を不法行為による占有開始事例と同視する。すなわち，〔1〕当初は権原（賃貸借契約等）に基づく占有であったが（不法行為によって始まったわけではない），解除等により占有権原を喪失した後に，占有すべき権原のないことを知りながら必要費，有益費を支出した事例について本条項を類推適用し，留置権の成立を否定する（最判昭和41・3・3民集20巻3号386頁，最判昭和46・7・16民集25巻5号749頁【百選Ⅰ80】など）。

■最判昭和46年7月16日民集25巻5号749頁

判旨　「〔建物賃借人〕Gが，本件建物の賃貸借契約が解除された後は右建物を占有すべき権原のないことを知りながら不法にこれを占有していた……。そして，Gが右のような状況のもとに本件建物につき支出した有益費の償還請求権については，民法295条2項の類推適用により，上告人〔Gの相続人〕らは本件建物につき，右請求権に基づく留置権を主張することができないと解すべきである」。

さらに，上の例で，〔2〕権原のないことを疑わなかったことに過失がある場合も同様とした。すなわち，最判昭和51年6月17日（民集30巻6号616頁）は，S，A（国），Gと順次土地の所有権移転があったが，SからS・A間の所有権移転（国の買収・売渡処分）の無効を理由にGに対し土地返還請求訴訟が提起された後に，Gが当該土地に有益費を支出したという事例で，S・A間の所有権移転が当初に遡って無効であることが後に確定され，かつ，「買主〔G〕が有益費を支出した当時右買収・売渡処分の無効に帰するかもしれないことを疑わなかったことに過失がある場合には，買主〔G〕は，民法295条2項の類推適用により，右有益費償還請求権に基づき土地の留置権を主張することはできない」という。

学説では，これらの判例は，民法196条を無視することになり妥当でないとする考えが有力であった[9]。つまり，民法196条は占有者が自らの無権原につき悪意であっても，必要費については無条件で留置権を与え，有益費については裁判所の期限許与を待ってはじめて留置権を否定するにとどまるところ，上掲判例によると占有者が悪意の場合，すべて，民法295条2項が類推適用され

9）　高崎尚志「判批」百選Ⅰ〔第5版新法対応補正版〕172頁および所掲の文献参照。

て，およそ留置権の成立が否定されることになり法の価値判断に食い違いが生ずる，と。この有力説は，民法295条2項の立法趣旨・文言に従って，その適用を，「占有開始」の際に「悪意」である場合に限定することを主張する。

しかし，他方で，近時の学説は，民法196条は，占有者・所有者間で費用償還請求権が発生することを規定しているだけで，発生した債権を担保するため占有者に留置権が発生するかどうかは民法295条が定めているところだから，類推適用するかどうかは民法295条の趣旨に沿って判断すればよいと，上記の見解に反対している。その上で，賃貸借契約が終了し明け渡すべき義務のある賃借人がその物に費用を投下すると途端に明渡請求に対抗して適法に賃借建物の留置を継続できるとするのはやはり妥当でないとして判例を支持する[10]。

III 留置権の効力

1 序説

留置権は優先弁済的効力をもたず，目的物を留置することで被担保債権の弁済を受けることを中心的効力とする特殊な担保物権である。

目的物の留置（占有）は，弁済を受けるなどして留置権が消滅するまでは継続するので，その期間中における留置権者の目的物に対する権利義務関係がまず問題となる。また，目的物について第三者による競売がなされる場合，留置権者には事実上の優先弁済が認められるがその具体的内容，および，留置権者自身に認められる競売申立ての権利などについて概説する。

2 目的物の留置に関わる権利義務関係

(1) 留置の権利

留置権者には被担保債権（「その物に関して生じた債権」）の弁済を受けるまで目的物（「その物」）の引渡請求に対してその物を留置する権利が認められる（民295条1項）。訴訟においては，相手方の引渡請求に対して，権利阻止の抗弁として主張される。もっとも，前述のように，「弁済を受けるまで」留置で

---

[10] 道垣内・前掲本章注5) 27頁。

きるとはいうものの弁済を先履行とするのではなく，判例は，所有者による物の引渡請求訴訟においては，所有者敗訴ではなく，弁済との引換給付の認容判決をすべきであるとしている。

　留置権者は，債権の全部の弁済を受けるまでは，留置物の全部についてその権利を行使することができる（不可分性）。なお，留置物の一部を債務者に引き渡してその部分の留置権が消滅した（民 302 条）場合であっても，留置物の残部でもともとの被担保債権の全部についての留置権を行使できる（特段の事情がない限り，留置権が消滅した割合に応じて被担保債権額が減少するわけではない〔最判平成 3・7・16 民集 45 巻 6 号 1101 頁〕）。

　なお，「留置権の行使は，債権の消滅時効の進行を妨げない」（民 300 条）。これは単に留置権の行使をするだけでは，債権の消滅時効の完成を猶予する事由（民 147 条）に当たらないという趣旨である。もっとも，留置物の返還請求訴訟において留置権者＝債権者が留置権の抗弁をする場合には，これは債権者による被担保債権の支払の催告に該当し時効の完成は猶予される（この場合は，訴訟継続中は催告が継続しているとされる＝訴訟上の催告〔民 150 条〕。最大判昭和 38・10・30 民集 17 巻 9 号 1252 頁）。

(2) **目的物の管理，占有・利用**

(ア) **管理**　　留置権者は，善良な管理者の注意をもって，留置物を占有しなければならない（民 298 条 1 項）。たとえば，自動車，建設機械などをその修理代金の担保として留置した場合，野ざらしにしてさびつかせたりすると，この義務の違反になる。義務に違反して目的物を滅失・損傷させると，所有者に対して損害賠償義務を負う。また，この場合，債務者（所有者が別であればその所有者〔以下同じ〕）は留置権の消滅を請求でき，それにより留置権は消滅する（民 298 条 3 項）。

(イ) **使用等**　(a) **概観**　　留置権者は，留置物を自ら使用し，賃貸し，または担保に供することは許されておらず，それらをするためには債務者の承諾が必要である（民 298 条 2 項本文）。もっとも，「その物の保存に必要な使用をすること」については，承諾を要しない（民 298 条 2 項但書）。以上の違反行為については，上記と同様に留置権消滅請求の対象となる。

(b) **保存に必要な使用**　　問題は，留置権者のいかなる使用が，承諾のい

らない「保存に必要な使用」に該当するかである（該当しなければ、無断使用で留置権消滅請求が認められる）。判例には、建物の賃借人が留置権を行使した事例で、賃借期間中と同様の態様で居住を続けることはこれに該当するとしたもの（大判昭和10・5・13民集14巻876頁）、他方、売主から契約を解除された帆船の買主が同船に対し留置権を取得した事例で、同船を、貨物運送のため名古屋、大阪、山口方面まで航行させたことは、契約解除前と同一の使用形態を継続していたとしても、航行の危険性等から見て、保存に必要な使用の限度を超えているとしたもの（最判昭和30・3・4民集9巻3号229頁）などがある。

(c) **承諾の効果**　債務者の承諾があれば、使用、賃貸等が許される。この承諾は承諾を付与した債務者との間でのみ効果があり、目的物を債務者から譲り受けた第三者との関係ではあらためてその承諾を得る必要があるのか。判例は、第三取得者が譲渡についての「対抗要件を具備するよりも前に留置権者が民法298条2項所定の留置物の使用又は賃貸についての承諾を受けていたときには、留置権者は右承諾の効果を新所有者に対し対抗することができ」るとして、留置権の目的建物の第三取得者による留置権の消滅請求を退けた（最判平成9・7・3民集51巻6号2500頁）。承諾により留置権者が使用、賃貸等を行っているというのが当該留置権の内容であり、その内容の留置権を第三者に対抗できるかという対抗問題として整理しているものと理解できる。

(d) **使用利益・果実**　留置権者がこの条文に沿った適法な使用をしているとしても、使用利益を取得できるわけではなく、それは不当利得として債務者に返還しなくてはならないと、一般に、解されている。他方、留置物が果実を生じている場合、つまり債務者の承諾を得て第三者に賃貸しているような場合がそうであるが、留置権者は、その果実を収取し、他の債権者に先立って、これを自己の債権の弁済に充当することができる（民297条1項）[11]。ここでは、例外的に留置権に優先弁済的効力が認められているわけである。そこで、立ち返って、上の留置権者の得る使用利益についても、不当利得返還ではなく、この果実のルールを適用する（債権の弁済に充当する）処理をすべきであるとの見

---

11) この果実は、まず債権の利息に充当し、なお残余があるときは元本に充当しなければならない（民297条2項）。

解が多数といってよい。

　(ウ)　**留置権者による費用の償還請求**　留置権者は，留置物について必要費を支出したときは，所有者にその償還をさせることができる（民299条1項）。また，有益費を支出したときは，これによる価格の増加が現存する場合に限り，所有者の選択に従い，その支出した金額または増価額を償還させることができる（民299条2項本文）。この場合，裁判所は，所有者の請求により，その償還について相当の期限を許与することができる（同項但書）。趣旨は，全体として，民法196条と同じである。

　留置権者がこの費用償還債権を取得した場合，これも従前の債権に加えて当該留置権の被担保債権とすることになる。

3　目的物について競売がなされた場合等
(1)　第三者による留置物の競売

　留置物がその所有者の一般債権者により，あるいは，その目的物に担保権を有する者により競売されることがある。

　動産の場合には，強制執行は，執行官の目的物に対する差押え（執行官が占有して行う）により開始するが（民執122条），債務者以外の第三者（留置権者など）が占有する動産については，その第三者が提出を拒まない場合にのみ差押えが可能である（民執124条）。そこで，留置権者が占有する場合には，留置権を消してからでないと差押えは困難であるので，執行を行う債権者が留置権の被担保債権の代位弁済をするほかなく，その場合には，留置権者は事実上優先弁済を受ける。

　不動産の場合には，留置権が付いていても競売は可能であるが，留置権者は優先弁済権がなく配当が受けられないので留置権は消滅せず，留置権は買受人により引き受けられる。この場合，買受人が留置権によって担保される債権を弁済する責任を負うので（民執59条1項・4項，188条），その分買受代金が低下し（抵当権者等への配当が減り），したがって，留置権者は，事実上抵当権者等にも優先して弁済を受けることができる（なお，留置権は国税債権に対しても優先する〔税徴21条1項〕）。

(2) 留置権者による競売

留置権者は、優先弁済権の行使としての競売はできないが、長期にわたる目的物の保管の負担を軽減するために競売手続を利用することができる（民執195条。最決平成18・10・27民集60巻8号3234頁[12] 参照）。この場合、留置権者がその換価金を受領し、債務者（物の所有者が別人の場合は除く）に対する被担保債権との相殺により事実上優先弁済を得ることができる。

(3) 破産の場合の扱い

破産の場合には、商事留置権は特別の先取特権とみなされるが（破66条1項）、民事の留置権は、「破産財団に対してはその効力を失う」とされ、消滅の扱いとなる（同条3項）。2つの留置権の間で扱いの差が大きすぎる点が問題視されている。

IV 留置権の消滅

留置権は、もちろん目的達成、つまり、被担保債権の弁済により消滅する。それ以外の特有の消滅事由として、以下のような諸場合を挙げることができる。

ⅰ) 留置権者が善管注意をもってする留置物の占有義務等に違反したとして留置権消滅の請求がなされた場合（民298条3項）。

ⅱ) 債務者により相当の担保が供与され留置権の消滅が請求された場合（民301条）。留置物と被担保債権とが金額の上で不均衡であることがある。そのような場合には、公平の見地から代担保の提供による留置権の消滅が認められてよいし、債権者にとっても相当の担保である限り特に不利益では

---

12) 事案は、スーパー（X）の駐車場に登録自動車が長期間駐車・放置されていたので、Xはその名義人Yに対して駐車料金支払の給付判決を得た上で、留置権に基づく競売を申し立てたもの。判決はこの競売手続の開始を認めた（争点は、駐車場料金請求訴訟の給付判決の正本が、留置権に基づく競売を開始する手続的要件である民事執行法181条1項1号所定の「担保権の存在を証する確定判決」に該当するかであり、これが肯定された）。なお、区画を分けた駐車場の月極契約では駐車料金は土地賃貸料であり、その物（自動車）に関して生じた債権ではないので、駐車料金に関して自動車に対する留置権は発生しないが、スーパーの駐車場の事案では駐車料金は自動車を預かることの対価であるので、自動車に対する留置権が発生する。

ない。担保は、「相当」であれば人的な保証でもかまわない。代担保が約定担保あるいは人的保証である場合は債権者との合意によるが、一般的に、債務者による代担保提供については債権者の承諾が必要であるというべきであろう。

iii）留置権者が留置物の占有を失った場合（民302条本文）。ただし、債務者の承諾を得て留置物を賃貸したり、質権の目的としたときは、留置権を失わない（同条但書）。また、占有侵奪があれば、占有回収の訴えを提起でき（留置権に基づく訴えは認められない）、それにより占有を回復できれば（民200条、203条但書）、留置権は消滅しない。

第18章　先取特権

I　序　説

1　先取特権とは

(1)　成　立

先取特権は，直接，法の規定により発生する法定の担保物権である。その成立を根拠づける条文は担保の目的物の違いに応じて3つのグループに分けられている。なお，用語の問題であるが，第1の一般の先取特権に対して，後2者はまとめて「特別の先取特権」と呼ばれている。

〔1〕一般の先取特権　　共益の費用，雇用関係，葬式の費用，および日用品の供給によって生じた債権を有する者は「債務者の総財産」について先取特権を有する（民306条，307条～310条）。

〔2〕動産の先取特権　　不動産の賃貸借，旅館の宿泊，動産の売買など法の定める8つの原因によって生じた債権を有する者は「債務者の特定の動産」（賃借人が賃借不動産に備え付けた動産，宿泊客の手荷物，あるいは売買の目的動産など）について先取特権を有する（民311条，312条～324条）。

〔3〕不動産の先取特権　　不動産の保存，不動産の工事，不動産の売買によって生じた債権を有する者は「債務者の特定の不動産」（保存，あるいは工事をした対象不動産など）について先取特権を有する（民325条，326条～328条）。

(2)　対抗要件

対抗要件であるが，先取特権については，不動産の先取特権で「効力を保存するため」に登記が求められるほかは，特に必要とされていない（民336条，337条～340条）。

(3)　効　力

先取特権の権利の内容（効力）は優先弁済権である。すなわち，「先取特権者は，この法律その他の法律の規定に従い，その債務者の財産について，他の

債権者に先立って自己の債権の弁済を受ける権利を有する」(民303条)。

つまり，上記3つのグループに属する15種類の債権の債権者は，債権を取得すると同時に何らの行為をしなくとも，債務者の一定の財産に対して優先弁済的効力のある担保物権を取得でき，それにつき不動産の先取特権の場合を除いて対抗要件を具備する手間も不要であるというのである。

額面どおりであれば，たとえば，動産売買の先取特権を例にすると，動産売主が買主から売買代金の支払を受けていない場合には，売主は法の規定（民321条）により与えられている先取特権に基づいて，買主に所有権が移転している当該売買目的物を競売し（民執190条），その売却代金から優先弁済を受けることができる。また，買主の他の一般債権者，担保物権者の開始した当該動産に対する競売において配当を要求し優先弁済を受けることができる（民執133条）。また，債務者が倒産しその破産手続がされる場合などにおいても，先取特権者には当該動産につき一定の優先権（動産の先取特権では別除権）が与えられる（破65条2項），という具合である。

しかしながら，公示されていない先取特権にあまり強い優先弁済的効力を与えることは他の権利者（担保物権者，第三取得者など）にとっては不意打ちとなるので，効力や優先できる順位においてあまり強いものとはされていない（民329条2項，333条～336条）。しかし，担保物権であるので，一般債権者に対しては当然に優先して弁済を受ける地位が与えられる。

2　先取特権を認める理由

列挙された15種類の債権[1]については，なぜ，法定の担保物権（先取特権）を与え，他の一般債権に対して優先する地位を与えたのであろうか。その理由として一般に次のようなことが指摘されるが，個別の債権ごとにその重点が異なるので個別的な検討が必要である。

〔1〕債権者間の実質的公平　　たとえば，共益費用については，他の債権者

---

1) 民法に規定された15種類の債権以外にも，それぞれの政策目的に応じて特別法で先取特権の成立を認められた債権が多数ある（古い資料であるが，林良平編『注釈民法(8)』〔有斐閣，1965〕167頁以下［甲斐道太郎］では130種類が列挙されている）。

にとっても利益となる費用を支出しているのであるからその債権の弁済については，債務者の一般財産につき，他の債権者に優先させてやるのが公平である。

〔2〕**債権者の通常の期待**　たとえば，不動産賃貸借の先取特権については，賃貸人の賃料等の債権につき，債務者である賃借人が当該不動産に備え付けた動産に対して先取特権の成立を認めることが当事者の通常の期待に合致する。

〔3〕**社会政策的な配慮**　たとえば，雇用関係から生ずる労働者の報酬債権については，使用者から，貸付債権や取引上の債権などの一般債権よりは優先して弁済を受けさせようという社会政策的な配慮がある。

Ⅱ 各種の先取特権

1 一般の先取特権

(1) **序**

一般の先取特権は，共益の費用，雇用関係，葬式の費用，日用品の供給という4種類の原因によって生ずる債権を有する者につき，債務者の総財産（不動産，動産，債権など）を対象として成立する（民306条1号～4号）。一般の先取特権についての対抗要件は不要である（ただし，不動産については登記が可能である〔民336条，不登3条5号〕）。

一般の先取特権の効力は，債務者の総財産について優先弁済を受ける権利である（民303条，306条）。

(2) **各種の一般の先取特権**

㋐　**共益費用の先取特権**　共益の費用とは，各債権者の共同の利益のために，その債務者の財産の保存，清算または配当に関して支出された費用のことである（民307条1項）。具体例としては，債務者の不動産が他人により時効取得されそうなので，ある債権者が債務者に代位して時効を中断するため負担した費用，あるいは債務者の詐害行為を総債権者のために取り消すためある債権者が負担した費用などが挙げられる。なお，強制執行の費用も一応これに該当するが，これについては民事執行法で債務者が負担するものとされている（民執42条1項）。

共益費用につき先取特権を認める趣旨は，他の債権者のために支出した共益

の費用なので，その費用については他の債権者に優先して弁済を受けさせるということである（したがって，その利益を受けた特別の先取特権者に対しても優先する〔民329条2項但書〕）。もっとも，すべての債権者に有益であったわけではない費用は，それによって利益を受けた債権者に対してのみ優先する（民307条2項）。

(イ) **雇用関係の先取特権** 雇用関係の先取特権は，給料その他債務者と使用人との間の雇用関係に基づいて生じた債権について存在する（民308条）。この先取特権を認める根拠は，労働債権を他の一般債権に優先させようという社会政策的配慮である。この先取特権は，給料債権につき特別の担保権を有するわけでもない労働者を保護する手立てとして有用なものと評価される。

条文の解釈として，「雇用関係」とは雇用契約によるものに限定しないで，委任契約，請負契約により労務を提供する使用人の場合も含まれる。また，「給料その他……債権」には，給料のほか，退職金，身元保証人が有する身元保証金の返還債権も含まれるとされる。なお，被担保債権となる債権の範囲について，平成15年の担保法改正で，「最後ノ6ヶ月間」という制限が撤廃され，期間無制限となった[2]。

(ウ) **葬式費用の先取特権** 債務者自身のための葬式の費用について，その費用のうち相当な額の範囲で，その債務者の総財産（遺産）の上に先取特権が成立する（民309条1項）。債務者がその扶養すべき親族のためにした葬式の費用についても同様である（民309条2項）。人それぞれに相応の葬式が出せるようにというのが本来のねらいで，債権者（葬儀屋など）に先取特権を与え債権回収につき優先弁済権を与えることで，そのねらいを達成しようとしたものである。

(エ) **日用品供給の先取特権** 「債務者又はその扶養すべき同居の親族及び

---

2) 退職金を考慮すると6か月では短い（未払いの給料が6か月以上となっておれば退職金〔給料の後払いの性格があるとされる〕については先取特権を行使できない結果となる）との批判があり，また，当時の商法295条は会社の使用人について期間限定をしないで先取特権を認めており双方の規定の関係の整序につき混乱があったので，商法の規定にその内容を揃えたものである（その結果，商法の規定は削除された。谷口園恵＝筒井健夫編著『改正担保・執行法の解説』〔商事法務，2004〕13頁以下）。

その家事使用人の生活に必要な最後の6箇月間の飲食料品，燃料及び電気の供給」により発生する債権について，債務者の総財産の上に先取特権が成立する（民310条）。人が日用品の供給を受けることができるようにというのが本来のねらいで，そのために先取特権という法技術を使っているのである。

(ウ)・(エ)については，先取特権が与えられているからということで果たして事業者がかかる給付に協力をしてくれるであろうかと考えると，ねらいを達成する手段としては迂遠といわざるを得ない。社会保険給付，あるいは公的な扶助制度が存在する現在の日本において，実際上の機能は相対的に小さくなっているといえよう[3]。

(3) 一般先取特権の内容（効力）

(ア) **総財産のうちどの財産から順番に優先弁済を受けるか** 一般先取特権の効力は「債務者の総財産」について優先弁済権があるということである。もっとも，総財産といっても，担保権の実行を考える場合に手当たり次第競売できるというわけではない。他の債権者との利益調整の趣旨から，どの財産から順に優先弁済を受けることができるのかその順番が法定されている（民335条）。これによると，まず，不動産以外の財産から弁済を受け，なお不足がある場合に，不動産であって特別担保の目的とされていないものから，最後に，特別担保の目的とされている不動産から，という順番とされている（民335条1項・2項）[4]。もっとも，「不動産以外の財産の代価に先立って不動産の代価を配当し，又は他の不動産の代価に先立って特別担保の目的である不動産の代価を配当する場合」には，その配当に参加して弁済を受けてもよい（民335条4項）。そうしないと，後に，配当を得られなくなるおそれがあるからである。

(イ) **優先弁済を受ける順位** 他の担保物権との間での優先劣後，先取特権間での順位の問題である。一般の先取特権はその存在が公示されないので強い

---

[3] 山崎寛「一般先取特権の機能・現状・問題点」米倉明ほか編『金融担保法講座IV』（筑摩書房，1986）198頁の分析参照。

[4] 一般の先取特権者がこの順番を守らない行為をした場合，つまり，不動産以外の財産（または，不動産であって特別担保の対象とされていないもの）が競売された際にその配当加入を怠り得られるべき弁済を逃した場合には，その額については登記をした第三者（抵当権者，質権者，特別の先取特権者，第三取得者）に対してその先取特権を行使できない（民335条3項）。第三者は優先弁済の期待をその分害されることになるからである。

効力は与えられず，一般債権者に対してはもちろん優先するが（民303条，336条），個別の動産・不動産に対して成立している質権，抵当権などの他の担保物権，および特別の先取特権との関係においては，これらに劣後する（民329条2項〔特別の先取特権が優先。ただし，共益の費用の先取特権はその費用で利益を受けたすべての債権者に優先する〕，334条および329条2項〔質権が優先〕，336条〔抵当権が優先〕[5]）。

なお，一般の先取特権者が互いに競合し配当金を取りあう関係となることがあり得るが，その場合には，その優先権の順位は，民法306条に掲げる順序に従う（民329条1項）。

また，一般の先取特権は第三取得者に対する追及効もない（民333条，336条但書）。

2　動産の先取特権

(1)　序

動産の先取特権は，以下に述べる8つの原因により発生する債権を被担保債権として，その債権に関連のある特定の動産につき成立する（民311条1号〜8号）。対抗要件の具備（民178条）は求められてはいない。

動産の先取特権の効力は，債務者の特定の動産について優先弁済を受ける権利である。

(2)　各種の動産の先取特権

(ア)　**不動産賃貸借の先取特権**　　(a)　序　　不動産の賃貸人は，賃借人に対するその不動産の賃料その他の賃貸借関係から生じた債権につき，「賃借人の動産」に先取特権を有する（民312条）。賃料等の債権について賃借人の動産に対して先取特権を認める理由は，賃貸人の通常の期待を保護するということである。

(b)　**被担保債権**　　被担保債権は，具体的には，賃料債権のほか，賃借目

---

[5]　ただし，個別の不動産について一般の先取特権の登記をすることはでき，その場合には不動産の先取特権には劣後するが，抵当権者（民341条，373条），第三取得者などとは対抗関係になる。

的物に関して生じた損害賠償債権，賃借人が負担すべき修理代金の立替金返還請求権などである。

　その範囲について，破産手続など賃借人の財産のすべてを清算する場合に限っては，他の債権者との利害調整の趣旨から，「前期，当期及び次期の賃料その他の債務並びに前期及び当期に生じた損害の賠償債務」についてのみとされる（民 315 条）。「期」は，月額の場合は月，年額の場合は年となる。

　また，賃貸人が敷金を受け取っている場合には，その敷金で弁済を受けない債権の部分についてのみ先取特権を有する（民 316 条）。その理由は，敷金は，不動産（ふつうは家屋）の賃貸借において，いかなる名目によるかを問わず，賃料債務その他の賃貸借に基づいて生ずる賃借人の賃貸人に対する金銭の給付を目的とする債務を担保する目的で，賃借人が賃貸人に交付する金銭であり（民 622 条の 2 第 1 項），同一の債権を担保する点で先取特権と重なり合うので，このような扱いとしたのである。

　(c)　**目的物**　担保目的物は，土地の賃貸借の場合には，「その土地又はその利用のための建物に備え付けられた動産，その土地の利用に供された動産及び賃借人が占有するその土地の果実」（民 313 条 1 項），建物の賃貸借の場合には，「賃借人がその建物に備え付けた動産」である（民 313 条 2 項）。なお，賃借人の所有でない動産についても，民法 192 条の要件充足により先取特権を即時取得することがある（民 319 条）。

　土地または建物に備え付けられた動産は，畳，建具のようないわゆる従物（民 87 条 1 項）に限られないが，土地，建物に一時的にではなく常置された状態のものであることが必要である。具体例として，土地については，農業用のポンプなど，建物については，タンスなどの家具類，什器類がこれに該当する[6]。

　「その土地の利用に供された動産及び賃借人が占有するその土地の果実」には，別の場所に保管する耕作用の機械・器具，および収穫した米・麦などが該

---

[6]　もっとも，古い判例には，沿革から，ある時間継続して存置するためその建物内に持ち込まれた建物賃借人の金銭，有価証券，懐中時計，宝石類など，常置されない物も含まれると解釈するものがある（大判大正 3・7・4 民録 20 輯 587 頁）。しかし，これは「備え付けられた」との条文の趣旨にそぐわないと考える。

当する。

　賃借権の譲渡または転貸の場合には，先取特権は，「譲受人又は転借人の動産」，「譲渡人又は転貸人が受けるべき金銭」についても及ぶ（民314条）。譲渡・転貸を承諾した（民612条1項）賃貸人が上記の担保目的物を失うことは不都合であるので，本条により目的物の範囲を拡大したのである。

　(イ)　**旅館宿泊の先取特権，運輸の先取特権**　旅館の「宿泊客が負担すべき宿泊料及び飲食料に関し，その旅館に在るその宿泊客の手荷物について」先取特権が成立し（民317条），運輸における「旅客又は荷物の運送賃及び付随の費用に関し，運送人の占有する荷物について」先取特権が成立する（民318条）。先取特権を認める理由は，これらの債権者の通常の期待を保護するということである。なお，これらにおいても，民法192条により先取特権を即時取得することがあり得る（民319条）。

　(ウ)　**動産保存の先取特権**　「動産の保存のために要した費用又は動産に関する権利の保存，承認若しくは実行のために要した費用」を担保するために，当該動産について先取特権が成立する（民320条）。保存の費用には修理費用などが該当する。また，権利の保存，承認，実行の費用とは，たとえば，盗まれた動産の返還のための裁判手続費用，あるいは動産の権利の帰属を争う者に対する裁判手続費用などである。先取特権を認める理由は，当該動産の価値がこの費用により維持され他の一般債権者にとっても利益であるという公平の見地からである。

　(エ)　**動産売買の先取特権**　動産の売主は，「動産の代価及びその利息に関し，その動産について」先取特権を有する（民321条）。この場合，動産の所有権は買主に移転していることが前提である。なお，引渡し前でも先取特権は成立するが，引渡し前に所有権が買主に移転することは稀であるし，そもそも引渡し前であれば留置権，同時履行の抗弁権があるので，先取特権を認める実際上の意味はない。

　動産売買の先取特権を認める趣旨は，売主が売却したこの動産により買主の一般財産が増加しているのであるから，その代金債権につき先取特権を認めるのが公平だということである。なお，この動産の先取特権は，実務での利用価値が比較的高く，動産の先取特権に関連する重要判例も少なくない。

売主が先取特権を有している売買目的動産が，買主からさらに第三者に転譲渡されることが少なくないが，債務者（買主）がその目的である動産をその第三取得者に引き渡した後は，先取特権はその動産について行使することができなくなる（民333条）。しかし，先取特権者はまさにその転売代金債権に対して物上代位できるとされている（民304条）。

　(オ)　**種苗または肥料の供給の先取特権**　「種苗又は肥料の代価及びその利息に関し，その種苗又は肥料を用いた後1年以内にこれを用いた土地から生じた果実（蚕種又は蚕の飼養に供した桑葉の使用によって生じた物を含む。）」について，その売主は先取特権を有する（民322条）。種苗，肥料を供給したおかげで果実（米，麦など）の収穫があるのだからという趣旨であろう。

　(カ)　**農業労務の先取特権，工業労務の先取特権**　農業の労務に従事する者は，その最後の1年間の賃金に関し，その労務によって生じた果実について先取特権を有する（民323条）。また，工業の労務に従事する者は，その最後の3か月間の賃金に関し，その労務によって生じた製作物について先取特権を有する（民324条）。これらが雇用関係に基づいた債権であれば，併せて，債務者の総財産について一般の先取特権を取得する（民308条）。

　(3)　**動産の先取特権の内容（効力）**

　(ア)　**優先弁済を受ける順位**　以上の動産の先取特権者は，担保権実行としての動産競売をするなどして，当該特定の動産の価値から優先弁済を受けることができる。その優先弁済に関して，他の担保物権との間での優先劣後の関係，先取特権間での順位について整理しておく。

　まず，一般債権者，および一般の先取特権者に対しては優先する（民303条，329条2項〔ただし，共益の費用の一般先取特権は，その利益を受けたすべての債権者に優先する〕）。

　当該動産の質権者との関係では，動産の先取特権についての対抗要件が不要であることもあって，民法330条1項に掲げる第1順位のもの（不動産の賃貸，旅館の宿泊，および運輸の先取特権）のみが同順位を享受でき，第2順位，第3順位のものは動産質権に劣後する（民334条）。

　同一の動産について動産の先取特権が互いに競合する場合の優先順位については法定されており，第1順位は上掲のもの，第2順位は動産保存の先取特権，

第 3 順位は動産売買以下の先取特権（民 330 条 1 項）である[7]。果実に関して先取特権が競合する場合には，第 1 の順位は農業の労務に従事する者に，第 2 の順位は種苗または肥料の供給者に，第 3 の順位は土地の賃貸人に属する（民 330 条 3 項）。

なお，複数の同一順位者間で競合する場合は，債権額の割合に応じて按分される（民 332 条）。

(イ) **第三取得者との関係**　先取特権（動産の先取特権，一般の先取特権）は，債務者がその目的である動産を第三取得者に引き渡した後は，その動産について行使することができない（民 333 条）。当該動産につき先取特権が付着しているかどうか必ずしも明白ではないので，動産の第三取得者を保護する趣旨で置かれた規定である。しかし，解決の構成としては，善意の第三取得者のみを保護するというものではなく，引渡しを基準とする画一的な処理がなされている。この引渡しは，現実の引渡しに限られないで，占有改定による引渡しでもって足ると解されている（大判大正 6・7・26 民録 23 輯 1203 頁）[8]。

第三取得者とは所有権を取得した者であり，質権者は該当しない（民 334 条が適用され，動産質権者は民法 330 条の第 1 順位の先取特権者〔不動産の賃貸，旅館の宿泊および運輸の先取特権〕と同一の権利を有する）。

譲渡担保権が設定された場合はどうか。判例は，譲渡担保権者もこの第三取得者と位置づけ，占有改定による引渡しがなされると，先取特権を行使することができないと解している*。

> * 最判昭和 62 年 11 月 10 日（民集 41 巻 8 号 1559 頁）は，集合動産譲渡担保の項で紹介したが（⇨466 頁・第 14 章 Ⅱ 1 (1)(ウ)参照），Y 会社が鋼材問屋 S に鋼材甲を売却しその代価に関し鋼材甲につき動産売買先取特権（民 321 条）を取得したが，S がその代価

[7) ただし，第 1 順位の先取特権者は，その債権取得の時において第 2 順位または第 3 順位の先取特権者があることを知っていたときは，これらの者に対して優先権を行使することができない。また，第 1 順位の先取特権者のために物を保存した者に対しても，同様とする（民 330 条 2 項）。
8) ただし，先取特権の即時取得が認められている不動産賃貸借の先取特権などにおいては（民 319 条），先取特権の対象動産が第三取得者に移転した事実につき先取特権者が善意・無過失であれば，この規定を根拠に，先取特権を第三者に主張できると考えられる（星野英一『民法概論Ⅱ（物権・担保物権）』〔良書普及会，1984〕209 頁）。

を支払わないので，鋼材甲につき競売の申立てをしたところ，X会社が鋼材甲はそれより前にSから設定を受けている（集合動産）譲渡担保権の構成部分となったとして第三者異議の訴えを提起した事案に関するものである。判旨は，「動産売買の先取特権の存在する動産が〔有効に成立し，集合物につき対抗要件を具備している集合動産〕譲渡担保権の目的である集合物の構成部分となった場合においては，債権者は，右動産についても引渡を受けたものとして譲渡担保権を主張することができ，当該先取特権者が右先取特権に基づいて動産競売の申立をしたときは，特段の事情のない限り，民法333条所定の第三取得者に該当するものとして，訴えをもって，右動産競売の不許を求めることができるものというべきである」，として，本件譲渡担保権者Xの第三者異議の訴えを認めた。

3 不動産の先取特権

(1) 序

不動産の先取特権は，不動産の保存，不動産の工事，または不動産の売買という原因によって生じた債権を被担保債権として，その債権に関連のある特定の不動産につき成立する（民325条1号～3号）。不動産の先取特権においては，一般の先取特権，および動産の先取特権と異なり，それぞれその効力を保存するために登記が必要とされる（民337条以下）。

不動産の先取特権の効力は，債務者の特定の不動産について優先弁済を受ける権利である。

(2) 各種の不動産の先取特権

(ア) 不動産保存の先取特権　(a) 趣旨　「不動産の保存のために要した費用又は不動産に関する権利の保存，承認若しくは実行のために要した費用」を担保するために，当該不動産について先取特権が成立する（民326条）。保存の費用とは，不動産の修理費用などであり，また，権利の保存，承認，実行のための費用とは，たとえば，第三者による当該不動産の時効取得を阻止するため債務者に代位して時効中断をする裁判手続の費用等である。この先取特権を認める趣旨は，当該不動産の価値が維持され他の一般債権者にとって利益であるという，公平の見地からである。

(b) 効力保存の登記　この不動産保存の先取特権の効力を保存するためには，不動産保存行為が完了した後直ちに登記をしなければならない（民337条)[9]。この登記がされれば，先に登記された抵当権などの担保物権に対しても

優先する（民339条，361条）。保存工事などにより物件の価値が維持され抵当権者も利益を得ているからである。そこで，この効力を保存する登記は，民法177条の対抗要件主義の例外となる。また，不動産保存の先取特権は，不動産工事・不動産売買の先取特権と競合する場合，それらにも優先する（民331条1項）。

(イ) **不動産工事の先取特権** (a) **趣旨** 不動産の「工事の設計，施工又は監理をする者が債務者の不動産に関してした工事の費用に関し，その不動産について」，先取特権が成立する（民327条1項）。工事とは土地の造成，整地，道路開設，建物の増改築，新築などである。それらの工事は，工事をした者と不動産の所有者との契約に基づいていることが必要とされる。

先取特権を許す趣旨は，この工事により債務者所有の不動産の価値が増加したのであるから，その工事をした者の代金債権について，その増加額について優先弁済権を，しかも先に設定されている抵当権に対しても優先して，認めることが公平であるということである。

このような趣旨から，この先取特権は，工事によって生じた不動産の価格の増加が現存する場合に限り，その増価額についてのみ存在する（民327条2項）。増価額は担保価値支配の限度を示すものである。この不動産の増加額は，配当加入時（実行時）に，裁判所が選任した鑑定人に評価させなければならない[10]，とされる（民338条2項）。

(b) **効力保存の登記** この先取特権の効力を保存するためには，あらか

---

9) 「直ちに」なされたとはいえない登記がある場合，または，およそ登記がない場合にはどういう扱いとなるか，議論がある。効力要件と解せば（道垣内弘人『担保物権法〔第4版〕』〔有斐閣，2017〕63頁），当該債務者に対する関係でも先取特権は成立していない扱いとなる。しかし，先に登記された抵当権に優先するという効果（民339条）は保存できないが，あとは一般の対抗問題となると解するのが利害の調整としては適切であると考える（林編・前掲本章注1) 216頁以下［西原道雄］。民事執行法181条に基づき担保権の実行ができる）。

10) 増価額が，評価人の評価またはこれに基づく最低売却価額の決定に反映されていなくとも（「0円」とされた），競売手続による本件土地売却時点において，現に工事による土地の増価額が認められれば（この事案では620万円），その金額は，先取特権者に配当される（最判平成14・1・22判時1776号54頁）。理由は，「けだし，評価人の評価は増価額を確定するものではなく，最低売却価額の決定も上記増価額を決定するものではなく，売却時に現存する増価額の有無を配当異議訴訟で争うことを妨げるものではないからである」とされる。

じめ「工事を始める前にその費用の予算額を登記しなければならない」(民338条1項前段)[11]。そして，この場合において，工事の費用が登記された予算額を超えるときは，先取特権は，その超過額については存在しない (民338条1項後段)。つまり，被担保債権額はあらかじめ登記された予算額が最高限度額となる (不動産の増加額〔上述〕，および予算額が優先弁済権の限度となる)。なお，効力としては先に登記された抵当権などの担保権に優先し (民339条, 361条)，不動産の先取特権が競合する場合の順位として，不動産の保存には劣後し，不動産売買には優先する (民331条1項)。

登記の意味については前述の不動産保存の場合と同様に考えてよい (工事開始後の登記は抵当権に優先はしないが，対抗力はある)。もっとも，古い判例は，工事開始後の登記では，およそ先取特権は無効であるとする (大判大正6・2・9民録23輯244頁)＊。

＊ 不動産工事の先取特権は，この工事開始前の登記要求がネックとなって (工事開始前に注文者＝債務者に登記申請の協力を頼みづらい)，利用がふるわない。建設請負代金債権確保の趣旨から，平成15年の担保法改正の際に，工事完了後の登記で足るとするとか，先取特権者が単独で登記申請できるとか (債務者の共同申請は不要) の要件緩和が検討されたが，改正は見送られた。

㈦ **不動産売買の先取特権**　(a) **趣旨**　不動産が売買された場合，売主は，不動産の代価およびその利息に関し，買主の所有となったその不動産について先取特権を有する (民328条)。先取特権を認める趣旨は動産売買の先取特権におけると同様である。

(b) **効力保存の登記**　その効力を保存するためには，売買契約と同時に，つまり買主への所有権移転登記の際に，「不動産の代価又はその利息の弁済がされていない旨を登記しなければならない」(民340条)。なお，ここでも効力を保存するという文言が使われるが，これはすでに設定されている抵当権に優先するわけではないので，単に民法177条の意味があるにとどまる (民341条,

---

11) 登記手続は不動産登記法83条〜87条による。建物新築の場合まだ建物の保存登記がない状態だが，設計書を基礎としてこの不動産工事の先取特権の保存の登記をすることができ (不登86条)，建築完了時に所有者が所有権の保存登記をすることで通常のかたちになる (不登87条)。

373条)。

(3) 不動産の先取特権の内容（効力）

不動産の先取特権者は，担保不動産競売または担保不動産収益執行の方法で担保権を実行（民執180条）して優先弁済を受けることができる。その場合における，他の担保物権との間での優先劣後の関係，先取特権間での順位について整理しておく。

効力保存の登記がされておれば，不動産の保存・工事の2つの先取特権は抵当権等の担保物権にも優先する（民339条。時期に後れた登記がある場合には単純に対抗力のみある）。不動産売買の先取特権と抵当権との関係は登記の順位に従う。

同一の不動産について複数の不動産の先取特権が競合する場合の，優先の順番は，民法325条各号に掲げる順序に従う（民331条）。なお，同一不動産に対する一般の先取特権との関係では，不動産の先取特権が優先する（民329条2項。ただし，共益の費用の先取特権はその利益を受けた債権者に優先する）。

III 先取特権の効力

1 序説

先取特権の本質的な内容は目的物の交換価値からの優先弁済的効力である（民303条）。したがって，交換価値が何らかのかたちで現実化した場合にそれに対して物上代位することも認められている（民304条）。また，債権の全部の弁済を受けるまでは，目的物の全部についてその権利を行使することができる（不可分性。民305条, 296条）。

なお，不動産の先取特権については，性質に反しない限り，抵当権に関する規定が準用されている（民341条）。準用されるのは，効力の及ぶ目的物の範囲（民370条, 371条），順位（民373条），優先弁済を受けることのできる被担保債権の範囲（民375条）などである。

以下では，優先弁済権の実現手続，他の担保物権との間での優先劣後，先取特権間での順位，物上代位について検討する。ただし，各種の先取特権の紹介においてすでに触れた事項については，省略する。

2　優先弁済権の実現手続

優先弁済権は以下のようなかたちで実現することになる。

(1) 担保権の実行

目的物により，その方法が異なる。

不動産（一般の先取特権，不動産の先取特権）については，担保不動産競売か担保不動産収益執行のいずれかの方法による（民執180条）。登記がされておれば登記事項証明書を提出して開始するが，一般先取特権においては登記がされることはないので，「その存在を証する文書」を提出することで開始する（民執181条1項3号・4号）。

動産（一般の先取特権，動産の先取特権）については，動産競売による（民執190条）。競売を開始できるのは，まず，債権者が執行官に対し，〔1〕当該動産を提出した場合（同条1項1号），〔2〕「当該動産の占有者が差押えを承諾することを証する文書を提出した場合」（同条1項2号）である。さらに，〔3〕先取特権の存在を証する文書（売買先取特権だと売買契約書など）を提出してなされた債権者の申立てに対し，執行裁判所の動産競売開始許可決定がなされた場合，債権者が，その決定書謄本を執行官に提出することによっても動産競売を開始することができる（同条1項3号・2項）[12]。

債権およびその他の財産権（一般の先取特権）については，担保権の存在を証する文書を提出して開始する（民執193条1項前段）。

(2) 配当参加

また，他の担保権者，または一般債権者による競売の手続において，一般の先取特権の存在を証する文書を提出して，配当要求をすることができる（民執51条〔不動産執行〕，133条〔動産執行〕，154条〔債権執行〕）。

(3) 倒産の場合

倒産の場合には，たとえば破産手続では，一般の先取特権は優先的破産債権と扱われ（破98条1項），動産・不動産の先取特権者は別除権を有し，破産手

---

12)　〔3〕は平成15年の民事執行法の改正により認められた手続である。趣旨は，動産を占有するわけではない先取特権者にとっては，〔1〕〔2〕のみでは動産競売を開始することが事実上困難であるので，このようなかたちで競売の可能性を拡大したのである（谷口＝筒井編著・前掲本章注2）129頁以下）。

続によらないでこれを行使することができる（破2条9項，65条1項など）。

3 他の担保物権との間での優先劣後，先取特権間での順位

同一の目的物について，先取特権と他の担保物権とが競合する場合，また複数の先取特権が競合する場合，それらの権利間での優先劣後，順位の問題が生ずる[13]。これについては，各種の先取特権の叙述のところですでに述べた通りであるので，その部分を参照されたい。

4 物上代位
(1) 序

先取特権には，物上代位性が認められる[14]。すなわち，「先取特権は，その目的物の売却，賃貸，滅失又は損傷によって債務者が受けるべき金銭その他の物に対しても，行使することができる」，「目的物につき設定した物権の対価についても……同様とする」（民304条1項本文・2項）。先取特権は，目的物の交換価値から優先弁済を受ける権利であるので，その目的物の代位物，すなわち，代替物（売買代金債権，滅失・損傷により生ずる損害賠償債権，保険金支払請求権）や，派生的に生ずる賃料債権に対してもその効力が及ぶとされるのである。もっとも，この権利を行使するには，先取特権者が，「その払渡し又は引渡しの前に差押えをしなければならない」（民304条1項但書，民執193条1項後段）。

なお，先取特権のうち，一般の先取特権については物上代位を認める必要はない。代位物もまた債務者の総財産に含まれるからである。

(2) 物上代位の対象

(ア) **売買代金債権** 動産の先取特権は，債務者が目的たる動産を第三取得者に引き渡すと，その動産について行使することができないので（民333条），

---

13) 特別法において多数の債権につき先取特権を認める特別規定が存在することについては前に触れた。これらの各種の先取特権も，この順位の問題に割り込んで来て，順位問題は非常に複雑な方程式を解くような格好となる（林編・前掲本章注1）189頁以下［西原］参照）。

14) 物上代位については，抵当権において詳しく述べたので（⇒316頁・第12章Ⅲ6参照），ここでは，先取特権において特徴的な点について触れるにとどめる（動産売買の先取特権を念頭に記述する）。

その代金債権に対して物上代位することには意味がある。第三者追及効がある抵当権とは異なる点である。

　売買代金債権ではなく，動産の買主が請負人として当該動産を用いて請負工事を行ったことによって注文者に対し取得する請負代金債権に対して，動産売主が動産売買の先取特権に基づく物上代位権の行使をすることができるかは問題である。これは原則否定されるべきである。請負代金債権には，当該動産の価額だけではなく，他の材料や労力等の対価すべてが含まれるからである。もっとも，「請負代金全体に占める当該動産の価額の割合や請負契約における請負人の債務の内容等に照らして請負代金債権の全部又は一部を右動産の転売による代金債権と同視するに足りる特段の事情がある場合には，右部分の請負代金債権に対して右物上代位権を行使することができる」とする最高裁の決定がある（最決平成 10・12・18 民集 52 巻 9 号 2024 頁【百選 I 81】）。同決定は，A（買主）がB（注文者）からある機械の設置工事を 2080 万円で請け負い，その債務の履行のため X（売主）から代金 1575 万円でその機械を購入した事案で，この請負代金債権を「右機械の転売による代金債権と同視するに足りる特段の事情がある」ことを認めた。

　不動産の先取特権については，登記をすることにより第三取得者に追及できるので，抵当権において議論したと同様に，売買代金につき物上代位を認める必要がない。

　(イ)　**目的物の滅失・損傷により生ずる債権**　　第三者が滅失・損傷を生じさせその第三者に対して損害賠償債権を有するとか，目的物について火災保険などの損害保険契約を結んでおり滅失・損傷に際して保険金請求権が発生するなどの場合に，その債権に対して物上代位できる。

　(ウ)　**賃料債権，目的物につき設定した物権の対価**　　前者の賃料債権に対しては動産，不動産いずれの先取特権についても物上代位があり得る。後者の用益物権の対価については，不動産の先取特権に限られる。

　(3)　**差押え**

　(ア)　**序**　　先取特権者は，物上代位権を行使するためには，その払渡しまたは引渡しの前にその債権の差押えをしなければならない（民 304 条 1 項但書）。

　物上代位権の行使は，債権についての担保権の実行と同じく，先取特権者が，

「担保権〔先取特権〕の存在を証する文書」を提出して行う（民執193条1項後段）。具体的には，たとえば，動産売買の先取特権に基づいて転売代金債権に対し物上代位権を行使する場合には，〔1〕G（売主）とS（買主）との間に動産の売買があり，売買代金債権が成立し，その代金債権の弁済期が到来していること，〔2〕原売買の目的動産についてSとD（第三者）との間に転売買が成立し，転売買代金債権が成立していることを証明できる文書ということになる。

　（イ）　**差押えの趣旨**　　(a)　**問題の所在**　　ところで，この差押えの趣旨，およびそれに関連して，いつの時期までにこの差押えをする必要があるかが問題となる。払渡し・引渡しの前にしなくてはならないことは明文で明らかであるが，この代位物（債権）について利害を有する者（たとえば，差押債権者，転付債権者，譲受人など）が登場した後においてもなお，差し押さえて物上代位権を行使できるかである。この問題については，抵当権に基づく物上代位権の行使を説く際に述べた（⇨324頁・第12章Ⅲ6(3)(イ)参照）。

　(b)　**特定性維持から第三債務者保護へ**　　(i)　**特定性維持**　　かつて，判例は，債務者が破産宣告決定を受け，代位物（動産の転売代金債権）がすでに差し押さえられたと同様の状態となっている事案につき，先取特権者の物上代位権行使を認めた。その理由として，差押えの趣旨を，債権の特定性を保持し，物上代位権の効力を保全するとともに，第三者を保護するためのものであるとし，したがって，一般債権者（保護されるべき第三者に当たらない）の差押えがあれば，すでに特定性は保持されているので，先取特権者は（差し押さえて）物上代位権を行使できる，とした（最判昭和59・2・2民集38巻3号431頁〔同旨，最判昭和60・7・19民集39巻5号1326頁【百選Ⅰ82】〕）。

■**最判昭和59年2月2日民集38巻3号431頁**────────
　事実の概要　GがSに機械甲を1億3300万円で売却し，機械甲に対し動産売買の先取特権を得た。その後，SはDに機械甲を1億4350万円で転売したが，Sが破産宣告を受けた（転売代金差押えの状態）ので，Gは物上代位権を行使してSのDに対する転売代金債権（のうち665万円）について差押・転付命令を得た。Dがその金額を供託したので，Sの破産管財人（差押債権者に相当）がGを相手に供託金の還付請求権は自分にあることの確認を求めた。

　判旨　民法304条1項但書の差押えの趣旨を，「先取特権者のする右差押によって，第三債務者が金銭その他の目的物を債務者に払渡し又は引渡すことが禁止され，

他方，債務者が第三債務者から債権を取立て又はこれを第三者に譲渡することを禁止される結果，物上代位の対象である債権の特定性が保持され，これにより物上代位権の効力を保全せしめるとともに，他面第三者が不測の損害を被ることを防止しようとすることにあるから，第三債務者による弁済又は債務者による債権の第三者への譲渡の場合とは異なり，単に一般債権者が債務者に対する債務名義をもつて目的債権につき差押命令を取得したにとどまる場合には，これによりもはや先取特権者が物上代位権を行使することを妨げられるとすべき理由はないというべきである」。

(ⅱ) **第三債務者保護** ところが，その後，判例は，抵当権に基づく物上代位権行使（民372条，304条）の事案で，物上代位の目的債権（賃料債権）が譲渡されそれにつき第三者対抗要件が備えられた後においても，譲渡が抵当権設定登記より後になされたものである場合には，抵当権者は，自ら目的債権を差し押さえることにより物上代位権を行使することができるとした。その理由として，抵当権に基づく物上代位において差押えを求める趣旨は，第三債務者の二重弁済（債権者たる抵当権設定者に支払ったのにさらに物上代位した抵当権者に二重に弁済）の危険を防ぐためのものであり，差押えによりそれを防ぐことができていれば問題はなく，他方，物上代位の目的債権について利害関係ある第三者（差押債権者，譲受人など）の保護は，抵当権設定登記に委ねられているからそれに後れる者は劣後しても仕方がない，という（登記により抵当権が存在する旨，および物上代位の目的債権〔賃料債権〕があればその債権に対し抵当権の効力が及ぶ旨が公示されているから，利害関係人はすでに存在する登記を見れば，抵当権に基づく物上代位が優先することが分かるから）。

(c) **動産の先取特権の場合** 抵当権において展開された以上の民法372条，304条の解釈論は，しかしながら，動産の先取特権の場合（民304条）には妥当しないと考えるべきであろう。抵当権の場合と異なり動産の先取特権は登記による公示がなされないからである。最判平成17年2月22日（民集59巻2号314頁）は，動産売買の先取特権者が，売買目的動産の代位物（転売代金債権）が譲渡され対抗要件が具備された後に，それに対して物上代位権を行使した事案において，先取特権者に差押えを要求する民法304条の規定は，「抵当権とは異なり公示方法が存在しない動産売買の先取特権については，物上代位の目的債権の譲受人等の第三者の利益を保護する趣旨を含むものというべきで

ある。そうすると，動産売買の先取特権者は，物上代位の目的債権が譲渡され，第三者に対する対抗要件が備えられた後においては，目的債権を差し押さえて物上代位権を行使することはできないものと解するのが相当である」，とした。先取特権に基づく物上代位における差押えに関するこれまでの解釈論が維持されたことになる。

事項索引

あ 行

悪意占有 …………………………………255
按分負担 …………………………………400
遺言執行者 ……………………………52, 60
遺言書 ……………………………………56
遺産分割 …………………………………61
　——長期未了状態 ……………………149
　——と登記 ……………………………61
　——の登記 …………………………144
　——の方法 …………………………60
　共有物分割と—— ……………………199
遺産分割協議書 ………………………56, 58
遺産分割上の権利 …………200, 207, 209
遺失物 …………………………………123
　——の拾得 …………………………168
異時配当 ………………………………400
囲障の設置 ……………………………163
遺贈による所有権移転登記 ……………143
一物一権主義 ……………………………12
一物化 …………………………………170
一括競売の制度 ………………………373
一定の種類の取引 ……………………408
1棟の建物 ………………………………12
一般債権者による賃料債権の差押え ……329
一般の先取特権 …………………526, 526
　——の内容（効力） …………………530
1筆の土地 ………………………………12
囲繞地 …………………………………154
　——通行権 …………………………154
入会慣行 ………………………………239
入会権 …………………………226, 237
　——の確認 …………………………239
　——の処分 …………………………241
　——の内容 …………………………239
　共有の性質を有する—— ……………238
入会団体の構成員 ……………………239, 241
印鑑証明書 ………………………………43
受付番号 …………………………………44

受戻し ……………………………………462
　——の限界 …………………………500
受戻権 …………………………………462, 499
売渡担保 ………………………………442, 447
永小作権 ………………………………226, 232
　——の消滅 …………………………233
　——の成立 …………………………232
　——の存続期間 ……………………233
　——の内容 …………………………232
乙　区 ……………………………………41
お綱の譲り渡し ………………………251
温　泉 …………………………………140

か 行

買受人 …………………………………392
解　除 ……………………………………55
　——と登記 ……………………………55
　——による復帰的物権変動 …………56
　——の効果に関する間接効果説 ……56
　——の効果に関する直接効果説 ……55
回復請求権 ……………………………125, 126
　——者 ………………………………126
買戻特約付売買契約 ……………………442, 447
確定日付ある通知または承諾 …………479
加　工 …………………………………169, 178
果　実 …………………………303, 311, 522
　——収取権 …………………………426, 432
　　占有者と—— ……………………262
　　抵当不動産の—— ………………311
　　未分離の—— ……………………131
価値代替物 ……………………………316, 317
家督相続 …………………………………49
仮登記 …………………………………14, 90, 91
　——の順位保全効 ……………………91
　　請求権保全の—— …………………91
仮登記担保 ……………………………282, 493
　——契約 ……………………………495
　——権者 ……………………………496
　——と不動産利用 ……………………504

548　事項索引

競売手続内での――権……………503
過　料……………………………143, 145
簡易の引渡し……………………107
換価処分……………………457, 459
完成建物の所有権帰属…………181
間接強制…………………………16
間接占有…………………………248
観望制限…………………………167
元本確定…………………………415
　　――期日…………………411, 416
　　――事由…………………………416
　　――の効果………………………418
管理規約…………………………222
管理組合…………………………222
　　――法人…………………………222
管理者（管理組合の理事長）……222
管理人（担保不動産収益執行手続）………395
管理不全建物管理命令…………218
管理不全土地管理人の権限……217
管理不全土地管理命令…………216
管理不全土地・建物管理制度…149
管理を行うための団体…………222
企業担保法………………………290
期限の利益喪失…………………341
帰責性………………………102, 113, 127
　　真の権利者の――………………94, 96
帰属清算…………………………458
規　約……………………………222
求償権……………………………293
　　――担保…………………………298
　　――と弁済による代位……………294
境界確定の訴え…………………188
境界標……………………………163
境界紛争型………………………68
協議分割…………………………202
強行法規的な利用の調整………151
強制管理…………………………394
強制執行………………………276, 389
供　託……………………208, 210, 432, 440
共同買入説…………………379, 431
共同申請…………………………111
　　――主義…………………………41
共同相続…………………………58

　　――と登記………………………56
共同相続登記………………52, 57, 59, 143
共同担保目録……………………397
共同抵当……………………295, 396
　　――と物上保証人………………401
　　――の設定………………………397
共同根抵当………………………419
共　有……………………………181
　　――関係にあることの主張……188
　　――者の担保責任………………205
　　――の性質を有する入会権……238
　　――の発生………………………181
　　――持分…………………………296
共有物……………………………189
　　――の管理…………………141, 192
　　――の管理者……………………194
　　――の使用………………………189
　　――の単独使用…………………195
　　――の分割………………………198
　　――の分割と遺産分割…………199
　　――の変更…………………141, 190
　　――の保存行為…………………194
　　競売による――分割……………203
共有物分割請求…………………208
共用部分…………………………220
　　――の管理………………………221
　　――の変更………………………221
極度額………………………406, 410
　　――減額請求権…………………418
金銭に対する所有権……………136
掘削の制限………………………167
区分所有権………………………219
区分所有法………………………219
区分建物…………………………222
区分地上権………………………229
形式的形成訴訟…………………202
形式的審査主義…………………44
継続的な給付を受けるための設備の設置等…159
継続的取引契約…………………408
継続的な取引関係………………405
競売開始決定……………………391
競売手続と私的実行手続………503
競売の開始………………………391

事項索引　549

ゲヴェーレ	244
権　原	174
──の客観的性質	254
権原者の植栽	175
現実の引渡し	106
建設機械抵当法	106, 290
現物分割	203
権利移転形式の担保	442
権利移転・留保型の担保	281
権利外観法理	124
権利質	422, 433
権利証	44
権利適法の推定	260
権利に関する登記	40
権利能力なき社団	240
権利部	40
権利濫用	137, 147
──禁止規定	137
──禁止法理	492
牽連関係	460, 509
行為請求権	23
交換価値	275, 283
甲　区	41
航空機抵当法	290
公　示	5
──制度	29
──の原則	30
──の原則と取引安全	31
──方法	29
留保所有権の──	488
後順位譲渡担保権者による私的実行	474
後順位担保権者	333, 501
──による物上代位権の行使	502
後順位抵当権者	334
──相互の平等	399
──相互の利害調整	397
工場供用物件	310
工場抵当法	115
──3条の目録	311
公信の原則	31, 32, 108, 112
公信力説	46, 79, 80
合成物	171
後退距離	166
公道に至るための他の土地の通行権	154
合　有	182
小作料	233
互　有	163
固有必要的共同訴訟	188, 239
混　同	134
──の例外	134
債権の──	135
混　和	169, 178

さ　行

債権行為	33
債権質権	434
──の設定	434
──の対抗要件	437
債権者代位権	275
──の転用	17
債権者平等の原則	275
債権証書	437
債権譲渡担保	450
債権譲渡登記ファイル	438
──への登記	450, 481
最高価買受申出人	392
財産法	3
財団抵当	290
再売買の予約	442, 447
裁判分割	202
債務者の相続・合併・会社分割	412
債務名義	277, 391
詐害行為取消権	275, 310, 468
詐害的短期賃貸借	342
先取特権	279, 483, 526
──の効力	539
──の即時取得	535
──の物上代位性	541
一般の──	526, 528
一般の──の内容（効力）	530
運輸の──	533
共益費用の──	528
工業労務の──	534
雇用関係の──	529
種苗または肥料の供給の──	534
葬式費用の──	529

事項索引

動産の——　……………………526, 531
動産の——の内容（効力）　………534
動産売買の——　………328, 527, 533
動産保存の——　………………………533
日用品供給の——　……………………529
農業労務の——　………………………534
不動産工事の——　……………………537
不動産賃貸借の——　…………………531
不動産の——　……………………526, 536
不動産の——の内容（効力）　………539
不動産売買の——　……………………538
不動産売買の——の効力保存の登記……538
不動産保存の——　……………………536
不動産保存の——の効力保存の登記……536
旅館宿泊の——　………………………533
差押え　……………………………………323
　——の趣旨　……………………………324
差押債権者　………………………………73
指図による占有移転　…………107, 121
賛否不明共有者　…………………………149
残余地　……………………………………157
資格者代理人　……………………………44
敷金　………………………………………532
敷金返還請求権　………………355, 510
敷地利用権　………………………………221
時効取得　…………………………………77
　——の当事者　…………………………64
自己借地権　………………………337, 356
自己のためにする意思　………………247
自主占有　……………………………250, 253
　——の推定　…………………………250
　他主占有から——への変更　………252
事前求償権　………………………………293
質　権　……………279, 287, 291, 421, 443
　——に基づく返還請求権　……………428
　——に基づく妨害排除請求　…………429
　——の効力の及ぶ目的物の範囲　……426
　——の侵害　……………………………428
　——の即時取得　………………………423
　——の優先弁済的効力　………………425
　——の留置的効力　………424, 425, 429
　有価証券を目的とする——　…………434
質権者の果実収取権　……………………426

質権者の代理占有　………………………425
質物質入説　………………………………431
質物の処分　………………………………428
執行官　……………………………………392
執行裁判所　………………………………392
実質的無権利者　…………………………70
私的実行　……………………………443, 496
　——開始の通知　………………………497
　競売手続と——手続　…………………503
　後順位譲渡担保権者による——　……474
自動車抵当法　……………………………290
自動車登録ファイル　……………………106
支配可能性　………………………………11
司法書士　…………………………………41
指名債権　…………………………………434
借地借家法　………………………………227
収　益　……………………………………395
収益的効力　………………………………284
集　会　……………………………………223
自由競争の原理　…………………………74
収去権　……………………………………173
集合債権譲渡担保　………………………476
　——の成立　…………………………477
　流動——　……………………………475
集合債権譲渡の対抗要件　………………481
集合債権譲渡予約　………………………476
集合動産　…………………………………13
　流動——　……………………………465
集合動産譲渡担保　………………………465
　——権の対抗要件　…………………470
　——に関する集合物論　……466, 472, 475
　——に関する分析論　………………468
　——の成立　…………………………469
集合物　………………………………466, 473
従たる権利　………………………………309
従　物　……………………………304, 306
取得時効　…………………………………63
　——の起算点　…………………………64
準占有　……………………………………271
承役地　……………………………………233
償　金　……………………………154, 156
　——請求権　……………………………171
　——の支払　……………………154, 156, 161

事項索引　551

証券的債権 …………………………437
消除主義 ……………………………396
商事留置権 …………………………506
　　──と不動産 ……………………506
　　──の即時取得 ………………122
承水義務 ……………………………162
承諾転質 ……………………………430
譲渡可能な物 ………………………426
譲渡制限（禁止）特約 ……………435
　　債権についての── …………446
　　預貯金債権についての── …436
譲渡担保 ……………281, 422, 442
　　──権者からの譲受人 ………455
　　──権者の処分権能 …………463
　　──権の効力の及ぶ目的物の範囲 …450
　　──権の私的実行 ……………457
　　──権の即時取得 ……121, 454
　　──設定者からの譲受人 ……453
　　──と売渡担保 ………………446
　　──における物上代位 ………451
　　──の二重設定 ………………120
　　後順位の──権 ………454, 471
　　動産の── ……………………109
使用の対価 …………………………190
将来債権譲渡 ………………………478
将来債権譲渡担保 …………………477
将来発生する債権（将来債権）
　　 …………………… 298, 436, 446
使用利益 ……………………127, 522
　　──の返還 ……………………123
植　栽 ………………………………173
　　無権原者による── …………173
所在等不明共有者 ………149, 191, 193
　　──の持分取得・譲渡制度 …141
　　──の持分の取得 ……………206
　　──の持分の譲渡 ……………209
処分授権構成 ………………………492
処分清算 ……………………………458
所　有 ………………………………… 3
所有権 ……………………………3, 136
　　──に対する制限 ……………137
　　──の内容 ……………………137
　　──の二重譲渡 …………………45

金銭に対する── …………………136
土地──の放棄 …………133, 146
所有権移転時期 ………………………35
　　──に関する特約 ………………36
所有権的構成 ………………………444
所有権留保 …………………282, 483
　　──の公示 ……………………488
　　──の実行 ……………………490
　　──の対抗要件 ………………488
　　──の特約 ……………………486
　　──の法律構成 ………………484
　　延長された── ………………487
　　拡大された── ………………487
　　信販会社等による── …485, 487
　　流通過程における── ………491
所有権留保権者 ……………………… 22
所有者でない者 ……………………116
所有者不明 …………………………141
　　竹木の── ……………………165
所有者不明建物 ……………………214
所有者不明建物管理人の権限 ……215
所有者不明建物管理命令 …………214
所有者不明土地 ………… 43, 140, 146
所有者不明土地・建物管理制度 …141, 148
所有者不明土地管理人
　　──の管理権限の専属 ………212
　　──の義務 ……………………214
　　──の報酬 ……………………214
所有者不明土地管理命令 …………211
　　──の登記 ……………………212
所有の意思 …………………………250
　　──の証明 ……………………255
所有不動産記録証明制度 …………142
自力救済 ……………………15, 265
　　──禁止 …………………266, 270
　　一般的な── …………………266
　　占有に基づく── ……………265
新権原 ………………………………253
申請情報 ………………………………41
真正な登記名義の回復 ………………84
人的編成主義 ………………………111
人的保証 ……………………………277
信販会社による立替払方式 ………485

事項索引

信用状 …………………………………… 107
随伴性 …………………………………… 285
正権原 …………………………………… 255
制限行為能力 …………………………… 118
制限物権型担保 ………………………… 278
清算期間が経過した時 ………………… 498
清算義務 ………………………………… 443
清算金支払義務 …………………… 457, 498
清算金の支払 …………………………… 499
清算金見積額の通知 …………………… 497
生　体 …………………………………… 9
成立要件主義 …………………………… 30
責任転質 ………………………………… 430
セキュリティ・トラスト ……………… 297
絶対性 …………………………………… 7
絶対的構成 ……………………………… 82
設定時所有者同一要件 ………………… 362
　　——と共有 ……………………… 369
接道義務 ………………………………… 156
設備設置・設備使用の通知 …………… 160
善意取得 …………………………… 32, 112
善意占有 ………………………………… 255
　　——者の果実収取権 …………… 262
善意の推定 ……………………………… 118
善意の第三者 ……………………… 195, 213
善意無過失の第三者 ……………… 117, 218
善管注意義務 ……………………… 190, 213
全体価値考慮説 ………………………… 361
全面的価格賠償 ………………………… 204
占　有 …………………………………… 4
　　——侵奪 ………………………… 268
　　——妨害のおそれ ……………… 268
　　——に基づく自力救済 ………… 265
　　——による抵当権侵害 …… 341, 342
　　——の交互侵奪 ………………… 268
　　——の承継取得 ………………… 256
　　——の承継取得の効果 ………… 257
　　——の成立 ……………………… 245
　　——の妨害 ……………………… 267
　悪意—— …………………………… 255
　瑕疵ある—— ……………………… 256
　瑕疵なき—— ……………………… 256
　善意—— …………………………… 255

　相続人固有の—— ………………… 253
　不法行為によって——が始まった場合 … 518
占有移転型の担保 ……………………… 288
占有回収の訴え …………… 268, 428, 524
占有改定 …………………… 107, 119, 424
　　——による引渡し ……………… 467
占有型担保 ……………………………… 421
占有権 ………………………………… 4, 243
　　——の効力 ……………………… 259
　　——の譲渡 ……………………… 256
　　——の消滅 ……………………… 259
占有者 …………………………………… 243
　　——と果実 ……………………… 262
　　——の費用償還請求権 ………… 264
占有（所持）機関 ……………………… 246
占有（所持）補助者 …………………… 247
占有侵奪 …………………………… 269, 425
占有制度 ………………………………… 243
　　——の趣旨 ……………………… 244
占有代理関係 …………………………… 248
占有代理人 ……………………………… 248
占有の訴え …………………… 15, 18, 265
　　——と本権の訴え ……………… 269
専有部分 ………………………………… 220
占有保護請求権 ………………………… 265
　　——の当事者 …………………… 267
占有保持の訴え ………………………… 267
占有保全の訴え ………………………… 268
増改築費用 ……………………………… 176
造作買取代金債権と建物留置 ………… 516
相　続 …………………………………… 56
　　——による占有承継 ……… 257, 259
　　——は新権原か ………………… 253
相続介在二重譲渡 ………………… 50, 57
相続財産管理人 ………………………… 148
「相続させる」趣旨の遺言（特定財産承継遺言）
　………………………………………… 59
相続登記 ………………………………… 141
　　——申請義務 …………………… 142
相続土地国庫帰属制度 ………………… 146
相続土地国庫帰属法 …………… 142, 146
相続人固有の占有 ……………………… 253
相続人申告登記制度 …………… 142, 145

事項索引 553

相続分の指定 …………………………60
相続放棄 ………………………………62
相対的構成 ……………………………80
双方的侵害 ……………………………23
総　有 ………………………183, 238, 239
相隣関係法 …………………137, 150, 234
即時取得 …………308, 314, 315, 472, 489
　　──の効果 ……………………122
　　先取特権の── ……………535
　　質権の── …………………423
　　譲渡担保権の── ………121, 454
訴訟上の催告 ………………………521
租税債権 ……………………………276
損害賠償債権 ………………………320
損害賠償責任 ………………………148
損害保険金請求権 …………………320
存続期間 ……………………………424

た　行

代位の付記登記 ……………………401
代位物 ……………………303, 316, 543
代価弁済 ……………319, 338, 373, 374
代価弁償 ……………………………127
　　──請求権 …………………129
対抗問題 ………………………47, 50
　　動産物権変動における── …105
対抗要件 ……………………………30
　　──主義 …………………30, 45
　　債権質権の── ……………437
　　債務者── …………………481
　　集合債権譲渡担保設定に係る── …479
　　集合債権譲渡の── ………481
　　集合動産譲渡担保権の── …470
　　転抵当権の── ……………379
第三債務者保護
　　──説 ………………………325
　　差押えと── ………………544
第三者異議の訴え ………445, 455, 464
第三者の範囲 …………………69, 108
　　民法177条の── ……………69
第三者弁済 …………………338, 374
第三取得者 ……………………374〜376
　　先取特権動産の── …………535

大深度地下 …………………………138
代替執行 ………………………………16
代替的（代償的）物上代位 ………317
代物弁済の予約 ………………282, 495
代理受領 ……………………………435
代理占有 ………………………106, 248
　　──概念 ……………………249
　　──の成立 …………………248
　　──の消滅 …………………259
諾成的消費貸借契約 ………………298
他主占有 ……………………………250
　　──から自主占有への変更 …252
　　──事情 ……………………251
　　──の承継 …………………257
建替え ………………………………223
　　──決議 ……………………224
建　物 ……………………………9, 337
　　──に関する費用償還請求権と建物敷地の留置 ……………517
　　──の合体 …………………177
　　──の再築 ……………359, 360
　　──の使用をしたことの対価 …355
　　──の増改築 ………………174
建物買取代金債権と敷地の留置 …517
建物建築請負における建物所有権の帰属 …179
他の土地の使用 ……………………161
短期賃貸借保護の制度 ……337, 342, 349
短期の賃借権 ………………………192
担　保 ………………………………4
担保価値維持義務 ……………381, 439
　　質権設定者の── …………439
担保価値維持請求権 ………………381
担保仮登記 …………………………495
担保権消滅請求の制度 ……………390
担保権の実行としての競売 ………280
担保すべき不特定の債権の範囲 …407
担保責任 ……………………………123
担保的構成 …………………………444
担保物権 ……………………………275
　　法定── ………………279, 506, 526
　　約定── ……………………279
担保不動産競売 ………289, 391, 396, 443
担保不動産収益執行 ………289, 311, 394

地役権	226, 233
——設定登記	76, 235
——の時効取得	235
——の消滅	237
——の成立	234
——の内容	236
遅延損害金	333
地下水	140
竹木の枝の切除	149, 164
地券	11
地上権	226, 228
——の消滅	231
——の成立	228
——の存続期間	230
——の内容	229
地代	230
中間省略登記	84, 86
——請求権	84
——の合意	84
貯金債権	436
直接支配性	6
直接占有	249
直接取立権	440
賃借権の物権化	228
賃借人の増改築	176
賃貸借の対抗力容認の制度	350
賃料債権	320
賃料債権に対する物上代位	312, 317, 321
——と敷金返還請求	331
通行地役権	154, 234
未登記——者	76
通常の営業の範囲	471
通常の使用, 収益の範囲	313
通謀虚偽表示	95
強い付合	175
停止条件付集合債権譲渡	476
停止条件付代物弁済契約	282, 493, 495
定着物	9
抵当権	279, 287
——に対抗できない利用権	349
——に基づく物権的請求権	17, 336, 339
——に基づく妨害排除請求権	340, 344
——の公示	288
——の効力の及ぶ目的物の範囲	303
——の実行	389
——の順位	300
——の順位の譲渡	383
——の順位の変更	384
——の順位の放棄	383
——の譲渡	383
——の消滅	385
——の消滅時効	386
——の処分	378
——の追及力	318, 335, 338
——の被担保債権の範囲	332
——の不可分性	374
——の放棄	383
——の目的物	295
——妨害	373
抵当不動産の時効取得による——の消滅	386
未登記——	299
抵当権者の同意の登記	337, 351
抵当権消滅請求	319, 339, 375
——の手続	376
抵当権侵害	339
——と不法行為	347
——の成立要件	344
抵当権設定契約	292
抵当権設定後に築造された建物	373
抵当権設定後の従物	307
抵当権設定登記	299, 328
抵当権設定の合意	292
抵当権設定前の従物	306
抵当権登記に関する登記事項証明書	391
抵当権登記の流用	88, 301
抵当建物使用者の引渡猶予の制度	337, 353
抵当地の上の建物の競売	337, 372
抵当不動産に対する物理的侵害	339
抵当不動産の果実	311
抵当不動産の使用・収益	335
手形上もしくは小切手上の請求権	408
滌除	376
典型担保	278
電子記録債権	283, 409, 434
電子署名	43

事項索引　555

転質 …………………………………429
転質権の設定 ……………………430
転抵当 ……………………………378
　──権の対抗要件 ………………379
　──権の担保目的（物）…………379
　──の効果 ………………………380
　──の設定 ………………………379
添付 ………………………………169
　──の波及的効果 ………………171
転付命令 …………………………330
登記 …………………………………40
　──の権利資格証明的機能 ………73
　──の公信力 ……………………92
　──の推定力 …………………261
　──の有効要件 …………………86
　遺産分割の── …………………144
　権利に関する── …………………40
　更正── …………………………144
　質権設定の── …………………438
　相続── …………………………141
　相続放棄と── …………………62
　住所変更── ……………………141
　住所変更──申請義務 …………145
　取得時効と── …………………63
　所有者不明土地管理命令の── …212
　特定遺贈と── ……………………50
　特定財産承継遺言と── ………59
　取消しと── ………………………52
　表示に関する── …………………40
　付記── …………………………145
　無効──の流用 ………………88, 301
登記権利者 ……………………41, 82
　──の単独申請 ……………57, 144
登記義務者 ……………………41, 83
登記記録 ……………………………40
登記原因証明情報 ………………44, 85
登記権利者 ……………………41, 83
登記識別情報 ………………………43
登記事項証明書 ………………44, 481
　抵当権登記に関する── ………391
登記所 ……………………………40, 111
登記申請 ……………………………41
　──意思 …………………………89

　──協力義務者 …………………83
登記済証 ……………………………44
登記請求権 …………………43, 82, 346
　──者 ……………………………83
登記引取請求 ………………………83
登記簿 ………………………………40
　──のコンピュータ化 ……………40
　法人の── ………………………192
登記名義人についての符号の表示 …146
動産 …………………………………10
　──の先取特権 …………526, 531
　──の先取特権の内容（効力）…534
　──の譲渡担保 …………………105
　──の善意取得 ……………………32
　──の即時取得 ………32, 93, 112
　──の賃借人 ……………………109
　──の引渡し ……………………105
　──のファイナンス・リース ……486
　──の付合 ………………………178
　──の物権変動原因 ……………108
動産債権譲渡特例法 ………110, 116, 424
動産質 ………………………422, 423
　──権の設定 ……………………423
動産譲渡担保 ……………………449
動産譲渡登記 ………………105, 488
　──制度 …………………………109
　──の手続 ………………………111
動産譲渡登記ファイル ……105, 109, 111
　──への登記 ……………110, 449, 470
動産抵当 …………………………422
倒産手続 …………………………390
動産取引の安全保護 ……………113
同時配当 …………………………399
同時履行の関係 …………………498
盗品 …………………………123, 124
特定遺贈 ……………………………50
　──と登記 ………………………50
特定財産承継遺言（「相続させる」趣旨の遺言）
　………………………51, 59, 143
　──と登記 ………………………59
特定性 ………………………………12
　──確保説 ………………………325
独立性 ………………………………12

土地 ………………………………………9
　──の上下 ………………………………139
　──の賃借権 …………………………227
　海面下の── …………………………11
　無主の── ……………………………146
土地所有権
　──の範囲 ……………………………138
　──の放棄 ………………………133, 146
土地・地上建物の同時存在 ……………358
取消し ……………………………………52
　──と登記 ……………………………52
　──による遡及的無効 ………………54
　──による復帰的物権変動 …………54
取立権留保文言 …………………………480

な　行

なし崩し的移転説 ………………………37
二重譲渡は可能か ………………………46
二重譲渡有効未登記型 …………………68
忍容請求権 ………………………………24
　──説 …………………………………24
根　質 ……………………………………426
根譲渡担保 ………………………………446
根抵当 ……………………………290, 404
　包括── ………………………………405
　累積── ………………………………419
根抵当権 …………………………………406
　──の一部譲渡 ………………………415
　──の元本の確定 ……………………415
　──の元本の確定請求 ………………416
　──の実行 ……………………………419
　──の譲渡 ……………………………414
　──の消滅請求 ………………………418
　──の処分 ……………………………414
　──の設定 ……………………………407
　──の全部譲渡 ………………………414
　──の被担保債権の譲渡 ……………412
　──の分割譲渡 ………………………414
根抵当権者の相続・合併・会社分割 …412
ネームプレート …………………454, 471, 488
農業動産信用法 …………………………290
農地法 ……………………………………228

は　行

売却許可決定 ……………………………392
売却代金 …………………………………393
売却のための保全処分 …………………346
配偶者短期居住権 ………………………197
背信的悪意者 …………………………71, 74
　──からの転得者 ……………………80
　──排除説 ……………………………79
　──排除法理 ………………………73, 75
排他性 …………………………………6, 12
配　当 ……………………………………395
　──参加 ………………………………390
　──手続 ………………………………393
売買代金債権 ……………………………318
売買は賃貸借を破る ……………………14
破　産 ……………………………………276
破産手続開始の決定 ……………………417
「払渡し又は引渡し」 ……………………327
引換給付 …………………………205, 444, 460
　──判決 ………………………………508
引渡命令 ……………………………354, 373
非占有担保 ……………………287, 288, 336, 342
被担保債権 ………………………………297
　──と物との牽連関係 ………………511
　──の範囲 ………………………427, 452
必要費 ……………………………………264
非典型担保 ………………………………280
否認権 ……………………………………468
表示に関する登記 ………………………40
表題部 ……………………………………40
費用負担 …………………………………24
付加一体物 ………………………………304
付加的（派生的）物上代位 ……………317
不可分性 ………………………285, 319, 335, 521
不完全物権変動説 ………………………46
袋　地 ……………………………………154, 160
　分割・一部譲渡による── …………157
付　合 ……………………………………169
　強い── ………………………………175
付合物 ……………………………………304
不在者財産管理人 ………………………148
不実の登記 ………………………………97

事項索引　557

付従性 …………………285, 297, 405
負担金 …………………………148
付着物 …………………………176
物　権 …………………………6, 48
　　――の客体 …………………9
　　――の公示 …………………29
　　――の消滅 …………………134
　　――の性質 …………………6
　　――の放棄 …………………28
　　慣習上の―― ………………7
物権行為 ………………………33
　　――独自性肯定説 …………34
　　――独自性否定説 ………34, 38
　　――の無因性 ………………35
物権的期待権 …………………489
物権的合意 ……………………33
物権的請求権 ………………15, 340
　　――者 ……………………20
　　――の相手方 ……………20
　　――の成立要件 …………19
　　――の内容 ………………23
　　――の法的性質 …………18
物権的返還請求権 ……………16
物権的妨害排除請求権 ………16
物権的妨害予防請求権 ………16
物権変動 ……………………5, 27
　　――意思主義・対抗要件主義 …33
　　――形式主義・意思主義 …33
　　――原因 ………………27, 48
　　――の態様 ………………28
　　意思表示に基づく―― ……33, 50
物権法 …………………………5
物権法定主義 …………………7
物件明細書 ……………………392
物上代位 …………312, 316, 396, 451
　　――と一般債権者による差押え …329
　　――と相殺 ………………330
　　――と転付命令 …………330
　　買戻代金債権に対する―― …319
　　債権譲渡後の―― ………325
　　譲渡担保権者による―― …451
　　代替的（代償的）―― ……317
　　賃料債権に対する―― …312, 317, 321

賃料債権に対する――と敷金返還請求 …331
　　転賃賃料への―― …………322
　　付加的（派生的）―― ……317
物上代位権 ……………………501
物上代位性 ……………………286
　　先取特権の―― …………541
物上保証人 ……………………292
物的担保 …………………………4, 277
物的編成主義 …………………40
不動産 …………………………9
　　――の現況調査 …………392
　　――の先取特権 ………526, 536
　　――の先取特権の内容（効力） …539
　　――の付合 ………………172
　　商事留置権と―― ………506
不動産質 ………………………422
不動産譲渡担保 …………290, 448
不動産所有権の放棄 …………28
不動産担保権の実行 …………389
不動産賃借権 ………………14, 17, 296
　　――者 ……………………71
不動産登記制度 ………………40
不動産登記法 …………………40
　　――5条 …………………70, 74
不当利得返還請求 ……………263
不特定の債権 …………………406
不分割の合意 …………………199
振込指定 ………………………435
分割・一部譲渡により他の土地に設備を設置
　する場合 ……………………161
分割・一部譲渡により袋地を生じた場合 …157
分離・搬出物 …………………314
　　――の回収 ………………340
分離物 …………………………313
平穏・公然 ……………………119
別除権 …………………………390
弁済による一部代位 …………402
弁済による代位 ………………294, 402
　　求償権と―― ……………294
変動原因無制限説 ……………49
包括根抵当 ……………………406
包蔵物 …………………………169
法定借地権 ……………………357

法定相続分 ……………………………51, 58
法定担保物権 …………………279, 506, 526
法定地上権 …………………………337, 356
　　――の成立要件 ……………………357
　　――の内容 ………………………372
　　共有の場合と―― …………………369
報労金 …………………………168, 169
保証委託方式 …………………………485
ポセッシオ ……………………………244
保存行為 …………………………57, 143
本権の訴え ……………………………269
本登記 ……………………………………91
本人確認情報の提供 ……………………44

ま 行

埋蔵物の発見 ……………………………169
増担保請求 ………………………………341
マンションの建替えの円滑化 …………225
水に関する相隣関係 ……………………162
未分離の果実 ……………………………131
民事留置権 ………………………………507
民法 94 条 2 項類推適用 ……32, 59, 94, 456
　　――法理 ………………………54, 93
民法 110 条併用法理 ……………………97
無記名債権 ………………………10, 434
無権原占有 ……………………………342
無権利者 ………………………31, 49, 92~94, 113
無権利の法理 ……………………58~60
無　効 …………………………………54
無効登記の流用 …………………88, 301
無重過失 ………………………………102
無主物 …………………………………168
明認方法 ………………………………130
免責的債務引受 ………………………412
目的物の範囲の特定 …………………469
持　分 …………………………………183
　　――の放棄 ………………………184
　　――割合 ………………………183
持分権 …………………………………183
　　――に基づく登記請求 ……………186
　　――に基づく妨害排除請求 ………185
　　――の確認請求 …………………185
　　――の処分 ………………………184

持分譲渡の権限付与の裁判 ……………209
物 …………………………………………9
　　――と債権との牽連関係 …………509
　　――の所持 ………………………246

や 行

約定担保物権 …………………………279
有益費 …………………………………264
　　――償還請求権 …………………519
有償性説 ………………………………36
優先性確保説 …………………………324
優先的効力 ………………………………14
優先弁済権 ……………………………432
　　――の行使 ………………………441
優先弁済的効力 ……284, 288, 421, 431, 539
優先弁済を受ける順位 …………………530
有体物 …………………………………9
湯口権 …………………………………8
用　益 …………………………………3
要役地 …………………………………233
用益物権 ……………………………4, 226
要物契約性 ……………………………424

ら 行

利　息 …………………………333, 438
流質契約の禁止 …………………………433
留置権 ………………265, 279, 394, 461, 499, 505
　　――と同時履行の抗弁権 …………508
　　――と目的物の占有 ………………518
　　――の意義 ………………………505
　　――の効力 ………………………520
　　――の消滅 ………………………524
　　――の第三者対抗問題 ……………511
　　商事―― …………………………506
　　民事―― …………………………507
留置権者
　　――による競売 …………………524
　　――による使用利益・果実の取得 …522
　　――による占有回収の訴え ………525
　　――による費用の償還請求 ………523
　　――による保存に必要な使用 ……521
留置的効力 ……………284, 289, 421, 422
留置物の競売 …………………………523

留置目的物の管理，占有・利用……………521
立　木……………………………………9
　　——取引…………………………130
　　——の所有権留保売買………………132
隣地通行権………………………………154
　　——の内容…………………………155
隣地の使用 ……………………149, 151
　　——の通知…………………………152
累積根抵当……………………………419

わ　行

ワラ人形 ………………………………82
割付け……………………………………399
　　——による利益……………………402

判例索引

◆ 判旨を掲げる裁判例については，ゴシック体とした上で，掲載頁に下線を引いた。

大審院

大判明治 37・6・22 民録 10 輯 861 頁 ……179
大連判明治 41・12・15 民録 14 輯 1276 頁 …69
大連判明治 41・12・15 民録 14 輯 1301 頁
　【百選Ⅰ 54】……………………………<u>48</u>
大判大正 2・10・25 民録 19 輯 857 頁 ………38
大判大正 3・7・4 民録 20 輯 587 頁 ………532
大決大正 4・10・23 民録 21 輯 1755 頁 ……39
大判大正 4・12・8 民録 21 輯 2028 頁 ……131
大判大正 5・5・16 民録 22 輯 961 頁………119
大判昭和 5・10・31 民集 9 巻 1009 号 ………25
大判大正 5・11・8 民録 22 輯 2078 頁 ………38
大判昭和 5・12・18 民集 9 巻 1147 頁 ……307
大判大正 5・12・25 民録 22 輯 2509 頁……425
大判大正 6・2・9 民録 23 輯 244 頁 ………538
大判大正 6・2・10 民録 23 輯 138 頁…………8
大判大正 6・7・26 民録 23 輯 1203 頁 ……535
大判大正 7・3・2 民録 24 輯 423 頁 …………64
大連判大正 8・3・15 民録 25 輯 473 頁……306
大判大正 9・3・29 民録 26 輯 411 頁 ……429
大判大正 9・10・16 民録 26 輯 1530 頁 ……514
大決大正 10・3・4 民録 27 輯 404 頁 ……134
大判大正 10・5・17 民録 27 輯 929 頁 ………55
大判大正 10・7・8 民録 27 輯 1373 頁 ……127
大連判大正 12・4・7 民集 2 巻 209 頁 ……324
大判大正 13・5・22 民集 3 巻 224 頁………269
大連判大正 14・7・8 民集 4 巻 412 頁 …48，64
大判昭和 3・8・1 民集 7 巻 671 頁…………348
大判昭和 5・12・18 民集 9 巻 1147 頁 ……305
大判昭和 7・5・18 民集 11 巻 1963 頁 ……115
大判昭和 8・3・24 民集 12 巻 490 頁 ………10
大判昭和 10・4・23 民集 14 巻 601 頁 ……399
大判昭和 10・5・13 民集 14 巻 876 頁 ……522
大判昭和 10・8・10 民集 14 巻 1549 頁……359

大判昭和 10・10・1 民集 14 巻 1671 頁
　【百選Ⅰ 11】……………………………10
大判昭和 10・10・5 民集 14 巻 1965 頁
　【百選Ⅰ 1】……………………………138
大判昭和 11・1・14 民集 15 巻 89 頁………301
大判昭和 12・11・19 民集 16 巻 1881 頁
　【百選Ⅰ 50】……………………………20
大判昭和 13・6・28 新聞 4301 号 12 頁……140
大判昭和 14・7・7 民集 18 巻 748 頁 ………55
大判昭和 14・7・19 民集 18 巻 856 頁 ………65
大判昭和 14・8・24 民集 18 巻 877 頁 ……517
大判昭和 15・9・18 民集 19 巻 1611 頁
　【百選Ⅰ 49】……………………………<u>8</u>，131
大判昭和 17・4・24 民集 21 巻 447 頁 ……206
大判昭和 17・9・30 民集 21 巻 911 頁
　【百選Ⅰ 55】……………………………53
大判昭和 18・7・20 民集 22 巻 660 頁 ……179

最高裁判所

最判昭和 25・12・19 民集 4 巻 12 号 660 頁
　【百選Ⅰ 62】……………………………70
最判昭和 29・1・14 民集 8 巻 1 号 16 頁 …516
最判昭和 29・8・20 民集 8 巻 8 号 1505 頁
　………………………………………<u>94</u>，96
最判昭和 29・12・23 民集 8 巻 12 号 2235 頁
　…………………………………370，371
最判昭和 30・3・4 民集 9 巻 3 号 229 頁 …522
最判昭和 30・4・5 民集 9 巻 4 号 431 頁……17
最判昭和 30・6・2 民集 9 巻 7 号 855 頁
　【百選Ⅰ 64】……………………………107
最判昭和 30・12・26 民集 9 巻 14 号 2097 頁
　…………………………………………235
最判昭和 31・4・24 民集 10 巻 4 号 417 頁
　………………………………………74，75

最判昭和 31・5・10 民集 10 巻 5 号 487 頁
……………………………………186
最判昭和 32・2・15 民集 11 巻 2 号 270 頁
【百選 I 66】……………………246
最判昭和 33・3・13 民集 12 巻 3 号 524 頁
……………………………………508
最判昭和 33・5・9 民集 12 巻 7 号 989 頁…299
最判昭和 33・6・20 民集 12 巻 10 号 1585 頁
【百選 I 52】………………………38
最判昭和 34・8・7 民集 13 巻 10 号 1223 頁
…………………………………132, 488
最判昭和 34・9・22 民集 13 巻 11 号 1451 頁
………………………………………55
最判昭和 35・2・11 民集 14 巻 2 号 168 頁
【百選 I 68】……………………119
最判昭和 35・3・1 民集 14 巻 3 号 307 頁…175
最判昭和 35・3・22 民集 14 巻 4 号 501 頁…39
最判昭和 35・3・31 民集 14 巻 4 号 663 頁…75
最判昭和 35・4・21 民集 14 巻 6 号 946 頁…88
最判昭和 35・6・17 民集 14 巻 8 号 1396 頁
………………………………………21
最判昭和 35・6・24 民集 14 巻 8 号 1528 頁
………………………………………39
最判昭和 35・7・27 民集 14 巻 10 号 1871 頁
………………………………………65
最判昭和 35・11・29 民集 14 巻 13 号 2869 頁
【百選 I 56】………………………55
最判昭和 36・2・10 民集 15 巻 2 号 219 頁
……………………………………358
最判昭和 36・4・27 民集 15 巻 4 号 901 頁
…………………………………75, 80
最判昭和 36・5・4 民集 15 巻 5 号 1253 頁
【百選 I 65】……………………131
最判昭和 36・7・20 民集 15 巻 7 号 1903 頁
……………………………………66, 388
最判昭和 37・3・15 民集 16 巻 3 号 556 頁
……………………………………157
最判昭和 37・5・18 民集 16 巻 5 号 1073 頁
…………………………………254, 259
最判昭和 37・8・10 民集 16 巻 8 号 1700 頁
【百選 I 38】……………………492
最判昭和 38・2・22 民集 17 巻 1 号 235 頁
【百選 I 59】……………………58, 188

最判昭和 38・5・31 民集 17 巻 4 号 588 頁…39
最判昭和 38・9・17 民集 17 巻 8 号 955 頁
……………………………………354
最大判昭和 38・10・30 民集 17 巻 9 号 1252 頁
……………………………………521
最判昭和 39・1・24 判時 365 号 26 頁
【百選 I 77】……………………136
最判昭和 39・2・25 民集 18 巻 2 号 329 頁
……………………………………192
最判昭和 39・3・6 民集 18 巻 3 号 437 頁
【百選Ⅲ 74】………………………51
最判昭和 40・3・4 民集 19 巻 2 号 197 頁
【百選 I 70】……………………270
最判昭和 40・3・9 民集 19 巻 2 号 233 頁…138
最判昭和 40・5・4 民集 19 巻 4 号 811 頁
【百選 I 86】……………………309
最判昭和 40・9・21 民集 19 巻 6 号 1560 頁
【百選 I 53】………………………84
最判昭和 40・11・19 民集 19 巻 8 号 2003 頁
………………………………………39
最判昭和 40・12・7 民集 19 巻 9 号 2101 頁
……………………………………266
最判昭和 41・3・3 民集 20 巻 3 号 386 頁…519
最判昭和 41・3・18 民集 20 巻 3 号 451 頁…96
最判昭和 41・4・28 民集 20 巻 4 号 900 頁
…………………………………455, 464
最判昭和 41・5・19 民集 20 巻 5 号 947 頁
……………………………………197
最判昭和 41・6・9 民集 20 巻 5 号 1011 頁
……………………………………117
最判昭和 41・11・18 民集 20 巻 9 号 1827 頁
………………………………………90
最判昭和 41・11・25 民集 20 巻 9 号 1921 頁
……………………………………239
最判昭和 42・1・20 民集 21 巻 1 号 16 頁
【百選Ⅲ 73】………………………63
最判昭和 42・7・21 民集 21 巻 6 号 1643 頁
【百選 I 45】……………………67, 387
最判昭和 42・7・21 民集 21 巻 6 号 1653 頁
……………………………………64, 65
最判昭和 42・10・27 民集 21 巻 8 号 2136 頁
………………………………………90

最判昭和 42・11・16 民集 21 巻 9 号 2430 頁
　　　　………………………………458, 494
最判昭和 43・8・2 民集 22 巻 8 号 1571 頁
　　　　……………………………………74, 75
最判昭和 43・10・17 民集 22 巻 10 号 2188 頁
　　　　……………………………………………99
最判昭和 43・11・15 民集 22 巻 12 号 2671 頁
　　　　……………………………………………75
最判昭和 43・11・21 民集 22 巻 12 号 2765 頁
　　　　…………………………………………514
最判昭和 43・12・24 民集 22 巻 13 号 3366 頁
　　　　…………………………………………387
最判昭和 44・1・16 民集 23 巻 1 号 18 頁
　　　　……………………………………74, 75
最判昭和 44・3・4 民集 23 巻 3 号 561 頁 …435
最判昭和 44・3・28 民集 23 巻 3 号 699 頁
　　　【百選 I 85】…………307, 310, 347
最判昭和 44・4・25 民集 23 巻 4 号 904 頁 …75
最判昭和 44・5・2 民集 23 巻 6 号 951 頁 …87
最判昭和 44・7・3 民集 23 巻 8 号 1297 頁
　　　　…………………………………………401
最判昭和 44・7・4 民集 23 巻 8 号 1347 頁
　　　【百選 I 84】……………………………298
最判昭和 44・7・25 民集 23 巻 8 号 1627 頁
　　　【百選 I 73】……………………………176
最判昭和 44・9・12 判時 572 号 25 頁 ……179
最判昭和 44・11・4 民集 23 巻 11 号 1968 頁
　　　　……………………………………370, 371
最判昭和 44・11・6 判時 579 号 52 頁……518
最判昭和 45・6・2 民集 24 巻 6 号 465 頁…100
最大判昭和 45・6・24 民集 24 巻 6 号 587 頁
　　　【百選 II 39】……………………………331
最判昭和 45・7・24 民集 24 巻 7 号 1116 頁
　　　　……………………………………………96
最判昭和 45・9・22 民集 24 巻 10 号 1424 頁
　　　【百選 I 21】……………………54, 96, 103
最判昭和 45・12・4 民集 24 巻 13 号 1987 頁
　　　　…………………………………………115
最判昭和 46・1・26 民集 25 巻 1 号 90 頁
　　　【百選 III 72】……………………………61, 62
最判昭和 46・3・5 判時 628 号 48 頁………179
最判昭和 46・3・25 民集 25 巻 2 号 208 頁
　　　【百選 I 97】……………………………457

最判昭和 46・7・16 民集 25 巻 5 号 749 頁
　　　【百選 I 80】……………………………519
最判昭和 46・10・7 民集 25 巻 7 号 885 頁
　　　　…………………………………………188
最判昭和 46・10・14 判時 650 号 64 頁……366
最判昭和 46・11・5 民集 25 巻 8 号 1087 頁
　　　【百選 I 57】……………………………64, 68
最判昭和 46・11・30 民集 25 巻 8 号 1437 頁
　　　　…………………………………………254
最判昭和 46・12・9 民集 25 巻 9 号 1457 頁
　　　　…………………………………………188
最判昭和 46・12・21 民集 25 巻 9 号 1610 頁
　　　　…………………………………………370
最判昭和 47・4・14 民集 26 巻 3 号 483 頁
　　　　……………………………………154, 155
最判昭和 47・6・2 民集 26 巻 5 号 957 頁…238
最判昭和 47・6・27 民集 26 巻 5 号 1067 頁
　　　　…………………………………………138
最判昭和 47・9・8 民集 26 巻 7 号 1348 頁
　　　　…………………………………………254
最判昭和 47・11・16 民集 26 巻 9 号 1619 頁
　　　【百選 I 79】……………………………511
最判昭和 47・11・21 民集 26 巻 9 号 1657 頁
　　　　…………………………………………117
最判昭和 48・2・2 民集 27 巻 1 号 80 頁 …332
最判昭和 48・6・28 民集 27 巻 6 号 724 頁
　　　　……………………………………98, 103
最判昭和 48・9・18 民集 27 巻 8 号 1066 頁
　　　　…………………………………………364
最判昭和 48・10・4 判時 723 号 42 頁……411
最判昭和 49・3・19 民集 28 巻 2 号 325 頁
　　　【百選 II 59】……………………………71, 72
最判昭和 49・9・2 民集 28 巻 6 号 1152 頁
　　　　……………………………………510, 516
最判昭和 49・9・26 民集 28 巻 6 号 1213 頁
　　　【百選 I 23】………………………………53
最大判昭和 49・10・23 民集 28 巻 7 号 1473 頁
　　　　……………………………………493, 503
最判昭和 49・12・24 民集 28 巻 10 号 2117 頁
　　　　…………………………………………302
最判昭和 50・2・28 民集 29 巻 2 号 193 頁
　　　　…………………………………………491

最判昭和 50・11・7 民集 29 巻 10 号 1525 頁
　……………………………………………200
最判昭和 51・2・13 民集 30 巻 1 号 1 頁
　【百選Ⅱ 45】……………………………123
最判昭和 51・6・17 民集 30 巻 6 号 616 頁
　……………………………………………519
最判昭和 51・9・21 判時 833 号 69 頁 ……450
最判昭和 51・12・2 民集 30 巻 11 号 1021 頁
　……………………………………………252
最判昭和 52・10・11 民集 31 巻 6 号 785 頁
　……………………………………………359
最判昭和 53・3・6 民集 32 巻 2 号 135 頁
　【百選Ⅰ 46】……………………………258
最判昭和 53・7・4 民集 32 巻 5 号 785 頁…403
最判昭和 53・9・29 民集 32 巻 6 号 1210 頁
　………………………………………364, 369
最判昭和 53・12・15 判時 916 号 25 頁……477
最判昭和 54・1・25 民集 33 巻 1 号 26 頁
　【百選Ⅰ 72】……………………………180
最判昭和 54・2・15 民集 33 巻 1 号 51 頁
　……………………………………13, 467, 470
最判昭和 56・6・18 民集 35 巻 4 号 798 頁
　……………………………………………220
最判昭和 56・12・17 民集 35 巻 9 号 1328 頁
　………………………………………445, 455
最判昭和 57・3・12 民集 36 巻 3 号 349 頁
　【百選Ⅰ 90】……………………314, 315, 340
最判昭和 57・7・1 民集 36 巻 6 号 891 頁…241
最判昭和 57・9・7 民集 36 巻 8 号 1527 頁
　……………………………………………121
最判昭和 57・9・28 判時 1062 号 81 頁
　………………………………………445, 453
最判昭和 58・2・8 判時 1092 号 62 頁 ……241
最判昭和 58・2・24 判時 1078 号 76 頁
　………………………………………445, 455
最判昭和 58・3・24 民集 37 巻 2 号 131 頁
　……………………………………………251
最判昭和 58・3・31 民集 37 巻 2 号 152 頁
　………………………………………498, 499
最判昭和 59・2・2 民集 38 巻 3 号 431 頁
　………………………………………325, 328, 543
最判昭和 59・4・20 判時 1122 号 113 頁 …125
最判昭和 59・4・24 判時 1120 号 38 頁……188

最判昭和 60・5・23 民集 39 巻 4 号 940 頁
　【百選Ⅰ 94】……………………………402, 403
最判昭和 60・7・19 民集 39 巻 5 号 1326 頁
　【百選Ⅰ 82】……………………………325, 543
最判昭和 61・12・16 民集 40 巻 7 号 1236 頁
　……………………………………………11
最判昭和 62・2・12 民集 41 巻 1 号 67 頁
　………………………………457, 459, 461, 462
最大判昭和 62・4・22 民集 41 巻 3 号 408 頁
　……………………………………………203
最判昭和 62・4・23 民集 41 巻 3 号 474 頁
　【百選Ⅲ 90】……………………………52
最判昭和 62・4・24 判時 1243 号 24 頁
　………………………………………115, 122
最判昭和 62・7・10 金法 1180 号 36 頁……514
最判昭和 62・11・10 民集 41 巻 8 号 1559 頁
　…………………………467, 470, 471, 474, 535
最判昭和 63・5・20 判時 1277 号 116 頁 …197
最判平成元・9・19 民集 43 巻 8 号 955 頁
　……………………………………………166
最判平成元・10・27 民集 43 巻 9 号 1070 頁
　【百選Ⅰ 87】……………………………317, 320
最判平成元・11・24 民集 43 巻 10 号 1220 頁
　【百選Ⅱ 55】……………………………184
最判平成 2・1・22 民集 44 巻 1 号 314 頁…367
最判平成 2・4・19 判時 1354 号 80 頁 ……306
最判平成 2・11・20 民集 44 巻 8 号 1037 頁
　【百選Ⅱ 71】……………………………158
最判平成 2・12・18 民集 44 巻 9 号 1686 頁
　……………………………………………294
最判平成 3・3・22 民集 45 巻 3 号 268 頁
　………………………………342, 343, 346
最判平成 3・4・19 民集 45 巻 4 号 477 頁
　【百選Ⅲ 87】……………………………60
最判平成 3・7・16 民集 45 巻 6 号 1101 頁
　……………………………………………521
最判平成 4・10・20 民集 46 巻 7 号 1129 頁
　……………………………………………123
最判平成 4・11・6 民集 46 巻 8 号 2625 頁
　【百選Ⅰ 95】……………………………403, 404
最判平成 5・2・26 民集 47 巻 2 号 1653 頁
　……………………………………………445
最判平成 5・7・19 家月 46 巻 5 号 23 頁……60

最判平成 5・10・19 民集 47 巻 8 号 5061 頁
　　……………………………………………181
最判平成 5・12・17 民集 47 巻 10 号 5508 頁
　　……………………………………………392
最判平成 5・12・17 判時 1480 号 69 頁 ……159
最判平成 6・1・25 民集 48 巻 1 号 18 頁 …177
最判平成 6・2・8 民集 48 巻 2 号 373 頁
　　【百選Ⅰ 51】……………………………21
最判平成 6・2・22 民集 48 巻 2 号 414 頁
　　【百選Ⅰ 98】……………………459,463
最判平成 6・4・7 民集 48 巻 3 号 889 頁 …371
最判平成 6・5・12 民集 48 巻 4 号 1005 頁
　　……………………………………………347
最判平成 6・5・31 民集 48 巻 4 号 1065 頁
　　【百選Ⅰ 78】……………………………240
最判平成 6・7・14 民集 48 巻 5 号 1126 頁
　　……………………………………………311
最判平成 6・9・13 判時 1513 号 99 頁 ……253
最判平成 6・12・20 民集 48 巻 8 号 1470 頁
　　【百選Ⅰ 93】……………………………371
最判平成 7・9・19 民集 49 巻 8 号 2805 頁
　　【百選Ⅱ 79】……………………………181
最判平成 7・11・10 民集 49 巻 9 号 2953 頁
　　……………………………………………376
最判平成 7・12・15 民集 49 巻 10 号 3088 頁
　　……………………………………………252
最判平成 8・10・29 民集 50 巻 9 号 2506 頁
　　【百選Ⅰ 61】……………………………81
最判平成 8・10・31 民集 50 巻 9 号 2563 頁
　　【百選Ⅰ 76】……………………………204
最判平成 8・11・12 民集 50 巻 10 号 2591 頁
　　【百選Ⅰ 67】……………………………255
最判平成 8・11・22 民集 50 巻 10 号 2702 頁
　　……………………………………………458
最判平成 8・12・17 民集 50 巻 10 号 2778 頁
　　【百選Ⅲ 71】…………………196,197,198
最判平成 9・2・14 民集 51 巻 2 号 375 頁
　　【百選Ⅰ 92】……………………………361
最判平成 9・3・27 判時 1610 号 72 頁 ……223
最判平成 9・7・3 民集 51 巻 6 号 2500 頁…522
最判平成 10・1・30 民集 52 巻 1 号 1 頁
　　【百選Ⅰ 88】……………………327,330

最判平成 10・2・13 民集 52 巻 1 号 65 頁
　　【百選Ⅰ 63】……………………76〜79,236
最判平成 10・3・24 判時 1641 号 80 頁 ……186
最判平成 10・3・26 民集 52 巻 2 号 483 頁
　　……………………………………325,329
最判平成 10・12・18 民集 52 巻 9 号 1975 頁
　　……………………………………………236
最決平成 10・12・18 民集 52 巻 9 号 2024 頁
　　【百選Ⅰ 81】……………………………542
最判平成 11・1・29 民集 53 巻 1 号 151 頁
　　【百選Ⅱ 26】……………………475,477
最判平成 11・2・26 判時 1671 号 67 頁
　　……………………………………460,514,516
最決平成 11・5・17 民集 53 巻 5 号 863 頁
　　……………………………………………451
最判平成 11・7・13 判時 1687 号 75 頁 ……157
最判平成 11・11・9 民集 53 巻 8 号 1421 頁
　　……………………………………………188
最大判平成 11・11・24 民集 53 巻 8 号 1899 頁
　　……………………………………17,343〜345
最判平成 11・11・30 民集 53 巻 8 号 1965 頁
　　……………………………………………319
最判平成 12・1・31 判時 1708 号 94 頁……247
最決平成 12・4・14 民集 54 巻 4 号 1552 頁
　　……………………………………………322
最判平成 12・4・21 民集 54 巻 4 号 1562 頁
　　……………………………………………478
最判平成 12・6・27 民集 54 巻 5 号 1737 頁
　　【百選Ⅰ 69】……………………127,128
最判平成 13・3・13 民集 55 巻 2 号 363 頁
　　……………………………………331,395
最判平成 13・10・25 民集 55 巻 6 号 975 頁
　　……………………………………………324
最判平成 13・11・22 民集 55 巻 6 号 1056 頁
　　【百選Ⅰ 100】……………………………480
最判平成 13・11・27 民集 55 巻 6 号 1090 頁
　　……………………………………………476
最判平成 14・1・22 判時 1776 号 54 頁 ……537
最判平成 14・3・12 民集 56 巻 3 号 555 頁
　　……………………………………………330
最判平成 14・3・28 民集 56 巻 3 号 689 頁
　　……………………………………………332

最判平成 14・6・10 家月 55 巻 1 号 77 頁
　【百選Ⅲ 75】‥‥‥‥‥‥‥‥‥‥‥‥‥60
最判平成 14・10・15 民集 56 巻 8 号 1791 頁
　‥‥‥‥‥‥‥‥‥‥‥‥‥‥‥‥‥160
最判平成 14・10・22 判時 1804 号 34 頁 ‥‥399
最判平成 15・2・21 民集 57 巻 2 号 95 頁
　【百選Ⅱ 73】‥‥‥‥‥‥‥‥‥‥‥‥136
最判平成 15・6・13 判時 183 号 99 頁 ‥‥‥100
最判平成 15・7・11 民集 57 巻 7 号 787 頁
　【百選Ⅰ 75】‥‥‥‥‥‥‥‥‥‥186, 187
最判平成 17・2・22 民集 59 巻 2 号 314 頁
　‥‥‥‥‥‥‥‥‥‥‥‥‥‥‥328, 544
最判平成 17・3・10 民集 59 巻 2 号 356 頁
　【百選Ⅰ 89】‥‥‥‥‥‥‥‥17, 344, 345
最判平成 18・1・17 民集 60 巻 1 号 27 頁
　【百選Ⅰ 60】‥‥‥‥‥‥‥‥‥‥‥77, 78
最判平成 18・2・7 民集 60 巻 2 号 480 頁
　【百選Ⅰ 96】‥‥‥‥‥‥‥‥‥‥‥‥447
最判平成 18・2・23 民集 60 巻 2 号 546 頁
　【百選Ⅰ 22】‥‥‥‥‥‥‥‥100, 101, 103
最判平成 18・3・16 民集 60 巻 3 号 735 頁
　‥‥‥‥‥‥‥‥‥‥‥‥‥‥‥‥‥156
最判平成 18・7・20 民集 60 巻 6 号 2499 頁
　【百選Ⅰ 99】
　‥‥‥‥‥‥447, 454, 471, 472, 473, 474
最判平成 18・10・20 民集 60 巻 8 号 3098 頁
　‥‥‥‥‥‥‥‥‥‥‥‥‥‥‥456, 464
最決平成 18・10・27 民集 60 巻 8 号 3234 頁
　‥‥‥‥‥‥‥‥‥‥‥‥‥‥‥‥‥524
最判平成 18・12・21 民集 60 巻 10 号 3964 頁
　【百選Ⅰ 83】‥‥‥‥‥‥‥‥‥‥‥‥439
最判平成 19・2・15 民集 61 巻 1 号 243 頁
　‥‥‥‥‥‥‥‥‥‥‥‥‥‥‥‥‥478
最判平成 19・7・6 民集 61 巻 5 号 1940 頁
　【百選Ⅰ 91】‥‥‥‥‥‥‥‥‥‥‥‥368
最判平成 20・4・14 民集 62 巻 5 号 909 頁
　‥‥‥‥‥‥‥‥‥‥‥‥‥‥‥‥‥242
最判平成 20・7・17 民集 62 巻 7 号 1994 頁
　‥‥‥‥‥‥‥‥‥‥‥‥‥‥‥‥‥240
最判平成 21・3・10 民集 63 巻 3 号 385 頁
　【百選Ⅰ 101】‥‥‥‥‥‥‥‥‥22, 23, 25
最判平成 21・7・3 民集 63 巻 6 号 1047 頁
　‥‥‥‥‥‥‥‥‥‥‥‥‥‥‥‥‥395

最判平成 22・4・20 判時 2078 号 22 頁 ‥‥‥187
最判平成 22・6・4 民集 64 巻 4 号 1107 頁
　‥‥‥‥‥‥‥‥‥‥‥‥‥‥‥485, 491
最判平成 22・12・2 民集 64 巻 8 号 1990 頁
　‥‥‥‥‥‥‥‥‥‥‥‥‥‥‥451, 452
最判平成 22・12・16 民集 64 巻 8 号 2050 頁
　‥‥‥‥‥‥‥‥‥‥‥‥‥‥‥‥‥85
最判平成 23・1・21 判時 2105 号 9 頁
　【百選Ⅰ 48】‥‥‥‥‥‥‥‥‥‥‥‥66
最判平成 24・3・16 民集 66 巻 5 号 2321 頁
　【百選Ⅰ 58】‥‥‥‥‥‥‥‥‥‥‥‥388
最判平成 25・2・26 民集 67 巻 2 号 297 頁 ‥77
最判平成 25・11・29 民集 67 巻 8 号 1736 頁
　‥‥‥‥‥‥‥‥‥‥‥‥‥‥‥‥‥200
最判平成 28・12・1 民集 70 巻 8 号 1793 頁
　‥‥‥‥‥‥‥‥‥‥‥‥‥‥‥‥‥362
最決平成 29・5・10 民集 71 巻 5 号 789 頁
　‥‥‥‥‥‥‥‥‥‥‥‥‥107, 449, 451
最判平成 29・12・7 民集 71 巻 10 号 1925 頁
　‥‥‥‥‥‥‥‥‥‥‥‥‥‥‥‥‥485
最判平成 29・12・14 民集 71 巻 10 号 2184 頁
　‥‥‥‥‥‥‥‥‥‥‥‥‥‥‥‥‥507
最判平成 30・2・23 民集 72 巻 1 号 1 頁 ‥‥386
最判平成 30・12・7 民集 72 巻 6 号 1044 頁
　‥‥‥‥‥‥‥‥‥‥‥‥‥‥‥‥‥488

高等裁判所

広島高判昭和 33・8・9 判時 164 号 20 頁 ‥138
東京高判昭和 51・4・28 判時 820 号 67 頁 ‥25
東京高決平成 22・9・3 金法 1937 号 139 頁
　‥‥‥‥‥‥‥‥‥‥‥‥‥‥‥‥‥355

地方裁判所

東京地決昭和 58・11・11 判時 1104 号 85 頁
　‥‥‥‥‥‥‥‥‥‥‥‥‥‥‥‥‥138

著者紹介

安永正昭（やすなが・まさあき）

略　歴
　1946年1月　岡山県に生まれる
　1968年3月　京都大学法学部卒業
　京都大学助手，神戸大学助教授・教授，
　近畿大学教授，同志社大学教授を経て，
　現職　神戸大学名誉教授，弁護士

主要著書
　基礎演習民法（財産法）（共著，有斐閣，1993）
　民法解釈ゼミナール2物権（共著，有斐閣，1995）
　新版注釈民法(1)〔改訂版〕（分担執筆，谷口知平＝
　　石田喜久夫編，有斐閣，2002）
　法学講義民法　総則〔第3版〕（共編著，勁草書房，
　　2018）
　判例講義民法Ⅰ総則・物権〔第2版〕（共編著，
　　悠々社，2014）
　民法Ⅰ——総則〔第4版〕（共著，有斐閣，2018）

講義　物権・担保物権法〔第4版〕
The Law of Real Rights and Securities: 4th edition

2009年 3月30日　初　版第1刷発行
2014年11月15日　第2版第1刷発行
2019年 4月20日　第3版第1刷発行
2021年12月20日　第4版第1刷発行
2022年 9月30日　第4版第3刷発行

著　者　　安　永　正　昭
発行者　　江　草　貞　治
発行所　　株式会社　有　斐　閣

郵便番号101-0051
東京都千代田区神田神保町2-17
http://www.yuhikaku.co.jp/

印刷・大日本法令印刷株式会社／製本・大口製本印刷株式会社
© 2021, YASUNAGA Masaaki. Printed in Japan
落丁・乱丁本はお取替えいたします。
★定価はカバーに表示してあります。

ISBN 978-4-641-13876-6

JCOPY　本書の無断複写（コピー）は，著作権法上での例外を除き，禁じられてい
ます。複写される場合は，そのつど事前に，(一社)出版者著作権管理機構（電話03-
5244-5088，FAX03-5244-5089，e-mail:info@jcopy.or.jp）の許諾を得てください。

げる。

　なお，この問題につき，大阪弁護士会司法委員会内に設置された所有者不明土地等問題検討プロジェクトチーム（同司法委員会PT担当上田純副委員長，大砂裕幸検討PT座長）に参加させていただき，「法制審議会民法・不動産登記法部会」での審議について，同時進行的に一緒に勉強させていただいた。チームの皆さんに感謝申し上げる。

　2021年10月

神戸大学名誉教授　弁護士　安　永　正　昭

［第2刷に際しての追記］

　第4版初刷刊行後に，所有者不明土地関連法律の施行日が決定された。すなわち，土地利用の円滑化に関連する民法の規定は2023（令和5）年4月1日，相続土地国庫帰属法は同年4月27日，相続登記の申請の義務化は2024（令和6）年4月1日に施行される。

　本文を読む際に参照されたい。